PSICO-ONCOLOGIA

CIP-BRASIL. CATALOGAÇÃO NA PUBLICAÇÃO
SINDICATO NACIONAL DOS EDITORES DE LIVROS, RJ

P969

Psico-oncologia : caminhos de cuidado / organização Marília A. de Freitas Aguiar ... [et al.]. - São Paulo : Summus, 2019.
280 p.

Inclui bibliografia
ISBN 978-85-323-1133-7

1. Câncer - Pacientes - Cuidado e tratamento. 2. Câncer - Aspectos psicológicos. 3. Câncer - Pacientes - Psicologia. I. Aguiar, Marília A. de Freitas.

19-57660
CDD: 155.914
CDU: 159.938.363.6

Meri Gleice Rodrigues de Souza - Bibliotecária CRB-7/6439

www.summus.com.br

Compre em lugar de fotocopiar.
Cada real que você dá por um livro recompensa seus autores
e os convida a produzir mais sobre o tema;
incentiva seus editores a encomendar, traduzir e publicar
outras obras sobre o assunto;
e paga aos livreiros por estocar e levar até você livros
para a sua informação e o seu entretenimento.
Cada real que você dá pela fotocópia não autorizada de um livro
financia o crime
e ajuda a matar a produção intelectual de seu país.

PSICO-ONCOLOGIA

Caminhos de cuidado

Organizadoras:
Marília A. de Freitas Aguiar
Paula Azambuja Gomes
Roberta Alexandra Ulrich
Simone de Borba Mantuani

summus editorial

PSICO-ONCOLOGIA
Caminhos de cuidados
Copyright © 2019 by autores
Direitos desta edição reservados por Summus Editorial

Editora executiva: **Soraia Bini Cury**
Assistente editorial: **Michelle Campos**
Projeto gráfico: **Casa de Ideias**
Capa: **Buono Disegno**
Imagem de capa: **Shutterstock**
Diagramação: **Santana**

Summus Editorial
Departamento editorial
Rua Itapicuru, 613 – 7º andar
05006-000 – São Paulo – SP
Fone: (11) 3872-3322
Fax: (11) 3872-7476
http://www.summus.com.br
e-mail: summus@summus.com.br

Atendimento ao consumidor
Summus Editorial
Fone: (11) 3865-9890

Vendas por atacado
Fone: (11) 3873-8638
Fax: (11) 3872-7476
e-mail: vendas@summus.com.br

Impresso no Brasil

SUMÁRIO

Prefácio *9*

Apresentação *11*

PARTE I – TEMAS BÁSICOS DA PSICO-ONCOLOGIA *13*

1. **Psico-oncologia: assistência humanizada e qualidade de vida** *15*
    Marília A. de Freitas Aguiar

2. **Intervenções em psico-oncologia** *25*
    Frida A. Rumen, Márcia de Carvalho Stephan,
    Maria Jacinta Benites Gomes, Marília A. de Freitas Aguiar

3. **Comunicação como a base do cuidado de qualidade na oncologia** *35*
    Ricardo Caponero

4. **Câncer e humanização** *45*
    Carolina René Hoelzle, Marília A. de Freitas Aguiar

5. **O impacto do câncer na família** *55*
    Jussara Dal Ongaro, Carolina Seabra, Maria da Glória C. Mameluque,
    Marília A. de Freitas Aguiar, Rafael Sebben, Gláucia Rezende Tavares

PARTE II – PSICO-ONCOLOGIA PEDIÁTRICA *65*

6. **Em nome do filho: a prevalência da mãe no acompanhamento**
    da criança em tratamento oncológico *67*
    Rita Miranda Coessens Guimarães, Marília A. de Freitas Aguiar

7. **O cuidar da criança com câncer como protagonismo**
    de dor e de crescimento: o papel do pai *75*
    Maria Helena Pereira Franco

8. **A psico-oncologia e a mediação da finitude na relação**
    mãe-cuidadora e criança com câncer *83*
    Raissa M. Simões Youssef, Dáglia de Sena Costa

PARTE III – SOBREVIVENDO AO CÂNCER   91

9. Manejo da dor em oncologia: contribuições da psico-oncologia   93
    Débora Cristina dos Santos Lisboa, Dáglia de Sena Costa

10. O manejo psicológico diante da dor do paciente oncológico:
    revisão integrativa   103
    Ângela Maria Diehl, Gláucia Rezende Tavares

11. Resiliência em idosos com câncer de próstata   111
    Leliany Taize de Assis Ladeia, Marília A. de Freitas Aguiar

PARTE IV – CUIDADOS PALIATIVOS, TERMINALIDADE E LUTO   117

12. Cuidados paliativos em psico-oncologia pediátrica:
    a difícil travessia do viver para o morrer   119
    Elisa Maria Perina, Paula Elias Ortolan, Camila da Costa Parentoni

13. Representações sociais dos profissionais de saúde
    sobre a terminalidade infantojuvenil em oncologia   127
    Fernanda de Souza Fernandes, Jacks Soratto

14. Luto na infância por perda parental: os órfãos do câncer   135
    Kamila Knakiewicz, Marília A. de Freitas Aguiar

15. Cuidados paliativos: o comportamento da equipe
    do serviço de oncologia diante da morte   141
    Roberta Alexandra Ulrich, Gláucia Rezende Tavares

16. A morte na oncologia: arranjos fundamentais que
    possibilitam significar a própria experiência do morrer   147
    Keli Virginia Ebert, Regina Liberato

17. A morte e o processo do morrer em pacientes oncológicos:
    significados para a enfermagem   153
    Deolinda Fernandes Matos da Silva, Marília A. de Freitas Aguiar

18. Cuidados paliativos, terminalidade e luto:
    o profissional de saúde e os temas delicados   161
    Gláucia Rezende Tavares

PARTE V – ESPIRITUALIDADE E CÂNCER   169

19. A riqueza dos "fóruns de discussão" sobre espiritualidade
    na formação em psico-oncologia   171
    Regina Liberato

20. **Ressignificar a vida pelo câncer: a espiritualidade como estratégia de enfrentamento** *177*
Simone de B. Mantuani, Regina Liberato

21. **A abordagem da espiritualidade na assistência a pacientes oncológicos** *183*
Karynne Prado, Marília A. de Freitas Aguiar

22. **Espiritualidade e religiosidade como enfrentamento do adoecimento: uma leitura psicanalítica** *189*
Sérgio Silvério da Conceição, Dáglia de Sena Costa

PARTE VI – OS MÚLTIPLOS OLHARES DA PSICO-ONCOLOGIA *197*

23. **Quem cuida de mim?** *199*
Nely Aparecida Guernelli Nucci

24. **Câncer de mama: a relação da mulher com sua sexualidade após a mastectomia** *209*
Paula Azambuja Gomes, Regina Liberato

25. **Relação a dois e sexualidade: relatos da experiência de mulheres com câncer** *215*
Sarah Fichera, Marília A. de Freitas Aguiar

26. **O impacto psicossocial da laringectomia total: revisão de literatura** *223*
Gabrielle Dias Duarte, Marília A. de Freitas Aguiar

27. **Arteterapia em casa de apoio a paciente oncológico** *235*
Thayane Baroni Souza, Sabrina Costa Figueira

PARTE VII – PSICO-ONCOLOGIA: INTERPROFISSIONAL POR PRINCÍPIO *241*

28. **Questões psíquicas dos profissionais da onco-hematologia: dificuldades e manejo** *243*
Natália Barros Maia, Marília A. de Freitas Aguiar

29. **O estresse dos profissionais da enfermagem oncológica** *251*
Valdemilson Cristiano Gonçalves, Marília A. de Freitas Aguiar

30. **A relação do assistente social com a equipe de atendimento ao paciente oncológico: uma análise sobre interdisciplinaridade** *257*
Raqueline Assunção, Marília A. de Freitas Aguiar

31. **Interação entre nutrição e psicologia na mudança de hábitos em pacientes oncológicos** *265*
Rafaela Mota Peixoto, Marília A. de Freitas Aguiar

PREFÁCIO

Estamos diante do livro *Psico-oncologia: caminhos de cuidado*. Não se trata apenas de mais uma obra que se debruça sobre a abordagem interdisciplinar do paciente de câncer. É um trabalho atualizado sobre o tema, e escritos como este, dado sua importância, são sempre bem-vindos.

A partir de meados do século passado, os inúmeros achados científicos e o grande avanço tecnológico levaram a um aumento significativo da complexidade dos tratamentos oncológicos; ao mesmo tempo, observou-se um ganho da sobrevida dos pacientes, fazendo que o câncer, em muitos casos, seja considerado uma doença crônica. Esses fatos levantaram a necessidade de que outras especialidades participassem do tratamento oncológico – daí a importância de somar outros especialistas à equipe médica e, com isso, aumentar ainda mais a complexidade dos tratamentos.

No Brasil, desde a década de 1980 vem crescendo a preocupação com a atenção multidisciplinar ao paciente com câncer. Grupos de profissionais de várias áreas já complementavam o trabalho quer do oncologista clínico, quer do cirurgião ou do radioterapeuta. Entre esses profissionais, os psicólogos ganharam espaço e passaram a produzir trabalhos científicos, criando um corpo de saber específico bastante substancioso.

Um dos objetivos das especialidades que se agregaram ao tratamento oncológico é proporcionar cuidado integral e melhor qualidade de vida aos pacientes e a seus familiares. Para tanto, elas deverão incorporar os conhecimentos desenvolvidos pela psico-oncologia, respeitadas as especificidades de cada área. Nunca é demais lembrar que a psico-oncologia não deve ser considerada especialidade restrita aos psicólogos, como bem assinalado num dos capítulos deste livro, mas uma filosofia de atendimento ao paciente, que busca acolhê-lo e diminuir suas tensões – o que pode resultar em maior aderência aos tratamentos e ganho em longevidade, sem que isso implique procedimentos que prolonguem seu sofrimento.

Marília Aguiar, uma das organizadoras do livro, afirma no capítulo introdutório que "a doença acarreta diversas perdas – perda do momento da vida, das expectativas, dos vínculos como estão estabelecidos, dos sonhos, da esperança de futuro". Exatamente por conta dessa inesperada transformação da vida que se faz necessário um olhar sensível para o paciente e para todos aqueles que o circundam. No momento do diagnóstico de uma doença que ameaça a vida, tudo muda. Nada mais será como antes. A incerteza – sempre presente, mas nem sempre percebida – se faz clara. Com isso surgem angústias, sentimentos de desamparo, medo do sofrimento oriundo dos tratamentos, medo da morte e, sobretudo, de como ela acontecerá. Nesse longo trajeto, pacientes e suas famílias devem estar amparados por profissionais sensíveis, que estejam treinados adequadamente e com disponibilidade emocional para estar ao seu lado, garantindo-lhes suporte fundamental.

Nessa relação tão especial e sensível, acontece inevitavelmente um processo de transformação das pessoas envolvidas. Como sabemos, em um relacionamento, todos os indivíduos são afetados um pelo outro. Não há como pensar em uma via de mão única. Nenhum deles será o mesmo após uma experiência dessa natureza. O profissional por certo sairá tocado.

Assim, é importante também, nesse processo de cuidar, estar atento ao profissional. Envolvido em situações que podem se tornar adoecedoras, ele eventualmente precisará de cuidado. Muitas vezes o contato com uma doença que ameaça a vida põe em xeque nossos desejos. Desejos de sempre curar ou de sempre aliviar sofrimentos. Já tenho afirmado que a onipotência traz em si o embrião do sentimento de impotência, além da angústia causada quando se constata a inexistência de controle absoluto. Desejos que não podem ser atendidos, a vida que muitas vezes nos escapa das mãos, a inevitabilidade da morte de nossos pacientes, o que também nos põe em contato com nossa finitude e os lutos daí decorrentes. Os lutos! Tema fundamental para quem lida com pacientes oncológicos.

O luto, sem dúvida, atinge sobretudo pacientes e familiares. O diagnóstico traz em si inevitáveis mudanças de vida: cirurgias mutiladoras, limitações, tratamentos que podem não levar à esperada cura, necessidade de passar para a fase de cuidados paliativos, percepção do caminhar para a morte. Uma família sem experiência anterior de doença de um de seus membros vive situações de crise que exigem grande capacidade de adaptação. No caso de crianças com câncer, em especial, o bem-estar emocional dos pais é imprescindível, uma vez que estudos demonstram que isso favorece a evolução clínica do paciente, contribuindo com o tratamento.

Nos casos em que ocorre a morte do paciente, cabe ao psico-oncologista assegurar acompanhamento às famílias enlutadas, auxiliando-as nesse "processo de reconstrução e de reorganização diante da morte, desafio emocional e cognitivo".

Enfim, nos últimos 30 anos, muito se caminhou para o desenvolver dessa filosofia de trabalho, mas os escritos aqui apresentados deixam claro que ainda há muito a percorrer. Ao se fazer levantamentos bibliográficos ou desenvolver pesquisas, lacunas se revelam e novas questões surgem, revelando novos desafios – como, aliás, sempre acontece no campo das ciências.

Há também de se considerar a necessidade de políticas públicas que atendam as demandas surgidas com o avanço do conhecimento em relação ao câncer. E isso vai de campanhas de esclarecimento da população com vistas à prevenção de alguns tipos de câncer ao acesso a meios de diagnóstico e intervenção precoces, o que ainda não ocorre de maneira ampla em nosso país – mesmo que considerados os ganhos obtidos em decorrência do esforço de inúmeros profissionais e instituições dedicadas à melhoria no atendimento aos portadores dessa doença, incluindo-se aqui instâncias oficiais.

Tenham todos uma boa leitura.

VICENTE A. DE CARVALHO

APRESENTAÇÃO

Escrever sobre psico-oncologia é, antes de tudo, um grande desafio. Ao reunirmos mais de 40 profissionais nesta obra, pretendemos produzir um construto teórico coerente com a história desse campo do saber que está cada dia mais infiltrado na vida dos afetados pelo câncer. Afinal, o tratamento oncológico precisa ser multiprofissional, com uma abordagem interprofissional. Nosso objetivo é, antes de tudo, apresentar aos leitores uma visão ampla e atualizada que seja fonte de referências sobre o tema.

Para fins didáticos, dividimos os capítulos em sete partes. Na primeira delas, "Temas básicos em psico-oncologia", apresentamos essa ciência que contribui para humanizar o tratamento, proporcionando qualidade de vida durante o adoecimento. Os capítulos abordam as intervenções mais comuns na área, a comunicação como base de cuidado, a humanização no tratamento oncológico e o impacto do câncer na família. Não podemos esquecer que ninguém adoece sozinho e, na psico-oncologia, paciente e família formam uma unidade de cuidados.

Na segunda parte, "Psico-oncologia pediátrica", visões diferentes se complementam. A vivência das mães que acompanham o filho, a participação do pai nesse universo e a dimensão da finitude com que deparam os pais de crianças com câncer são os assuntos em pauta.

Na Parte 3, "Sobrevivendo ao câncer", os capítulos versam sobre a psico-oncologia como auxiliar no manejo da dor oncológica e sobre a resiliência em idosos com câncer de próstata, mostrando que nossa área de atuação pode contribuir sobremaneira para amenizar o sofrimento dos pacientes.

Já a quarta parte, "Cuidados paliativos, terminalidade e luto", trata das questões da finitude na infância, as percepções dos profissionais de saúde sobre a terminalidade infantojuvenil em oncologia, o luto da criança pela perda dos pais por câncer, o comportamento da equipe diante dos cuidados paliativos e da morte e os temas delicados que muitos profissionais de saúde procuram evitar a fim de proteger a si mesmos.

A Parte 5, "Espiritualidade e câncer", examina temas como os fóruns de discussão sobre espiritualidade na formação em psico-oncologia, a espiritualidade como forma de ressignificar o sofrimento e como estratégia de enfrentamento, e uma reflexão sobre alguns aspectos da visão psicanalítica sobre a espiritualidade.

A sexta parte da obra "Os múltiplos olhares da psico-oncologia" mostra a multiplicidade de olhares que compõem esse campo do saber. Os temas abordados são: os dilemas e desafios dos cuidadores; a relação da mulher com a sexualidade após a mastectomia; a relação a dois na visão de quem enfrenta o câncer; as consequências psicossociais do câncer de laringe; e a importância da arteterapia no apoio ao paciente.

A última parte "Psico-oncologia: interprofissional por princípio", analisa as questões psíquicas dos profissionais de onco-hematologia, o estresse dos profissionais de enfermagem oncológica, a relação interdisciplinar entre o assistente social e a equipe de saúde e a interação entre nutrição e psicologia na mudança de hábitos em pacientes com câncer.

Esperamos que gostem do nosso livro. Afinal, ele foi construído com o mesmo carinho e a mesma dedicação que acreditamos ser necessários para todos aqueles que desejam atuar numa área tão fundamental quanto a psico-oncologia.

MARÍLIA A. DE FREITAS AGUIAR
PAULA AZAMBUJA GOMES
ROBERTA ALEXANDRA ULRICH
SIMONE DE BORBA MANTUANI

PARTE I

TEMAS BÁSICOS
DA PSICO-ONCOLOGIA

1. PSICO-ONCOLOGIA: ASSISTÊNCIA HUMANIZADA E QUALIDADE DE VIDA

Marília A. de Freitas Aguiar

A psico-oncologia nasceu como a interface da oncologia e da psicologia da saúde. Seu desenvolvimento está relacionado com a ampliação do conhecimento sobre o câncer. Entretanto, saber que sob o guarda-chuva da palavra "câncer" encontramos mais de cem doenças diferentes e que não existe um causa definida para a doença, determinada pela conjunção de vários fatores em determinado momento, não modifica o tabu ligado ao tema. Receber o diagnóstico ainda é similar a uma sentença de morte. Embora as taxas de sobrevida sejam bastante consideráveis, em especial quando o tumor é detectado e tratado de forma precoce, infelizmente só nos lembramos dos casos em que a cura não foi possível.

No imaginário coletivo, ter câncer está associado ao que há de pior em termos de adoecimento. O tratamento é visto como sofrido e causador de inúmeras dores, humilhações físicas, mutilações e desfiguramento. A "conspiração do silêncio" ainda é comum e compromete a comunicação entre os envolvidos – e, em especial, a autonomia do paciente. Muitas perdas são vislumbradas, o que geralmente desencadeia processos emocionais, sociais, culturais e espirituais. As repercussões também afetam a família, que não é um espelho sem reflexo. Em todo o sistema reverberam os medos e as ansiedades daquele que recebe o diagnóstico e de cada um dos membros que compõem esse sistema. [1]

A doença acarreta diversas perdas – perda do momento da vida, das expectativas, dos vínculos como estão estabelecidos, dos sonhos, da esperança de futuro. Hoje, já podemos considerar o câncer uma doença crônica, e vários são os desafios na condução de uma condição de adoecimento humanizada para que haja qualidade na vida dos envolvidos no adoecimento por essa enfermidade.

Humanizando a assistência

Humana é a nossa condição de chegada na vida. Humanização, como ação que envolve atenção, cuidado e ética, é o processo pelo qual podemos, se assim escolhermos, nos desenvolver. Assim, a humanização, em especial no campo da saúde, diz respeito ao processo de atenção e cuidado dispensado a todos os envolvidos num adoecimento grave como o câncer. No entanto, esse processo precisa ser singular e único para cada indivíduo. Se humana é a nossa condição, temos o desafio de nos transformar em humanos humanizados.

Pessini e Bertachini [2] afirmam que "o cuidar humanizado implica, por parte do cuidador, a compreensão do significado da vida, a capacidade de perceber e compreender a si e ao outro situado no mundo e sujeito de sua própria história". Waldow [3] complementa dizendo que "humanizar o cuidar é dar qualidade à relação profissional de saúde-usuário do serviço acolhendo as angústias do ser humano diante da fragilidade de corpo, mente e espírito".

A atitude humanizada requer empatia, aqui definida como habilidade social desenvolvida cuja característica principal é a capacidade de compreender emocionalmente o outro. O cuidado humanizado apresenta valores éticos como respeito ao outro, compromisso, responsabilidade, solidariedade e amor.

Apresenta, também, uma dimensão estética, que se refere aos sentidos e valores que fundamentam a ação no contexto inter-relacional. Buscam-se a coerência e a harmonia entre o sentir, o pensar e o fazer. Como afirma Roselló, "a ação humana de cuidar abrange beleza e bondade. É uma ação boa porque é responsável, tem como objetivo o bem-estar, o desenvolvimento e a plenitude de forma integral do outro ser". [4]

Qualidade de vida

Vida de qualidade é o que todos queremos. Mas como definir essa qualidade quando estamos falando de pessoas envolvidas no adoecimento pelo câncer? Afinal, a perspectiva de um diagnóstico positivo já compromete a rotina do afetado. O tratamento – em geral invasivo, com efeitos colaterais que costumam ser bem desagradáveis – traz consequências físicas, psicológicas, espirituais e sociais que comprometem a qualidade de vida.

A Organização Mundial de Saúde (OMS) [5] define qualidade de vida como "a percepção do indivíduo de sua inserção na vida, no contexto da cultura e sistemas de valores nos quais ele vive e em relação aos seus objetivos, expectativas, padrões e preocupações". Isso é muito mais que a ausência de doença, muito mais que o conceito multidimensional que nos considera seres biopsicossociais e espirituais [6]. É um constructo multidisciplinar subjetivo, composto por vários domínios, entre eles o físico, o psicológico, o social e o espiritual. Em saúde, falamos sobre a percepção da pessoa sobre o impacto da sua doença antes, durante e depois do tratamento [7]. Como conceito dinâmico, é também mutável. De acordo com Menezes, a qualidade de vida "[...] é muito pessoal, tem a ver com o bem-estar do paciente, com a sua felicidade". [8]

Sobrevivendo com câncer

Quando do diagnóstico, muitas são as incertezas vividas pelo paciente, pela família e pela equipe de saúde. Afinal, não se sabe qual será o fim. Trabalha-se com chances e as estatísticas não costumam trazer acalento aos corações angustiados com o diagnóstico. O aparecimento dos sinais físicos, o medo das mutilações, as fantasias acerca da irreversibilidade da doença, a ideia constante da morte rondando, a mudança da imagem corporal e das funções sociais, a preocupação com os custos são apenas algumas das ideias que rondam o paciente.

São diversas as perdas, em especial da vida tida como normal, da rotina que era seguida até então. Em consequência, vários lutos são experimentados – luto pela perda dos sonhos relativos ao futuro, dos planos, das metas delineadas. O diagnóstico, portanto, é uma grande ameaça ao destino.

A dinâmica das relações também costuma sofrer modificações, e depende de cada paciente e do momento no ciclo vital em que se encontra a família. Consideramos aqui família um sistema de interação mútuo que convive com proximidade física e emocional. Como a interação é dinâmica, o que ocorre com um componente repercute em todas as pessoas envolvidas. [9]

Ainda sob o impacto do diagnóstico, decisões a respeito do tratamento precisam ser tomadas. Muitas vezes, esse tratamento é visto como mais assustador que o próprio diagnóstico por ser muito invasivo, às vezes até mutilador. Traz consigo a ideia de sofrimento, humilhação e dor física. As mudanças na rotina, agora preenchida com exames e consultas médicas, faz que o doente se afaste das suas relações e se perceba isolado.

O paciente de câncer tem muitas vezes dificuldade de reconhecer suas necessidades físicas e afetivas. E, se não consegue reconhecê-las, não pode atendê-las. O não reconhecimento de suas necessidades resulta numa quebra de qualidade de vida, uma vez que o próprio movimento de introspecção, natural quando estamos diante de uma adversidade, pode agravar o isolamento. Portanto, mais perdas são vivenciadas, o que desencadeia outros processos emocionais.

Outra questão bastante relevante diz respeito à trajetória percorrida pelos pacientes. Um estudo de campo mostrou que são inúmeras as dificuldades por que passam essas pessoas. Elas começam antes mesmo da definição do diagnóstico e permanecem ao longo de todo o adoecimento, como a dificuldade de acesso aos serviços, o tempo de espera pelos exames diagnósticos e o tempo para o início do tratamento. O tempo entre a percepção dos sintomas e o início efetivo do tratamento é, em média, de três meses. [10]

Estudo posterior, na mesma vertente, mostrou que essas fragilidades da rede de saúde podem gerar mais sentimentos negativos no paciente, cuja angústia e insegurança são agravadas pelo desconhecimento do funcionamento da rede de atenção. Porém, a rede de apoio social, a convivência com outras pessoas na mesma condição e a religiosidade ajudam, na medida em que constituem fonte de força e motivação para o enfrentamento do adoecimento. [11]

Estamos falando, portanto, de viver com câncer e apesar dele, de *con-viver* com os efeitos colaterais e as possíveis sequelas decorrentes do tratamento para o seu controle. Afinal, "ser sobrevivente [...] É a experiência de viver com, por ou além do câncer" [12]. Sobreviver ao tratamento também não significa necessariamente ser curado. Está relacionado com o enfrentamento e a adaptação com que o paciente e sua família procuram organizar a rotina e planejar o que está por vir. Nesse sentido, o conceito do termo "sobrevivente" muito me agrada, uma vez que torna o adoecido pelo câncer um ser proativo em seu processo, saindo do lugar da vítima passiva das circunstâncias. Sobreviver ao câncer é assumir o propósito de manter-se autônomo não importa o que aconteça, indo além das restrições do tempo de tratamento.

Terminado o tratamento: e agora, José?

Essa provavelmente é a pergunta que muitos que terminam o tratamento se fazem quando ele chega ao fim. O fim dessa fase não significa o final da experiência de ter câncer. Até os anos 1970 o objetivo dos oncologistas era curar a qualquer custo, desconsiderando-se o depois. Porém, como as taxas de sobrevida foram aumentando, a preocupação surgiu. Afinal, o que vai acontecer após o tratamento precisa ser considerado e avaliado antes dele.

Várias são as apreensões por que passam os pacientes. Dificuldades emocionais, de readaptação social, medo de recidivas. A experiência de passar pelo câncer, de sobreviver a ele, vai, mais que solicitar, exigir que se desenvolva a capacidade de conviver com

o paradoxo de reconhecer-se na condição de curado e, ao mesmo tempo, saber da possibilidade de recidiva [13]. É o que chamamos de Síndrome de Dâmocles[1]. Isso sem levantar outra questão bem relevante: o oncologista não tem muito "tempo" para cuidar do curado, uma vez que a porta de entrada do serviço é maior que a de saída. Todos os dias o oncologista recebe um novo paciente e nem todo dia ele dá alta a outro. O paciente e sua família costumam se sentir perdidos e abandonados. A fim de acompanhar corretamente essa população, é fundamental desenvolver e aprimorar habilidades e competências para oferecer uma assistência mais compreensiva, direcionando o pós-tratamento para a melhoria da qualidade de vida.

Boris Cyrulnik, sobrevivente de guerra que estudou bastante acerca do conceito de resiliência, reforça a importância da escuta de quem sofreu um trauma. Nesse sentido, passar pelo tratamento de câncer é traumático, uma vez que

> Fazer o relato da própria vida não é em absoluto expor um encadeamento de acontecimentos, é organizar as lembranças a fim de pôr ordem na representação do que nos aconteceu e é, ao mesmo tempo, modificar o mundo mental daquele que escuta. [14]

E quando a cura não vem?

Mesmo com bons índices de sobrevida, muitas pessoas ainda morrem em consequência do câncer. Nesse momento, entram em cena, com exclusividade, os cuidados paliativos. Estes são definidos como o cuidado amplo, integral e interprofissional concentrado especificamente em melhorar a qualidade de vida dos pacientes com uma doença terminal e de suas famílias – representam, assim, a humanização da terminalidade.

Os cuidados paliativos não apressam a morte nem prolongam a agonia: aceitam a morte como parte inexorável de um processo. A intervenção de

---

1. Conselheiro da corte de Dionísio, o Velho, tirano de Siracusa, Dâmocles invejava o rei, que podia ter tudo aquilo que desejasse. Certo dia, aceitou um convite do tirano e trocou de lugar com ele. Embora tivesse recebido regalias, logo percebeu que sobre sua cabeça havia uma espada de lâmina muito afiada presa por um único fio, que poderia se romper a qualquer ação intempestiva de qualquer um.

profissionais capacitados para controlar os sintomas desagradáveis e a dor, além da escuta sensível às demandas psicossociais e espirituais de todos os envolvidos, promove uma morte de qualidade ao paciente, que se torna protagonista do seu processo de morrer. A família é uma aliada importante. Por isso, a assistência deve ser interprofissional, uma vez que as demandas são muito amplas e as necessidades de todos os envolvidos precisam ser avaliadas e atendidas na medida do possível. A capacidade de comunicação, mais do que nunca, é aqui testada, com amplo respeito às decisões do paciente.

Psico-oncologia

Interface entre a psicologia da saúde e a oncologia e que se ocupa dos aspectos psicossociais e espirituais do adoecimento por câncer, nasceu da necessidade de sistematizar o corpo de conhecimentos que fornecem subsídios à assistência integral do paciente oncológico e sua família. Com recursos para intervir desde a prevenção até a iminência da morte, a psico-oncologia se ocupa dos aspectos psicológicos, afetivos e emocionais do paciente que tem ou teve câncer. Paciente e família são considerados uma unidade de cuidados e, portanto, merecem a mesma atenção. Atua na mediação das relações entre essa unidade de cuidados e a equipe multiprofissional, facilitando a comunicação a fim de proporcionar uma melhor efetividade na qualidade do tratamento. Trabalha em consonância com a filosofia da humanização do atendimento, de modo que a essência seja o cuidar integral.

Como bem disse o Cardeal Dom Paulo Evaristo Arns, "[...] acho que ninguém está preparado para lidar com uma situação dessas", pois a doença não escolhe hora nem momento para acontecer. Por isso o paciente nunca está preparado para tal. As pessoas não têm câncer ou deixam de ter por merecimento ou não. É um acontecimento que pode surpreender qualquer um em qualquer momento da vida.

A atuação do psico-oncologista deve propiciar condições para que a biografia do afetado não seja interrompida (ouvido da professora Maria Helena Franco em algum momento), sendo esta atuação dirigida às questões relativas ao câncer e ao enfrentamento da doença. Devem se deter as situações que dizem respeito às suas dificuldades de adaptação atuais, trabalhando junto ao paciente, família e equipe médica no sentido de discutir as dificuldades do presente, dando uma atenção ao futuro do doente.

O atendimento da unidade de cuidados precisa ser integral, pois estamos interessados na sobrevivência com qualidade de vida, que passa a ser a meta do tratamento oncológico, com atenção pontual às crises desencadeadas nas diversas fases do tratamento. Só para nos lembrar de que falamos em qualidade de vida como um constructo multidimensional que envolve avaliação subjetiva dos domínios da vida importantes para determinada pessoa.

Segundo Carvalho, o câncer, assim como as doenças que ameaçam a vida, é necessariamente transformador. Assim, "é essencial compreender e dar suporte a essas transformações, bem como ouvir e aprender com o paciente, tendo sempre em mente que estamos cuidando de um ser humano e não apenas da enfermidade que ele traz". [15]

Para que esse suporte seja efetivo, além de ser afetivo, precisa considerar o contexto da unidade de cuidados, observando, avaliando e validando os aspectos culturais e religiosos do grupo social a que pertence o paciente. A informação deve fluir durante todo o percurso do adoecimento, independentemente do itinerário, uma vez que são muitas as dúvidas e fantasias a respeito do câncer que povoam o imaginário do paciente e da família. As dúvidas e perguntas mudam de acordo com o processo e precisam ser esclarecidas para que não comprometam o bom andamento do tratamento. Com o diagnóstico de câncer, a percepção do mundo como um lugar seguro é abalada.

A comunicação é ferramenta essencial. É preciso aprender a ouvir e a perguntar, mesmo sabendo que tanto a unidade de cuidados quanto a equipe assistencial poderão fazer e receber perguntas complicadas, às quais preferiríamos não responder. Devem-se desenvolver competências para uma comunicação franca e dinâmica, abrindo espaço para a participação de todos os envolvidos no processo, pois muitas são as mudanças nas relações com os outros, na procura de significado da experiência vivida, tendo em mente a coconstrução de novas perspectivas sobre a vida.

Apesar de usarmos a palavra como instrumento articulador do processo reflexivo, tão importante para que a unidade de cuidados ressignifique a vida diante da adversidade, não desconsideramos que ela diz respeito a muito pouco em nosso processo de comunicação. Dizemos muito pelo tom de voz, pela postura corporal e pelos silêncios. Maturana lembra que é o entrelaçamento entre o linguajar e o emocionar que nos constitui como humanos. [16]

Paradigma mecânico *versus* paradigma quântico

O paradigma mecânico está relacionado com a ciência clássica, cartesiana – portanto, com uma concepção mecanicista e uma visão reducionista do mundo. Por essa concepção, dividimos a realidade para estudá-la em partes, de maneira direta e objetiva. O corpo humano é entendido da mesma maneira que uma máquina artificial, e o método de análise segue os princípios da mecânica newtoniana. Os fenômenos que ocorrem com o corpo, entre eles o adoecimento, seguem esses mecanicismos, que estabelecem uma relação direta entre uma causa e seu efeito. De acordo com esse paradigma, o corpo doente é visto como uma máquina estragada que precisa ser consertada. Esse fenômeno – no nosso caso, o câncer – é retirado do seu contexto, do seu ecossistema. Tanto que o portador se torna um mero informante do que se passa em seu corpo [17]. Em outras palavras, esse corpo é separado, como se isso fosse possível, e a complexidade humana fica de lado. Sobre um corpo mecânico temos o controle e, quando debelamos a doença, o sucesso.

Já no paradigma quântico, a complexidade é considerada e a prática dos cuidados é centrada na integralidade da atenção – biopsicossocial e espiritual. A saúde é entendida num sentido mais amplo do que como ausência de doença. Por isso, em psico-oncologia, trabalhamos no sentido da coconstrução de um bem-estar, da qualidade de vida, apesar do câncer. Parâmetros biológicos são avaliados dentro do contexto; afinal, mais que máquinas artificiais, somos um sistema vivo, auto-organizado, com processos cognitivos que nos permitem articular e integrar nossos componentes em uma totalidade, sem que com isso percamos nossa singularidade. [17]

Sob o olhar da psico-oncologia, paciente e família se posicionam no centro do cuidado. A equipe interprofissional está em constante e necessária interação, pois a ideia é compartilhar as decisões. O comando provém de todos os envolvidos, que vão aprendendo uns com os outros a maneira de agir e de se posicionar mais adequada a cada momento, sabendo que ajustes e reajustes conscientes são necessários ao longo de todo o tratamento. Nesse modelo, entendemos que o todo é mais que a soma das partes.

Princípios norteadores da psico-oncologia

Como todo corpo de conhecimentos, a psico-oncologia atua com princípios básicos. Estes são o norte, a direção que precisamos tomar para um cuidado de qualidade. Por isso, já começamos preconizando que o cuidado precisa ser integral. Talvez essa premissa, por si só, já explique por que a psico-oncologia não é exclusividade do psicólogo, mas uma filosofia de cuidar que deve perpassar todos os que compõem uma equipe de tratamento oncológico. Claro que cada profissão tem no seu escopo atribuições específicas, estando suas ações de acordo com as relativas competências. A sobrevivência com qualidade de vida passa a ser a meta. Não podemos esquecer que qualidade de vida é um constructo multidimensional que envolve a avaliação subjetiva dos domínios da vida que são importantes para determinada pessoa. Precisamos ver o todo, mas também a singularidade, uma vez que cada um é único. O movimento, então, é de expansão para o todo, para buscar novos caminhos, novas possibilidades e, na sequência, de contração, para enfocar a unidade de cuidados e agir de acordo com o mais adequado para aquele momento, naquela situação.

A atenção precisa ser pontual, voltada para as crises desencadeadas nas diversas fases do tratamento – mais uma vez, tendo em mente a totalidade do quadro e a singularidade do doente. Os aspectos crônicos do câncer e as implicações na qualidade da sobrevida não podem ser desprezados. Afinal, o que pode acontecer ou não depois do tratamento precisa ser pensado com antecedência. Daí a importância da ampliação do foco da cura para o bem-estar, com ênfase no controle de sintomas e no conforto do paciente.

A oncologia tem avançado bastante. Inúmeras pesquisas possibilitam que os métodos diagnósticos sejam cada vez mais seguros e precisos, bem como os tratamentos. A cada dia, novos conhecimentos levam à mudança de protocolos. Precisamos, portanto, reconhecer que os avanços em oncologia resultam em novos desafios para a equipe de saúde, para o paciente e para a família.

A atuação do psico-oncologista nas equipes viabiliza o funcionamento interprofissional e transdisciplinar, uma vez que cuidado e atenção em situações de adversidade não se limitam a um único campo de conhecimento. Dessa forma, o psico-oncologista precisa estar inserido nas rotinas dos serviços, participando das consultas conjuntas nas unidades de internação e nos ambulatórios. Cabe ao psicólogo com formação em psico-oncologia identificar as questões psicossociais e os contextos ambientais que possam facilitar o processo de enfrentamento da doença, tendo em vista que os envolvidos estão sempre expostos a situações potencialmente estressantes.

A comunicação, intrínseca à condição humana, é a ferramenta de trabalho fundamental do psico-oncologista. Caponero [18] lembra que em oncologia esse processo se dá entre um profissional e um paciente que não escolheu estar ali, ouvindo o está sendo dito. Para Bertachini e Gonçalves [19], comunicar é

partilhar com alguém um conteúdo de informações, pensamentos, ideias e desejos, por meio de códigos comuns, sendo a linguagem falada a mais utilizada universalmente. Isso responde à necessidade de integração social do homem, na busca constante e infinita de experiências e conquistas.

A comunicação exige competências e habilidades que podem e devem ser desenvolvidas, em especial na área da saúde, uma vez que é também ferramenta de humanização da assistência por favorecer o entendimento e a reciprocidade dos conteúdos ligados ao significado da doença e às atitudes coerentes perante o tratamento e a promoção da saúde e da vida.

Como instrumento de trabalho, precisamos estar atentos ao conteúdo, ao fato, à informação que se pretende transmitir e também aos sentimentos envolvidos, avaliando o que a pessoa quer comunicar e como se sente sobre isso – afinal, relacionamento é também comunicação ampliada.

Em situações de adoecimento, é preciso criar um espaço seguro e continente para a expressão de sentimentos e pensamentos. É importante, também, explorar estilos de enfrentamento que favoreçam a adaptação a essa situação adversa, sempre tendo em vista que é preciso compreender a totalidade do quadro e a singularidade de cada pessoa. Entender que comunicamos não só por palavras, mas também por gestos, expressões faciais, posturas corporais, silêncios e não ditos é a base da comunicação empática.

A disponibilidade para esclarecimentos deve ser constante. Por isso a presença de um profissional com formação em psico-oncologia é tão importante, sendo fundamental acompanhar o paciente e a família, criando condições para que façam perguntas. Muitas vezes eles necessitam de um tempo maior para refletir e elaborar as notícias que receberam. Precisam saber que quando voltarem terão um parceiro no tratamento.

Conhecer sua verdadeira condição facilita ao paciente dissipar seus medos e fantasias, reforçando sentimentos de cooperação, confiança e esperança – elementos constitutivos do enfrentamento que são protetores à saúde humana, também necessários à sua transcendência. A clareza da informação nos livra da "conspiração do silêncio", quando cada um se fecha em si mesmo achando que com isso está protegendo o outro.

A escuta é muito importante. Escutar significa, primeiramente, acolher aquele que fala, mesmo que no momento não faça sentido. Depois é preciso ajudá-lo a buscar um sentido para o que está vivendo no momento. Como bem disse Viktor Frankl [20], "quem tem um porquê na vida enfrenta qualquer como". Precisamos garantir aos assistidos que serão acompanhados até o final, seja lá qual este for.

A qualidade da ação do profissional perpassa a compreensão de que é preciso ir além do entender, do notar, do explicar as necessidades fisiológicas. É estar com o outro como pessoa em sua totalidade, e não apenas com a sua doença e/ou seu tratamento.

São inúmeras as notícias que precisam ser passadas para a unidade de cuidados (paciente + família), e muitas delas não serão boas. Más notícias não vão se transformar em boas notícias. Portanto, para que não tenham um impacto maior do que o real, é importante que sejam mensagens claras, passadas pela equipe, por profissionais preparados, com tempo e disposição para o acolhimento às dúvidas e perguntas. Os momentos mais delicados para essas conversas costumam ser quando do diagnóstico, da recidiva, da progressão e da transição para os cuidados paliativos exclusivos.

Já falamos anteriormente de todo o estigma que o câncer traz consigo. Não só o paciente, mas também os profissionais são afetados pelo medo da morte. Não falar de medos e temores, dores e sofrimentos não faz que deixem de existir. O que pode acontecer é o seu agravamento. Como lembra Perdicaris [21], "as palavras, o olhar, os gestos e o silêncio podem ser mais cortantes que o mais afiado bisturi, ou mais analgésicos que o mais potente entorpecente".

Atuação, relevância e foco

A convivência com uma doença grave como o câncer é uma ameaça ao destino que abre uma ferida no nosso sentimento de onipotência e imortalidade, fazendo-nos perder a ilusão de controle. Vamos deparar com os efeitos biológicos, psicossociais e espirituais da doença. Dos efeitos biológicos vamos tratar e das suas repercussões vamos cuidar. Mesmo porque relatos de pacientes sobre sintomas somáticos são associados mais às suas preocupações emocionais e sociais do que ao seu estado geral de saúde.

A fim de que os envolvidos possam passar pela experiência do adoecimento de maneira saudável, atuamos para minimizar os efeitos do câncer sobre o comportamento e as emoções do paciente, de sua família e dos profissionais cuidadores. A psico-oncologia atua desde a prevenção, se faz presente na fase do diagnóstico, durante o tratamento, no acompanhamento a cirurgias (quando necessárias), na reabilitação, na sobrevida, com os curados e no acolhimento ao luto dos que ficaram.

As intervenções são dirigidas às questões relativas ao câncer e ao enfrentamento da doença. Devem se ater a situações que dizem respeito às dificuldades de adaptação atuais do paciente e ser trabalhadas com ele, com a família e com a equipe médica. Uma unidade de cuidados bem assistida poderá se descobrir capaz de desenvolver competências para o enfrentamento das adversidades, renovando-se e não temendo as mudanças impostas pelas intercorrências do tratamento, que requer ajustes constantes. Seus membros terão a oportunidade de pôr à prova a própria capacidade de "mostrar-se à altura das circunstâncias", já que todos querem ser "doentes bem-sucedidos".

A partir da elaboração de um plano de cuidados a equipe, junto com o paciente e sua família, parte da premissa de que a ação em conjunto proporciona uma atenção com ênfase na qualidade de vida. Como vimos, ao paciente não cabe o papel de vítima das circunstâncias. É importante que seja proativo. Sua autonomia é valor e, como tal, respeitada. Aos poucos, o paciente vai sendo encorajado a desenvolver uma nova identidade, diferente da anterior, mas não permeada pela vitimização.

As possibilidades de intervenção em psico-oncologia são bem amplas e versam sobre:

1. adesão, adaptação, enfrentamento e qualidade de vida em pacientes, familiares e sobreviventes de oncologia e áreas correlatas, considerando as diferentes etapas do desenvolvimento humano (infância, adolescência e vida adulta);
2. formação e atuação da equipe de saúde, focalizando as relações interprofissionais e as dimensões institucionais em uma perspectiva interdisciplinar;
3. compreensão da atividade voluntária, enfatizando a descrição das ações, os aspectos motivacionais e a necessidade de formação e treinamento;
4. avaliação de técnicas de preparação psicológicas para a clientela submetida a procedimentos cirúrgicos e invasivos;
5. qualidade de vida para todos os envolvidos;
6. repercussões nas equipes de saúde;
7. reações parentais durante as diferentes fases da doença (diagnóstico, tratamento, recidiva, sobrevivência, morte);
8. qualidade da recuperação e da reabilitação do paciente e de seus familiares;

9. sobrevivência em oncologia;
10. cuidados paliativos;
11. síndrome de *burnout* e fadiga por compaixão;
12. escolaridade.

A atuação da psico-oncologia vem sendo legitimada por legislação pertinente. Em 1998, o Ministério da Saúde editou a portaria n. 3.535/98, que institucionalizou a necessidade da presença de psicólogos clínicos nos centros oncológicos do governo ou prestadores de serviços ao SUS. Em 2005, outra portaria, a de n. 2.439/05, instituiu uma "Política Nacional de Atenção Oncológica: Promoção, Prevenção, Diagnóstico, Tratamento, Reabilitação e Cuidados Paliativos", que deveria ser criada em todas as unidades de tratamento de oncologia.

Já em 2013, nova portaria, agora de n. 874/13, revisou e atualizou a anterior, criando a Política Nacional para Prevenção e Controle do Câncer na Rede de Atenção à Saúde. Pela portaria, deve haver uma integração de toda a rede de atenção à saúde a fim de prestar serviços de qualidade ao paciente oncológico. Os objetivos são reduzir a mortalidade e a incapacidade causadas por essa doença e diminuir a incidência de alguns tipos de câncer, bem como contribuir para a melhoria da qualidade de vida dos usuários com câncer por meio de ações de promoção, prevenção, detecção precoce, tratamento oportuno e cuidados paliativos.

Cuidados com a equipe

Quando afirmamos que os envolvidos no tratamento oncológico passam por constantes situações potencialmente estressantes, não estamos excluindo os profissionais. Afinal, cabe a eles a difícil missão de alcançar o equilíbrio para prestar uma assistência técnica e científica, afetiva e humana, de uma só vez.

O estresse é uma reação diante da necessidade de adaptação a situações que exigem desafios e causam um desequilíbrio na homeostase interna. Há um enfraquecimento do organismo, pois este não consegue se adaptar nem resistir ao agente estressor, o que aumenta a vulnerabilidade a doenças. [22]

Trabalhar em oncologia desencadeia uma elevada carga tensional, uma vez que o profissional está exposto constantemente a situações adversas e desafiadoras. Cabe ao psico-oncologista estar atento aos colegas a fim de prevenir a síndrome de *burnout* ou até mesmo a fadiga por compaixão do profissional. A primeira é um distúrbio adaptativo que se caracteriza pelo esgotamento físico, mental e psíquico do profissional (no nosso caso, o de saúde). Já a fadiga por compaixão pode ser entendida como um estado em que a energia da compaixão que foi gasta ultrapassa a capacidade de recuperação. Assim como a síndrome de *burnout*, gera consequências físicas e psicológicas negativamente significativas.

Por fim, mas não menos importante

Atuar na oncologia com a visão da psico-oncologia permite humanizar um fazer que envolve pessoas em momento de muita fragilidade, tomadas por medos e angústias que dizem respeito à sua vida e, em especial, à continuidade dela. Claro que contribuir para a eliminação, ou mesmo a diminuição, do estigma do adoecimento por câncer ajuda sobremaneira a unidade de cuidados. Porém, na condição de sociedade, o caminho é longo.

Mesmo quando o câncer não for encarado como uma sentença de morte, o olhar da psico-oncologia vai facilitar seu enfrentamento e o desenvolvimento da resiliência, tão necessária à vida, em especial após a doença. Cyrulnik [14] faz uma importante diferenciação entre enfrentamento, ou *coping*, e resiliência. O autor reforça que *coping* não é resiliência. O *coping* diz respeito a uma provação, segundo suas palavras, que precisamos enfrentar no momento em que se apresenta, como o diagnóstico e o tratamento do câncer. Só poderemos falar de resiliência mais tarde, no que ele chama de pós-golpe, quando a pessoa tiver de se confrontar com a memória daquilo que sofreu. E isso se aplica também à família e à equipe de cuidados.

Para ajudar os envolvidos no adoecimento por câncer a passar por esse processo e sobreviver a ele, esperamos contribuir formando profissionais dispostos a promover melhor qualidade de vida, relações interpessoais mais gratificantes e maior realização pessoal, além de melhor saúde física e mental.

Referências

1. Ambrosio, D. C. M.; Santos, M. A. "Vivências de familiares de mulheres com câncer de mama: uma compreensão fenomenológica". *Psicologia: Teoria e Pesquisa*, v. 27, n. 4, 2011, p. 475-84. Disponível em: <http://www.scielo.br/scielo.php?script=sci_arttext&pid=S0102-37722011000400011&lng=en&nrm=iso>. Acesso em: 24 mar. 2019.

2. Pessini, L.; Bertachini, L. "Introdução". In: Pessini, L.; Bertachini, L. (orgs.). *Humanização e cuidados paliativos*. São Paulo: Loyola, 2004, p. 1-7.

3. Waldow, V. R. *Cuidar, expressão humanizadora da enfermagem*. Petrópolis: Vozes, 2006.

4. Roselló, F. T. *Antropologia do cuidar*. Petrópolis: Vozes, 2009.

5. The WHOQOL Group. "The World Health Organization quality of life assessment (WHOQOL): position paper from the World Health Organization". *Social Science and Medicine*, v. 10, 1995, p. 1403-09.

6. Miranda, S. L.; Lanna, M. A. L.; Felippe, W. C. "Espiritualidade, depressão e qualidade de vida no enfrentamento do câncer: estudo exploratório". *Psicologia: Ciência e Profissão*, v. 35, n. 3, 2015, p. 870-85.

7. Ottati, F.; Souza Campos, M. P. "Qualidade de vida e estratégias de enfrentamento de pacientes em tratamento oncológico". *Acta Colombiana de Psicología*, v. 17, n. 2, 2015, p. 103-11. Disponível em: <https://editorial.ucatolica.edu.co/ojsucatolica/revistas_ucatolica/index.php/acta-colombiana-psicologia/article/view/169/209>. Acesso em: 24 mar. 2019.

8. Menezes, R. A. *Em busca da boa morte: antropologia dos cuidados paliativos*. Rio de Janeiro: Garamond, 2004.

9. Méndez, C. L.; Coddou, F.; Maturana Romesín, H. "A constituição do patológico: ensaio para ser lido em voz alta por duas pessoas". In: Maturana Romesín, H. (org.). *Da biologia à psicologia*. Porto Alegre: Artes Médicas, 1998.

10. Teston, E. F. *et al.* "Feelings and difficulties experienced by cancer patients along the diagnostic and therapeutic itineraries". *Escola Anna Nery* [on-line], v. 22, n. 4, ago. 2018. Disponível em: <http://www.scielo.br/scielo.php?script=sci_arttext&pid=S1414-81452018000400214&lng=pt.> Acesso em: 24 mar. 2019.

11. Muniz, R. M.; Zago, M. M. F.; Schwartz, E. "As teias da sobrevivência oncológica: com a vida de novo". *Texto & Contexto em Enfermagem*, Florianópolis, v. 18, n. 1, jan.-mar. 2009, p. 25-32.

12. *Ibidem.*

13. Carvalho, M. M. "Psico-oncologia: história, características e desafios". *Psicologia USP*, v. 13, n. 1, 2002, p. 151-66. Disponível em: <http://www.scielo.br/scielo.php?script=sci_arttext&pid=S0103-65642002000100008&lng=en&nrm=iso>. Acesso em: 24 mar. 2019.

14. Cyrulnik, B. *Corra, a vida te chama: memórias*. Rio de Janeiro: Rocco, 2013.

15. Carvalho M. M., 2002, *op. cit.*

16. Maturana, H. "Reflexões sobre o amor". In: Magro, C.; Graciano, M.; Vaz, N. (orgs.). *A ontologia da realidade*. Belo Horizonte: Ed. da UFMG, 1997.

17. Anderson, M. I. P.; Rodrigues, R. D. "O paradigma da complexidade e os conceitos da medicina integral: saúde, adoecimento e integralidade". *Revista Hospital Universitário Pedro Ernesto*, v. 15, n. 3, 2016, p. 242-52. Disponível em: <https://www.e-publicacoes.uerj.br/index.php/revistahupe/article/view/29450>. Acesso em: 24 mar. 2019.

18. Caponero, R. *A comunicação médico-paciente no tratamento oncológico: um guia para profissionais de saúde, portadores de câncer e seus familiares*. São Paulo: MG, 2015.

19. Bertachini, L.; Gonçalves, M. J. "A comunicação como fator de humanização da terceira idade". In: Pessini, L.; Bertachini, L. (orgs.). *Humanização e cuidados paliativos*. São Paulo: Loyola, 2004, p. 113.

20. Frankl, V. E. *Em busca de sentido*. Petrópolis: Vozes, 1985.

21. Perdicaris, A. A. M. *Além do bisturi: novas fronteiras na comunicação médica*. Santos: Universitária Leopoldianum, 2005.

22. Burlá, C. P. Y. L. "Humanizando o final da vida em pacientes idosos: manejo clínico e terminalidade". In: Pessini, L.; Bertachini, L. (orgs.). *Humanização em cuidados paliativos*. São Paulo: Loyola, 2004, p. 125-34.

2. INTERVENÇÕES EM PSICO-ONCOLOGIA

FRIDA A. RUMEN, MÁRCIA DE CARVALHO STEPHAN,
MARIA JACINTA BENITES GOMES, MARÍLIA A. DE FREITAS AGUIAR

Abordar as intervenções em psico-oncologia não é tarefa fácil, mas pode-se dizer que existem sete eixos importantes quando se pensa nessa área do conhecimento:

- comunicação em oncologia;
- contextos de atuação em psico-oncologia;
- câncer e as diversas fases do desenvolvimento;
- teorias de enfrentamento;
- família do paciente oncológico;
- abordagem multidisciplinar da dor;
- equipe multidisciplinar em oncologia.

Escolhemos quatro desses tópicos para realizar uma discussão mais aprofundada.

Comunicação em oncologia

A palavra "comunicação" deriva do termo latino *communicare*, que significa "partilhar, participar de algo, tornar comum". Seguindo esse raciocínio, confirmamos a importância de o profissional compartilhar, participar e estar presente no momento da comunicação de um diagnóstico e no decorrer do tratamento, sempre de forma atenta e cuidadosa.

A comunicação em oncologia é sempre grave: quem consulta um oncologista, em geral, já passou por exames, procedimentos ou cirurgias. Uma biópsia positiva para câncer é o amedrontador passaporte para a visita a esse especialista.

Para que a comunicação adequada possa acontecer, é preciso que haja um local adequado, tempo oportuno e senso crítico. Devem-se oferecer informações verdadeiras de forma delicada e progressiva, segundo as necessidades do paciente. Este precisa sentir-se cuidado e acompanhado, assim como sua família.

A comunicação das notícias que surgem no curso da relação de um oncologista com o paciente e seus familiares certamente inclui momentos de gravidade, tensão e tristeza.

Segundo Perdicaris e Silva [1], os profissionais de saúde devem: facilitar o alívio sintomático eficaz e melhorar a autoestima do paciente; ajudá-lo a manter a esperança; conhecer seus valores espirituais, culturais e medidas de apoio; auxiliá-lo a vencer o tabu da morte; dar tempo para que ele resolva assuntos pendentes; reforçar o princípio da autonomia; detectar as necessidades da família; melhorar a relação entre o paciente e seus entes queridos; tornar mais direta e interativa a relação médico-paciente.

São aspectos importantes a ser levados em conta no momento da comunicação com pacientes e familiares: o uso de linguagem adequada, clara, simples e abrangente; a garantia de que a unidade de cuidados não será abandonada; falar e ouvir sobre medos, desejos, sonhos, esperanças e sobre a morte; compaixão, sensibilidade e cuidado na comunicação do profissional.

Embora seja do oncologista a prerrogativa da comunicação médica, tratar um câncer não é tarefa que caiba exclusivamente a um único profissional.

Inevitavelmente, a abordagem oncológica é sinônimo de interdisciplinaridade. Muitas são as especialidades médicas e da área de saúde como um todo envolvidas nos exames e nos tratamentos.

Assim, "a comunicação como instrumento de trabalho, na prática médica, transcende a relação interpessoal, pois apresenta várias facetas na busca de intervenções educativas relacionadas com a assistência à doença e a promoção da saúde, numa configuração interdisciplinar". [1]

Comunicar o diagnóstico de câncer é traumático tanto para quem recebe quanto para quem relata. É imperioso separar o mensageiro da mensagem.

As vantagens de uma boa comunicação se refletem na maior adesão ao tratamento e na cooperação do paciente e de seus familiares. O paciente quer sentir que é parte de um time que joga junto pelo mesmo objetivo. Se o paciente sentir que o que lhe é oferecido a cada etapa do percurso é o que há de melhor para ele, certamente haverá maior contentamento.

Há momentos, porém, em que não há boas notícias a relatar. Decisões precisam ser tomadas, tanto na mudança do curso do tratamento quanto na passagem para os cuidados paliativos.

O paciente não quer apenas saber os fatos, ele quer poder acreditar. Uma batalha está sendo proposta e ele precisa saber que o médico está ao seu lado. A má notícia, quando dita, precisa vir seguida de um plano claro, preciso e que inclua riscos e possibilidades.

Ouvir "eu não tenho mais nada a oferecer" é terrível, cruel e acarreta a vivência da fantasia do abandono. Sempre há o que fazer para cuidar do paciente. Em determinado momento, os cuidados paliativos eficazes podem ser a melhor e única solução. Nesses casos, se o processo for bem conduzido, a perspectiva de esperança do paciente, de seus familiares e da equipe pode se modificar, e o bem-estar, a qualidade de vida e a manutenção da dignidade tornam-se os objetivos almejados, até o fim da vida.

Dizer ou não dizer a verdade é uma questão permanente. Por mais que utilize mecanismos de negação, o paciente sente e sabe quando não está melhorando, e a convivência da equipe com a mentira não é desejável. Ouvir seus sentimentos, atender pedidos possíveis e ajudá-lo a resolver pendências de qualquer sorte são funções precípuas da equipe de saúde nessa fase.

Penson *et al.* [2] afirmam que 85% dos pacientes desejam uma estimativa realista da sua expectativa de vida se ela for menor do que um ano. Uma data predeterminada, porém, pode descolorir o tempo restante.

A incerteza do momento da morte é um pré-requisito para que a vida tenha sentido e valor. Afinal, é parte da condição humana saber que se vai morrer e não saber como nem quando.

O médico não precisa compartilhar inteiramente as esperanças e os medos do paciente para respeitar, conhecer e responder a eles.

A capacidade de comunicar as más notícias efetivamente e com compaixão não inclui apenas a clareza da informação, mas visa proporcionar:

- apoio emocional;
- resposta às reações emocionais dos familiares;
- confirmação de apoio e presença até o desenlace;
- participação nas decisões, desde o início do tratamento, nas mudanças de curso até as finais;
- manutenção do senso de esperança.

Teorias de enfrentamento

Enfrentamento é o conjunto de ações e estratégias para lidar com um acontecimento estressante. Objetiva controlar ou dominar o estado emocional consequente ao estresse.

O enfrentamento ou *coping* é, portanto, concebido como o conjunto das estratégias utilizadas pelas pessoas para se adaptar a circunstâncias adversas. Os esforços dispendidos pelos indivíduos para lidar com situações estressantes, crônicas ou agudas constituem objeto de estudo da psicologia social, clínica e da personalidade, encontrando-se fortemente atrelados ao estudo das diferenças individuais. [3]

Desde o início do século, pesquisadores vinculados à psicologia do ego têm concebido o *coping* como correlato aos mecanismos de defesa, motivado interna e inconscientemente para lidar com conflitos sexuais e agressivos. Fatos externos e ambientais, posteriormente incluídos como possíveis desencadeadores dos processos de *coping,* foram, a exemplo dos mecanismos de defesa, categorizados hierarquicamente no sentido dos mais imaturos aos mais sofisticados e adaptativos. Assim, para essa primeira geração de pesquisadores, o estilo de *coping* utilizado pelos indivíduos era concebido como estável, numa hierarquia de saúde *versus* psicopatologia.

Com base nessa perspectiva inicial, surgiram algumas distinções com o objetivo de diferenciar os mecanismos de defesa do *coping* propriamente dito. Os primeiros foram classificados como rígidos, inadequados com relação à realidade externa, originários de questões do passado e derivados de elementos inconscientes. Já os comportamentos associados ao *coping* foram classificados como mais flexíveis e propositais, adequados à realidade e orientados para o futuro, com derivações conscientes. Essa abordagem tem sido bastante criticada em função das dificuldades teóricas da psicologia do ego de testar empiricamente suas concepções. [4]

A partir dos anos 1960, estendendo-se pelas duas décadas seguintes, uma segunda geração de pesquisadores buscou enfatizar os comportamentos de *coping* e seus determinantes cognitivos e situacionais, passando a definir *coping* como um processo transacional entre a pessoa e o ambiente, com ênfase no processo, tanto quanto em traços de personalidade.

Mais recentemente, uma terceira geração de pesquisadores voltou-se para o estudo das convergências entre *coping* e personalidade. Tal tendência tem sido motivada, em parte, pelo corpo cumulativo de evidências que indicam que fatores situacionais não são capazes de explicar toda a variação nas estratégias de *coping* utilizadas pelos indivíduos.

O *coping* abrange uma enorme gama de possibilidades cuja eficácia é variável. Falamos sempre em eficácia ou ineficácia das estratégias de enfrentamento, sendo uma das funções do psicólogo ajudar o paciente a adquirir estratégias eficazes de controle ou de ação sobre o fato.

Coping **como processo**

O *coping* refere-se a esforços cognitivos e comportamentais, em constante mudança, que visam gerenciar demandas internas e/ou externas específicas que são avaliadas como categóricas ou excedem os recursos da pessoa.

O processo de *coping* se ocupa do que a pessoa realmente pensa ou faz durante o acontecimento específico e das mudanças de pensamento e ação em seu desenrolar. Assim, implica uma constante reavaliação da eficácia, visando a modificações adaptativas.

O coping **baseado no foco**

Segundo essa conceituação, estudamos o tipo de atuação utilizado pelo indivíduo para gerenciar o estresse.

- Foco na emoção – Quanto maior a ameaça, mais primitivas, desesperadas e regressivas tendem a ser as formas de enfrentamento.
- Foco no problema – O indivíduo analisa o problema e realiza uma avaliação secundária cortical que é equacionada com vistas a um projeto de futuro em médio ou longo prazo.

O *coping* eficaz usa uma combinação desses dois focos. Observa-se, com frequência, que a capacidade do paciente de ouvir o que o médico tem a dizer sobre o prognóstico e os procedimentos pode ser significativamente prejudicada pelo alto nível de ameaça trazida pelo diagnóstico.

O profissional perceptivo reconhece que o paciente necessita de tempo para se ajustar à notícia antes que outras informações sobre tratamento e diagnóstico sejam absorvidas. Não é negação, mas uma diminuição do funcionamento cognitivo diante de um conteúdo ameaçador.

Alguns profissionais desenvolvem estratégias de distanciamento e esquiva para diminuir sua angústia e aflição e assim conseguir executar tarefas necessárias com eficácia, enquanto para o paciente tais estratégias denotam uma atitude desligada e mecânica.

Pensando na diferença entre *coping* e controle, observamos que a estratégia de *coping* objetiva certo controle do problema, mas não apenas isso: o processo visa à resolução, sendo seu lócus de ação interno. O sujeito busca uma ação eficaz. Já o controle apenas intenta estancar a ameaça.

A eficácia do enfrentamento depende de uma avaliação cognitiva acurada. Depois da reação geral de alarme diante da ameaça, há uma *avaliação primária* e outra *secundária*.

Na avaliação primária, somente se percebe a ameaça e prepara-se o organismo. Em seguida, quando a ameaça é identificada (processos cognitivos e corticais), a resposta pode mudar segundo seu *significado* para cada um.

Um fóbico, por exemplo, ao se submeter a uma ressonância magnética, é capaz de desencadear uma resposta tão forte de estresse pela posição na máquina de exame que pode provocar uma grave crise de ansiedade e até um infarto. Já a pessoa "normal" consegue controlar a ansiedade, apesar do estresse, e logo que o estímulo acaba, no final do exame, volta à linha basal de liberação dos hormônios do estresse – adrenalina e cortisol.

A exposição a um estressor anterior com efeito nocivo pode levar a um comportamento aprendido de resposta ao estresse, que é ativada em determinados sujeitos e não em outros.

Quando o psicólogo consegue mediar, associar, desassociar e ressignificar esses conteúdos, ajuda o organismo do paciente a funcionar melhor.

Na avaliação secundária, por sua vez, o córtex avalia se há necessidade de dar continuidade à ativação, diminuí-la, aumentá-la ou anulá-la.

No excelente livro *A mente e o câncer*, Bizzarri afirma que "elaborações cognitivas e resposta emocional decidem a natureza do estímulo e ativam uma reação específica que pode ou *não* levar a síndrome de adaptação". [5]

Portanto, constatamos que a síndrome de adaptação pode propiciar a oportunidade de lidar da melhor forma possível com o estressor.

É papel do psico-oncologista identificar e modificar formas negativas de *coping* e incentivar novos modelos de ação e ressignificação de conceitos, crenças e atitudes.

A família do paciente oncológico

Quando falamos do tratamento de câncer, imediatamente nos reportamos a uma tríade: o paciente, a família e a equipe de saúde. Afinal, uma doença estigmatizada, carregada de incertezas e temida como potencialmente fatal traz necessariamente à cena outros protagonistas, além do próprio paciente.

A família é um deles.

Desde os anos 1950, o paciente oncológico é descrito no contexto familiar. O sofrimento da família é visto como recíproco ao do paciente. A família participa como "pacientes de segunda ordem", especialmente em situações críticas do tratamento – no momento da comunicação do diagnóstico, nas decisões sobre o rumo do tratamento, na passagem para os cuidados paliativos e no cuidado domiciliar.

Segundo Pereira Franco [6], o envolvimento com a família precede o diagnóstico. A família está presente quando observa e avalia um sintoma, quando sugere ou providencia uma consulta médica, quando recorre a uma solução anteriormente provada eficaz. Pode também ser consultada quando a pessoa tem de decidir por determinada conduta.

Pode-se dizer que a crise decorrente da doença começa antes do diagnóstico, quando a família tem alguma percepção ou interpreta sintomas como de risco e une-se ou fragmenta-se, pela dificuldade de lidar com os sintomas e sistemas médicos. A maneira como o indivíduo e a família agem na fase do pré-diagnóstico pode ser reveladora, pois sugere os padrões que persistirão ao longo da doença e os mecanismos de enfrentamento que serão utilizados.

No enfrentamento da doença pela família, há fatores facilitadores e complicadores:

Fatores facilitadores	Fatores complicadores
Estrutura familiar flexível que permita o reajuste de papéis	Padrões disfuncionais de relacionamento, interação, comunicação e solução de problemas
Boa comunicação com a equipe profissional e entre os membros da família	Sistemas de suporte formal e informal inexistentes ou ineficientes
Conhecimento dos sintomas e do ciclo da doença	Outras crises familiares simultâneas à doença
Participação nas diferentes fases, para obter senso de controle	Falta de recursos econômicos e sociais, cuidados médicos de pouca qualidade e dificuldade de comunicação com a equipe médica
Sistemas de apoio informal e formal disponíveis	Doenças estigmatizantes e pouca assistência

A família do paciente oncológico, embora tendo de manejar o próprio sofrimento, necessita manter-se suficientemente funcional para cuidar do paciente e dar suporte a ele.

Estudos sobre famílias enlutadas também oferecem contextualização teórica e sugestões de intervenções clínicas. É interessante notar que as famílias que passaram por dificuldades e muito sofrimento durante a doença de um de seus membros não se sentiam aliviadas após a morte do paciente. Já as famílias que na mesma situação recebiam suporte emocional adequado, enquanto o paciente ainda estava vivo, ajustavam-se melhor à perda do que nos casos em que esse mesmo tipo de apoio era dado apenas após a morte.

Constatamos, de fato, que é fundamental incluir a família na unidade de cuidados para prevenir processos de luto complicado.

É possível observar tipos distintos de família – as que apoiam e cuidam, as hostis e as que manifestam muita raiva. Tal observação permite prever maior ou menor dificuldade de adaptação às situações mais penosas, ao longo das várias etapas da doença e do tratamento. No caso de famílias que enfrentam o câncer de filhos, por exemplo, há rupturas duradouras na estrutura e na dinâmica familiar. É grande a incidência de sintomas pós-traumáticos encontrada em pais e, em maior intensidade ainda, em mães.

Segundo Valle, "a vitória alcançada pode ter um preço a pagar. Pode restar uma cicatriz, podem ficar marcas que são vividas subjetivamente, conforme as experiências de medo, de angústia e das dificuldades enfrentadas". [7]

A família como provedora do cuidado

É no contexto da família que a doença acontece e a saúde é restabelecida. Esse é um fato indiscutível.

A princípio, as pessoas doentes eram tratadas em casa, com a participação de todos, inclusive das crianças. A rotina da família se mantinha em torno do leito. Havia pouco a fazer em relação ao câncer. De fato, a morte era inevitável. A dor e o sofrimento, também. A medicina baseava-se no aforismo de Hipócrates: curar às vezes, aliviar sempre que possível, consolar sempre. A presença e o apoio do médico da família, como amigo e conselheiro, na doença e na saúde, eram fundamentais.

A definição de Hipócrates sobre a medicina, presente no livro *Peri Tékhne* (Da arte), foi seguida por muitos séculos: "Quanto à medicina, tal como eu a concebo, penso que o seu objetivo, em termos gerais, é o de afastar os sofrimentos do doente e diminuir a violência das suas doenças, abstendo-se de tratar os doentes graves para os quais a medicina não dispõe de recursos". [8]

Os avanços da medicina, da farmacologia e da biotecnologia modificaram drasticamente esse quadro a partir do final do século 19. O papel da família, nesse contexto, também mudou muito, já que o câncer passou a ser tratado, controlado ou curado. Cada vez mais a medicina dispõe de recursos; de doença inevitavelmente fatal o câncer passou, em muitos casos, a ser considerada doença crônica.

Atualmente, os pacientes oncológicos ficam cada vez menos nos hospitais. Cabe à família o desempenho de funções para as quais não está tecnicamente capacitada, como cuidador informal que é. Lidar com curativos, controlar a medicação para dor ou outros sintomas e utilizar vias especiais de alimentação são algumas das muitas tarefas práticas, eventuais ou permanentes, das quais a família se ocupa.

Quando a rotina da família se altera dessa forma e as rupturas inevitáveis na estrutura do grupo habitual alteram o senso de prioridades, transformam a configuração dos papéis de seus componentes e a relação entre eles. Sonhos, segurança em relação ao futuro, projetos pessoais: muita coisa pode mudar.

É possível sintetizar em sete tópicos principais o que é esperado da família durante o tratamento oncológico de um de seus membros:

1. Provisão de suporte emocional para o paciente, com controle das próprias emoções.
2. Corresponsabilidade nas decisões.
3. Disponibilidade para o cuidado necessário.
4. Participação nas despesas pecuniárias.
5. Adiamento de planos e projetos individuais.
6. Manutenção da estabilidade da própria família.
7. Adaptação às mudanças.

Os membros da família – como cônjuges, pais, filhos e irmãos – tornam-se pacientes de "segunda ordem", pois ficam especialmente vulneráveis, podendo mostrar níveis de distúrbio emocional e funcional iguais ou maiores do que os do próprio paciente. Entre os sintomas comuns estão estresse pós-traumático e distúrbios psicossomáticos e de comportamento.

Na interface família-equipe de saúde, desde o momento em que o câncer é diagnosticado, os assuntos relacionados à doença passam a ser o centro da atenção familiar, sendo a equipe de saúde investida de enorme poder e importância.

Quando há uma boa interação e, por conseguinte, boa adaptação ao contexto do tratamento, a família apreende as crenças explícitas ou implícitas e as regras do sistema médico e as adota como suas. Nos casos em que há incongruência entre a cultura médica dominante e o estilo da família (meio social, cultural, étnico e religioso), podem surgir problemas na comunicação, o que ameaça a adequação ao tratamento.

É importante salientar que a confiança resultante da boa comunicação faz que a família se torne aliada da equipe, favorecendo o curso do tratamento. Quando as condições do paciente pioram, a exaustão que acomete a família pode levá-la a romper com a equipe, a abandonar o tratamento, a mudar de médico a cada intercorrência ou a buscar tratamentos alternativos inócuos. No entanto, se a confiança na equipe se mantém, os momentos mais difíceis são enfrentados com maior tolerância.

Quando a equipe é capaz de identificar e entender o terror e a angústia que tomam conta dessas famílias, intervenções podem ser realizadas com o objetivo de prevenir um desfecho indesejado.

Por outro lado, a equipe nem sempre tem condição de avaliar a capacidade de enfrentamento da família. Às vezes, é deixada mais passiva do que o necessário; em outras, espera-se que ela desempenhe tarefas para as quais não está emocional ou tecnicamente preparada.

Em determinados momentos, há de se pensar em intervenções sociais com a família, para que a esperança seja mantida apesar das incertezas. Não à toa, um dos livros básicos da literatura de psico-oncologia é *The human side of cancer – Living with hope, coping with uncertainty* (O lado humano do câncer – Vivendo com esperança, lidando com a incerteza). [9]

As famílias também precisam aprender a viver o melhor possível com as condições persistentes de incerteza. Essa seria uma visão mais próxima da filosofia de resiliência e de bem-estar do que do modelo tradicional de cura. Estaria incluída no conceito biopsicossocial e espiritual de saúde. Poderíamos chamá-la de "a arte do possível".

A abordagem da resiliência familiar poderia ser definida como a humanização dos desafios da doença e o encorajamento do melhor funcionamento possível, que resulte na melhoria da interação dos membros que compõem o sistema familiar. O grande desafio é enfrentar as crises que surgem a cada etapa do tratamento oncológico, ao mesmo tempo que se mantenha a adaptação às condições crônicas persistentes.

Para tanto, as intervenções psicossociais devem identificar e reforçar os fatores de proteção da família, ou seja, os recursos de que ela já dispõe: as potencialidades, as motivações, as capacidades, a rede de apoio social, econômica, comunitária, religiosa. O enfoque visa promover estratégias de enfrentamento que resultem em respostas funcionais para determinada demanda do tratamento. Lembramos que o que é eficiente em dado momento pode ser completamente disfuncional em outro.

Nossos objetivos terapêuticos, portanto, visam tornar o estresse crônico manejável, maximizar os recursos de suporte da família para lidar com as novas demandas, superar a pressão e retomar o equilíbrio de maneira flexível. Isso implica tolerar a falta de controle sobre a situação e reestruturar vínculos, apegos e identidades sempre que necessário.

Quando a interação da família com o paciente é ambivalente, sobretudo nos casos em que há segredos que configurem uma "conspiração do silêncio"[1], o enfrentamento fica bloqueado e o processo

---

1. A conspiração do silêncio pode ser definida como um "acordo tácito ou explícito para manter o secretismo acerca de qualquer situação ou acontecimento", ou ainda como uma "tendência para o encobrimento de uma situação incômoda; é a omissão da verdade, desenvolvendo-se na cultura da mentira e/ou da omissão". O doente pode sentir-se desinformado, incompreendido, enganado, o que aumenta a sintomatologia ansiosa e depressiva. Concordar com a conspiração do silêncio faz que o doente se sinta incapaz de resolver assuntos considerados importantes em fim de vida, podendo mesmo dificultar posteriormente a vivência do luto. [10]

de adaptação às mudanças e às perdas, congelado. Nessas situações, tanto o paciente como a família ficam isolados, sem compartilhar medos, emoções, sentimentos, o que gera solidão e sofrimento. O controle afetivo e efetivo fica prejudicado.

Outro foco importante em nossas intervenções vem da constatação de que o câncer não é uma doença única, mas uma enfermidade cujo transcurso acontece em fases classificadas como crise, cronicidade e terminalidade, cada qual exigindo da família estratégias adequadas de enfrentamento e mudanças específicas, conforme a condição do momento e as necessidades de cada um. As demandas psicossociais variam de acordo com cada uma das fases.

Os profissionais das equipes oncológicas são desafiados a cada momento ao acompanhar as famílias durante o curso incerto e o suceder de crises desafiadoras que o câncer provoca. O investimento numa "batalha contra a enfermidade", cujo fim seria a cura ou a morte, pode não ser o mais adequado. Admitir a condição do momento atual, dominar o que for possível, aceitar o que está além do controle para conviver e, por conseguinte, lidar com a situação tal qual se apresenta são tarefas primordiais.

Viver com esperança, apesar das incertezas, é o grande desafio. A esperança, ao contrário do otimismo, baseia-se na realidade genuína. Segundo Groopman (tradução nossa) [11], é "o sentimento animador com que vemos – com os olhos da mente – um melhor caminho para o futuro. A esperança reconhece os obstáculos e as armadilhas do caminho. Não tem espaço para a ilusão: dá-nos coragem para confrontar as circunstâncias que se apresentam e a capacidade para superá-las".

Equipe multidisciplinar em oncologia

Sabemos que o câncer é definido como uma doença de etiologia multifatorial. O aparecimento, a evolução, o enfrentamento e o prognóstico dependem da interação de vários fatores, que tecem um quadro composto por várias facetas: genéticas, biológicas, psicológicas, sociais, culturais, ambientais, espirituais, econômicas e financeiras, entre outras tantas, que moldadas caso a caso determinam a singularidade do sujeito com câncer.

É grande o desafio de prestar assistência integral que contemple essa multiplicidade de aspectos. O modelo biomédico, que limita o ser humano ao seu organismo biológico e vê a saúde como ausência de doença e a cura como eliminação de sintomas, não serve mais como paradigma. Quando a Organização Mundial de Saúde, a partir de 1946, ampliou esse modelo para uma base biopsicossocial, surgiram novas possibilidades de articulação entre os achados biológicos e o contexto psicossocial e espiritual. A saúde passou a ser definida como bem-estar total.

O paciente pode não estar curado do câncer, mas ter a doença sob controle e uma sobrevida de qualidade. Mas também pode ter erradicado a doença e ainda não se encontrar reabilitado em termos psicossociais. Há também os "worriedwell" – segundo Jimmie Holland [12], categoria de pacientes constituída de pessoas fisicamente bem, mas que carregam a informação de um marcador tumoral positivo ou outro traço genético, sem sinais clínicos da doença, ou que têm uma forte história familiar de determinado tipo de câncer e precisam optar pela pesquisa genética. Essas pessoas podem estar sujeitas a um intenso mal-estar, embora não sejam pacientes oncológicos de fato.

No caso específico da oncologia, a estruturação de equipes multiprofissionais e multidisciplinares reflete claramente o propósito de que o paciente seja abordado de forma ampla, eficiente e humanizada, na medida em que sejam levadas em conta as sutilezas que configuram o campo de intervenção, numa ou noutra direção.

O termo *multiprofissionalidade* refere-se às diferentes categorias profissionais que podem atender um mesmo paciente, em momentos distintos, de acordo com as competências de cada um. A comunicação entre os profissionais se dá por meio de pareceres e de laudos.

Por outro lado, quando falamos de *multidisciplinaridade*, compreendemos a atuação clínica de profissionais especializados numa mesma disciplina. Oncologistas clínicos, radioterapeutas, cirurgiões oncológicos, patologistas, enfermeiros oncológicos, assistentes sociais, psico-oncologistas, entre outros, representam linhas de conhecimento distintas dentro de uma mesma equipe, que, ao "conversarem" entre si, desenvolvem uma prática *interdisciplinar*. Uma se reporta à outra, como partícipes de atuações complementares.

Quando cada profissional trata o paciente, no campo de sua competência, de maneira integrada, visando à condução do tratamento do paciente como um todo, evita-se a fragmentação do cuidado. As diferentes especialidades compartilham objetivos comuns, contidos na missão definida pelo serviço.

Em síntese, na interdisciplinaridade, a identidade profissional determina as responsabilidades específicas e as ações exclusivas, ao mesmo tempo que saberes e responsabilidades comuns são compartilhados.

A transdisciplinaridade se preocupa com uma interação entre as disciplinas, promove um diálogo entre diferentes áreas do conhecimento e seus dispositivos e visa à cooperação entre as diferentes áreas e disciplinas. [13]

Na transdisciplinaridade, a visão articulada dos diferentes conhecimentos e contribuições práticas de todos os profissionais de uma equipe pode resultar na elaboração de um saber complexo, traduzido numa linguagem comum a todos e na possibilidade de ações verdadeiramente integradas e harmônicas. Isso ocorre quando a comunicação entre as diferentes categorias profissionais permite o acesso ao campo de conhecimento umas das outras, como parte da rotina do serviço. A "conversa" entre os membros da equipe cria um "dialeto" em que as várias linguagens se fundem harmonicamente.

De acordo com Spink [14], a apreensão do todo só pode ser realizada por meio da transdisciplinaridade, tendo em vista que as "competências individuais, em vez de esfaceladas, passam a ser articuladas".

Na medida em que as necessidades do paciente são identificadas e as especificidades profissionais, reconhecidas, o trabalho interdisciplinar pode se desenvolver de maneira adequada. Quando os objetivos, ações e resultados das intervenções são incorporados a rotinas acessíveis a todos os especialistas, o atendimento pode ocorrer de maneira mais integrada e consistente.

O estabelecimento de protocolos de serviço garante o cumprimento das rotinas, em especial no caso de pacientes oncológicos, quando é fundamental a avaliação do paciente por várias especialidades.

As reuniões de discussão clínica, nesse contexto de trabalho em equipe, podem favorecer o estabelecimento de uma visão integral do paciente, na medida em que promovem a interação entre essas especialidades. A interlocução entre as diversas especialidades enseja que as necessidades pontuais do paciente sejam atendidas.

Contudo, algumas questões evidenciadas no dia a dia das instituições podem dificultar o trabalho do psico-oncologista nas equipes multiprofissionais. Entre elas, o estigma em relação à área psicológica e emocional – o argumento de que o câncer é uma doença do corpo e não do psiquismo e de que o objetivo do tratamento é curar o paciente fisicamente dificulta a incorporação do psico-oncologista nas equipes. Também podemos citar:

- A recusa de atendimento pelo paciente, por falta de informação a respeito do trabalho do psico-oncologista.
- A indisposição para ver outro profissional além dos médicos e enfermeiros.
- O receio de abordar temas que muitas vezes considera indesejáveis e tabu.
- O pouco conhecimento da área no meio médico.
- A restrição de orçamento e de espaço físico, que faz que o paciente e seus familiares sejam atendidos em corredores ou salas de recepção.
- A contratação de poucos profissionais, com sobrecarga de trabalho e remuneração deficiente.
- A indefinição do papel clínico e da missão do psico-oncologista na equipe multidisciplinar.

Em relação a esse último tópico, cabe ao psico-oncologista esclarecer seu papel diante de um propósito comum e os meios para alcançá-lo; compartilhar informações; e estabelecer uma comunicação aberta e clara, além de uma participação ativa e um compromisso com os objetivos e valores da equipe, o que pode facilitar sua inserção e aceitação.

Outras dificuldades comumente encontradas surgem da fragmentação do trabalho, da necessidade de capacitação mais efetiva das equipes de suporte e da delimitação mais precisa de competências.

Por outro lado, o aprimoramento na área demanda maior investimento em programas de pesquisa, o que hoje acontece de maneira extremamente limitada. A padronização de métodos de avaliação do sofrimento, por exemplo, ainda é incipiente.

Embora haja consenso em relação à influência dos fatores comportamentais e psicossociais no surgimento de alguns tipos de câncer, na progressão de muitos e no manejo de todos, ainda assim o número de equipes que contam com psico-oncologistas em seus quadros é pequeno.

Considerações finais

O campo das intervenções em psico-oncologia, tema tão abrangente, ressalta a noção de cuidado a ser observado e desenvolvido com a tríade paciente, família e equipe de saúde no cotidiano do tratamento. No dizer de Leonardo Boff [15], o cuidado é aquilo que se opõe ao descuido e ao descaso. Cuidar é mais que um ato: é uma atitude. Portanto, abrange mais que um momento de atenção. Representa uma atitude de ocupação, preocupação, de responsabilização e de envolvimento afetivo com o outro.

Portanto, ao atender à dimensão humana do adoecimento pelo câncer, a psico-oncologia guia o paciente oncológico e seus cuidadores a viver passo a passo com esperança e a lidar com incertezas. A atenção às necessidades psicossociais deve ser parte do cuidado integral, sempre. Na medida em que haja foco nas peculiaridades e nas especificidades da pessoa doente e do entorno familiar e social, o enfrentamento do câncer pode ser mais eficaz. Há benefícios para todos, incluindo as equipes de saúde, também passíveis de ser vistas, acolhidas e cuidadas.

Referências

1. Perdicaris, A. A. M.; Silva, M. J. P. "A comunicação essencial em psico-oncologia". In: Carvalho, V. *et al.* (orgs.). *Temas em psico-oncologia*. São Paulo: Summus, 2008, p. 403-13.

2. Penson, R. T. *et al.* "Update: fear of death". *Oncologist*, v. 10, n. 2, fev. 2005, p. 160-69.

3. Antoniazzi, A. S.; Dell'Aglio, D. D.; Bandeira, D. R. "O conceito de coping: uma revisão teórica". *Estudos de Psicologia (Natal)*, v. 3, n. 2, jul.-dez. 1998, p. 273-94. Disponível em: <http://www.scielo.br/scielo.php?pid=S1413-294X1998000200006&script=sci_arttext>. Acesso em: 29 mar. 2019.

4. Folkman, S.; Lazarus, R. S. "An analysis of coping in a middle-aged community sample". *Journal of Health and Social Behavior*, v. 21, n. 3, set. 1980, p. 219-39.

5. Bizzarri, M. *A mente e o câncer: um cientista explica como a mente sabe e pode enfrentar com sucesso a doença*. São Paulo: Summus, 2000, p. 66.

6. Pereira Franco, M. H. A. "A família em psico-oncologia". In: Carvalho, V. *et al.* (orgs.). *Temas em psico-oncologia*. São Paulo: Summus, 2008.

7. Valle, E. R. M. "Vivências da família da criança com câncer". In: Carvalho, M. M. M. J. (org.). *Introdução à psico-oncologia*. Campinas: Psy II, 1994.

8. Hipócrates. "De l'Art". *Hippocrate: Oeuvres complètes*. Paris: Javal et Bordeaux, 1933, p. 190.

9. Holland, J. C.; Lewis, S. *The human side of cancer – Living with hope, coping with uncertainty*. Nova York: Harper Collins, 2000.

10. Almeida, A.; Almeida, M. "A conspiração do silêncio: sua caracterização e implicação nos cuidados de saúde". *Sinais Vitais*, v. 73, 2007, p. 25-29.

11. Groopman, J. *The anatomy of hope: how people prevail in the face of illness*. Nova York: Random House, 2004.

12. Holland, J. C. "The family of the cancer patient". *Psycho-Oncology*. Nova York: Oxford University Press, 1998.

13. Iribarry, I. N. "Aproximações sobre a transdisciplinaridade: algumas linhas históricas, fundamentos e princípios aplicados ao trabalho de equipe". *Psicologia: Reflexão e Crítica*, v. 16, n. 3, 2003, p. 483-90. Disponível em: <http://www.scielo.br/pdf/prc/v16n3/v16n3a07.pdf>. Acesso em: 29 mar. 2019.

14. Spink, M. J. P. *Psicologia social e saúde: práticas, saberes e sentidos*. Rio de Janeiro: Vozes, 2003.

15. Boff, L. *Saber cuidar – Ética do humano: compaixão pela terra*. 18. ed. Petrópolis: Vozes, 2012.

3. COMUNICAÇÃO COMO A BASE DO CUIDADO DE QUALIDADE NA ONCOLOGIA

RICARDO CAPONERO

Introdução

O rápido desenvolvimento científico e tecnológico do início dos anos 1990 gerou a promessa de que, ao longo do século, tudo seria explicado e não haveria mais espaço para mitos, crendices e superstições. Tudo seria explicado logicamente; a profusão de dados, compilados por métodos informáticos cada vez mais potentes, acabaria com as probabilidades e os dados seriam concretos, obtidos em tempo real, não mais em amostras, mas na população como um todo.

Não passou de uma promessa. Atravessamos o século e, neste novo milênio, mitos e superstições estão cada vez mais frequentes. Além disso, descobriu-se que as tendências centrais da população não representam a individualidade. Passamos então à personalização e à promessa da medicina "de precisão", com o objetivo de prescrever o "remédio" certo, na dose apropriada, para o paciente adequado e no momento exato em que ele precisa. Mas isso também é só uma promessa. Em que pesem os progressos, ainda estamos longe do nosso objetivo primordial.

Os mais puristas criticam termos como "medicina humanista", "medicina personalizada", "medicina de precisão". Tudo isso é pleonasmo! Que medicina podemos praticar sem essas características? Então, para que tudo isso aconteça, de fato, é imperioso que exista a excelência no encontro entre médico e paciente. É nesse encontro que as dúvidas são dirimidas, os medos se dissipam e as melhores escolhas são feitas. Não obrigatoriamente as corretas, já que muitas vezes só o tempo nos dá as respostas, mas as que, em conjunto, se julgam ser as melhores opções.

Não é por outro motivo que o encontro entre médico e paciente está sempre imerso em um universo de múltiplos significados e interações. O emaranhado dessa inter-relação se dá de forma relativamente abrupta e num contexto envolto em grandes alterações emocionais por parte do paciente e pressões profissionais por parte do médico. Independentemente das condições em que ocorre, essa interação tem profundo impacto na relação, na qualidade de vida, no curso do tratamento e, quiçá, nos resultados obtidos com o tratamento. A boa comunicação é, por si só, terapêutica, mas está envolta em inúmeros desafios e dificuldades. [1]

A gênese

O processo pelo qual interagimos com o mundo envolve a recepção de um sinal externo que estimula um ou mais de nossos órgãos dos sentidos. Há mecanismos físico-químicos por meio dos quais a informação que nos chega do meio exterior é recebida e transformada em sinais eletroquímicos que são conduzidos até o cérebro, podendo ser modulados nesse trajeto.

Os órgãos dos sentidos são dispositivos para a interação com o meio exterior, tendo por função receber a informação necessária à sobrevivência e à preservação da espécie. Nossos sentidos nos dão os instrumentos necessários para que conservemos a integridade de nosso ser e para que procriemos. Nenhuma espécie persistiria sem esses pressupostos básicos.

Uma excursão pela filogenia nos mostra que os órgãos dos sentidos – paladar, visão, tato, olfato, audição – se desenvolveram e aperfeiçoaram com a finalidade de situar os organismos no ambiente e guiá-los para a busca de alimentos e de parceiros para procriação, além de afastá-los de perigos que pudessem colocar sua integridade em risco. Os exemplos podem ser infindáveis, da mais simples resposta que plantas e micro-organismos apresentam à luminosidade ao desenvolvimento mais refinado da visão e da audição, que suplantaram capacidades como a orientação espacial por campos magnéticos característica de determinados animais.

Com a evolução das espécies e o desenvolvimento do sistema nervoso e do cérebro, padrões perceptivos e respostas puderam ser desenvolvidos e armazenados. Instintos e aprendizagem. A malha evolutiva da criação não joga fora o que veio antes, nem caminha em linhas retas. A cultura humana é cumulativa, a criação cultural forma um agregado cada vez mais denso, em processos de crescimento vetorizados para a complexidade, o que significa dizer que viver e criar tendem a utilizar mecanismos cada vez mais complexos e intrincados, mas sem nunca resolver o "mal-estar da civilização".

Em seu livro *Os fundamentos da etologia*, Konrad Lorenz (prêmio Nobel de Fisiologia e Medicina em 1973) esmiúça semelhanças e diferenças entre animais e seres humanos, discorrendo sobre instintos, programação genética, processo de aprendizagem, curiosidade e jogo. Essa é uma leitura obrigatória para quem deseja entender um pouco mais da origem de alguns de nossos comportamentos. [2]

Há um solo "instintivo" sobre o qual se desenvolvem comportamentos aprendidos no convívio social sob as interferências culturais. As distinções entre estruturalismo e comportamentalismo são filigranas que não enriquecem a prática. Numa simplificação extrema, mas operacional, podemos dizer que os seres humanos nascem com uma "predisposição", moldada num padrão de comportamento determinado pelas experiências vividas em relação ao mundo exterior, mas, de forma igualmente importante, com elaborações psíquicas. Ao longo de nossa existência construímos e

moldamos o que somos. Calejamos nosso corpo e nossas formas de ver e reagir ao mundo exterior, construímos uma biografia, uma história do que somos, sobre a qual projetamos nossas expectativas e fantasias, no que nos imaginamos ser e no futuro que desejamos.

Antes do encontro

Essa introdução é importante para destacar a complexidade do ser humano e de suas interações. Porém, antes da interação com o outro, há uma interação com o sintoma (ou o sinal). O sintoma, em sentido lato, é o relato de uma manifestação de alteração orgânica ou funcional – diferentemente do "sinal", que é algo perceptível pelo outro (uma medição, como a temperatura corpórea, a frequência cardíaca etc.; ou um achado de exame, como um nódulo pulmonar, uma alteração na mamografia etc.).

O sintoma é um fenômeno subjetivo (dor, mal-estar etc.) referido por um paciente acerca da sua doença, presente ou imaginada, que sofre interferências da qualidade da percepção, da frequência, da intensidade, do desconforto e do significado na forma como é produzido e expresso. Os sintomas são multiplicativos por natureza e podem agir como catalisadores para a ocorrência de outros sintomas, compondo quadros sindrômicos complexos. [3]

Entre os antecedentes para a experiência do sintoma estão fatores demográficos, decorrentes da doença e de características individuais. Suas consequências incluem o impacto no estado de humor, na disposição psicológica, na capacidade funcional e qualidade de vida. [2]

Antes do contato com o profissional, já há um diálogo "interno" no mundo das significações do paciente em relação à sua doença. Há uma relação semiótica na interpretação do signo ao significado. É com base em seus recursos e suas experiências que o paciente constrói a semântica de interpretação de seus sintomas e, de forma mais ampla, da própria vida. Essa construção interna depende, então, da experiência pessoal de cada um, de sua biografia; e das expectativas desenvolvidas, de seu imaginário. É entre a biografia e o imaginário que atuamos todo o tempo.

Não é diferente do lado do profissional, com sua vivência pessoal, sua personalidade e suas concepções, moldadas por uma interpretação semântica estruturada pelo "estado da arte" de sua especialização científica, que faz dele um especialista na situação clínica, mas nem sempre um conhecedor do outro como indivíduo além do biológico.

Antes do encontro presencial há outro tipo de encontro, imaginado. O médico acredita que quem o procura tem um quadro clínico condizente com sua especialidade e imagina que ele siga determinado padrão econômico e sociocultural. Talvez o paciente tenha sido encaminhado por outro colega, que pode ter passado informações pertinentes ao caso. Em resumo, o paciente defronte do profissional nem sempre é um "ilustre desconhecido".

O mesmo se dá em relação ao paciente. Além do diálogo interno com seus sintomas, é pouco provável que ele não tenha se informado sobre o profissional. Numa época de grande acesso à informação, é possível conhecer a formação profissional do médico e detalhes de sua vida pessoal, prévia e devidamente pesquisadas nas mídias sociais e páginas eletrônicas.

Tudo isso já faz, do primeiro encontro presencial, um cenário em que se colocam fantasias e expectativas com base no que foi construído previamente, na biografia e no imaginário de ambos.

Para aumentar a dificuldade, raramente o paciente comparece sozinho à consulta. Assim, devemos acrescentar a complexidade das relações familiares ao contexto, assim como os potenciais (e inúmeros) aspectos sociais envolvidos. A pessoa não fica "doente" só no corpo biológico, mas em toda a constelação de sua existência e na completude de suas relações familiares e sociais. O ambiente ao redor do paciente também "adoece".

O encontro

Com uma grande carga de expectativas de todos os lados, o encontro presencial ocorre. Muitas vezes, depois de um encontro prévio com familiares em que o paciente esteve ausente. A comunicação acontece de forma imediata, antes de qualquer palavra, pelos aspectos não verbais da comunicação. A distância que se estabelece, os objetos que se interpõem, a distribuição das pessoas no ambiente, o toque, o olhar, os gestos, a paralinguagem etc. [4]. A comunicação

não verbal é a maior parte do processo. Um olhar significativo e tudo se esclarece; 50 minutos de conversa fora de contexto e tudo continua tão ou mais nebuloso que antes.

Qualquer treinamento que se faça tentando estabelecer racionalmente os processos da comunicação não verbal resultará em uma comunicação percebida como não autêntica. É por isso que a comunicação não verbal é a mais eficiente. Tendemos a confiar muito mais nela do que na mensagem verbal, pois ela tende a ser muito mais autêntica. Isso não quer dizer que não possa ser treinada, mas frequentemente o que fazemos é apontar o que não deve ser feito. Não cruze os braços, não incline o corpo para trás, não perca o contato visual etc.

O melhor aprendizado se dá com a prática constante, sob reflexão e, se possível, com supervisão ou discussão em grupo. O que deu certo? Onde foi que eu errei? O que eu poderia ter feito (ou comunicado) de forma diferente? É como um esporte no qual a repetição do movimento, inúmeras vezes, com adequações progressivas, leva a um resultado cada vez melhor. Claro que com a presença de um técnico. De nada adianta repetir inúmeras vezes o mesmo erro. Não se trata de competir, bater o recorde ou ser "o melhor", mas de superar-se sempre, permanecer no caminho e buscar a autossuperação – e, nesse aspecto, a comunicação impecável é um passo essencial. [5]

A negação

Como diz a professora Maria Júlia Paes, o encontro entre médico e paciente se dá em uma situação na qual este não gostaria de estar, com quem ele não desejaria falar e onde provavelmente ele ouvirá coisas que não gostaria de ouvir. Em resumo, tem tudo para dar errado. [6]

O paciente não gostaria de estar na situação do encontro com o médico, sobretudo quando se procura a especialidade da oncologia, mas diante de um problema ou recomendação escolheu o profissional e agendou a consulta. Poderia não ter comparecido (e algumas remarcações são suspeitas), mas optou por vir.

A incerteza do que vai ser dito causa grande expectativa e ansiedade, mesmo que antecipadamente já se tenha consultado diversos materiais na internet e outras pessoas. O paciente sempre tem a expectativa de que ouvirá algo que quer ou, o que é mais frequente, algo que não quer ouvir.

Não é muito difícil perceber sinais de ansiedade, e nada melhor do que deixar isso explícito e perguntar sobre os motivos do receio. Ninguém constrói a negação do nada. Há sempre um subsídio intrínseco prévio. A negação é um mecanismo de defesa reativo, logo, em reação a algo. Reconhecer as barreiras e lidar com elas pode ser um bom modo de começar a rompê-las.

Há a história da menina que tinha muito medo de um monstro que à noite aparecia sobre sua cama. Então ela fez um desenho da criatura e compartilhou seu temor nas redes sociais digitais, onde descobriu outras pessoas que também viam monstros. Embora diferentes dos seus, ela descobriu como essas pessoas lidaram com seus monstros, e essa troca de experiências a ajudou a livrar-se do seu. Esse é o caminho. Reconhecer o "monstro", torná-lo explícito e compartilhar possíveis soluções.

Sabemos que o paciente nos procura, em síntese, para um diagnóstico (ou para a confirmação de um) e a proposição de um tratamento, mas pode ser um bom começo começar perguntando como o paciente se sente, o que o traz até ali e em que podemos ser úteis.

O diagnóstico

A grande parte dos pacientes chega ao oncologista com um diagnóstico já firmado; eventualmente, com o laudo histopatológico em mãos; ou, no mínimo, com um exame com resultado alterado. Não é a regra. Tem crescido o número de pacientes que nos procuram para aconselhamento e exames de detecção precoce. Mas, mesmo com o laudo da biópsia em mãos, que denomina o diagnóstico, o que o paciente ainda não sabe é o significado de sua doença, sua história natural e sua provável evolução.

Entender o diagnóstico é parte fundamental para ambas as partes. Para o médico, um diagnóstico técnico; para o paciente, não um rótulo, mas a caracterização de um problema com seus significados e implicações.

É uma fase extremamente importante. Sem o diagnóstico esclarecido, vamos falar sobre o prognóstico do quê? Estabelecer uma proposição terapêutica

para o quê? E é por isso que a "conspiração do silêncio" é tão lesiva. Ela impede que se estabeleçam relações límpidas e saudáveis a partir das quais se possam tomar decisões que de fato tenham significado.

Sempre digo que, se um ente querido desaparece, somos tomados por pânico e assolados por ideias de que coisas ruins podem ter acontecido. Morte, sequestro, estupro etc. Sem saber o que de fato aconteceu, não temos como estabelecer um plano claro de ação. Não sabemos se vamos à delegacia, ao Instituto Médico Legal ou aos hospitais locais. Receber uma notícia, qualquer que seja ela, nos possibilita, com base no dado real, estabelecer um plano, tomar atitudes e ter um comportamento mais diretivo. É melhor uma notícia ruim do que nenhuma notícia.

Já tive casos em que os pacientes, por estarem sendo "poupados", imaginam uma situação pior do que a realidade; afinal, se não fosse tão ruim, deveriam ter contado para eles. Se não contaram, então é porque deve ser mesmo péssimo.

Nos dias de hoje, ninguém é tão destoante com a realidade a ponto de ficar alheio a tudo, achando que nada está acontecendo – a famosa "cara de paisagem". E este é um ponto comum de erro: menosprezar o que o paciente sabe, mesmo que ele não admita saber. No mínimo ele tem uma interpretação para o que sente. E para isso não depende que outros digam o que ele, de fato, sente.

Aqui é muito importante começar a compartilhar a semântica e entender exatamente o que os termos significam. Não adianta levar adiante a comunicação com a base construída em um terreno instável. Se for necessário, continue a conversa em outro encontro. É fácil pedir um tempo para conversar com o médico encaminhante, com colegas, discutir o caso com especialistas ou até, se for o caso, pedir novos exames. Isso não é enrolação nem perda de tempo. É o espaço para o amadurecimento das dúvidas e a sedimentação das ideias.

Tive uma paciente que estava extremamente ansiosa, pois seu caso era muito grave. Ela chegou a essa conclusão depois de abrir o resultado da sua mamografia de rotina, que, segundo ela, dizia que ela já estava no "estágio 5" da doença. Ela não havia sequer feito biópsia, e o "estágio 5" era, na verdade, uma conclusão de laudo "BIRADS® 5". O diagnóstico que havia na cabeça dela, de que ela tinha um câncer numa fase muito avançada, nem havia sido estabelecido ainda.

Também tive uma vítima da internet: um paciente que foi submetido à biópsia de uma lesão cutânea por sua dermatologista. Antes de levar o resultado a ela, ele abriu o exame, que dizia "carcinoma basocelular". Só que ele procurou na internet tudo sobre "câncer de pele" e, é claro, leu tudo sobre "melanoma", o que o apavorou e o fez procurar diretamente um oncologista, já que o tempo para o início do tratamento é muito importante.

Os pacientes e familiares vão abrir os exames e olhar os resultados. Depois de algum "treino", eles aprendem a olhar corretamente os resultados, ou a esperar, sem ansiedade, que o médico abra o exame e interprete os resultados para eles. As causas de confusão são imensas! Na realização de qualquer exame existem fatores de erro pré-analíticos, analíticos e pós-analíticos, além de falsos positivos e falsos negativos, com diferentes valores preditivos (positivo e negativo), que compõem diferentes valores de sensibilidade e especificidade. E, além disso, um exame pode estar fora dos valores de referência e não ter nenhum significado especial, sendo apenas um achado sem significado.

Sim, é muito complexo, mas é fundamental que o paciente, mesmo que não entenda exatamente o significado, erradique suas dúvidas e, principalmente, elimine suas fantasias e temores infundados – que, com muita frequência, são inúmeros.

O prognóstico

O passo seguinte, naturalmente, é estabelecer um prognóstico. Nem tudo que se encontra precisa ser tratado. E, se precisa ser tratado, deve haver um motivo para isso. Alguma consequência deve advir da atitude de não tratar, e algum benefício deve ser obtido com o tratamento, da mesma forma que algum "custo" pode advir disso – quer financeiro, quer em termos de potenciais eventos adversos. Simples assim.

Esqueça as porcentagens! A estatística ajuda a fonte pagadora e os administradores a calcular desfechos potenciais e custos envolvidos. Só. Talvez ajudem a criar diretrizes e consensos, mas uma coisa é certa: o paciente à sua frente não é a média, e ele sabe disso.

No nosso cotidiano, não tomamos decisões com base em porcentagens. Não deixamos de ir ao cinema porque um filme tem 65% de chance de não nos agradar, nem deixamos de nos apaixonar pela décima segunda vez só porque as outras 11 vezes (100% até então!) não deram certo. Também costumo dizer que avião é um meio de transporte absolutamente seguro, já que 100% dos voos em que estive não caíram!

Você não tem 17% de probabilidade de ir para a direita e 83% de ir para o outro lado. Isso é para a pesquisa. Você, na prática, vai para um lado ou para o outro.

Mas o paciente e a família querem saber quais são "as chances". Conversando com o filho de uma paciente, disse-lhe que a chance de sua mãe era de 40%. E ele achou que isso era muito bom, "quase metade". Para mim, a metade é 50%, mas... Então eu lhe perguntei: "E se fosse 27%?" E ele respondeu que ainda assim era bom, mais de uma em quatro! Por fim, eu lhe perguntei: "E se as chances fossem de 7%?" Ele disse: "Doutor, é a minha mãe!" E eu respondi: "Eu sei! Então, por que estamos discutindo números?"

Recentemente uma paciente jovem, diagnosticada com um câncer de mama metastático durante a gestação, veio para a consulta. Estava absolutamente ciente do diagnóstico e do provável prognóstico ruim. A probabilidade de cura é nula? Não, nunca é. A questão então é: por quanto de chance você estaria disposta a enfrentar as dificuldades do tratamento? Há um limite?

Pode haver um limite para políticas públicas e para a fonte pagadora, mas para o paciente não há um número, um limite.

E a interpretação dos médicos também não é precisa. Um estudo clássico perguntou aos médicos se eles indicariam um tratamento no qual 70% das pessoas estariam mortas dentro de um ano, e a maioria respondeu que não indicaria. Então lhes perguntaram se eles indicariam um tratamento que salvaria a vida de 30% dos pacientes em um ano, e a maioria respondeu que sim. Índices de redução de risco também são uma fonte imensa de confusão, entre outros fatores. Um medicamento pode reduzir o risco em 50%, mas se o risco for de 2 em cada mil, essa redução de risco significaria que apenas um paciente se beneficiaria. Para outro (os outros 50%), não faria a menor diferença, já que o desfecho não foi alterado pelo tratamento; e para 998 pessoas também não faria a menor diferença, já que elas não teriam problema de qualquer maneira.

A lista pode ser longa. Um estudo em que determinado tratamento beneficiou 12 de 20 pacientes, ao passo que no grupo-controle houve apenas 2 de 20 que se beneficiaram, pode não ter nenhum significado, já que, pelo tamanho da amostra (20 pessoas), essa diferença numérica de dez pessoas pode ter ocorrido absolutamente por acaso. A significância estatística é determinada pela magnitude da diferença no efeito e pelo tamanho da amostra.

Os números são apresentados de tal forma que muitas vezes a interpretação dos dados de estudos clínicos pode ser complexa até mesmo para especialistas. Vamos ver mais um único exemplo, real.

Pacientes com câncer de mama, com doença localizada, foram tratadas com quimioterapia pré-operatória (neoadjuvante) e submetidas a cirurgia. Para as pacientes em que ainda foi encontrado tumor viável, foi oferecida a inclusão em um estudo clínico que comparou o tratamento pós-operatório convencional (radioterapia e terapia antiestrogênica, se indicadas) com o mesmo tratamento, com a adição de seis a oito ciclos de capecitabina (estudo Create-X). Esse é o contexto. E os resultados? A análise final foi feita após 3,6 anos de seguimento mediano. A taxa de sobrevida livre de doença foi de 74,1% para as que receberam capecitabina e de 67,6% para o tratamento-padrão, o que significou uma redução de risco de 30% (*hazard ratio*= 0,70), com um intervalo livre de confiança de 95% variando entre 0,39 e 0,87; ou seja, se repetido o estudo, a probabilidade de obtermos um resultado semelhante varia entre 61% e 13%. De qualquer forma, a chance de esses valores terem sido obtidos por acaso foi de 1% (p=0,01). Foram feitas análises exploratórias que mostraram variação nas taxas de benefícios entre grupos distintos de pacientes, mas para as pacientes como um todo o benefício absoluto foi de 6,5%; ou seja, se tratarmos 200 pacientes, 13 se beneficiarão do tratamento – a cada 15 pacientes tratadas, uma se beneficia, as outras não. Tomado pelo efeito mediano, após 3,6 anos de seguimento, 67,6% das pacientes continuaram sem doença, e não se beneficiariam de 6 meses a mais de quimioterapia. Da mesma forma, 25,9% das pacientes, apesar de terem recebido o tratamento adicional, apresentaram recidiva da doença, não se beneficiando desse tempo a mais de tratamento e, é claro, tendo os custos financeiros e os eventos adversos inerentes ao tratamento adicional. [7]

Usando os critérios da medicina baseada em evidências, os dados se fundamentam em um estudo aleatório bem conduzido no qual os benefícios superam os riscos. A qualidade da evidência é intermediária (falta a comprovação por outros estudos com desenho semelhante) e, portanto, o grau de recomendação é moderado.

Ótimo! Agora isso significa que devemos ou não adotar essa conduta? Essa é a diferença do que é estatisticamente significativo e do que é clinicamente relevante. Mas e se um desses pacientes fosse alguém amado? É esse tipo de dado "preciso" que os pacientes desejam? Se fosse, seria só imprimir o parágrafo de resultados dos estudos clínicos e pronto!

Na prática, as decisões são tomadas por intenção e não por números. Por isso a medicina não é uma ciência exata e, mesmo sendo ciência, envolve um grau enorme de "arte". Uma taxa de sobrevida mediana de nove meses não significa, em hipótese nenhuma, que o tempo de vida seja de uma gestação. O número, por si só, indica que metade dos pacientes terá falecido antes dos nove meses e a outra metade viverá por um tempo maior que esse. Então a pergunta é: em que metade eu estou? E para isso não temos resposta.

O paciente não é a mediana, e por isso a discussão sobre o prognóstico, embora ilustrada por números, não poderá ser restrita apenas a isso.

A proposição terapêutica

Do ponto de vista médico, existem bases racionais para a indicação de determinados tratamentos. Algumas situações são de conduta "padrão", exceto por situações muito específicas, que podem ser responsáveis por desfechos bem diferentes dos habituais – ou seja, toda regra tem exceção, exceto essa, que se assim não fosse seria uma falácia!

As proposições terapêuticas por vezes são complexas e dependem de desfechos intermediários que podem variar ao longo da evolução, de modo que nós podemos determinar qual é o melhor primeiro passo, mas os seguintes dependem dos resultados obtidos a partir daí.

Com frequência podemos ter uma proposição terapêutica, um planejamento, mas muitas vezes a proposição será alterada em função de diversas variáveis que podem interferir no curso da doença ou na execução do próprio tratamento.

Quem já deparou com uma reforma ou uma obra de construção civil sabe muito bem do que se trata. Esqueça prazos e custos. Vai custar mais do que se previa e demorar muito mais do que o esperado.

Imagina-se que certos pacientes terão mucosite ou diarreia, alguns deles em grau severo, mas não se sabe com quem, quando e com que gravidade o efeito adverso surgirá. Se soubéssemos de antemão, talvez pudéssemos minimizar o efeito ou escolher outra opção terapêutica.

Essa discussão é interminável para uma única consulta, sobretudo se for a primeira. Precisamos estabelecer qual é o rumo e qual deve ser o primeiro passo. Escolher a direção e começar a caminhar, ajustando o passo a cada momento. Estabelecer uma rota rígida fatalmente resultará em situações não previstas. Um lutador entra numa luta para ganhar, mas não pode prever, honestamente, em que momento haverá o desfecho final, para ganhar ou perder. Tudo que podemos escolher, a cada momento, é atacar ou defender, que golpes usar. Precisamos de uma estratégia e de todas as táticas possíveis para garantir as melhores possibilidades, mas serão sempre apenas possibilidades. Afinal, se algo pode dar errado...

O mito das más notícias

Sim, é claro que existem más notícias. Tudo que contraria um desejo ou uma expectativa é uma "má notícia", e por isso mesmo é improvável que nós, ao longo da vida, não tenhamos de passar pela situação de dar a má notícia ou de recebê-la. Os exemplos são inúmeros e não precisam ser explicitados. O mito não está na existência de más notícias, mas no fato de que é preciso ser um especialista no assunto para comunicá-las.

Há vários métodos disponíveis para auxiliar a construção de uma estratégia. Alguns exemplos são o Spikes [8] e o Remap [9]. A importância desses métodos, ou protocolos de comunicação, é demonstrar que algumas técnicas podem ser ensinadas ou aprimoradas, mas, como disse Carl Gustav Jung, "conheça todas as teorias, domine todas as técnicas, mas ao tocar uma alma humana, seja apenas outra alma humana".

A execução de uma técnica de comunicação por si só pode parecer artificial. A comunicação humana é uma habilidade adquirida desde a primeira infância, durante todo o desenvolvimento, e que continua se aprimorando ao longo da vida. Deve ser muito feliz alguém que ao longo da vida não teve de dar más notícias ou não as recebeu. Alguns o fazem com a famosa técnica "deixa que eu chuto", mas muitos aprendem formas mais "sociáveis", que por vezes recebem nomes eufemísticos, como "dar feedback".

Sempre digo que, mais difícil que dar notícias desagradáveis em oncologia, em que as expectativas, em geral, já são por notícias ruins, deve ser na obstetrícia, em que as expectativas é que nada saia errado.

Qualquer que seja a técnica empregada, os princípios são os mesmos, e quase uma questão de bom senso.

Em primeiro lugar, decida o que deve ser comunicado. As outras escolhas dependerão disso. Determine o que é mais importante para o momento. Fracione as informações. Depois de uma notícia difícil o paciente desviará seu pensamento e as outras notícias não serão retidas. Uma coisa de cada vez. Fracione a comunicação e estruture-a em vários encontros. Se o paciente precisa fazer um exame, num primeiro momento discuta apenas sua necessidade, riscos e benefícios e que informação se espera obter com ele. Deixe para interpretar os possíveis resultados quando eles estiverem disponíveis, e as condutas com bases neles, e os possíveis desfechos gradualmente. Não perca muito tempo discutindo o "e se...".

Já sabendo o que será comunicado, escolha o ambiente adequado. Algumas notícias não são adequadas para determinados ambientes. Há coisas que se podem dizer em público, outras devem ser ditas reservadamente. O mesmo vale para os ouvintes. Alguns fatos devem ser comunicados apenas aos pacientes, sem a presença de familiares, mesmo os mais íntimos. É fácil imaginar situações em que isso ocorre.

Peça permissão. Avise o assunto a ser tratado e pergunte se o momento é apropriado para a conversa. É um diálogo, não basta que o momento seja adequado para nós. O paciente pode não desejar discutir um assunto delicado quando estiver sozinho, ou na presença dos filhos, ou após uma discussão no trabalho. Há conversas para o bar e conversas para a igreja (ou templo).

Delimite o tempo. Conversas mais complexas demandam mais tempo. Não inicie conversas que você não possa terminar. Não deixe pendências importantes. Essa técnica é útil para novelas, mas não funciona para a comunicação médico-paciente. Cada assunto deve ter um começo, meio e uma conclusão, mesmo que dela demandem outras perguntas. Converse sobre uma coisa de cada vez, passo a passo. Delimite o que vai ser discutido e assegure que haverá outros momentos para as outras questões.

Mesmo que um paciente venha para uma segunda opinião, determine qual é a questão pendente. Há uma dúvida no diagnóstico? Nas proposições terapêuticas? Descubra qual é a questão central para o paciente e, na medida do possível, atenda a essa demanda.

Deixe clara a sua disponibilidade de tempo. Em consultas de ambulatório, esse tempo já está mais ou menos implícito, mas isso nem sempre é claro para pacientes internados. As famosas "visitas de médicos", em pé, "de passagem", não são uma forma adequada para conversas mais delicadas. Mesmo que só se tenha 15 minutos, sente-se e efetivamente ofereça os 15 minutos. O que importa, muitas vezes, não é a quantidade de tempo, mas a intensidade da comunicação.

O mais importante: desenvolva a empatia. Não se trata de ser simpático com o paciente, nem de parecer agradável, mas de sintonizar-se com os sentimentos de forma adequada. A empatia consiste em tentar compreender sentimentos e emoções, procurando experimentar de forma objetiva e racional o que sente outro indivíduo. Como diz um provérbio dos índios cheyennes, "não julgue o outro até andar duas luas nos mocassins dele".

Uma boa empatia evita frases como: "O doutor não me entende" e "E se fosse o senhor?". A comunicação empática já responde, por si só, a essas demandas. Demonstre claramente que você compreende a situação de seu paciente e entende suas angústias e dúvidas.

Feita a comunicação, acolha os sentimentos. Não há como tornar notícias difíceis em conversas agradáveis. É evidente, e até desejável, que os sentimentos aflorem. Dê um tempo para a expressão dos sentimentos, mostre que se importa com eles e, se não tiver algo para dizer, segure a mão, ofereça um lenço de papel ou um copo d'água. Respeite os limites da intimidade que existir na relação, abrace, se for permitido pelo vínculo estabelecido. Evite menosprezar o que o outro sente.

Por fim, recapitule o que foi dito, faça um resumo das conclusões e providências a ser tomadas e, se for o caso, já avise sobre outros encontros.

Para falar sobre a morte

Se a comunicação é complexa quando se discutem chances de controle da doença ou taxas de "cura", em que a recidiva e a morte são apenas possibilidades, mais complexa ainda é a situação na qual essas possibilidades já não existem.

O primeiro passo nessa questão é nunca desprezar o que o paciente sabe ou sente. Claro que existem negações e ilusões, mas, em geral, um paciente que perdeu 20% de seu peso, está limitado ao leito, sente-se mal e já está na quarta opção terapêutica sabe que algo não vai bem.

O que assusta no diagnóstico de uma doença maligna é a possibilidade da morte, do sofrimento. Não fosse isso, não haveria sofrimento emocional. É muito diferente dar o diagnóstico de uma hérnia inguinal. Muitas vezes o paciente já sabe o diagnóstico e, por mais que a cirurgia possa ser "desagradável", ela é esperada e não se imagina nenhuma complicação, embora possam ocorrer. É diferente o diagnóstico de uma neoplasia. A sombra do sofrimento e da morte estarão sempre presentes.

A conversa sobre a morte começa quando transformamos a "certeza" de cura na "possibilidade" de cura. É preciso deixar sempre um espaço para discutir a situação quando as coisas não vão bem. Um exame que não melhorou, um sintoma que piorou, a situação que se agrava, um tratamento que não obteve a resposta esperada. Como vimos, é um caminho que se constrói passo a passo. Em determinado momento esse caminho se estreitará e questões ainda mais delicadas terão de ser discutidas. [10]

Muitos profissionais não se sentem preparados para discutir essas questões abertamente, mas se não for com eles, com quem os pacientes poderão abordar o assunto? Fugir dessa situação é negar ao paciente a oportunidade, às vezes única, de conversar sobre o tema.

Não se deve escamotear o tema ou desviar do assunto. É como lidar com o risco de suicídio. O melhor é falar direta e abertamente. Já se desfez há algum tempo o mito de que falar em suicídio induziria os pacientes a cometê-lo. Da mesma forma, falar sobre a morte não causa depressão nem desejo de morrer. A proximidade da morte, sim, mas falar sobre ela, não.

Quando o profissional ou a equipe nega esse momento (sim, a equipe também desenvolve negação como mecanismo de defesa), priva o paciente da oportunidade de ter alguém para conversar e de dar significado à sua existência, de rever suas relações, se possível.

Quanto mais franco e aberto for o diálogo, mais adequado ele será. Isso não quer dizer que todos morrerão em paz. Muito pelo contrário. A fase de "aceitação" da doutora Elisabeth Kübler-Ross é atingida apenas por uma minoria. No entanto, podemos fazer muito para proporcionar uma morte digna, sem a futilidade da obstinação terapêutica.

Numa época em que o poderio tecnológico da medicina é imenso (embora não infinito), a questão mais importante nesse ponto da evolução é definir, para cada paciente, no momento da vida em que se encontra, o que faz sentido e o que é fútil.

Se um tratamento fosse fútil por si mesmo, já teria sido abandonado, como foram alguns exames, tratamentos clínicos e procedimentos cirúrgicos do passado. Nenhum tratamento em voga é fútil por si mesmo. Sua utilidade e adequação devem ser definidas para cada contexto em que se apliquem. [8]

Essas questões serão expressas nas diretivas antecipadas de vontade, ou "testamento vital", não cabendo aqui discutir as nuanças entre eles. O que importa é que se decida com o paciente o que lhe parece razoável para os possíveis caminhos e desfechos.

É difícil perguntar a um paciente se ele quer ir para a unidade de terapia intensiva, ser submetido a intubação orotraqueal e outros procedimentos pelos quais ele nunca passou. É como perguntar a alguém se deseja experimentar castanha de baru ou içá sem que a pessoa conheça essas coisas. Assim como as discussões estatísticas, aqui é a essência que importa, não os detalhes impalpáveis.

Por que a comunicação é difícil?

Se a comunicação é uma das características da espécie humana, se é desenvolvida desde o nosso nascimento, onde residem as dificuldades?

A primeira dificuldade se dá em relação a nós mesmos, e não é só no que se refere à saúde. As pessoas se comunicam com graus diferentes de dificuldade quando têm de terminar um relacionamento, demitir um funcionário, cancelar um compromisso etc. As habilidades linguísticas variam enormemente entre os indivíduos e dependem da história de vida de cada um. Aqui, de novo, entram em cena a biografia e o imaginário.

A formação do profissional de saúde, e dos médicos em particular, também é um assunto complexo, abordado no livro *Pancadas na cabeça* [11]. Mas o importante é que essa é uma habilidade que sempre pode ser desenvolvida, embora existam graus diferentes de desempenho, de forma semelhante à habilidade cirúrgica ou ao reconhecimento de imagens na radiologia e anatomia patológica.

Muitas vezes, o que falta é tempo, interesse e o reconhecimento de quanto isso pode ser importante para o paciente – e, assim, perde-se uma importante arma de intervenção terapêutica. Já dizia Michael Balint: o médico é o instrumento mais utilizado na medicina, e como qualquer medicamento deveria ser conhecido em suas indicações, benefícios esperados e efeitos colaterais!

As fortes emoções envoltas no diagnóstico de doenças que ameaçam a vida, com reações de medo, negação, raiva, luto etc., fazem que os médicos tenham dificuldade de lidar com elas e muitas vezes usem o afastamento e a despersonalização como fuga. Responder às demandas com dados estatísticos puros, como vimos, é uma forma de ser tecnicamente "correto", mas praticamente "ineficaz". A demanda do paciente é muito mais do que uma necessidade de conhecer números, e muitos, se não a maioria, estão despreparados para atender a essas solicitações.

Com a tecnocracia dominando a medicina, a deterioração da formação médica e humanista e a degradação das condições de trabalho e da relação médico-paciente, que passou a ser regida pelo Código de Defesa do Consumidor, a situação ficou tão ruim que associações médicas diversas passaram a se preocupar com o assunto.

Em 18 de outubro de 2017 – dia do médico –, o Conselho Regional de Medicina do Estado de São Paulo propôs a ação "Toque aqui", uma campanha pela humanização da medicina. Com o mote "O calor humano também cura", a ação pretendia enaltecer a vocação humanitária do médico e fortalecer a relação entre esses profissionais e seus pacientes, um dos pilares da medicina. As peças da campanha ressaltavam, por meio de filmes, anúncios e cartazes, que o médico é especialista em pessoas e que o toque, o olhar e a conversa são tão essenciais para a medicina quanto a evolução tecnológica. Em resumo, preconizavam uma volta às origens da medicina, que numa crítica feroz não pode ser "humanizada" nem "boa", já que, se não é "boa", nem "humanizada", não poderia ser chamada de medicina. "Boa medicina" e "medicina humanizada" deveriam ser, na prática, pleonasmos.

Não deixou de causar espanto quando a American Society of Clinical Oncology (Asco) publicou diretrizes para a comunicação médico-paciente, dirigidas a médicos e outros especialistas. [12]

Conclusão

Existe um estigma em relação à comunicação de notícias que possam trazer sofrimento. Essa situação é reforçada quando se advoga a necessidade de treinamento especializado para o desempenho favorável da comunicação. No entanto, é evidente que, cada vez mais, as pessoas estão perdendo a capacidade da empatia e a simplicidade do olhar nos olhos. A situação é complexa, não há dúvida – tudo que expusemos até aqui ilustra isso. Mas há solução, com certeza, e ela passa pela sinceridade de propósito em ajudar ao outro e, nesse processo, conhecer-se mais e melhor. Como diria Sócrates, em relação à interpretação do enigma da esfinge de Delfos, "conhece a si mesmo". No caminho para tornar-se um ser humano melhor, o importante não é aonde se chega, mas como e por onde se anda. Como diz o ditado, "você não pode determinar o que colhe, mas pode escolher o que planta".

Assim, o mais importante é reconhecer o poder da comunicação como ferramenta terapêutica e aprender cada vez mais sobre ela, utilizando-a com maestria.

Referências

1. Surbone, A. *et al.* (org.). *New challenges in communication with cancer patients.* Nova York: Springer, 2013.
2. Lorens, K. *Os fundamentos da etologia.* São Paulo: Ed. da Unesp, 1995.
3. Armstrong, T. S. "Symptoms experience: a concept analysis". *Oncology Nursing Forum*, v. 30, n. 4, 2003, p. 601-06.
4. Caponero, R. *A comunicação médico-paciente no tratamento oncológico: Um guia para profissionais de saúde, portadores de câncer e seus familiares.* São Paulo: MG, 2015.
5. Silva, M. J. P. *No caminho: fragmentos para ser o melhor.* São Paulo: Loyola, 2016.
6. _____. *Comunicação tem remédio.* São Paulo: Loyola, 2005.
7. Denduluri, N. *et al.* "Selection of optimal adjuvant chemotherapy and targeted therapy for early breast cancer: Asco clinical practice guideline focused update". *Journal of Clinical Oncology*, v. 36, n. 23, ago. 2018, p. 2433-43.
8. Baile, W. F. *et al.* "Spikes – A six-step protocol for delivering bad news: application to the patient with cancer". *Oncologist*, v. 5, n. 4, 2000, p. 302-11.
9. Childers, J. W. *et al.* "Remap: a framework for goals of care conversations". *Journal of Oncology Practice*, v. 13, n. 10, out. 2017, p. e844-e850.
10. Bifulco, V. A.; Caponero, R. *Cuidados paliativos – Conversas sobre a vida e a morte na saúde.* Barueri: Manole, 2016.
11. Coradazzi, A. L.; Caponero, R. *Pancadas na cabeça: as dificuldades na formação e na prática da medicina.* São Paulo: MG, 2018.
12. Gilligan, T. *et al.* "Patient-clinician communication: American Society of Clinical Oncology consensus guideline". *Journal of Clinical Oncology*, v. 35, n. 31, 1 nov. 2017, p. 3618-32.

4. CÂNCER E HUMANIZAÇÃO

Carolina René Hoelzle, Marília A. de Freitas Aguiar

"A medicina é uma ciência demasiadamente incerta e a biologia é variável; ambas não podem ser arrogantes."

Jerome Groopman

Historicamente, Hipócrates (460-370 a.C.) foi o primeiro a estudar o câncer. A nomenclatura *karkinos* e *karkinomas* ("caranguejo" em grego) foi criada por ele ao observar que as deformidades causadas pela doença lembravam as pinças do caranguejo. Já o termo oncologia foi criado por Galeno (130-200 d.C.) ao descrever os tumores como um inchaço (*oncos*). [1]

Em 19 de março de 1845, o médico escocês John Bennett descreveu o caso inusitado de um calceteiro de 28 anos com um inchaço misterioso no baço. Durante a autópsia, poucas semanas mais tarde, Bennett convenceu-se de ter encontrado a causa dos sintomas. O sangue do seu paciente estava totalmente entupido de células brancas. [2]

Naquela época os profissionais desconheciam o significado do inchaço e do "sangue entupido por células brancas", doença considerada incurável pelos médicos. Com o avanço da tecnologia e da ciência, a doença começou a ser desvendada. A ideia de que o diagnóstico de câncer é uma sentença de morte ainda persiste, mas aos poucos, com as políticas de educação, prevenção e tratamento, tem-se tentado desmistificá-la, pois os recursos disponíveis aliados ao diagnóstico precoce têm modificado o curso da doença. Porém, mesmo diante dos avanços médicos e tecnológicos, o número de pessoas com

câncer aumenta a cada ano, devido aos hábitos de vida da população.

De acordo com o Instituto Nacional de Câncer José Alencar Gomes da Silva (Inca) [3], o câncer abrange um conjunto de mais de 100 doenças que têm em comum o crescimento desordenado de células, com capacidade de invadir tecidos e órgãos e se disseminar pelo corpo. Pode ser desencadeado por fatores externos, como radiação; fatores ambientais; substâncias químicas; estilo de vida e fatores internos, como as causas hereditárias ou a associação de ambos. É resultado da alteração da expressão ou função de um gene normal, proveniente de defeitos genéticos, tais como mutações pontuais, recombinação, anormalidades cromossômicas ou falha nos processos de replicação, reparação e segregação do genoma. [3]

Considerada a segunda causa mais comum de mortes no mundo, ganhou dimensão de um problema de saúde pública. A Organização Mundial de Saúde (OMS) estima que, em 2030, podem-se esperar 21,4 milhões de novos casos e 13,2 milhões de mortes pela doença no mundo. [4]

No Brasil, a estimativa para o biênio de 2018-2019 é de 620 mil novos casos. Excluindo o câncer de pele não melanoma, seriam 420 mil novos casos. A prevalência varia de acordo com a região do país e leva em consideração o estilo de vida da população e os fatores ambientais aos quais as pessoas estão expostas. Após o câncer de pele não melanoma, os mais

PSICO-ONCOLOGIA – CAMINHOS DE CUIDADO

Figura 1 – Brasil: distribuição proporcional dos dez tipos de câncer mais incidentes estimados para 2018 por sexo, exceto pele não melanoma. Fonte: Inca, 2018.

Localização primária	Casos	%	Homens	Mulheres	Localização primária	Casos	%
Próstata	68.220	31,7%			Mama feminina	59.700	29,5%
Traqueia, brônquio e pulmão	18.740	8,7%			Cólon e reto	18.980	9,4%
Cólon e reto	17.380	8,1%			Colo do útero	16.970	8,1%
Estômago	13.540	6,3%			Traqueia, brônquio e pulmão	12.530	6,25
Cavidade oral	11.200	5,2%			Glândula tireoide	8.040	4,0%
Esôfago	8.240	3,8%			Estômago	7.750	3,8%
Bexiga	6.690	3,1%			Corpo de útero	6.600	3,3%
Laringe	6.390	3,0%			Ovário	6.150	3,0%
Leucemias	5.940	2,8%			Sistema nervoso central	5.510	2,7%
Sistema nervoso central	5.819	2,7%			Leucemias	4.860	2,4%

Números arredondados para múltiplos de 10

prevalentes são: próstata (68 mil), mama feminina (60 mil), cólon e reto (36 mil), pulmão (31 mil), estômago (22 mil) e colo do útero (16 mil) (veja a Figura 1). [4]

Mesmo diante da elevada taxa de incidência, podemos atuar na prevenção de sua ocorrência, considerando que aproximadamente 80% dos casos de câncer estão relacionados com fatores ambientais e 20% a fatores hereditários. A prevenção pode ser dividida em:

- Primária – orientar a população quanto à exposição aos fatores de risco, como tabagismo, etilismo, obesidade, exposição solar, falta de atividade física, hábitos sexuais, hábitos alimentares e fatores ocupacionais.
- Secundária – realizar a detecção precoce por meio de exames de rastreamento, como mamografia, colonoscopia, sangue oculto nas fezes, exame de próstata e Papanicolau, e oferecer tratamento adequado para inibir a progressão da doença.
- Terciária – consiste na tentativa de curar a doença já instalada por falta de cuidados primários e secundários. [3, 5]

A existência de sinais como presença de massas tumorais ou nódulos; dificuldade ou dor para engolir; rouquidão persistente; presença de aftas na boca que não cicatrizam em uma semana; alteração dos hábitos intestinais; sangramentos anormais; manchas na pele; e perda de peso não justificada é considerada suspeita no que diz respeito ao surgimento de neoplasias, sendo necessária a realização de exames complementares para a definição de um

diagnóstico preciso e a escolha da melhor abordagem terapêutica. [1, 3]

O tratamento da doença varia de acordo com o estadiamento e tem várias abordagens – cirurgia, quimioterapia, radioterapia, imunoterapia, terapias biológicas, terapia-alvo molecular e terapia endócrina. [1, 5]

No entanto, receber o diagnóstico de câncer impacta e mobiliza toda a estrutura familiar, implicando uma reorganização social, como se todos tivessem sido acometidos. Por isso, a comunicação deve ser realizada de forma adequada e com o acompanhamento de profissionais especializados – os psico-oncologistas – para minimizar o impacto da notícia e orientar o portador e os demais membros da família na difícil trajetória que se inicia. O diagnóstico traz consigo outras repercussões, como o medo, a raiva, a ansiedade e dúvidas em relação ao tratamento e ao futuro. [1]

Não há dúvida de que o paciente oncológico necessita de acompanhamento diferenciado e não apenas da realização do tratamento. Assim, a assistência oncológica, nos dias de hoje, visa proporcionar qualidade de vida e não somente a cura da doença, reforçando a necessidade de sensibilização das equipes para o acompanhamento físico, mental e social [6], bem como para a qualidade de vida, os níveis de independência e o padrão espiritual. Pais-Ribeiro, citado por Alves *et al.* [7], utiliza, além de qualidade de vida, os seguintes termos como sinônimos e indicativo de uma boa vida em geral: bem-estar subjetivo, felicidade e satisfação com a vida. O atendimento deve ser humanizado, ou seja, a equipe deve estar junto do paciente de forma empática, sabendo ouvir e compreender suas necessidades, de forma que esse contato transcenda o ato de assistir. [6]

Segundo Capra [8], o alicerce da medicina moderna é o modelo biomédico, o qual considera o corpo uma máquina; a doença é vista como mau funcionamento dessa máquina, cabendo ao médico consertá-la, ou melhor, curá-la. Conforme esse mesmo autor, esse é o problema central da assistência ao paciente, pois este é visto como uma patologia, que precisa somente de cura e não de cuidado.

Diante do exposto, faz-se necessário entender o contexto do ser e do adoecer de forma integral, compreendendo todas as suas dimensões (física, psicológica, espiritual e social). O referido cuidado exige dos profissionais o desenvolvimento tanto de habilidades médicas quanto de capacidades relacionais, de vínculo adequado e de comunicação afetiva [9, 10]. No início do século 20, Freud demonstrou, no livro *Estudos sobre a histeria*, que acontecimentos psíquicos podem ter consequências orgânicas [10]. Evidenciou ainda que a resposta psicológica do paciente ao câncer também constitui variável significativa, podendo afetar inclusive a duração de sua sobrevivência. [11]

A psico-oncologia, área do conhecimento da psicologia da saúde aplicada aos cuidados com o paciente com câncer, sua família e os profissionais envolvidos no seu tratamento, vem se constituindo em ferramenta indispensável para melhorar a qualidade de vida do paciente, facilitar o processo de enfrentamento da doença e oferecer apoio aos familiares e à equipe profissional. O acompanhamento psicológico do paciente e de sua família deve ser feito em todas as etapas do tratamento e, se possível, ser estendido ao período de acompanhamento. [11, 12]

Na tentativa de assistir o paciente holisticamente, a medicina se encontra em constante e crescente evolução para possibilitar a cura e amenizar seu sofrimento, mas não bastam recursos, avanços técnicos e profissionais renomados se falta atendimento humanizado: "Alguns ambientes são bem equipados e confortáveis, mas frios, sem alma". [13]

Para Boff, citado por Volpato [14], "cuidar é mais que um ato; é uma atitude. Portanto, abrange mais que um momento de atenção, de zelo e de desvelo. Representa uma atitude de ocupação, preocupação, de responsabilidade e de envolvimento afetivo com o outro".

O envolvimento efetivo e afetivo se justifica, pois, além de o câncer representar uma tríplice ameaça (dor física, mutilação e morte), a equipe também necessita de cuidados por, frequentemente, apresentar sentimento de impotência diante da doença, sobretudo na fase terminal. [6, 15]

Como a doença afeta a todos que convivem com o paciente, o vínculo de cuidado deve ser estendido ao familiar/cuidador, figura de extrema importância no processo do tratamento. Além de acompanhar o paciente, ele precisará aprender cuidados que não faziam parte de sua rotina para atender às demandas cotidianas de cuidado ao enfermo. Não raro, sua vida pessoal é paralisada em prol do outro, o que pode acarretar situações de maior vulnerabilidade emocional. Assim como o paciente, os familiares muitas vezes não têm estrutura psicológica para lidar com o momento e, se não houver assistência direcionada, acabam sofrendo calados por não saberem como reagir diante do quadro. Em alguns casos, a comunicação inexiste por desconhecimento da patologia e medo, considerando que o impacto da doença e seu enfrentamento estão diretamente relacionados com os contextos social, cultural e econômico dos pacientes e de seus familiares. [5, 12]

Porém, é o paciente quem traz os sentimentos mais fortes, como negação, raiva, depressão e barganha (descritos por Elisabeth Kübler-Ross no livro *Sobre a morte e o morrer*) [16]. Não obstante, recusam apoio psicológico por não desejarem falar sobre o assunto, o que traz incertezas e baixa autoestima. O fato de receberem apoio dos entes queridos e acolhimento dos profissionais contribui para a persistência no tratamento. [17]

Não obstante, é importante lembrar que cada ser humano é único e pode reagir de diversas maneiras a uma mesma situação. O médico Jerome Groopman [18] estudou o comportamento dos pacientes diante da presença ou não de esperança para enfrentar o diagnóstico e o tratamento de câncer. Descobriu que pacientes que tinham esperança e, consequentemente, criavam vínculo de confiança com o profissional obtinham melhores resultados em relação àqueles que acreditavam que a doença não tinha cura e que o tratamento os faria vivenciar um sofrimento desnecessário.

Assim, cada paciente reagirá de maneira única à doença tanto biológica quanto psicologicamente, cabendo aos profissionais buscar o melhor de cada indivíduo sem julgar apenas a biologia tumoral. [18]

Na tentativa de compreender a real necessidade dos portadores de câncer, realizamos uma pesquisa em uma casa de apoio e, da ótica do paciente, buscamos entender o que poderia ser feito para melhorar sua vivência e convivência com a doença e com os profissionais. A seguir, apresentamos os dados da pesquisa realizada.

A pesquisa

A pesquisa visou avaliar o nível de satisfação dos pacientes em relação ao atendimento oferecido por um grupo de apoio ao paciente oncológico. Além disso, procuramos avaliar o grau de importância do acompanhamento psicológico e da presença de acompanhante durante o tratamento. De posse dos dados, pretendemos propor aos profissionais meios de melhor atender os pacientes.

Optou-se por uma pesquisa qualitativa realizada por meio de questionário aplicado aos pacientes pela própria pesquisadora. A amostra foi definida utilizando o critério de saturação, valorizando a qualidade da análise e não a quantidade de material [19, 20]. Assim, participaram do estudo 20 pacientes que frequentavam o Grupo de Apoio a Pacientes com Câncer (GAPC), sediado em Belo Horizonte (MG), e concordaram em colaborar com o estudo. Não houve critério de seleção. O questionário foi elaborado de acordo com o interesse da pesquisa e contemplava tanto questões com respostas prefixadas quanto questões que permitiam discorrer sobre o tema. Para a análise dos dados, os relatos foram organizados e agrupados em categorias de acordo com as perguntas apresentadas. A casa oferece serviços de psicologia, assistência social, enfermagem, suporte jurídico, fisioterapia e atividades de lazer. Oferece ainda, quando possível, transporte, medicamento, suplementos, cesta básica etc. É importante ressaltar que os pa-

cientes não têm abrigo na casa, apenas recebem ali o apoio necessário.

O trabalho foi norteado pelos princípios éticos de respeito e sigilo a fim de proteger os envolvidos na pesquisa. Respeitaram-se todos os procedimentos legais – termo de consentimento, aprovação por comitê de ética, sigilo do nome dos pacientes etc. A entrevista foi realizada individualmente e em sala adequada, com duração média de 15 minutos.

A Tabela 1 apresenta dados dos 20 entrevistados para a pesquisa.

Dos 20 entrevistados, 70% eram do sexo feminino e 30% do sexo masculino. A média de idade foi de 55,5 anos, variando de 16 a 77 anos. A média de tempo dos pacientes na instituição foi de 3 anos, variando de 1 dia a 6 anos.

Algumas abordagens do questionário traziam as opções (sim/não/às vezes), mas permitiam que as respostas fossem complementadas em um campo aberto.

Psicólogo e acompanhante

Perguntou-se aos pacientes se tiveram acompanhamento psicológico e se julgavam importante a presença desse profissional. 55% dos participantes receberam atendimento psicológico e 100% deles consideraram importante a assistência; 45% não receberam acompanhamento psicológico e, destes, 56% disseram não achar importante, 33% consideraram ser importante, mesmo não tendo recebido o atendimento, e 11% não souberam responder, por desconhecerem o atendimento.

Alguns pacientes que recusaram a assistência do psicólogo alegaram não saber como seria o suporte, uma vez que o hospital onde o tratamento foi efetuado não oferecia essa opção. O paciente P8 se referiu ao atendimento como uma bobagem, pois nada que o profissional dissesse melhoraria ou mudaria sua vida. Em contrapartida, os que tiveram assistência disseram que "ajudava a manter a fé" (P14), "conversar antes ou durante tratamento com certeza ajudava" (P15). A paciente P10, que disse não saber se era importante ou não, teve apenas um contato com o psicólogo, antes da realização da quimioterapia. A paciente P7 conversou com esse profissional somente no momento do diagnóstico,

Tabela 1 – Caracterização da amostra por idade, gênero, estado civil, local acometido e tempo na instituição

Paciente	Idade	Gênero	Estado civil	Local acometido	Tempo na instituição (meses)
1	64	F	Solteira	Mama	36
2	53	F	Casada	Mama	16
3	56	F	Casada	Tireoide	48
4	56	M	Divorciado	Laringe	54
5	46	M	Solteiro	Laringe	12
6	58	M	Casado	Boca	24
7	66	F	Viúva	Mama	48
8	62	F	Viúva	Mama	48
9	36	M	Casado	Tronco cerebral	8
10	62	F	Solteira	Mama	1*
11	72	M	Casado	Intestino	72
12	58	F	Solteira	Mama	12
13	64	F	Divorciada	Útero	48
14	50	F	Solteira	Mama	60
15	55	F	Casada	Mama	1*
16	63	F	Divorciada	Língua	12
17	42	M	Solteiro	Língua	48
18	51	F	Casada	Mama	36
19	16	F	Solteira	Cabeça	2
20	77	F	Viúva	Útero	72

Legenda: F= gênero feminino; M= gênero masculino; * = tempo em dias.

mas considerava importante para o tratamento. O depoimento que mais chamou a atenção foi o do paciente P9, que considerava o suporte psicológico de extrema importância, visto que outras pessoas o abandonaram por receio de contágio. Infelizmente, a falta de informação ainda faz parte da nossa cultura e traz consigo, além da dor física, a social e a emocional.

Já a presença de acompanhante durante o tratamento foi relatada por 55% dos pacientes, e 100% destes consideraram importante a presença de outra pessoa; 5% contavam com a presença esporádica de alguém e julgavam importante o apoio e 40% não tinham companhia; destes, 25% não acreditavam ser importante a presença de outra pessoa e 75% gostariam de ter alguém naquele momento.

Por vezes, o paciente opta por não incluir a família na doença, mantendo-se calado e suportando todas as dores e dificuldades sozinho. Alguns relatam

não "querer incomodar" o outro com os seus problemas, seja alguém da família ou a vizinha, como era o caso da paciente P3: "Ela está sempre disponível, mas também tem suas atividades"; por isso, P3 ficava sem graça de falar e pedir ajuda porque nem sempre havia recurso financeiro para o deslocamento. A paciente P14 não tinha acompanhante nem considerava isso importante, pois se encontrava em boa condição física, não precisando incomodar ninguém. O mesmo foi descrito no estudo realizado por Menezes *et al.* [21] sobre o impacto psicológico do diagnóstico do câncer de mama. Algumas mulheres optaram por não compartilhar com familiares a descoberta da doença: "Eu não quis incomodar ninguém, por isso não contei e por isso o nódulo cresceu muito" (Sara, paciente 36).

Ainda de acordo com Menezes, Schulz e Peres [21], "a maioria das pacientes mencionou que preferiu compartilhar as experiências relacionadas ao diagnóstico com seus amigos e familiares". O relato 15 exemplifica essa iniciativa: "O meu marido também me deu força na época [...] Antes de eu adoecer, [o relacionamento] não estava essas coisas, mas ele me deu força, me levava, me buscava das consultas. Aí [o relacionamento] melhorou" (Josefa, paciente 81).

Em nosso estudo, grande parte dos participantes também contava com o apoio de alguém. O paciente P12, que tinha acompanhante, se sentia mais confortado e seguro, afinal, "a dor das agulhas e o baixo-astral já bastavam". O paciente P11 disse "ajudar muito – tenho uma de dia e outra de noite". Outros buscavam ajuda somente quando era realmente necessário. [21]

Inúmeros trabalhos [15, 22, 23, 24] abordam a percepção dos profissionais em relação ao cuidado oferecido ao paciente com câncer, principalmente pela equipe de enfermagem e em hospitais. Em relação às casas de apoio, os trabalhos ainda são escassos. Até mesmo as pesquisas que discorrem sobre as casas de apoio são voltadas para as que hospedam os pacientes, como é o caso do trabalho realizado por Ferreira *et al.* [25]. Estes fizeram ponderações como: a importância das casas de apoio para amenizar a quebra da rotina dos pacientes que realizam o tratamento fora do domicílio (TFD); o acolhimento como auxílio no enfrentamento da doença e do tratamento; e a estada na casa como melhoria da qualidade de vida durante o tratamento. O estudo que mais se aproximou do nosso foi desenvolvido em três casas de apoio no estado da Paraíba; uma delas oferecia assistência a pacientes da própria cidade e ofertava cursos de artesanato, atividades de fisioterapia e educação física. Entre outros aspectos avaliados, a abordagem "apoio aos pacientes" corrobora nosso achado de que o apoio recebido interfere no enfrentamento da doença [7]:

- "Minha família foi maravilhosa, me deu muita força. Agiu junto comigo e me aconselhou, então eu venci".
- "Meus amigos vinham conversar comigo, vinham me visitar. Senti que estava sendo lembrado".
- "A casa de apoio me ajudou até demais. Agradeço a todos os que trabalham nela;

eles me recebem com a maior boa vontade. É a mesma coisa que uma família. Esse lugar tem me feito bem. É como um sonho".
- "O apoio é muito, muito bom. É gratificante. Você reage mais animada, mais satisfeita. É estimulada a continuar lutando".

É importante ressaltar que o referido estudo colocava em primeiro lugar o apoio recebido dos familiares, em seguida o dos amigos e, por último, o dos funcionários. [7]

Equipe e instituição

Diante das perguntas "A equipe profissional esclarece as dúvidas?" e "A equipe é atenciosa e educada?", 100% dos entrevistados se declararam satisfeitos.

O GAPC conta com diversos profissionais, entre eles: enfermeira, psicóloga, assistente social, fisioterapeuta, advogado, profissionais convidados e equipe da recepção. Assim, a pergunta se estendeu a todos eles, e todos os pacientes se declararam satisfeitos.

Quanto a dificuldades enfrentadas no Grupo, 85% não tinham nada a relatar e 15% fizeram algum tipo de observação. Um paciente gostaria de mais atenção por se sentir carente; outro relatou que, às vezes, chegava atrasado por questões pessoais e chamavam sua atenção por isso; um terceiro alegou dificuldade de contato pelo fato de o telefone estar temporariamente desligado.

O grupo oferece diversas atividades de lazer aos usuários; 100% deles consideraram as atividades ótimas e gostariam de mais tempo para realizá-las. Algumas pessoas não as frequentavam por questões pessoais, mas ainda assim aprovavam a sua realização.

Quando questionados sobre o que poderia melhorar, 75% dos usuários responderam que nada, e os demais levantaram itens como: acupuntura mais vezes na semana, atividades em tempo integral, aula de informática, mais opções de dança e atividade física. Vejamos alguns depoimentos:

- "Se melhorar estraga... Não fosse o GAPC, eu nem estaria vivo". (P4)
- "Preciso resolver questões pessoais para ficar mais tempo aqui". (P2)

Figura 2 – Pontos positivos do GAPC

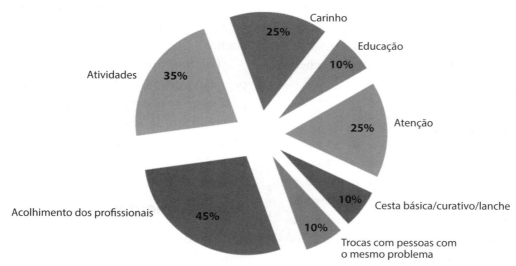

- "Não tenho vontade de voltar para casa... Sinto falta de estar em grupo. Em casa filho briga, fico nervosa... Se eu pudesse, trazia minha cama". (P3)

Por último, perguntamos o que os pacientes consideravam mais positivo no grupo e obtivemos diversas respostas, sendo o acolhimento por parte dos profissionais a mais citada (Figura 2). Brito e Carvalho [26], em seu estudo sobre a humanização segundo pacientes oncológicos, identificaram que os fatores que mais contribuíram para a humanização foram carinho, simpatia, sorriso – resultado semelhante ao da nossa pesquisa, que se completou com educação, atenção e acolhimento por parte da equipe.

Analisando as respostas à pesquisa, não podemos deixar de considerar a existência de viés no trabalho, como o fato de não haver investimento financeiro para participar do grupo – o que pode ter intimidado a realização de críticas, mesmo que construtivas, por receio de perderem algum benefício (o Termo de Consentimento Livre e Esclarecido contemplava tanto o sigilo dos dados quanto a impossibilidade de perda de algum benefício por responderem à pesquisa). Outro aspecto que podemos considerar é o fato de a maioria dos assistidos ter baixa condição socioeconômica, o que pode levar à utilização de critérios de natureza emocional, sem levar em consideração aspectos técnicos, provavelmente utilizados por classes mais elevadas. De acordo com Fonseca, Gutierrez e Adami [27], os leigos fazem seus julgamentos partindo das relações com o trato humanístico que recebem, tais como respeito, comunicação clara, tolerância e compreensão demonstrados pela equipe que os assiste, valendo-se de critérios como afabilidade.

Nosso resultado acerca dos pontos positivos sugere que a avaliação das pessoas realmente pode se dar de acordo com a classe socioeconômica ou nos mostra que, felizmente, temos pessoas capacitadas e dedicadas ao cuidado integral do paciente oncológico e que o GAPC oferece um tratamento diferenciado e humanizado aos que procuram ajuda, conforme os comentários a seguir:

- "Tudo de bom, pessoas maravilhosas, atendem com sorriso, deixam a gente bem demais..." (P10)
- "Mesmo sem nada pra fazer, eu viria". (P13)
- "Atendimento humanitário". (P15)
- "[...] carinho é importante, em casa não tem". (P20)

Infelizmente, não tivemos acesso à opinião dos profissionais sobre a assistência oferecida, que poderia ser comparada com os dados fornecidos pelos pacientes. Diante das informações prestadas pelos usuários, não foi possível propor melhorias no que diz respeito ao atendimento dos profissionais, considerando que as avaliações foram, em sua quase totalidade, positivas. Como sugestão, podemos propor que o conhecimento sobre a biologia da doença seja sempre incentivado dentro da instituição, assim como o trabalho humanizado, formando uma equipe com conhecimento integral.

Considerações finais

A pesquisa nos permitiu apreender as vivências dos pacientes que se encontram em tratamento ou acompanhamento da doença e buscam suporte material e emocional num grupo de apoio. Constatamos que os profissionais buscam oferecer assistência humanizada e suporte integral, atendendo à demanda dos participantes. Parabenizamos o trabalho desenvolvido e a dedicação dos profissionais.

Ademais, no conteúdo dos depoimentos, visualizamos uma riqueza de informações sobre o ideal de relação humana, descrito como "um simples sorriso ou dizer bom dia com alegria", o que pode modificar o dia de alguém tão sensibilizado pela dor e pela doença.

Por fim, novas pesquisas devem ser realizadas, pois não podemos generalizar os resultados obtidos para saber se os profissionais dedicados à oncologia, no cotidiano de seu trabalho, apresentam a atitude humana de que esse grupo especial de pacientes necessita.

Agradecimentos

Agradecemos ao GAPC pela oportunidade e, principalmente, aos pacientes por colaborarem e proporcionarem um momento de rica troca de experiências. Afinal, ao abrir os braços e disponibilizar a escuta ativa, somos nós os maiores ganhadores.

Referências

1. Malzyner, A.; Caponero, R. *Câncer e prevenção*. São Paulo: MG, 2013.

2. Mukherjee, S. *O imperador de todos os males: uma biografia do câncer*. São Paulo: Companhia das Letras, 2012.

3. Instituto Nacional de Câncer José Alencar Gomes da Silva. *ABC do câncer: abordagens básicas para o controle do câncer*. Rio de Janeiro: Inca, 2012. Disponível em: <http://bvsms.saude.gov.br/bvs/publicacoes/inca/abc_do_cancer_2ed.pdf>. Acesso em: 3 abr. 2019.

4. Instituto Nacional de Câncer José Alencar Gomes da Silva. *Estimativa 2018: incidência de câncer no Brasil*. Rio de Janeiro: Inca, 2018. Disponível em: <https://www.inca.gov.br/sites/ufu.sti.inca.local/files//media/document//estimativa-incidencia-de-cancer-no-brasil-2018.pdf>. Acesso em: 9 abr. 2019.

5. Carvalho, V. A. *et al.* (orgs.). *Temas em psico-oncologia*. São Paulo: Summus, 2008.

6. Costa, C. A.; Lunardi Filho, W. D.; Soares, N. V. "Assistência humanizada ao cliente oncológico: reflexões junto à equipe". *Revista Brasileira de Enfermagem*, v. 56, n. 3, 2003, p. 310-14.

7. Alves, R. F. *et al* ."Qualidade de vida em pacientes oncológicos na assistência em casas de apoio. *Aletheia*, v. 38, n. 39, 2012, p. 39-54.

8. Capra, F. *O ponto de mutação*. São Paulo: Cultrix, 1982.

9. Barros, J. A. C. "Pensando o processo saúde-doença: a que responde o modelo biomédico?" *Saúde e Sociedade*, v. 11, n. 1, 2002, p. 67-84.

10. Marco, M. A. "Do modelo biomédico ao modelo biopsicossocial: um projeto de educação permanente". *Revista Brasileira de Educação Médica*, v. 30, n. 1, 2006, p. 60-72.

11. Costa Junior, A. L. "O desenvolvimento da psico-oncologia: implicações para a pesquisa e intervenção profissional em saúde". *Psicologia: Ciência e Profissão*, v. 21, n. 2, 2001, p. 36-43.

12. Carvalho, C. S. U. "A necessária atenção à família do paciente oncológico". *Revista Brasileira de Cancerologia*, v. 54, n. 1, 2008, p. 87-96.

13. Silva, E.; Rodrigues, L. K. S. "Assistência de enfermagem humanizada: uma questão de respeito". Trabalho apresentado ao 7º Congresso Brasileiro do Conselho Federal de Enfermagem, 11 a 15 de outubro de 2004. Fortaleza: Cofen, 2004.

14. Volpato, F. S.; Santos, G. R. S. "Pacientes oncológicos: um olhar sobre as dificuldades vivenciadas pelos familiares cuidadores". *Imaginário*, v. 13, n. 14, 2007, p. 511-44.

15. Stumm, E. M. F.; Leite, M. T.; Maschio, G. "Vivências de uma equipe de enfermagem no cuidado a pacientes com câncer". *Cogitare Enfermagem*, v. 13, n. 1, 2008, p. 75-82.

16. Kübler-Ross, E. *Sobre a morte e o morrer*. São Paulo: Martins Fontes, 1996.

17. Monteiro, A. *et al.* "O paciente oncológico – Uma perspectiva sobre a valorização do indivíduo em seus aspectos bio-psico-social". Trabalho apresentado ao VIII Encontro Latino-Americano de Iniciação Científica e IV Encontro Latino-Americano de Pós-Graduação da Universidade do Vale do Paraíba. São José dos Campos: Univap, 2004. Disponível em: <http://www.inicepg.univap.br/cd/INIC_2004/trabalhos/inic/pdf/IC6-149R.pdf>. Acesso em: 5 abr. 2019.

18. Groopman, J. *A anatomia da esperança*. Rio de Janeiro: Objetiva, 2004.

19. Minayo, M. C. S. *O desafio do conhecimento – Pesquisa qualitativa em saúde*. 6. ed. São Paulo: Hucitec, 1999.

20. _____. *Pesquisa social: teoria, método e criatividade*. 23. ed. Petrópolis: Vozes, 2004.

21. Menezes, N. N. T.; Schulz, V. L.; Peres, R. S. "Impacto psicológico do diagnóstico do câncer de mama: um estudo a partir dos relatos de pacientes em um grupo de apoio". *Estudos de Psicologia (Natal)*, v. 7, n. 2, 2012, p. 233-40.

22. Gargiulo, C. A. *et al.* "Vivenciando o cotidiano do cuidado na percepção de enfermeiras oncológicas". *Texto & Contexto – Enfermagem*, v. 16, n. 4, 2007, p. 696-702.

23. Prearo, C. *et al.* "Percepção do enfermeiro sobre o cuidado prestado aos pacientes portadores de neoplasia". *Arquivos de Ciências da Saúde*, v. 18, n. 1, 2011, p. 20-27.

24. Recco, D. C.; Luiz, C. B.; Pinto, M. H. "O cuidado prestado ao paciente portador de doença oncológica: na visão de um grupo de enfermeiras de um hospital de grande porte do interior do estado de São Paulo". *Arquivos de Ciências da Saúde*, v. 12, n. 2, 2005, p. 85-90.

25. Ferreira, P. C. *et al.* "Sentimentos existenciais expressos por usuários da casa de apoio para pessoas com câncer". *Escola Anna Nery Revista de Enfermagem*, v. 19, n. 1, 2015, p. 66-72.

26. Brito, N. T. G.; Carvalho, R. "A humanização segundo pacientes oncológicos com longo período de internação". *Einstein*, v. 8, n. 2, 2010, p. 221-27.

27. Fonseca, S. M.; Gutierrez, M. G. R.; Adami, N, P. "Avaliação da satisfação de pacientes oncológicos com atendimento recebido durante o tratamento antineoplásico ambulatorial". *Revista Brasileira de Enfermagem*, v. 59, n. 5, p. 656-60.

5. O IMPACTO DO CÂNCER NA FAMÍLIA

Jussara Dal Ongaro, Carolina Seabra, Maria da Glória C. Mameluque,
Marília A. de Freitas Aguiar, Rafael Sebben, Gláucia Rezende Tavares

Estima-se que no Brasil, no biênio 2018-2019, surjam 620 mil novos casos de câncer. [1] Embora os avanços técnicos tenham contribuído para o aumento da sobrevivência e a melhora da qualidade de vida do paciente oncológico, a doença continua a ser uma das maiores causas de mortalidade, devido provavelmente ao diagnóstico tardio. Os pacientes com câncer e seus familiares passam por situações de intenso sofrimento com a descoberta do diagnóstico, que em muitos casos é seguida de internação para cirurgias, quimioterapia e/ou radioterapia. Todos os envolvidos vão precisar reaprender a lidar com a nova organização familiar imposta pelo adoecimento, em que os papéis previamente estabelecidos nem sempre serão preservados. [2]

Crescem cada vez mais as evidências de que o apoio familiar desempenha papel central no alívio do impacto da doença no indivíduo e nas pessoas próximas a ele. A importância das relações afetivas tem sido amplamente comprovada como um fator relevante para o bem-estar de qualquer ser humano. Assim, neste trabalho, a família será vista como uma unidade de cuidado formada por um grupo de pessoas ligadas não apenas por laços de sangue, mas também pela necessidade gerada pela sobrevivência da sociedade, em que cada um terá uma tarefa a executar. [3]

Embora seja o paciente quem sofre com os sintomas e os efeitos colaterais do tratamento, as consequências também são sentidas pela família do doente, observadas pelas modificações na dinâmica e pela partilha do sofrimento diante dessa realidade desconhecida que é o enfrentamento de uma doença potencialmente mortal [4]. A estrutura familiar precisa se adequar a esse novo contexto a fim de dar apoio e suporte ao paciente. [5]

Família: um sistema

O termo "família" pode ser entendido como uma unidade social que assume uma série de tarefas e responsabilidades, funcionando como matriz do desenvolvimento psicossocial de seus membros e atendendo, ao longo do ciclo vital, à motivação básica do ser humano: a vida em conjunto. No entanto, sua estrutura e suas funções podem sofrer alterações, dependendo das necessidades de cada pessoa, das experiências que elas vivenciam e do meio em que vivem. [6]

Segundo Minuchin [7], a família é uma unidade social com dinâmica e especificidades próprias, que enfrenta uma série de tarefas de desenvolvimento. Trata-se de um sistema em constante interação no qual a soma das partes é mais que o todo. Todo fato significativo que afeta um dos seus membros afeta a todos. [8]

O funcionamento familiar é estabelecido pelo grau de coesão que a família apresenta, sua habilidade para resolver problemas, os comportamentos que utiliza diante de dificuldades e a medida de satisfação que seus membros alcançam com a vida familiar. A coesão familiar é entendida como os laços afetivos que os membros da família mantêm entre si. [9]

De acordo com Kovács, uma doença grave não atinge só a pessoa, mas também toda a família, que passa a ser a unidade de cuidados [10]. Para essa autora, o grupo familiar vive diversos estágios de adaptação. Considerando-se a família um sistema, o surgimento de uma doença vai provocar uma reorganização em sua estrutura e também na distribuição dos papéis.

O impacto do câncer na família

O diagnóstico do câncer costuma surgir de forma inesperada. Carregando consigo uma série de sentimentos perturbadores, afeta toda a família. Talvez por isso alguns autores o chamem de doença familiar [11]. O estigma em relação a esse adoecimento tem forte ligação com a palavra morte e com o sofrimento presente durante o tratamento oncológico. As reações dos que estão no entorno da família não são padronizadas. Enquanto algumas pessoas sentem compaixão e/ou pena do paciente, muitos outros, por desconhecimento, se afastam, quando na verdade o momento solicita um apoio maior.

Já no momento da comunicação do diagnóstico inicia-se, para a família, o processo de perda do ente querido, uma vez que em uma situação impactante como essa "o diagnóstico traz consigo o temor da possibilidade da morte" [12]. Nesse momento, a família pode começar a perceber as dificuldades que enfrentará no decorrer do tratamento. Afinal, muitas mudanças se avistam, provocando: aumento da ansiedade diante do desconhecido; provável perda da privacidade e fantasias de perda da autonomia; culpa, rejeição e impotência; não aceitação da doença e dos tratamentos; e solidão [13]. É comum também experimentarem medo, insegurança, tristeza e esperança. [14]

Logo após o diagnóstico, o paciente e seus familiares se preocupam com a questão da sobrevivência. Depois, todos começam a enfocar as habilidades necessárias para lidar com os tratamentos prescritos, as questões econômicas e a reintegração social. Para Rolland [15], em face da doença crônica, é fundamental que a família lide com as demandas da doença sem que seus membros sacrifiquem o próprio desenvolvimento ou o desenvolvimento da família como sistema. Assim, é vital perguntar que planos de vida a família ou seus membros tiveram de cancelar, adiar ou alterar em consequência do diagnóstico. Existem muitas doenças fatais além do câncer, mas a impressão geral é a de que as outras enfermidades matam, enquanto o câncer destrói. Por vezes, o choque inicial pode ser tão abrupto a ponto de causar a desorganização familiar; em outras, pode ser rápida e facilmente vencido. As mudanças são inevitáveis e a família é obrigada a se adaptar a essa situação.

Considerando-se o câncer um agente estressor em potencial, diversos autores passaram a utilizar o termo *distresse* para nomear o sofrimento psicológico causado pela dificuldade de se adaptar a seu diagnóstico e a seus tratamentos. A palavra passou a representar o desgaste e a ruptura no bem-estar psicológico que ocorre quando a pessoa é incapaz de superar as vivências de experiências estressantes desencadeadas pelo adoecimento. Aqueles que têm habilidades adaptativas de enfrentamento alcançarão melhor ajustamento psicológico. Por outro lado, pacientes/familiares que avaliam as demandas do contexto de adoecimento como elevadas e/ou têm recursos de enfrentamento limitados apresentam respostas desadaptativas que contribuem para a deterioração do ajustamento psicológico. [16]

O adoecimento provoca uma crise na família. Em alguns momentos, cada um dos seus membros repensa a própria vida, revê conceitos e preconceitos. Em outros, questionam se vão conseguir dar conta das dificuldades encontradas e qual é o propósito da doença, o que gera sentimentos desagradáveis e dificuldades no enfrentamento. [17]

O estudo do câncer tem se aprofundado nas últimas décadas e a evolução nas pesquisas e no tratamento da doença proporcionaram uma maior qualidade de vida aos pacientes – e, consequentemente, a seus cuidadores, fazendo que o impacto do diagnóstico seja manejado a fim de minimizar os prejuízos emocionais.

O apoio da família ao paciente com câncer é de grande importância no enfrentamento da doença em todas as fases: no diagnóstico, no tratamento e até mesmo na fase terminal. No entanto, não menos importante é lembrar que os cônjuges e outros membros da família precisam também de apoio e de orientação. É intervindo para propiciar conforto e criar suporte para a situação que podemos esperar mudanças efetivas nos padrões de atuação da família.

O estresse de ter de lidar com uma doença longa e fatal se reflete em ameaças à saúde física e mental da família, gerando o aparecimento de sintomas e sinais identificados nos seus integrantes, que muitas vezes não são reconhecidos como reativos ao câncer do familiar. Podem surgir problemas como abuso de álcool ou drogas, ansiedade, fobias, compulsões, conflitos e separações conjugais, depressão ou incapacidade dos membros da família de sair de casa ou de se comprometer em outros relacionamentos.

A família na qual existe um caso de câncer sente o desejo e a responsabilidade de ser o mais solidária e carinhosa possível. No entanto, os familiares devem permitir que o paciente assuma a responsabilidade pela doença, para que possa participar de forma ativa da sua recuperação. Portanto, é essencial que o paciente seja tratado como uma pessoa responsável, e não como um irresponsável ou uma vítima. [18]

Segundo Floriani [19], a experiência do convívio de pacientes com câncer cuidados pelos familiares tem demonstrado, por meio de investigação qualitativa, transformações no plano existencial para o cuidador, com ressignificação de sua vida e com novas diretrizes, frutos de sua vivência nesse papel.

De acordo com Echeverri [20], a doença impõe novas tarefas à família. Tais tarefas são assumidas por diferentes membros ou podem recair sobre alguns poucos, dependendo da idade, da ocupação e das habilidades de cada um. O mais comum é um familiar assumir o papel de cuidador principal. Como está mais à frente da situação, vivencia situações de desgaste físico e emocional, provocados pelas atividades exaustivas dispensadas à pessoa acometida pela doença, como também compartilha com mais proximidade as dores e as angústias do paciente [21]. De qualquer forma, este precisará se adaptar à sua nova função, reorganizando sua rotina para dar suporte de qualidade ao familiar. [22]

Os motivos que levam alguém a se tornar cuidador principal vão sendo construídos progressivamente e decorrem da relação afetiva estabelecida com a pessoa antes de ela adoecer. Além disso, parece existir um comprometimento pessoal, ou seja, o cuidador se delega esse papel por se julgar possuidor de determinadas características que, na sua percepção, são pré-requisitos para ajudar uma pessoa que está doente. Além disso, é comum que ele seja a pessoa da família que se responsabiliza por tomar decisões e resolver os problemas ou impasses. Os familiares se colocam como cuidadores por vontade própria e, na maioria das vezes, por ter algum laço familiar que, para eles, estabelece certa "dívida de honra" para com o doente. [23]

Por vezes, a família acha difícil dar o suporte adequado e satisfazer os desejos do paciente, muitas vezes por questões de condição social e cultural. Além disso, às vezes a família, sem saber lidar com o seu doente, se isola, rompendo com ele. O inverso também acontece quando o próprio doente, não querendo preocupar a família, se distancia dela. Essas situações são extremamente prejudiciais para o paciente e para seus familiares, uma vez que conflitos que poderiam ser resolvidos nesse momento deixam de sê-lo.

Alguns familiares optam, ainda, por não partilhar a notícia do diagnóstico com o paciente, mantendo-o na ignorância. Constitui-se, assim, um pacto de silêncio, chamado também de "conspiração do silêncio". Tal atitude compromete a comunicação com e entre a equipe e a unidade de cuidado, dificultando o apoio da família. Mesmo que num primeiro momento todas as informações sejam compartilhadas, muitos familiares preferem omitir quando o resultado do tratamento não é o esperado ou a doença está em estágio avançado, temendo que o paciente interrompa o tratamento. Muitas vezes, a família considera que seus integrantes potencialmente mais fortes poderão ter ciência do diagnóstico, devendo os mais frágeis – inclusive o paciente – ser poupados. [24]

Também o paciente pode solicitar à equipe médica que não informe os familiares do seu diagnóstico. Esse silêncio, seja de que lado estiver, busca proteger o outro e a si mesmo das dificuldades da situação. Entretanto, essa conspiração é vista como a tentativa de esconder os medos e as angústias diante do que está por vir. Tais atitudes acabam enfraquecendo os laços, deixando o doente mais isolado, inseguro e ansioso. Costumam sinalizar, para a equipe atenta, a impotência que o adoecimento provoca tanto no paciente como na família, expondo uma vulnerabilidade que vai além da física. Silenciar compromete o acolhimento. [25]

A informação é extremamente terapêutica. Estar informado e ser orientado de forma correta dá segurança à unidade de cuidado e permite conhecer todos os aspectos que norteiam o tratamento, o que fortalece os mecanismos internos do paciente para enfrentar a doença. O desconhecido, o que não é dito ou não esclarecido, forma uma nuvem de obscurantismo que gera fantasias nebulosas e, muitas vezes, inverídicas sobre o que está acontecendo com o paciente e com o seu corpo. [26]

A família e a importância da psico-oncologia

O envolvimento da família é essencial em qualquer momento do adoecimento por câncer, especialmente para assegurar a adesão ao tratamento e prover suporte emocional. É próprio da família vivenciar problemas e crises em seu cotidiano; contudo, uma família com boa interação, comunicação aberta e flexibilidade entre os membros contribui para a solução de problemas e para enfrentar possíveis conflitos. [6]

É na família que costumamos encontrar nosso porto seguro diante de dificuldades, como no caso de uma doença como o câncer. Nesse sentido, espera-se que os integrantes da família sejam atuantes e participativos no processo do adoecer. Mas, como vimos, nem sempre isso acontece: por vezes a família se omite em ajudar, relegando os cuidados e necessidades a uma única pessoa. Independentemente de qual seja o motivo desse não investimento, o paciente e a família sentirão as consequências.

Além disso, a relação de cada membro da família com o paciente poderá desencadear antigos sentimentos, antes resguardados pelas defesas psíquicas. Afetos e deveres se misturam a apegos e culpas e ressentimentos, tornando difícil encontrar o amor que todos se sentem na obrigação de expressar. [2]

A maioria dos estudos volta-se apenas para os aspectos negativos de ser cuidador, evidenciando somente as dificuldades enfrentadas por ele durante o tempo em que se dedica a cuidar [27]. Entretanto, assim como existem mais aspectos negativos do que positivos, a doença acaba por trazer um aumento na proximidade afetiva entre os familiares. Alguns conseguem se aproximar do doente e vivenciar sentimentos de perdão e reconciliação.

De alguma forma, a doença altera o papel social do sujeito enfermo e a dinâmica familiar. Sendo assim, todas as pessoas envolvidas no processo da doença serão afetadas de alguma forma. Isso pode desestruturar a base familiar, exigindo que esse aspecto seja incluído no plano de tratamento como demanda de intervenção. [24]

Nesse cenário, a psico-oncologia surge com o objetivo maior de oferecer ao doente, à família e a toda a equipe de saúde envolvida no tratamento apoio psicossocial que lhes permita enfrentar a doença, melhorando a qualidade de vida em todos os estágios – prevenção, diagnóstico, tratamento, até a cura ou cuidados paliativos [26]. Por meio do suporte psicológico, o enfrentamento da doença se mostra mais provável, uma vez que será possível falar abertamente sobre todas as aflições que acometem o paciente e sua família.

Uma das metas da psico-oncologia é oferecer suporte e instrumentalizar o paciente e sua família para tomar decisões, além de encorajá-los a modificar padrões disfuncionais. As intervenções psicoterapêuticas englobam abordagens psicoeducativas, nas quais o paciente e a família são esclarecidos sobre as informações médicas relativas a prognósticos, tratamentos e procedimentos, como a radioterapia e a quimioterapia.

Além disso, são utilizadas técnicas de psicoterapia focal de apoio, chegando a modalidades de terapia individual e de família, como as psicoterapias breves cuja duração é limitada, buscando obter melhora da qualidade de vida em um curto prazo. As terapias de apoio visam diminuir a ansiedade da unidade de cuidado, à medida que podem crer cada vez mais na capacidade de apoio e vínculo que vai se solidificando entre eles, o terapeuta e a equipe de saúde que os atende.

Outra intervenção utilizada é o trabalho em grupo, eficaz por permitir a criação de uma rede de suporte emocional e social e de troca de informações e vivências entre os que estão passando pela mesma situação. As intervenções psicossociais utilizam métodos psicodinâmicos para compreender e cuidar de reações emocionais. O uso dessas intervenções pelo psico-oncologista cria condições favoráveis tanto para a expressão emocional como para o resgate e a construção de recursos adaptativos dos pacientes e familiares. [26]

Nota-se, em nossa prática profissional, a importância da intervenção do psico-oncologista em todo o processo de aceitação da doença, bem como no decorrer do tratamento. A psico-oncologia busca incentivar a participação ativa do paciente no seu tratamento, estimular ações que melhorem sua qualidade de vida e trabalhar a comunicação entre o paciente e a família e da unidade de cuidado com a equipe médica. Dessa forma, é imprescindível o esclarecimento de dúvidas em relação ao câncer e aos procedimentos, mas sobretudo aquelas que desmistificam a doença.

No momento de enfrentar um câncer, a família depara com o conflito entre a necessidade de apoio ao ente querido e a aceitação da presença da neoplasia no seio familiar [28]. A psico-oncologia pode ter um papel fundamental em todo o processo.

O impacto do câncer infantil no sistema familiar

A partir do diagnóstico de câncer em um filho, os pais buscam informações sobre a doença e seu tratamento, como se a posse de tais dados pudesse ajudá-los a partilhar o mundo da doença com o filho e adentrar esse mundo, auxiliando-os, assim, a superar suas inquietações e conviver melhor com a criança.

Para Monteiro *et al.* [29], diante do adoecimento e do tratamento de um filho, "os familiares passam a vivenciar o cotidiano da criança e saem de sua história para mergulhar na dela de forma envolvente e significante; sua vivência passa a ser sustentada em lutas e cuidados, em medos e esperanças, em um pequeno fio que separa a vida e a morte".

O câncer infantil traz consigo a perda do filho saudável e da rotina, a separação dos membros da família em decorrência da hospitalização, a separação

das pessoas do círculo social mais amplo e a incerteza quanto ao sucesso terapêutico.

A natureza da doença que ameaça a vida de uma criança e seu tratamento invasivo concorrem para a formação de uma situação estressante tanto nas questões de ordem prática como nas emocionais, e em toda a família. A experiência de enfrentar esse tipo de enfermidade é considerada um dos acontecimentos mais dolorosos com os quais uma família pode deparar. A vida normal cessa, os planos e as atividades da família são interrompidos e tudo passa a ser planejado em função da criança doente. Muitas vezes, é preciso que o pai ou a mãe abra mão do trabalho para estar disponível o tempo todo. Os pais desempenham papel central na trajetória do câncer infantil, e seus comportamentos podem interferir no nível de sofrimento da criança. [30]

Durante o percurso da doença, a família e a criança enfrentam problemas como longos períodos de hospitalização, reinternações frequentes, terapêutica agressiva com sérios efeitos colaterais, dificuldades pela separação dos membros da família durante as internações, interrupção das atividades diárias, desajuste financeiro e o medo constante da possibilidade de morte.

Nesse enfrentamento, há fatores facilitadores e fatores complicadores, como aponta Franco [8]. Os facilitadores são: estrutura familiar flexível que permite reajuste de papéis; boa comunicação com a equipe profissional e entre os membros da família; conhecimento dos sintomas e ciclo da doença; participação nas diferentes fases para obter senso de controle e sistemas de apoio informal e formal disponíveis. Os dificultadores são: padrões disfuncionais de relacionamento, interação, comunicação e solução de problemas; sistemas de suporte formal e informal inexistentes; outras crises familiares simultâneas à doença; falta de recursos econômicos e sociais, cuidados médicos de pouca qualidade e dificuldade de comunicação com a equipe médica; doenças estigmatizantes e pouca assistência.

Se a dinâmica familiar se desestrutura com a notícia da doença de um de seus membros, sofrendo inúmeras transformações, o câncer na infância é uma situação estressante que traz inúmeras questões a cada membro da família. Começando pela aceitação do diagnóstico, processo difícil que leva os pais a se questionar sobre a conduta de educação e de cuidados com o filho doente. Assim, muitas vezes eles assumem a culpa pela situação e por vezes responsabilizam um ao outro. [30]

A recidiva

Tratar do tema câncer é pensar em diversos contextos multifatoriais, compreendendo que não se trata de uma linha retilínea de ações da equipe e da família, mas de ações que envolvem constantes intercorrências, reanálises e avaliações, exigindo-se também muita flexibilidade na adaptação aos fatos.

Entre esses momentos enfrentados ao longo do processo oncológico, dois pontos do tratamento merecem destaque. O primeiro deles é marcado pela remissão ou estabilização da doença, que deixa de prosseguir e pode ser uma circunstância definitiva ou não. [31]

O segundo ponto do processo é a recidiva, que implica a volta ativa da doença. Vale acrescentar que se trata de um momento de muitas demandas físicas, sociais e psíquicas para os envolvidos, sejam pacientes, familiares ou até mesmo a equipe médica multiprofissional.

Carvalho e Carvalho [31] referem-se à recidiva como um retorno da doença, o qual provoca forte abalo nas estruturas psicológicas da família – que, já fragilizada com o tratamento da primeira evidência do tumor, estava começando a se recompor.

A recidiva é como um fantasma, metaforicamente falando, do qual se deve fugir. Quando o sujeito depara com a reincidência da doença, bem como com frustrações diante do fato e da desestruturação do projeto de vida pessoal e familiar previamente idealizado, surgem dúvidas e apreensões.

É inevitável que haja reação emocional tanto do paciente quanto de seus familiares. A família reflete diretamente o que nela ocorre e cada um dos sistemas familiares reage de forma única, de acordo com sua história.

Segundo Silva, Osorio e Valle [32], as famílias estarão em contato com a perda – processo natural da existência – em algum momento de sua jornada. Porém, para os autores, os avanços tecnológicos e o desenvolvimento da medicina têm levado à institucionalização da morte, afastando do contexto natural aquilo que deveria ocorrer nesse caso. Enfim, na contemporaneidade, a morte tem sido cada vez mais apartada da natureza humana.

Esse fato tem gerado grande ansiedade diante da inescapável finitude humana. Em geral, lidar com a ideia ou a possível ameaça à integridade da vida e seu fim é sempre uma árdua tarefa para a sociedade atual. Tendemos a nos distanciar das perdas, e grande parte das famílias não se encontra preparada para lidar com a notícia de uma recidiva. Levando isso em conta, é importante compreender qual é o significado de uma recidiva para o paciente, sua família e o contexto em que vivem.

De acordo com Simonton [33], diante da recidiva, o choque é inevitável e pode durar de duas a oito semanas. Os sintomas manifestos nesse período são dificuldade para dormir, ansiedade, humor deprimido e exaustão emocional. É preciso deixar claro que nem sempre a manifestação de um sintoma emocional implica uma disfunção no campo psíquico ou um distúrbio psiquiátrico. Ao contrário, pode ser uma expressão inclusive saudável da pessoa que adoeceu ou de sua família.

Ainda segundo Simonton [33], outros sintomas comuns diante da recidiva são diminuição do interesse pelo trabalho e perda do prazer perante atividades antes apreciadas. Predomina o sentimento de frustração, que impede temporariamente os pacientes de dar continuidade às atividades normais e corriqueiras antes realizadas. Diminuem as atividades físicas anteriores e os cuidados com a alimentação.

A autora [33] explica que esse choque vivenciado não deve ser mal interpretado; a labilidade do humor e a sensação de perda do controle serão paulatinamente amenizadas, dando espaço à reorganização do sujeito e do meio no qual está inserido. A autora expressa também que o paciente que transpõe essa fase com seus familiares e cercado de amigos vislumbra um processo mais ameno.

Esse último fato demonstra a importância do suporte familiar e social, sobretudo diante da informação da reincidência da doença. Em outros termos, o apoio psicossocial contribui para diminuir a morbidade nessas circunstâncias.

O cuidado orientado e pautado por atitudes coerentes é benéfico para o paciente, a equipe de saúde e a família.

Para Sluzki [34], a existência de uma rede social permite uma vida mais saudável. Assim, estar conectado a uma rede social otimiza a utilização dos serviços de saúde e acelera o processo de cura, aumentando-se a sobrevida – desde que tal rede seja ativa, confiável e sensível.

Baseando-se em estudos prévios sobre a importância da rede social na prática sistêmica, Sluzki [34] conclui que essa variável é extremamente importante, havendo correlação direta entre probabilidade de sobrevida maior e índices elevados de relações sociais. Em suma, relacionar-se faz bem e viabiliza saúde em um contexto mais amplo, tanto do ponto de vista biológico quanto psíquico. Certamente, no caso de recidiva, essa rede deve se ampliar ainda mais.

A família e o paciente sem possibilidade de cura

A necessidade de intimidade é frequentemente subestimada nos cuidados terminais. Gilley, citado por Berthoud, Bromberg e Coelho [35], chama a atenção para esse aspecto particular no relacionamento, que pode refletir em como ele foi no passado e dar indicações do que pode ser esperado e oferecido como apoio à medida que o paciente se aproxima da morte. A intimidade está relacionada com a identidade do paciente terminal em sua família, pois, com o agravamento da doença, ele passa a ter apenas a identidade de doente, não mais a de marido ou esposa, adolescente, filho, irmão.

A família de um paciente sem possibilidades de cura é hoje vista como um agente importante nos cuidados necessários ao doente.

Eslinger [36] apresenta reflexões sobre o que seria a boa morte e arrola os seguintes pontos para esse bem-morrer: com conforto respiratório; sem dor; na presença de familiares; com os desejos realizados; com suporte emocional e espiritual; sem sofrimento hospitalar (evitando-se processos distanásicos). Para essa autora, o psicólogo tem um trabalho relativo ao cuidado da alma, do ser como um todo, acolhendo, ouvindo histórias, reconhecendo sentimentos, utilizando os sentidos – o olhar e o toque. Algumas pessoas expressam os seus desejos finais e alguns deles podem ser atendidos, o que é muito importante para proporcionar conforto e dignidade. Caso não possam ser atendidos, deve haver escuta e acolhimento. Enfatizamos que a boa morte é aquela que cada um gostaria para si.

Se, para a família, a perspectiva da morte de um ente querido é aterrorizante, agrava-se mais essa situação quando se trata de uma criança, pois além de todas as dificuldades de ordem física, emocional e social, acrescente-se a dor e a angústia do momento mais difícil para todo ser humano. A criança terminal vive um silêncio que prefigura o silêncio da própria morte, ou seja, vive por antecipação um atributo do morto. [37]

Segundo Kovács [10], o luto antecipatório é o processo que ocorre antes da morte concreta, devendo haver um trabalho com o paciente e seus familiares. No caso do paciente, envolve as perdas de si, da saúde, da vida e a separação das pessoas queridas. Para os familiares, as perdas relacionadas com o adoecimento, a perspectiva da morte e a sensação de sobrecarga.

O luto antecipatório é aquele que permite absorver a realidade da perda gradualmente, ao longo do tempo, resolver questões pendentes, expressar sentimentos, perdoar e ser perdoado. O reconhecimento desse luto antecipado trará à família condições para um adequado desenrolar do processo do adoecimento. [8]

Pacientes que estão finalizando a vida precisam contar com a família, padecendo todos de muito sofrimento. Segundo Kovács [10], nos momentos finais o processo de comunicação concentra-se no paciente e às vezes a família é deslocada ou considerada um elemento perturbador, mas, embora o centro das decisões seja o paciente, é a família que cuida dele, que passa a maior parte do tempo com ele e deve apoiá-lo nessas decisões. [20]

É comum que, depois de percorrer um bom trecho do caminho do luto, a pessoa sinta uma nova força interior, uma presença íntima que a habita e acompanha – e assim ela consegue se arriscar a descobrir novos propósitos para sua vida. Um luto bem elaborado pode ser um fator de enriquecimento pessoal, ao oferecer à pessoa afetada uma oportunidade de transformação e uma melhor compreensão da vida e da morte. [38]

Considerações finais

A doença não traz consigo apenas o sofrimento; ela pode aproximar os familiares e fortalecer os vínculos entre eles. Diante do diagnóstico, evidencia-se que algumas famílias se aproximam para auxiliar no cuidado ao paciente, enquanto outras acabam se afastando. O impacto causado pela descoberta da doença faz que a família utilize estratégias de enfrentamento para reagir ao problema. O apoio psicológico é fundamental para todos os envolvidos, pois favorece o suporte necessário para enfrentar a doença.

No que tange ao papel da psico-oncologia, refletir sobre seu olhar diante desse sofrimento, abrindo espaço para repensar de que forma o profissional pode atuar, contribui para amenizar o sofrimento dos envolvidos. A especialidade tem a importante tarefa de incentivar o tratamento integral do paciente oncológico e auxiliar a família no processo de cuidar, minimizando os efeitos da sobrecarga dos cuidados. Desse modo, o acompanhamento profissional é fundamental para desmistificar a doença e seu estigma de fatalidade. Além disso, permite que os familiares se sintam amparados e com menos prejuízos psicológicos. O psico-oncologista pode auxiliar a família e o paciente a conviver com a doença, trabalhar pela sua saúde, desenvolver-se emocionalmente – mesmo com as dificuldades – e também morrer em paz, quando a cura não for possível.

Referências

1. Instituto Nacional de Câncer José Alencar Gomes da Silva. *Estimativa 2018: incidência de câncer no Brasil.* Rio de Janeiro: Inca, 2018. Disponível em: <https://www.inca.gov.br/sites/ufu.sti.inca.local/files//media/document//estimativa-incidencia-de-cancer-no-brasil-2018.pdf>. Acesso em: 22 maio 2019.

2. Macieira, R. C.; Barbosa, E. R. C. "Olhar paciente-família: incluindo a unidade de cuidados no atendimento integral". In: Veit, M. T. (org.). *Transdisciplinaridade em oncologia: caminhos para um atendimento integrado.* São Paulo: HR, 2009.

3. Ribeiro, E. M. P. C. "O paciente terminal e a família". In: Carvalho, M. M. M. J. *Introdução à psico-oncologia.* Campinas: Livro Pleno, 2003.

4. Genezini, D.; Castro, L.; Rossi, S. G. "Família, adoecimento e luto". In: Veit, M. T. (org.). *Transdisciplinaridade em oncologia: caminhos para um atendimento integrado.* São Paulo: HR, 2009.

5. Redó, C. R. D. "Tratamento integral: considerações preliminares e a vivência interdisciplinar na VI conferência da Abrale". In: Veit, M. T. (org.). *Transdisciplinaridade em oncologia: caminhos para um atendimento integrado.* São Paulo: HR, 2009.

6. Mathias, C. V. *et al.* "O adoecimento de adultos por câncer e a repercussão na família: uma revisão da literatura". *Revista de Atenção à Saúde,* v. 13, n. 45, 2015, p. 80-86.

Disponível em: <http://seer.uscs.edu.br/index.php/revista_ciencias_saude/article/view/2818/1786>. Acesso em: 22 maio 2019.

7. Minuchin, S. *Famílias: funcionamento e tratamento.* Porto Alegre: Artes Médicas, 1982.

8. Franco, M. H. P. "A família em psico-oncologia". In: Carvalho, V. A. *et al.* (orgs.). *Temas em psico-oncologia.* São Paulo: Summus, 2008.

9. Gimenes, M. G. C. *A mulher e o câncer.* Campinas: Psy, 1997.

10. Kovács, M. J. "Aproximação da morte". In: Carvalho, V. A. *et al.* (orgs.). *Temas em psico-oncologia.* São Paulo: Summus, 2008.

11. Benedetti, G. M. S. *et al.* "Sobrecarga emocional dos familiares de pacientes com câncer: ambiguidade de sentimentos ao cuidar". *Ciência, Cuidado e Saúde,* v. 14, n. 3, 2015, p. 1220-28. Disponível em: <http://ojs.uem.br/ojs/index.php/CiencCuidSaude/article/view/23590/15292>. Acesso em: 10 abr. 2019.

12. Oliveira, E. A.; Torrano-Masetti, L. M.; Santos, M. A. "Grupo de apoio ao acompanhante do transplantado de medula óssea: uma contribuição à práxis grupal". *Paideia: Cadernos de Psicologia e Educação,* v. 9, n. 16, 1999, p. 41-52.

13. Oliveira, E.; Sommerman, R. "A família hospitalizada". In: Romano, B. (org.). *Manual de psicologia clínica para hospitais.* São Paulo: Casa do Psicólogo; 2008, p. 120-21.

14. Santana, I. T. S. *et al.* "Aspectos biopsicossociais do adoecimento por câncer para familiares de pacientes hospitalizados". *Ciência, Cuidados e Saúde*, v. 16, n. 1, 2017. Disponível em: <http://periodicos.uem.br/ojs/index.php/CiencCuidSaude/article/view/30791/pdf>. Acesso em: 10 abr. 2019.

15. Rolland, J. S. "Doença crônica e o ciclo de vida familiar". In: Carter, B.; McGoldrick, M. (orgs.). *As mudanças no ciclo de vida familiar*. 2. ed. Porto Alegre: Artmed, 1995.

16. Souza, J. R.; Seidl, E. M. F. "Distress e enfrentamento: da teoria à prática em psico-oncologia". *Brasília Médica*, v. 50, n. 3, 2014, p. 242-52. Disponível em: <https://www.researchgate.net/publication/270527856_Distress_e_enfrentamento_da_teoria_a_pratica_em>. Acesso em: 10 abr. 2019.

17. Pichetti, J. S. "E os cuidadores, quem cuida deles?" In: Paraíba, M.; Silva, M. R.; Hart, C. F. M. (orgs.). *Câncer: uma abordagem psicológica*. Porto Alegre: AGE, 2008, p. 43-56.

18. Simonton, O. C.; Simonton, S. M.; Creighton, J. L. *Com a vida de novo – Uma abordagem de autoajuda para pacientes com câncer*. São Paulo: Summus, 1978.

19. Floriani, C. A. "Cuidador familiar: sobrecarga e proteção". *Revista Brasileira de Cancerologia*, v. 50, n. 4, 2004, p. 341-45. Disponível em: <https://rbc.inca.gov.br/index2.php>. Acesso em: 22 maio 2019.

20. Echeverri, C. G. *A importância da comunicação*. In: Jaramilo, I. F. (org.). *Morrer bem*. São Paulo: Planeta, 2006.

21. Molina, M. A. S. *Enfrentando o câncer em família*. Dissertação (mestrado em Enfermagem), Universidade Estadual de Maringá, Paraná, 2005.

22. Farinhas, G. V.; Wendling, M. I.; Dellazzana-Zanon, L. L. "Impacto psicológico do diagnóstico de câncer na família: um estudo de caso a partir da percepção do cuidador". *Pensando Famílias*, v. 17, n. 2, 2013, p. 111-29. Disponível em: <http://pepsic.bvsalud.org/scielo.php?script=sci_arttext&pid=S1679-494X2013000200009&lng=pt&tlng=pt>. Acesso em: 10 abr. 2019.

23. Silveira, T. M. *Por que eu? A escolha do cuidador familiar*. Rio de Janeiro: Arquimedes, 2007.

24. Carvalho, C. S. U. "A necessária atenção à família do paciente oncológico". *Revista Brasileira de Cancerologia*, v. 54, n. 1, 2008, p. 87-96. Disponível em: <http://www.inca.gov.br/rbc/n_54/v01/pdf/revisao_7_pag_97a102.pdf>. Acesso em: 10 abr. 2019.

25. Volles, C. C.; Bussoleto, G. M.; Rodacoski, G. "A conspiração do silêncio no ambiente hospitalar: quando o não falar faz barulho". *Revista SBPH*, v. 15, n. 1. 2012, p. 212-31. Disponível em: <http://pepsic.bvsalud.org/scielo.php?script=sci_isoref&pid=S1516-08582012000100012&lng=pt&tlng=pt>. Acesso em: 15 abr. 2019.

26. Bifulco, V. A.; Faleiros, D. A. M. "Psico-oncologia". In: Bifulco, V. A.; Fernandes Junior, H. J. F. (orgs.). *Câncer: uma visão multiprofissional*. Barueri: Minha Editora, 2010.

27. Laham, C. F. *Percepção de perdas e ganhos subjetivos entre cuidadores de pacientes atendidos em um programa de assistência domiciliar*. Dissertação (Mestrado em Ciências) – Faculdade de Medicina, Universidade de São Paulo, São Paulo, 2003.

28. Ambrósio, D. C. M.; Santos, M. A. "Vivências de familiares de mulheres com câncer de mama: uma compreensão fenomenológica". *Psicologia: Teoria e Pesquisa*, v. 27, n. 4, p. 475-84. Disponível em: <http://www.scielo.br/scielo.php?script=sci_arttext&pid=S0102-37722011000400011>. Acesso em: 10 abr. 2019.

29. Monteiro, C. F. S. *et al.* "A vivência familiar diante do adoecimento e tratamento de crianças e adolescentes com leucemia linfoide aguda". *Cogitare Enfermagem*, v. 13, n. 4, 2008, p. 487. Disponível em: <https://revistas.ufpr.br/cogitare/article/view/13104/8863>. Acesso em: 22 maio 2019.

30. Barros, E. N. "Aspectos psicológicos relacionados ao cuidador/família". In: Camargo, B.; Kurashima, A. Y. (orgs.). *Cuidados paliativos em oncologia pediátrica – O cuidar além do curar*. São Paulo: Lemar, 2007.

31. Carvalho, N. A.; Carvalho, A. B. A. "Neoplasias da infância". In: Bifulco, V. A.; Fernandes Júnior, H. J.; Barbosa, A. B. (org.) *Câncer: uma visão multiprofissional*. Barueri: Minha Editora, 2010.

32. Silva, D. R.; Osorio, L. C. E.; Valle, M. E. P. *Manual de terapia familiar*. Porto Alegre: Artmed, 2009.

33. Simonton, S. M. *A família e a cura: o método Simonton para famílias que enfrentam uma doença*. 2. ed. São Paulo: Summus, 1990.

34. Sluzki, C. E. *A rede social na prática sistêmica*. 2. ed. São Paulo: Casa do Psicólogo, 1997.

35. Berthoud, C. M. E.; Bromberg, M. H. P. F.; Coelho, M. R. M. *Ensaios sobre formação e rompimento de vínculos*. Taubaté: Cabral Editora Universitária, 1998.

36. Eslinger, I. *O paciente, a equipe de saúde e o cuidador: de quem é a vida, afinal? Um estudo acerca de morrer com dignidade*. Tese (doutorado em Psicologia), Universidade de São Paulo, São Paulo, 2003.

37. Torres, W. C. *A criança diante da morte: desafios*. São Paulo: Casa do Psicólogo, 1999.

38. Tellez, S. S.; Mendoza-Veja, J.; Jaramilo, I. F. "Opções para morrer humanamente". In: Jaramilo, I. F. (org.). *Morrer bem*. São Paulo: Planeta, 2006.

PARTE II

PSICO-ONCOLOGIA PEDIÁTRICA

6. EM NOME DO FILHO: A PREVALÊNCIA DA MÃE NO ACOMPANHAMENTO DA CRIANÇA EM TRATAMENTO ONCOLÓGICO

Rita Miranda Coessens Guimarães, Marília A. de Freitas Aguiar

Introdução

O câncer é uma doença extremamente temida por qualquer pessoa, em qualquer contexto social, sendo frequentemente associada à morte [1]. Em se tratando de câncer infantil, o Brasil apresenta um número significativo de casos dessa patologia notificados gradativamente a cada ano. Assim como em países desenvolvidos, em nosso país o câncer já representa a primeira causa de morte por doença entre crianças e adolescentes (indivíduos de até 19 anos). Hoje, as neoplasias de maior frequência na infância são as leucemias. Porém, há também outros tipos de câncer que acometem a infância e a adolescência, como neuroblastoma, tumor de Wilms, retinoblastoma, tumor germinativo, osteossarcoma e sarcoma. [2]

Quanto à etiologia, no caso do câncer infantil, ainda não são claros os fatores de risco que podem causar a doença, que é atribuída à hereditariedade – ao contrário das causas observadas em adultos, que, além do fator hereditário, podem englobar fatores ambientais, hábitos alimentares, estilo de vida e aspectos emocionais. Assim, como a prevenção do câncer infantil ainda não é possível, o diagnóstico precoce torna-se ainda mais importante para que o tratamento tenha sucesso. [2]

Em hospitais, clínicas e ambulatórios, percebe-se a grande dificuldade da criança e de seus familiares ao vivenciar uma doença grave como o câncer. Além da perda da liberdade e da mudança de rotina, tanto da criança quanto da família, vivenciam-se experiências estressantes e de grande sofrimento. O tratamento requer um processo prolongado e muito doloroso, no qual os profissionais de saúde devem considerar a patologia em seus aspectos sociais, emocionais, afetivos, culturais e espirituais. [3]

A infância é uma fase considerada crucial no desenvolvimento humano, uma vez que nela ocorre a construção do indivíduo, por meio das vivências nas relações familiares, sociais e culturais. É também na infância que o indivíduo constrói suas relações com o próprio corpo e com o mundo externo, adquirindo uma estrutura de personalidade que vai ser a base para todas as suas vivências futuras. [4]

No processo de tratamento da criança com câncer, algumas particularidades podem ocorrer de forma específica em cada uma das fases da infância, causando alterações psicossociais características de acordo com cada etapa. É preciso estar atento à idade da criança em tratamento oncológico, bem como ao seguimento natural de seu processo de desenvolvimento, para melhor identificar e compreender as alterações psicossociais ocorridas e assim oferecer o atendimento adequado, devidamente humanizado. Os procedimentos médicos inerentes ao caso clínico, bem como as frequentes internações hospitalares, somados às alterações inerentes às fases da infância, podem gerar grande sofrimento.

Devido ao seu caráter invasivo e doloroso, os procedimentos médicos costumam causar grande ansiedade e estresse na criança, visto que para ela tudo naquele momento é desconhecido e assustador [6].

Pesquisas apontam que, dependendo da idade do paciente, tais procedimentos podem provocar traumas e até quadros psiquiátricos, como estresse agudo, pânico e fobias [3].

Nesse contexto, a criança, em grande sofrimento, assustada e amedrontada, busca distinguir entre "a mamãe boazinha" que cuida e o "papai bravo e mau" que a obriga à submissão a exames difíceis, remédios e outros procedimentos aos quais ela tanto resiste. A mãe costuma transferir essas tarefas ao pai, temendo perder, mesmo que por um instante, o amor do filho; o pai, por sua vez, em geral se permite, com menos dificuldade, converter-se em "carrasco".

Um aspecto fundamental relacionado com os procedimentos médicos no processo de tratamento oncológico pediátrico é a correlação existente entre as reações emocionais dos pais e a resposta psicológica da criança na adesão ou resistência ao tratamento [5]. O nível de ansiedade dos pais interfere na conduta da criança.

Quanto às frequentes internações hospitalares, sabe-se que estas provocam mudanças extremas, como o distanciamento da criança de sua rotina normal – envolvendo tanto o ambiente familiar quanto escolar –, o que sempre resulta em repercussões negativas, principalmente em prejuízo no rendimento acadêmico e na socialização [3]. O tratamento é doloroso, agressivo, longo e deixa sequelas. Por vezes são necessárias várias internações.

Neste capítulo, analisaremos as consequências do tratamento do câncer infantil no âmbito familiar, considerando-se a prevalência da mãe no acompanhamento do filho.

Na literatura pesquisada acerca do envolvimento familiar no processo de tratamento do câncer infantil, constatou-se que dele participam os membros da família e amigos próximos. Porém, de modo geral, fica evidente a prevalência da presença da mãe ao lado do filho. Nesse sentido, há de se buscar uma discussão mais aprofundada sobre a situação da mulher nesse cenário de sofrimento intenso. Assumindo as vivências que lhe são impostas pelas circunstâncias, ela deixa em segundo plano suas atividades e seus objetivos. É como se o perfil da mulher, com suas necessidades, sonhos e desejos, fosse ofuscado pelo perfil da mãe, que tudo enfrenta em nome do filho.

Metodologia

O método utilizado para a construção deste estudo foi a revisão integrativa da literatura, que objetiva reunir e sintetizar resultados de pesquisas acerca de determinado tema ou questão de maneira sistemática e ordenada, contribuindo para o aprofundamento do conhecimento do tema investigado [7]. Com isso, a questão norteadora deste estudo foi identificar, no processo de tratamento do câncer infantil, suas consequências no âmbito familiar, considerando-se a prevalência da mãe no acompanhamento do filho.

A coleta de dados foi realizada por meio de pesquisa em fontes impressas e na internet, a fim de selecionar as principais produções científicas acerca do tema. Utilizaram-se os descritores *oncologia*, *criança*, *mãe*, *pai*, *família*. As buscas foram realizadas nas seguintes bases de dados: Scientific Electronic Library Online (Scielo), Literatura da América Latina e do Caribe em Ciências da Saúde (Lilacs) e Fundação de Amparo à Pesquisa do Estado de São Paulo (Fapesp). Definiu-se como critério de inclusão artigos em periódicos indexados e outros que abordassem a temática em questão publicados entre 1995 e 2017.

Para melhor clareza da discussão, o tema foi subdividido em três partes: a infância e o câncer; a mulher/mãe quando o filho está com câncer; e pai e mãe no acompanhamento da criança com câncer.

Resultados e discussão

A infância e o câncer

Uma doença tão pesada numa fase tão bonita da vida: a infância. Não há como evitar as lágrimas, seja assistindo a um filme, lendo um livro ou um artigo ou até mesmo em uma roda de conversa sobre o tema. Pode-se imaginar então o que sente qualquer adulto diante de uma criança em tratamento oncológico, visivelmente marcada pelos efeitos colaterais deste. Estendendo um pouco mais o olhar condoído, é possível imaginar a dimensão do sofrimento da mãe ao lado dessa criança.

Nos centros de tratamento em oncologia pediátrica, existe sempre um olhar especial voltado para as crianças doentes. Nenhuma outra doença infantil tem tocado tão profundamente o coração das pessoas como o câncer. Percebe-se com frequência uma evocação espiritual na busca de coragem e força, como suporte interno para auxiliar aquele pequeno ser no enfrentamento da doença.

Todo adulto, diante de uma criança doente, se compadece, porque já foi criança e consegue lembrar sem muito esforço de suas vivências infantis, com todos os sonhos, desejos, fantasias, explorações e descobertas. Na infância, busca-se a saúde, a vitalidade, o crescimento saudável do corpo [4]. Nessa fase, há sempre um destaque maior em relação ao corpo: a criança se movimenta muito mais que o adulto e se expressa com mais facilidade por meio dos movimentos corporais, como correr, pular, deitar-se no chão, rolar... Assim ela se comunica.

No processo de tratamento do câncer infantil, o significado da infância ganha um aporte a mais: a experiência de dor e sofrimento imposta ao corpo da criança tanto pela doença quanto pelos efeitos colaterais do tratamento, com todas as suas sequelas [6]. Lembrando que o corpo da criança é uma fonte de reações e de comunicações na infância saudável [4]; surge, assim, a necessidade de perceber seus sentimentos, suas carências, seus desejos potencializados pelos sintomas, confundidos com privilégios e benefícios.

Refletindo sobre essas questões, não é difícil fazer uma leitura dos dilemas dessa criança: uma coisa é saber que está doente, com alguns ganhos secundários, como receber atenção de todos, ganhar colo e cuidados recheados de carinho por estar "dodói". Mas enfrentar um tratamento invasivo, demorado e muito doloroso é outra coisa.

A infância é uma fase de mutações. Portanto, a concepção de infância deve estar também em permanente construção. E essa construção, historicamente, depende de outros fatores que compõem o mundo real da criança, pois é nesse mundo real que se destacam os sujeitos envolvidos na sua história. E o sujeito mais próximo da construção da infância dentro de toda a história da humanidade sempre foi a mulher [4]. Mulher e infância sempre estiveram muito próximas e interligadas, com grande destaque para a figura materna. Não apenas a mulher-mãe que gera e dá à luz, mas também aquela que acompanha e continua gerando, produzindo e reproduzindo a infância, seja na saúde, na educação, na socialização, na moralização ou, acima de tudo, nos cuidados. [4]

A mulher/mãe quando o filho está com câncer

Ao longo da história, a mulher sempre esteve ligada às questões da infância. Hoje, a mãe está envolvida com preocupações inerentes às despesas da casa, às responsabilidades financeiras na criação dos filhos, às questões sociais e ambientais etc. Para ela, manter-se num emprego ou realizar-se profissionalmente, seja por necessidade ou por opção, traz como consequência a necessidade de tornar coletivo o processo de formação da infância, incluindo os cuidados com os próprios filhos. [4]

Não há como negar o surgimento de uma nova concepção de infância como categoria social e não mais como categoria familiar. Também não se pode negar o protagonismo da mulher no mercado de trabalho e na composição do orçamento familiar. Tais fenômenos são fundamentais para que se busquem novas discussões e atitudes no contexto do câncer infantil, visando soluções menos dolorosas para a mulher e mais satisfatórias para a sociedade como um todo.

Pesquisas apontam que normalmente é a mãe, entre os membros da família, que acompanha as situações de adoecimento e de tratamento dos filhos. No câncer infantil não é diferente.

Nas internações hospitalares e principalmente nas unidades de oncologia, percebe-se que dentro da própria equipe clínica há sempre uma tendência para os relacionamentos mais favoráveis com a mãe da criança. Percebe-se ainda um olhar de cobrança da sociedade para que ela assuma o lugar de acompanhante da criança hospitalizada [5]. É como se fosse um dever da mãe estar ali, não importando o que ela tenha de deixar de lado... A própria mulher se cobra como mãe! A criança, por sua vez, na maioria das vezes, só quer a progenitora, mesmo que o pai também esteja presente [5]. Há, porém, risco de alterações na saúde materna, principalmente no que se refere ao emocional. Durante a hospitalização, o bem-estar emocional da mãe favorece a evolução clínica da criança, contribuindo para o melhor desenvolvimento do tratamento. E vice-versa: o mal-estar emocional da mãe contribui para a piora clínica da criança, acentuando-lhe o estado de sofrimento e, consequentemente, dificultando sua adesão ao tratamento.

Em um estudo fenomenológico [8] da relação entre mãe e filho em tratamento oncológico, Teles aponta mecanismos mútuos de proteção com resultados favoráveis em resiliência dentro da díade mãe-criança. São situações em que mãe e filho estão completamente ligados, não apenas de forma empática, mas em uma espécie de conexão, estabelecendo relações autênticas de cuidado. Segundo a autora, essas relações só foram possíveis nos momentos em que se favoreceu que ambos estivessem inteiros, entregues de corpo e alma ao relacionamento. Porque somente por meio de uma profunda intimidade os indivíduos, mesmo em se tratando das crianças, conseguem perceber as reais necessidades um do outro.

Segundo nossa experiência profissional, especificamente em oncologia, existe uma ligação muito forte entre a criança hospitalizada e sua mãe. A criança quer a mãe por perto durante todo o tempo. E esta se desdobra, se multiplica e se prontifica para se fazer presente. Parece uma relação mútua de dependência, exigência, cumprimento de dever, cobrança. Também se nota uma mistura de sentimentos de ambas as partes: a criança fica melhor quando a mãe está bem e vice-versa.

A mãe, por sua vez, mantém a ideia fixa de que preferia estar ali, no lugar do filho, vivenciando tudo aquilo para poupá-lo [8]. Já a criança manifesta concordância com tal pensamento da mãe quando pede que os mesmos procedimentos a ela dirigidos sejam também aplicados às bonecas e bonecos (alguns super-heróis), ursinhos e outros companheirinhos de suas fantasias infantis. Quantas vezes se raspam a cabeça das bonecas, se aplicam nelas injeções, se simulam cirurgias e exames, principalmente os mais complexos! Nota-se aí uma inversão dos papéis, evidenciando uma realidade em que mãe e filho(a) estão sofrendo igualmente. Com a mãe pode acontecer também algo parecido: algumas até raspam o cabelo!

Como a criança se manifesta mais intensamente por meio do corpo, há sempre uma visão da mãe em relação ao corpo do filho. Na infância, o corpo é inacabado, dia a dia formado, tão incompleto e tão repleto! Um corpo iniciado em minúsculas partículas dentro de outro corpo: o da mãe. O bebê humano, para nascer, precisa fazer uma escolha entre o conforto da bolsa embrionária e a vida do corpo libertado do útero materno [4]. É nesse campo milagroso, repleto de mistérios, que se desenrolam as questões da díade mãe-criança no tratamento do câncer infantil – como se o filho, nessas circunstâncias de intensa dor fisiológica e alterações corporais, retornasse simbolicamente ao útero materno e, assim, fosse percebido pela mãe como um pedaço de si. [8]

Dentro do objetivo principal deste estudo, que é discutir a prevalência da mãe no acompanhamento da criança com câncer, cabe aqui um comentário sobre o documentário "Paixão", de Nilmar Lage [9]. Baseando-se na história bíblica da Paixão de Cristo, o cineasta dá voz às mães que acompanhavam seus filhos em tratamento oncológico em um hospital de referência na cidade de Ipatinga, no interior de Minas Gerais. Além das gravações em vídeo, as mães foram fotografadas e seus rostos foram mesclados em sobreposição às diferentes representações de Maria, mãe de Jesus.

Dentro desse contexto tão complexo que envolve a mulher/mãe quando o filho está com câncer, cabe ainda viajar no tempo em busca de um poema escrito por Coelho Neto (1864-1934) no final do século 19. Um de seus versos virou clichê: "Ser mãe é andar chorando num sorriso! / Ser mãe é ter um mundo e não ter nada! / *Ser mãe é padecer num paraíso!*"

Pai e mãe no acompanhamento da criança com câncer

Durante o processo de tratamento de uma criança com câncer, a qualidade de vida dos pais e o arranjo familiar sofrem várias alterações, que podem interferir de forma significativa na resposta do paciente ao tratamento oncológico [10]. Na medida em que a experiência do câncer influencia a reação emocional dos pais às necessidades do filho, a capacidade da criança de lidar com a situação vivenciada relaciona-se com a capacidade dos pais de enfrentar e administrar tais vivências dentro da família. [11]

Vale ressaltar que nessas circunstâncias o casal depara com demandas distintas, e ambos os cônjuges costumam lidar de forma diferenciada com os desafios a ser enfrentados: em geral as mães assumem o papel principal nos cuidados com a criança e se envolvem mais emocionalmente, enquanto o pai atua como provedor, tendendo a se distanciar emocionalmente da situação [12]. Para a mãe, os desafios concentram-se em tomar decisões em tempo hábil (consultas, exames, remédios). Há ainda, dentro de suas responsabilidades cotidianas, o desafio de administrar o planejamento das atividades familiares, incluindo os cuidados com outros filhos e membros da família [13]. Para o pai, cria-se um conflito entre sair para trabalhar e permanecer no hospital, além das demandas de suporte emocional à esposa e aos outros filhos. [12]

Os pais exercem papéis específicos de gênero, seja no campo pessoal, profissional, cultural ou até mesmo espiritual, o que pode influenciar a expressão de sentimentos do homem e da mulher ao vivenciarem a experiência de ter um filho com câncer [10]. Mesmo que as expectativas de ambos se assemelhem, representações psicossociais como pensamentos, sentimentos e reações diante da doença do filho são bem diferenciadas. Um casal que enfrenta um processo de tratamento oncológico pediátrico depara também com diversas mudanças na dinâmica conjugal e familiar, que comprometem fortemente a rotina pessoal de ambos. [3, 11]

Em nosso estudo da literatura, duas pesquisas chamaram a atenção pela semelhança do projeto e da temporalidade: uma delas foi realizada com 11 genitores de crianças em tratamento oncológico na cidade de Recife (PE) [12]; a outra foi realizada com 11 genitoras de crianças em tratamento oncológico na cidade de Teresina (PI) [13]. Nas duas pesquisas foram estudados os seguintes fatores: 1) a reação diante do diagnóstico; 2) ser pai e ser mãe de uma criança com câncer; 3) recursos de enfrentamento do pai e da mãe; 4) participação no processo de tratamento; e 5) dificuldades encontradas. Cabe aqui, portanto, uma breve discussão acerca deles.

1) A reação diante do diagnóstico: os progenitores entrevistados retratam esse momento como um fator causador de crise na família, relatando preconceitos acerca da patologia [12]. As primeiras reações dos genitores caracterizaram um estado de choque, negação. Em seu livro *Sobre a morte e o morrer*, Elisabeth Kübler-Ross [14] discorre sobre as reações diante da morte ou do diagnóstico de uma doença que ameaça a vida. A primeira dessas reações é a negação. É como uma defesa temporária, que pode trazer conforto até que se possa assimilar melhor a situação.

Cabe ressaltar que, no momento do diagnóstico de câncer infantil, a informação correta e o acolhimento feito pela equipe clínica à família da criança são fundamentais. Na pesquisa com os genitores [12], a assistência prestada pela equipe da unidade de oncologia pediátrica foi destacada pelos entrevistados como um fator primordial nesse primeiro momento, no que concerne tanto à comunicação das informações como ao acolhimento oferecido por toda a equipe durante essa fase, que de modo geral consideraram a mais difícil.

Quanto às mães, diante do diagnóstico de câncer do filho, foram observados diversos sentimentos e reações. Em suas narrativas, elas exprimem sentimentos como tristeza, medo, angústia, resignação e amor incondicional, como se todos juntos formassem um sentimento velado de culpa [13]. É como se desde o momento do diagnóstico as mães já se prontificassem a responder "sim" ao sofrimento e principalmente aos cuidados com o filho. Percebe-se um sentimento avassalador de medo, sugerindo que, por amor, seriam capazes de dar a própria vida pelos filhos [8], mesmo sabendo que isso não seria possível.

Outras reações maternas são o conformismo diante do sofrimento e a capacidade de aceitar a realidade e se ajustar à situação vivenciada [13]. É como se aquelas mães buscassem, já no momento do diagnóstico, um sentido para tudo aquilo que teriam de vivenciar.

2) Ser pai e ser mãe de uma criança com câncer: a pesquisa realizada com os pais [12] identificou reações de estresse e queixas de que estavam vivenciando as piores experiências da vida. As narrativas apontaram também uma hipervigilância em relação à criança e aos cuidados a ela destinados nessas circunstâncias. Destaca-se ainda certa insegurança em relação ao futuro do filho. Observa-se que o pai se queixa mais em relação ao cansaço e ao estresse, embora apresente pouca alteração em suas funções fisiológicas, mantendo regulares o sono, a alimentação e a disposição para o trabalho.

Já as mães ficam ao lado do filho durante todo o tratamento com total dedicação, deixando em segundo plano os outros compromissos e atividades, inclusive os cuidados com os outros filhos e o marido [12]. As entrevistas comprovaram que frequentemente, nessas circunstâncias, a mulher abandona o trabalho ou os estudos e toda a sua rotina, incluindo os cuidados consigo mesma (pele, cabelo, unhas, corpo).

Percebe-se que as mães, se comparadas com os pais, reclamam menos de cansaço e estresse. Elas criam laços entre si e com a equipe assistente e participam mais ativamente do processo de tratamento. No entanto, apresentam alterações significativas na qualidade de vida, com irregularidades no sono, na alimentação e nas atividades físicas.

Quanto à vida conjugal do casal, há poucos dados referentes às repercussões do câncer da criança no relacionamento afetivo dos pais [12, 13]. Tanto homens quanto mulheres relatam que o relacionamento conjugal se mantém ou se desfaz durante ou após a doença do filho, de acordo com sua solidez ao longo da história de vida dos dois. Ao mesmo tempo, há indícios de que as repercussões de natureza negativa na vida do casal podem, nessas circunstâncias, desencadear o fim do relacionamento em momento impróprio, visto que com a separação conjugal a mãe acaba cuidando sozinha do filho, o que torna a situação ainda mais complexa e difícil. [13]

3) Recursos de enfrentamento do pai e da mãe: de acordo com as narrativas dos homens [12], há uma busca de apoio na família: pais e irmãos, sogros, cunhados e, sobretudo, na própria mãe da criança. O pai quer também ser cuidado nessas circunstâncias – é um recurso de enfrentamento –, mas dificilmente se aproxima da equipe assistente com essa finalidade. Alguns passam a se dedicar mais ao trabalho, como se fosse uma fuga. Observaram-se também, em alguns casos, alterações nas questões espirituais, com maior prática da oração e do exercício da fé. [12]

Quanto às mães, suas narrativas apontam maior facilidade na busca de estratégias de enfrentamento. Ficou evidenciado que a equipe assistente encontra menos resistência da mãe na aceitação dos cuidados direcionados aos familiares da criança [13]. A mãe geralmente cria um vínculo com a equipe e por isso solicita o apoio de que necessita. Caracterizada como o "sexo frágil", a mulher chora e expressa melhor seus sentimentos. Tem mais facilidade para falar sobre suas angústias, dúvidas e inseguranças, inclusive com mães e acompanhantes de outras crianças.

Como principal recurso de enfrentamento tanto do pai quanto da mãe, as questões da religiosidade e da fé foram bastante citadas [12, 13]. Vários estudos relatam a importância da espiritualidade e como a fé pode influenciar as formas utilizadas para enfrentar dificuldades.

Segundo nossa experiência profissional, a religião, a fé e a esperança são recursos existenciais utilizados para amenizar o sofrimento e transformar as perdas em recompensas significativas, dando um novo sentido à vida que segue.

4) Participação no processo de tratamento: na literatura pesquisada, percebe-se que a equipe clínica tem preferência pela mãe como acompanhante da criança. Há relatos de que a mãe conhece melhor seus hábitos e costumes e até mesmo algumas manias. Porém, relata-se menos autonomia que o pai nos momentos de decisão. Há também fases do tratamento que envolvem procedimentos difíceis, invasivos e agressivos. Nesses momentos, percebe-se que o pai tem mais pulso diante da resistência da criança, facilitando para a equipe a realização de tais procedimentos.

A presença do pai é sempre benéfica e importante no acompanhamento de todo o processo de tratamento para dar segurança, apoio e suporte à mãe e à criança. Porém, a presença da mãe é necessária para os cuidados e orientações inerentes ao tratamento. [12, 13]

5) Dificuldades encontradas: os genitores entrevistados apontam como principal dificuldade o fator financeiro. Em geral, os homens manifestaram grande preocupação com o afastamento do trabalho, os gastos inesperados e todas as despesas inerentes ao tratamento da criança. Também apontaram como dificuldade ter de ficar com a criança, cuidar dela, dar remédio na hora certa, dar banho e, acima de tudo, zelar por sua alimentação (saber o que ela pode e não pode comer). [12]

Em relação às mães, as dificuldades encontradas dizem respeito à insegurança, ao medo de não conseguir fazer tudo certo e ao sentimento de culpa pelo filho doente – incluindo as causas da doença, que muitas vezes, mesmo inconscientemente, a mãe assume [8, 13]. As queixas giram em torno de não conseguir conciliar o trabalho, a família, a casa, os cuidados e a atenção com os outros filhos e com o marido. [13]

Considerações finais

Em nossas conclusões, gostaríamos de alertar pesquisadores e profissionais para a necessidade de criar debates e ações que vejam a mulher como ser humano, profissional, esposa e mãe, bem como para a necessidade de incluí-la no contexto do acompanhamento do filho em tratamento oncológico.

A revisão bibliográfica, bem como a prática profissional no contexto do câncer infantil, reforça a teoria sobre a prevalência da mãe no acompanhamento da criança com câncer. Ficaram claras a importância e a necessidade da presença da mãe ao lado do filho em tratamento oncológico, bem como o desejo ambivalente da mãe de estar ali o tempo todo, enfrentando com o filho cada fase do tratamento, mesmo tendo de renunciar a outros compromissos, atividades e desejos.

É fácil afirmar que assumir os cuidados em relação aos filhos é um dever e uma responsabilidade do pai e da mãe igualmente, seja em qualquer circunstância, sobretudo em situações em que ocorrem doenças graves. Porém, quando esse filho está com câncer, tudo muda.

Cabe aqui, portanto, deixar aberta uma discussão sobre a experiência vivenciada pela atual mãe de uma criança com câncer. Quem quer que seja capaz de chegar a um nível satisfatório nessa compreensão, que se coloque ao lado dessa mulher/mãe, auxiliando-a a escrever até o final esse doloroso capítulo de sua história. E, qualquer que seja o desfecho, que essa mãe possa prosseguir com a sua história dando à vida um novo significado em nome do filho.

Referências

1. Cardoso, F. T. "Câncer infantil: aspectos emocionais e atuação do psicólogo". *Revista da SBPH*, v. 10, n. 1, 2007, p. 25-52. Disponível em: <http://pepsic.bvsalud.org/scielo.php?script=sci_arttext&pid=S1516-08582007000100004&lng=pt>. Acesso em: 14 abr. 2019.

2. Instituto Nacional de Câncer. "Câncer infantil". Inca [on-line], 21 nov. 2018. Disponível em: <http://www2.inca.gov.br/wps/wcm/connect/tiposdecancer/site/home/infantil>. Acesso em: 14 abr. 2019.

3. Pedreira, J. L.; Palanca, I. "Psicooncología pediátrica". Psicooncologia.org. 2007. Disponível em: <https://www.psicooncologia.org/profesionales.php?_pagi_pg=3>. Acesso em: 14 abr. 2019.

4. Arroyo, M. G.; Silva, M. R. (orgs.). *Corpo infância: exercícios tensos de ser criança; por outras pedagogias dos corpos*. Petrópolis: Vozes, 2012.

5. Nascimento, C. A. D. *et al.* "O câncer infantil (leucemia): significações de algumas vivências maternas". *Rev. Rene*, v. 10, n. 2, 2009, p. 149-57.

6. Ferreira, D. M.; Castro-Arantes, J. M. "Câncer e corpo: uma leitura a partir da psicanálise". *Analytica*, v. 3, n. 5, 2014, p. 37-71.

7. Silveira, R. C.; Galvão, C. M. "Revisão integrativa: método de pesquisa para a incorporação de evidências na saúde e na enfermagem". *Texto & Contexto Enfermagem*, v. 17, n. 4, 2008, p. 758-64.

8. Teles, S. S. *Câncer infantil e resiliência: investigação fenomenológica dos mecanismos de proteção na díade mãe-criança*. Dissertação (mestrado em Psicologia). Faculdade de Filosofia, Ciências e Letras de Ribeirão Preto, Ribeirão Preto, SP, 2006.

9. "Paixão". Produção e direção de Nilmar Lage. Ipatinga: FIXA – Imagem & Memória, 2014. 1 DVD – duração de 1h e 12min. Disponível em:<https://www.youtube.com/watch?v=dREdI8A0H54&t=26s>. Acesso em: 14 abr. 2019.

10. Kohlsdorf, M.; Costa Junior, A. L. "Impacto psicossocial do câncer pediátrico para pais: revisão da literatura". *Paideia* (Ribeirão Preto), v. 22,

n. 51, 2012, p. 119-29. Disponível em: <http://www.scielo.br/scielo.php?script=sci_arttext&pid=S0103-863X2012000100014&lng=en&nrm=iso>. Acesso em: 14 abr. 2019.

11. Valle, E. R. M.(org.). *Psico-oncologia pediátrica*. São Paulo: Casa do Psicólogo, 2011.

12. Silva, L. M. L.; Melo, M. C. B.; Pedrosa, A. D. O. M. "A vivência do pai diante do câncer infantil". *Psicologia em Estudo*, v. 18, n. 3, jul.-set. 2013, p. 541-50.

13. Fernandes, M. A. *et al*. "Vivências maternas na realidade de ter um filho com câncer". *Revista de Pesquisa: Cuidado é Fundamental*, v. 4, n. 4, out.-dez. 2012, p. 3094-104. Disponível em: <http://www.redalyc.org/articulo.oa?id=505750895007>. Acesso em: 14. abr. 2019.

14. Kübler-Ross, E. *Sobre a morte e o morrer*. 9. ed. São Paulo: Martins Fontes, 2008.

7. O CUIDAR DA CRIANÇA COM CÂNCER COMO PROTAGONISMO DE DOR E DE CRESCIMENTO: O PAPEL DO PAI[1]

Maria Helena Pereira Franco

Introdução

A experiência de receber um diagnóstico de câncer, a despeito de todos os avanços que tiram dessa doença o elevado risco de morte que a identificava até meio século atrás, ainda causa sofrimento e desorganização para o paciente e sua família. Quando se trata do câncer infantil, o cenário é ainda mais dramático, pois demanda muitas adaptações, com impacto em todo o sistema familiar.

Este capítulo aborda a experiência do câncer infantil em seus desdobramentos quanto à figura do cuidador, à (des)organização familiar, aos fatores de risco e de proteção e aos componentes culturais que determinam o papel de cuidador.

Mesmo diante dos crescentes avanços da medicina, o câncer ainda está associado a uma representação de morte, incurabilidade, perdas, intenso sofrimento e descontrole, por parte tanto do doente quanto de quem o acompanha [1]. Por outro lado, a perspectiva de cura também vem crescendo, pois 80% das crianças/dos adolescentes podem ser curados se receberem o diagnóstico na fase inicial da doença e se forem submetidos a procedimentos especializados adequados.

O câncer compreende um conjunto de doenças que têm em comum a proliferação descontrolada de células malignas. Seu tratamento é abrangente, exigindo atenção para as necessidades físicas, psicológicas e emocionais [1, 2]. Entre os recursos de tratamento, a quimioterapia é o mais frequente, podendo estar associado a radioterapia, cirurgia, imunoterapia ou hormonioterapia. [3]

O diagnóstico e o tratamento do câncer na infância são uma fonte de sofrimento para a criança e impactam seu desenvolvimento e a dinâmica da família. Esta enfrenta uma crise que requer mecanismos de enfrentamento e de resposta adaptativa nem sempre facilmente obtidos. Os processos psicológicos vivenciados pelas crianças e por seus cuidadores indicam a existência de demandas variadas para cada um dos envolvidos – demandas essas que necessitam ser atendidas sem demora e com margem de erro muito estreita. São decisões a tomar, informações a obter, barreiras a romper – e se adaptar a uma realidade não desejada parece ser o maior ônus dessa experiência.

A falta de compreensão da doença e do tratamento gera na criança medo e sensação de perigo, de que algo ruim está acontecendo com ela, sobretudo porque as limitações da doença interferem em sua vida habitual, impedindo-a de ir à escola, de brincar e de realizar as atividades cotidianas. Ajustes são necessários também na família e, especialmente, na vida do principal cuidador, para que todos possam se adaptar ao novo contexto da doença e aos desafios do processo.

O cuidador principal, comumente a mãe, é fundamental para auxiliar a criança a enfrentar a doen-

---

1. A pesquisa abordada neste capítulo resultou de projeto elaborado pela autora e contou com colaboração indireta de Winderson Nunes, aluno de Psicologia da PUC-SP, em sua pesquisa de iniciação científica, orientada pela autora.

ça e a se adaptar às dificuldades dela advindas [4]. Considerando o sentimento de ambivalência presente ao longo do tratamento – uma vez que ele é relacionado com a dor e com a possibilidade de cura –, compreender essa experiência da ótica de quem a vivencia pode ajudar a criança e sua família a desenvolver modalidades de enfrentamento no seu dia a dia, promovendo meios de adaptação mais eficazes. Visando à meta de assistência à saúde integral, busca-se criar condições de reabilitação física, psicológica e social para a criança e prover o máximo de apoio, equilíbrio emocional e orientação ao cuidador. [5]

A adaptação aos períodos fora do hospital, ao término ou nos intervalos de tratamento, é um desafio para o cuidador, podendo lhe causar estresse físico, emocional, psicológico e financeiro, pois o filho doente torna-se o centro de sua vida [6, 7]. Para tanto, entram em cena estratégias de enfrentamento, entendidas como um conjunto de respostas comportamentais, cognitivas ou emocionais diante de uma situação de estresse cuja finalidade é modificar o ambiente ou a percepção que se tem do estímulo ou contexto gerador de estresse, minimizando seu caráter aversivo.

No estudo de Beck e Lopes [8], os cuidadores relataram que diversas áreas de sua vida foram afetadas: foram obrigados a renunciar ao trabalho, ao estudo, às horas de sono, à vida social, ao lazer, ao prazer, à vida familiar e ao seu cuidado pessoal. Gerenciar o tempo e reduzir a tensão são as principais preocupações dos cuidadores, porque as atividades de cuidar impedem o cuidado de si.

Para amenizar esses prejuízos ao cuidador, a escuta psicológica é fundamental para o enfrentamento da doença, para a qualidade de vida do cuidador [9] e para o desenvolvimento de estratégias adaptativas diante do sofrimento que vivencia junto do filho doente. O diagnóstico de uma doença crônica nos filhos pode acarretar sintomas físicos e emocionais drásticos, que tendem a influenciar negativamente o comportamento e a adaptação de ambos. [10]

Kohlsdorf e Costa-Junior [11] pesquisaram estratégias de enfrentamento de pais de crianças em tratamento de câncer, buscando investigar os fatores preponderantes em cada fase do tratamento. Com essa pesquisa, objetivavam desenvolver protocolos

de intervenção psicossocial voltados para as necessidades dos cuidadores, tornando-os mais ativos e envolvidos com os cuidados de saúde do paciente pediátrico. Para esse fim, proporcionando suporte e intervenção a familiares de pacientes pediátricos em tratamento, destacaram a necessidade de mais estudos com foco nas estratégias de enfrentamento, no ajustamento psicológico e na adaptação de cuidadores de crianças e adolescentes com câncer.

Mais tarde, Almico e Faro [12] buscaram caracterizar o processo de enfrentamento da quimioterapia por cuidadores de crianças com câncer, identificando suas principais estratégias. O estudo destacou as exigências e demandas enfrentadas por eles, bem como estratégias que podem ser favoráveis e às quais se deve dar atenção no processo de tratamento. Porém, a população estudada já recebia apoio de instituições durante a pesquisa, o que lhe conferiu perfil típico. Os autores sugerem que sejam feitas mais pesquisas de modo sistematizado e em caráter longitudinal, com foco não só nos cuidadores (pais) de pacientes pediátricos como em outros familiares. Quanto às cuidadoras (mães), resignação e abnegação ficaram evidentes em seu discurso, o que levou os pesquisadores a propor que os profissionais da área de saúde sejam preparados para lidar com aspectos de ordem psicológica ao auxiliar esses cuidadores.

Diante do vasto cenário que o câncer infantil oferece ao pesquisador, considerando-se a ação da área médica, os cuidados de enfermagem, a vivência da família, o irmão da criança com câncer, entre outros, uma breve revisão da literatura sobre o tema identificou o que se pode chamar de categorias de atenção.

- **Os pais como foco das pesquisas:** Grant e Traesel [9]; Alves, Guiraderlo e Kurashima [10]; Kohlsdorf e Costa-Junior [11]; Wijnberg-Williams *et al.* [13], Sloper [14]; Santacroce [15]; Svavarsdottir [16]; Gerhardt *et al.* [17]; James *et al.* [18]; Steffen e Castoldi [19].
- **Destaque para o papel da mãe nos cuidados da criança com câncer:** Beltrão *et al.* [20]; Ward-Smith *et al.* [21]; Young *et al.* [22]; Steele, Dreyer e Phipps [23]; Steele *et al.* [24]; Fernandes *et al.* [25]; Santos e Gonçalves [26].

- **O lugar restrito dado ao pai nos cuidados da criança com câncer:** Bonner *et al.* [6]; Brody e Simmons [27]; Sterken [28].
- **O cuidar da criança com câncer como gerador de estresse:** Kohlsdorf e Costa-Junior [1]; Gomes, Amador e Collet [4]; Trodzuk e Gray [7]; Beck e Lopes [8]; Wijnberg--Williams *et al.* [13]; Sloper [14]; Steele, Dreyer e Phipps [23]; Sawyer *et al.* [29]; Faria e Cardoso [30]; Kazak *et al.* [31]; Sanchez *et al.* [32]; Malta, Schall e Modena [33]; Rubira *et al.* [34].
- **A experiência da criança com câncer quanto ao tratamento:** Duarte, Zanini e Nedel [2]; Costa e Lima [3]; Cicogna, Nascimento e Lima [5].

Esses resultados iniciais apontaram para a necessidade de um estudo sistemático sobre o fenômeno do câncer infantil. A pergunta que ficou foi: essas publicações retratam o que vem sendo pesquisado sobre o câncer infantil, considerando-se a vivência da criança, de seus cuidadores, necessidades e adaptações, mecanismos de enfrentamento? O fato de a mãe ser a principal cuidadora seria culturalmente determinado? Assim se delineou o interesse por aprofundar a pesquisa, porém com foco no papel do pai nesse protagonismo.

A família com câncer

A criança com câncer está integrada a uma família. Entretanto, o conceito de família é estudado por diversos segmentos de ciências e em diferentes dimensões espaçotemporais sem que se esgote o assunto ou sejam fornecidas todas as respostas. [35]

De acordo com Galera e Luis [36], família é todo e qualquer grupo de indivíduos vinculados por uma ligação emocional profunda e por um sentimento de pertencimento. Nessa compreensão são levadas em conta sobretudo análises psicológicas da vida cotidiana e da relação família-sociedade [35]. O nível psicológico pressupõe uma estrutura emocional, com hierarquia de idades, interação com um padrão de autoridade e amor distribuído pelos adultos, em um processo de identificação que consolida os vínculos entre os adultos e os filhos. O nível da vida cotidiana diz respeito à rotina de atividades da família, assim como das relações entre seus membros. O terceiro e último nível, o da relação entre família e sociedade, refere-se às interações da família com as instituições públicas, políticas, econômicas, religiosas e urbanas ou rurais, como influenciadoras no equilíbrio ou ocasionadoras de conflitos entre a família e a sociedade.

É possível, portanto, dizer que as organizações familiares e sociais se relacionam dialeticamente e compõem estruturas dinâmicas e interligadas [37]. Assim, uma mudança brusca e impremeditada como o diagnóstico do câncer infantil provoca desorganização no grupo familiar [36], gerando estresse para todo o grupo. A fim de que a funcionalidade para obtenção da saúde familiar retorne, é primordial que os sujeitos busquem um bom funcionamento grupal, com abertura para a comunicação e a expressão de sentimentos e pensamentos. Nesse sentido, a coesão entre os seus membros pode colaborar para um ajustamento adaptativo a essa situação. [38]

Devido à abrangência dos fenômenos apresentados, o foco deste capítulo está na presença do pai como cuidador do paciente com câncer infantil na família contemporânea. A escolha desse membro da família se deu em razão da sua constituição na modernidade, pois, de acordo com a tese sustentada de Benczik [39], a condição de pai evoluiu e continua em livre processo de evolução devido às transformações culturais, sociais e familiares das últimas décadas. Em vista disso, a mudança provocada pela contemporaneidade nesse papel contribuiu para uma ruptura da hierarquia familiar antes estabelecida e para o questionamento da sua autoridade.

Contudo, o pai moderno ainda se encontra em uma zona opaca. Não se pode dizer que as mudanças socioeconômicas e culturais tenham transformado completamente seu papel. O pai ainda resiste a participar de outros âmbitos que não os mais relacionados com o papel de provedor. Ao mesmo tempo, as mães têm dificuldade de aceitar a maior participação da figura paterna, por vezes atribuindo a si mesmas funções básicas que poderiam ser exercidas pelos pais ou considerando-os inaptos. [39]

78 PSICO-ONCOLOGIA – CAMINHOS DE CUIDADO

Assim, essa nova condição da figura paterna torna-se fundamental para entendermos o desenvolvimento das famílias contemporâneas. Seu protagonismo no cenário de câncer de um filho ou uma filha pode não estar sendo evidenciado como a situação solicita. Daí a relevância deste estudo.

Pesquisando na literatura

Para melhor compreender o fenômeno em foco, utilizamos o método de revisão sistemática da literatura. Entre julho de 2017 e fevereiro de 2018, lançamos os descritores de busca utilizando a ferramenta Google Acadêmico. Foram selecionadas pesquisas empíricas em artigos científicos nas seguintes bases de dados e revistas científicas: Scientific Electronic Library Online (Scielo), Periódicos Eletrônicos de Psicologia (PePSIC), Biblioteca Virtual em Saúde – Psicologia Brasil (BVS-Psi Brasil), Periódicos da Universidade Federal do Espírito Santo (Ufes), American Journal of Health Research, Red de Revistas Científicas de América Latina y el Caribe, España y Portugal (Redalyc), Periódicos da Pontifícia Universidade Católica do Paraná (PUC-PR), Revista Mineira de Enfermagem (Reme) e Revista da Rede de Enfermagem do Nordeste (Rev. Rene).

O descritor utilizado para a pesquisa foi *cuidado paterno*, associado, em todas as composições, a um dos seguintes termos: câncer infantil, relação familiar, dinâmica familiar, pai contemporâneo. Foram pesquisados igualmente os termos em inglês: *childhood cancer*, *family relationship*, *family dynamics* e *contemporary father*. Na primeira busca, selecionamos cinco artigos publicados entre 2012 e 2018, em português e inglês, em periódicos científicos. Esse número de artigos foi insuficiente para uma análise mais profunda, o que levou à ampliação do período pesquisado: de 2006 a 2018. Após essa decisão, foram obtidos mais cinco artigos para análise.

Desse modo, os critérios de inclusão para as análises foram: artigos empíricos, publicados em periódicos científicos em português e inglês, que avaliassem o cuidado paterno da criança com câncer. Foram excluídos artigos de opinião e de comentários.

Entretanto, percebemos que há uma ampla diversidade de atuações paternas na contemporaneidade, de modo que os pais apresentados em estudos publicados em português já apresentavam complexidade demasiada para a pesquisa. Assim, optamos pela exclusão de artigos em língua inglesa, o que deu mais relevância a dados nacionais e conferiu maior coerência aos dados analisados.

Posteriormente, os artigos reunidos foram avaliados e selecionados de acordo com os critérios de inclusão e exclusão. A seleção inicial se deu por meio da leitura do título e do resumo e pela exclusão dos duplicados. Então, realizamos a leitura completa dos artigos eleitos, bem como avaliamos sua qualidade.

Resultados

Dos 33 artigos encontrados, publicados de 2006 a 2018, oito eram duplicados e 13 foram excluídos na primeira leitura por não atenderem aos critérios de inclusão. Dos 12 artigos selecionados para leitura completa, dois foram excluídos por não abordarem o cuidado paterno na relação familiar e por não serem empíricos. Assim, chegou-se aos dez artigos selecionados.

A leitura analítica desses textos apontou que o diagnóstico de câncer infantil provoca uma série de mudanças na família, nas dimensões subjetivas e em suas relações afetivas, gerando dúvidas, expectativas, esperanças, superação e medo. A doença afeta também as dimensões de cunho objetivo, tarefas domésticas e profissionais, por exemplo. Fica evidente que o adoecimento não provoca apenas a fragilidade da criança acometida da neoplasia, mas também dos familiares ao seu redor [40]. O cuidar de uma criança com câncer é atravessado por diversos obstáculos, danosos tanto à qualidade de vida do enfermo como à de seu cuidador e de sua família.

Entre as queixas mais frequentes diante desse momento delicado estão fragilidade, perda de sentido, medo da morte, pesadelos noturnos, temor pela vida, desespero, tristeza e preconceito alheio.

Outro fator relevante é o pai ainda ser entendido como o produtor de riqueza e sustento da família, sendo assim privado do acompanhamento do filho doente. Em alguns relatos, os pais tiveram de abdicar de sua ocupação profissional, o que contribuiu para o aumento do estresse e até mesmo para o surgimento de quadros depressivos, por perderem um aspecto que os fortalecia em sua identidade. Ao mesmo tempo, as mães confirmavam o dilema dos maridos: por precisar trabalhar, ficavam longe do filho; e, trabalhando, não conseguiam parar de pensar na criança adoecida, confirmando o que dizem Steffen e Castoldi [19]. Segundo Dupas *et al.* [41], a necessidade de trabalhar dificulta o contato com a criança e impede o pai de lidar melhor com o turbilhão de sentimentos que vivencia. Nesse contexto, muitas vezes as mães param de trabalhar para se dedicar integralmente aos filhos.

É necessário destacar que ocorrem tanto conflitos como aproximações conjugais durante o tratamento da criança com câncer. O estresse advindo da situação pode gerar brigas e desunião do casal, com afastamento emocional logo após o diagnóstico de câncer infantil. O distanciamento provocado pela hospitalização também pode desencadear esse afastamento.

Na superação da doença, as famílias mostraram que, apesar da gravidade da situação, com possibilidade clara de morte, foi possível desenvolver crescimento pessoal, responsabilidade e seriedade diante das dificuldades da vida, assim como uma relação mais íntima e próxima com seu(sua) companheiro(a).

Aqui se evidencia uma clara contradição do papel paterno na modernidade: se os modos de determinação social foram alterados nas últimas décadas, por qual razão o pai ainda é designado como aquele que procura o sustento da família?

Benczik [39] diz que as mudanças sociais não acompanham o ritmo da transformação de valores. Entretanto, as funções paternas mudaram ao longo da história, mesmo que muitos aspectos de sua atuação ainda sejam os das décadas e séculos passados. Isso coloca os pais da pós-modernidade em um limiar entre os costumes dos antepassados e um novo futuro que não cabe mais nesses traços.

Considerações finais

Este capítulo trouxe à luz a questão do câncer infantil e as novas configurações do papel do cuidado paterno. Por meio de uma revisão sistemática da literatura, foi possível evidenciar o fenômeno abrangente que a pesquisa se propôs a investigar.

Entretanto, durante todo o percurso investigativo, não ficou de lado a análise das influências provocadas pelo adoecimento de um ente querido – mais especificamente, os filhos na perspectiva paterna. Ficou evidente um contexto de resiliência, dor, crescimento, estresse e cumplicidade. As dificuldades paternas situam-se em algum campo entre aquele que deseja estar presente e cuidar e aquele que acredita que sua única função é a manutenção das necessidades básicas da família, deixando a responsabilidade do cuidado do enfermo para a esposa ou mãe da criança com câncer. Silva, Melo e Pedrosa [42] chamam a atenção para esse problema, que se apresenta como marcante na vivência do pai da criança com câncer. Ressaltam-se complicações econômicas e sociais, com repercussões sobre a baixa capacitação dos profissionais de saúde, concentração de riqueza, pesquisas e possibilidades de tratamento em estados e municípios abastados historicamente.

A análise do obtido pela pesquisa mostrou que pensar o cuidado paterno para o filho com câncer se correlaciona com investimentos na área da saúde, com a desconstrução do ser pai na modernidade e com a capacitação técnico-científica dos profissionais da saúde, lado a lado com o turbilhão de emoções e sentimentos de uma doença tão antiga e grave ainda hoje. Em relação às demandas de cuidado por parte do pai de uma criança com câncer, os estudos apontaram que se trata de uma experiência de crise. Delalibera *et al.* [38] ressaltam a importância do cuidado à família em situação de crise, sobretudo em situações de doença e morte.

Os resultados encontram ressonância nas palavras de Di Primio *et al.* [43] sobre a importância das redes de apoio, formais ou informais. Nos estudos considerados – como em Dupas *et al.* [41] –, a pouca visibilidade dada ao pai no cuidado ao filho com câncer não lhe possibilita contar com essas redes tão importantes.

Assim, conclui-se que a análise do fenômeno aqui abordado necessita de investigações contínuas. Tanto a base orgânica do câncer quanto suas implicações subjetivas e sociais então relacionadas e em constante mudança. Uma família sem experiência de doença de um de seus membros vive cotidianamente situações de crise que, se agravadas por uma enfermidade, exigem uma adaptação que pode não ser facilmente obtida.

Referências

1. Kohlsdorf, M.; Costa-Junior, A. L. "Cuidadores de crianças com leucemia: exigências do tratamento e aprendizagem de novos comportamentos". *Estudos de Psicologia (Natal)*, v. 16, n. 3, 2011, p. 227-34. Disponível em: <http://www.scielo.br/scielo.php?script=sci_arttext&pid=S1413-294X2011000300004&lng=en&nrm=iso>. Acesso em: 21 abr. 2019.

2. Duarte, M. L. C.; Zanini, L. N.; Nedel, M. N. B. "O cotidiano dos pais de crianças com câncer e hospitalizadas". *Revista Gaúcha de Enfermagem*, v. 33, n. 3, 2012, p. 111-18. Disponível em: <http://www.scielo.br/scielo.php?script=sci_arttext&pid=S1983=14472012000300015-&lng=en>. Acesso em: 21 abr. 2019.

3. Costa, J. C.; Lima, R. A. G. "Crianças/adolescentes em quimioterapia ambulatorial: implicações para a enfermagem". *Revista Latino-Americana de Enfermagem*, v. 10, n. 3, 2002, p. 321-33. Disponível em: <http://www.scielo.br/scielo.php?script=sci_arttext&pid=S0104-11692002000300007&lng=en>. Acesso em: 21 abr. 2019.

4. Gomes, I. P.; Amador, D. D.; Collet, N. "A presença de familiares na sala de quimioterapia pediátrica". *Revista Brasileira de Enfermagem*, v. 65, n. 5, 2012, p. 803-08. Disponível em: <http://www.scielo.br/scielo.php?script=sci_arttext&pid=S0034=71672012000500013-&lng=en>. Acesso em: 21 abr. 2019.

5. Cicogna, E. C.; Nascimento, L. C.; Lima, R. A. G. "Crianças e adolescentes com câncer: experiências com a quimioterapia". *Revista Latino-Americana de Enfermagem*, v. 18, n. 5, 2010, p. 864-72. Disponível em: <http://www.scielo.br/scielo.php?script=sci_arttext&pid=S0104-11692010000500005&lng=en>. Acesso em: 21 abr. 2019.

6. Bonner, M. J. *et al.* "Brief report: psychosocial functioning of fathers as primary caregivers of pediatric oncology patients". *Journal of Pediatric Psychology*, v. 32, n. 7, 2007, p. 851-56.

7. Trotzuk, C.; Gray, B. "Parents' dilemma: decisions concerning end-of-life care for their child". *Journal of Pediatric Health Care*, v. 26, n. 1, 2012, p. 57-61.

8. Beck, A. R. M.; Lopes, M. H. B. M. "Tensão devido ao papel de cuidador entre cuidadores de crianças com câncer". *Revista Latino-Americana de Enfermagem*, v. 60, n. 5, 2007, p. 513-518. Disponível em: <http://www.scielo.br/scielo.php?script=sci_arttext&pid=S0034-71672007000500006&lng=en>. Acesso em: 21 abr. 2015.

9. Grant, C. H.; Traesel, E. S. "Vivências de cuidadores de crianças e adolescentes com câncer: uma reflexão sobre o apoio psicológico". *Ciências da Saúde*, v. 11, n. 1, 2010, p. 89-108.

10. Alves, D. F. S.; Guiraderlo, E. B.; Kurashima, A. Y. "Estresse relacionado ao cuidado: o impacto do câncer infantil na vida dos pais". *Revista Latino-Americana de Enfermagem*, v. 21, n. 1, 2013, p. 356-62. Disponível em: <http://www.scielo.br/scielo.php?script=sci_arttext&pid=S0104-11692013000100010&lng=en>. Acesso em: 21 abr. 2019.

11. Kohlsdorf, M.; Costa-Junior, A. L. "Estratégias de enfrentamento de pais de crianças em tratamento de câncer". *Estudos de Psicologia (Campinas)*, v. 25, n. 3, 2008, p. 417-29. Disponível em: <http://www.scielo.br/scielo.php?script=sci_arttext&pid=S0103-166X2008000300010&lng=en&nrm=iso>. Acesso em: 21 abr. 2019.

12. Almico, T.; Faro, A. "Enfrentamento de cuidadores de crianças com câncer em processo de quimioterapia". *Psicologia, Saúde & Doenças*, v. 15, n. 3, 2014, p. 723-37. Disponível em: <http://www.scielo.mec.pt/scielo.php?script=sci_arttext&pid=S1645=00862014000300013-&lng-pt>. Acesso em: 21 abr. 2019.

13. Wijnberg-Williams, B. J. *et al.* "Psychological distress and the impact of social support on fathers and mothers of pediatric cancer patients: long-term prospective results". *Journal of Pediatric Psychology*, v. 31, n. 8, 2006, p. 785-92.

14. Sloper, P. "Predictors of distress in parents of children with cancer: a prospective study". *Journal of Pediatric Psychology*, v. 25, n. 2, 2000, p. 79-91.

15. Santacroce, S. "Uncertainty, anxiety, and symptoms of posttraumatic stress in parents of children recently diagnosed with cancer". *Journal of Pediatric Oncology Nursing*, v. 19, v. 3, 2002, p. 104-11.

16. Svavarsdottir, E. K. "Caring for a child with cancer: a longitudinal perspective". *Journal of Advanced Nursing*, v. 50, n. 2, 2005, p. 153-61.

17. Gerhardt, C. A. *et al.* "Parental adjustment to childhood cancer: a replication study". *Families, Systems, & Health*, v, 25, n. 3, 2007, 263-75.

18. James, K. *et al.* "The care of my child with cancer: parents' perceptions of caregiving demands". *Journal of Pediatric Oncology Nursing*, v. 19, n. 6, 2002, p. 218-28.

19. Steffen, B. C.; Castoldi, L. "Sobrevivendo à tempestade: a influência do tratamento oncológico de um filho na dinâmica conjugal". *Psicologia: Ciência e Profissão*, v. 26, n. 3, 2006, p. 406-25. Disponível em: <http://www.scielo.br/scielo.php?script=sci_arttext&pid=S1414-98932006000300006&lng=en&nrm=iso>. Acesso em: 21 abr. 2019.

20. Beltrão, M. R. *et al.* "Childhood cancer: maternal perceptions and strategies for coping with diagnosis". *Jornal de Pediatria (Rio de Janeiro)*, v. 83, n. 6, 2007, p. 562-66.

21. Ward-Smith P. *et al.* "Having a child diagnosed with cancer: an assessment of values from the mother's viewpoint". *Journal of Pediatric Oncology Nursing*, v. 22, n. 6, 2005, p. 320-27.

22. Young, B. *et al.* "Parenting in a crisis: conceptualising mothers of children with cancer". *Social Science & Medicine*, v. 55, n. 10, 2002, p. 1835-47.

23. Steele, R. G.; Dreyer, M. L.; Phipps, S. "Patterns of maternal distress among children with cancer and their association with child emotional and somatic distress". *Journal of Pediatric Psychology*, v. 29, n. 7, 2004, p. 507-17.

24. Steele, R. G. *et al.* "Changes in maternal distress and child-rearing strategies across treatment for pediatric cancer". *Journal of Pediatric Psychology*, v. 28, n. 7, 2003, p. 447-52.

25. Fernandes, M. A. *et al.* "Vivências maternas na realidade de ter um filho com câncer". *Revista de Pesquisa: Cuidado é Fundamental* [on-line], v. 4, n. 4, 2012, p. 3094-104.

26. Santos, L. M. P.; Gonçalves, L. L. C. "Crianças com câncer: desvelando o significado do adoecimento atribuído por suas mães". *Revista Enfermagem UERJ*, v. 16, n. 2, 2008, 224-29.

27. Brody, A. C.; Simmons, L. A. "Family resiliency during childhood cancer: the father's perspective". *Journal of Pediatric Oncology Nursing*, v. 24, n. 3, 2007, p. 152-65.

28. Sterken, D. J. "Uncertainty and coping in fathers of children with cancer". *Journal of Pediatric Oncology Nursing*, v. 13, n. 2, 1996, p. 81-88.

29. Sawyer, M. *et al.* "Childhood cancer: a two-year prospective study of the psychological adjustment of children and parents". *Journal of the American Academy of Child and Adolescent Psychiatry*, v. 36, n. 12, 1997, p. 1736-43.

30. Faria, A. M. D. B.; Cardoso, C. L. "Aspectos psicossociais de acompanhantes cuidadores de crianças com câncer: stress e enfrentamento". *Estudo em Psicologia*, v. 27, n. 1, 2010, p. 13-20.

31. Kazak, A. E. *et al.* "An integrative model of pediatric medical traumatic stress". *Journal of Pediatric Psychology*, v. 31, n. 4, 2006, p. 343-55.

32. Sanchez, K. O. L. *et al.* "Apoio social à família do paciente com câncer: identificando caminhos e direções". *Revista Brasileira de Enfermagem*, v. 63, n. 2, 2010, p. 290-99. Disponível em: <http://www.scielo.br/scielo.php?script=sci_arttext&pid=S0034=71672010000200019-&lng-en>. Acesso em: 21 abr. 2019.

33. Malta, J. D. S.; Schall, V. T.; Modena, C. M. "Câncer pediátrico: o olhar da família/cuidadores". *Pediatria Moderna*, v. 44, n. 3, 2008, p. 114-18.

34. Rubira, E. A. *et al.* "Sobrecarga e qualidade de vida de cuidadores de criança e adolescentes com câncer em tratamento quimioterápico". *Acta Paulista de Enfermagem*, v. 25, n. 4, 2012, p. 567-73. Disponível em: <http://www.scielo.br/scielo.php?script=sci_arttext&pid=S0103-21002012000400014>. Acesso em: 23 abr. 2019.

35. Cerveny, C. M. O. "A família como modelo". Adaptação livre para o 1º módulo do aprofundamento em terapia sistêmica – Grupo Ômega. s/d. Disponível em: <http://terapiasdoser.com.br/download/materialterapiafamiliar/HIST%C3%93RICO%20DA%20TERAPIA%20DE%20FAM%C3%8DLIAR%201a%20Aula.pdf>. Acesso em: 23 maio 2019.

36. Galera, S. A. F.; Luis, M. A. V. "Principais conceitos da abordagem sistêmica em cuidados de enfermagem ao indivíduo e sua família". *Revista da Escola de Enfermagem da USP*, v. 36, n. 2, 2002, p. 141-47. Disponível em: <http://www.scielo.br/scielo.php?script=sci_arttext&pid=S0080-62342002000200006&lng=en>. Acesso em: 23 abr. 2019.

37. Dias, M. O. "Um olhar sobre a família na perspectiva sistêmica: o processo de comunicação no sistema familiar". *Gestão e Desenvolvimento*, v. 19, 2011, p. 139-56. Disponível em: <http://z3950.crb.ucp.pt/Biblioteca/GestaoDesenv/GD19/gestaodesenvolvimento19_139.pdf>. Acesso em: 23 abr. 2019.

38. Delalibera, M. *et al.* "A dinâmica familiar no processo de luto: revisão sistemática da literatura". *Ciência & Saúde Coletiva*, v. 20, n. 4, 2015, p. 1119-34. Disponível em: <http://www.scielo.br/scielo.php?script=sci_arttext&pid=S1413-81232015000401119&lng=en>. Acesso em: 23 abr. 2019.

39. Benczik, E. B. P. "A importância da figura paterna para o desenvolvimento infantil". *Revista de Psicopedagogia*, v. 28, n. 85, 2011, p. 67-75. Disponível em: <http://pepsic.bvsalud.org/scielo.php?script=sci_arttext&pi-

d=S0103-84862011000100007&lng=pt&nrm=iso>. Acesso em: 23 abr. 2019.

40. Firmino, C. D. B.; Sousa, M. N. A. "Sentimentos e vivências de familiares em frente ao diagnóstico de câncer na criança". *Revista Brasileira de Pesquisa em Saúde*, v. 15, n. 2, 2013, p. 6-12. Disponível em: <http://periodicos.ufes.br/RBPS/article/view/5669/4116>. Acesso em: 23 abr. 2019.

41. Dupas, G. *et al.* "Câncer na infância: conhecendo a experiência do pai". *Revista Mineira de Enfermagem*, v. 16, n. 3, 2012, p. 348-54. Disponível em: <http://reme.org.br/artigo/detalhes/537>. Acesso em: 23 abr. 2019.

42. Silva, L. M. L.; Melo, M. C. B.; Pedrosa, A. D. O. M. "A vivência do pai diante do câncer infantil". *Psicologia em Estudo* [on-line], v. 18, n. 3, 2013, p. 541-50. Disponível em: <http://www.scielo.br/scielo.php?script=sci_arttext&pid=S1413-73722013000300015&lng=pt&nrm=iso>. Acesso em: 7 jun. 2019.

43. Di Primio, A. O. *et al.* "Rede social e vínculos apoiadores das famílias de crianças com câncer". *Texto & Contexto – Enfermagem*, v. 19, n. 2, 2010, p. 334-42. Disponível em: <http://www.scielo.br/scielo.php?script=sci_abstract&pid=S1413-73722013000300015&lng=en&nrm=iso&tlng=pt>. Acesso em: 23 abr. 2019.

8. A PSICO-ONCOLOGIA E A MEDIAÇÃO DA FINITUDE NA RELAÇÃO MÃE-CUIDADORA E CRIANÇA COM CÂNCER

RAISSA M. SIMÕES YOUSSEF, DÁGLIA DE SENA COSTA

A percepção do luto varia conforme o contexto pessoal, social e cultural dos indivíduos, podendo ser uma experiência mais ou menos aflitiva. Há culturas que tratam abertamente do fim da vida, enquanto outras veem a morte como tabu. Quanto maiores o medo e a negação da finitude, maiores o desconhecimento, a falta de apoio, a dor e o sofrimento que acompanham o luto.

A morte é um tema negligenciado por grande parte da sociedade ocidental, estando associada frequentemente à velhice e a doenças – entre elas o câncer. Apesar dessa recorrente associação à morte pelo senso comum, o diagnóstico precoce e as novas alternativas de tratamento melhoraram significativamente o prognóstico oncológico nas três últimas décadas. [1]

Com o avanço da sobrevida e dos casos de remissão do câncer, deu-se mais espaço para a subjetividade que envolve a vivência da doença – subjetividade essa que influencia as reações e as respostas dos pacientes. Com essa percepção, a psico-oncologia se tornou área fundamental da rede de suporte aos pacientes oncológicos.

A psico-oncologia atende de forma holística a experiência oncológica, tenha ela bom ou mau prognóstico. Na finitude, desenvolve um trabalho intenso e estendido a familiares, cuidadores e equipe de saúde, com recursos para o manejo da dor e do estresse e abertura à expressão e mediação de sentimentos, necessidades e resiliência. Essa abertura colabora para um cuidado mais qualitativo, permitindo aos que ficam elaborar o luto de forma positiva.

Cerca de 15% das crianças com câncer morrem em decorrência da doença, em grande parte pela agressividade oncológica e pelas adversidades dos tratamentos ou procedimentos de cuidado, como as cirurgias [1]. A visão ocidental da infância a associa ao desenvolvimento e não à finitude. Mas o câncer atinge essa perspectiva e rompe com o senso de segurança da infância, quebrando o que é conhecido como "ordem natural da vida" – em que os pais morrem antes dos filhos e não o inverso.

O cuidado paliativo de uma criança com câncer é exigente, em especial para o cuidador, que na maioria das vezes é a mãe da criança. Nesses casos, a mãe-cuidadora vê o seu filho, objeto de amor, como um ser que experimenta sofrimentos, dores, emoções e sentimentos intensos, em um caminho de desligamento irreversível.

A criança com câncer em cuidados paliativos

O câncer terminal ocorre paralelamente à debilidade orgânica e a comprometimentos físicos e psicológicos. Fragilizado, o corpo que apresenta uma doença terminal sinaliza para uma constatação pouco acolhida na contemporaneidade: a da finitude. [2]

A criança com câncer vive essa condição crítica e forma suas percepções, que podem ser bastante complexas. A morte não é uma total desconhecida da maioria das crianças: elas comumente veem a morte de animais de estimação, identificam cenas do tipo na TV e, não raro, vivenciaram a morte de um amigo ou parente.

Ainda que as crianças, hoje, não sejam levadas a velórios ou enterros com frequência, elas ouvem e percebem os rumores ligados a um falecimento e, com base nesses recortes, formam algum entendimento sobre a morte. Quanto mais amadurecem, mais compreendem sobre o morrer, em especial o sentido de afastamento definitivo e da dor que isso causa.

Raimbault [3], em um relato que deixa claro o conhecimento infantil sobre a morte e a possibilidade de ela ocorrer em uma doença grave, reproduziu a seguinte fala de uma criança com câncer terminal: "[...] eles nada me dizem, mas eu sei [...] tenho um tumor. A gente morre [...] existem crianças que morrem, eu também vou morrer". Diante do impacto que a doença causa em sua vida e em seu corpo, a criança percebe que algo de grave ocorre, e isso também pode ser notado pelas mudanças no tratamento que recebe, na abordagem pela família e em seus cuidados médicos.

Em relação à morte, é frequente que as crianças sintam medo de ser esquecidas pelos que amam. Lamentam que seu corpo não seja mais como era antes e que não possam mais exercer sua ludicidade e conviver com os amigos e a rotina em razão da doença e dos cuidados. A condição terminal agrava as restrições e o senso de fragilidade. [4]

A criança com uma doença terminal está encerrando sua vida, mas não está dissociada do seu meio. Tem sentimentos e emoções bons e ruins a respeito das experiências e das tensões com seus objetos de amor, vive ganhos secundários e forma vínculos afetivos com os cuidados que recebe. A terminalidade, quando conduzida de uma perspectiva positiva, pode ser gratificante. Mas a intervenção psico-oncológica é fundamental para a redução da dor, da angústia e das inquietações que envolvem a morte precoce da criança. [5]

Na constelação familiar da criança terminal há um rico processo de curiosidade, inquietações e interesses externos aos cuidados paliativos. Irmãos, quando existem, com frequência sentem ciúmes e disputam a atenção com a criança doente, em sentimentos intensos e contraditórios – quase sempre relacionados com o desejo de posse exclusiva da mãe-cuidadora (ou da figura materna que faz esse papel). Mas há também a compreensão da necessidade da criança enferma, em um sentimento fraterno. A família e o pequeno paciente terminal vivem um constante ciclo de conflito, união, confraternização e principalmente amor – em que a psico-oncologia atua na integração e melhora das possibilidades de uma vivência mais positiva. [6]

O câncer e a fase paliativa dividem o mundo da criança em duas partes: antes e depois da doença. Antes, estão a vida lúdica, as brincadeiras, os amigos, a escola e a família. O depois é marcado por restrições, tratamentos, pela vida hospitalar e pela fragilização de um corpo infantil doente. A intimidade e a privacidade da criança entram em uma fase diferente e ela precisa conviver com médicos, enfermeiros e procedimentos. A cama de casa troca de lugar com a cama hospitalar. A alimentação cotidiana se torna diferente e, em lugar dos antigos amigos e conhecidos, surgem os amigos feitos no hospital e os profissionais que ali trabalham. [7]

Durante o tratamento, paliativo ou não, a criança com frequência vai ao hospital – quer para permanência ou para atendimento –, e isso sinaliza a ela que algo grave está ocorrendo. A psico-oncologia é fundamental para que os pequenos pacientes possam lidar com essa condição e trabalhar a elaboração da sua finitude.

No hospital, ainda que a criança tenha um bom relacionamento com os que atuam em seus cuidados, é comum que seu humor e disposição oscilem. O agravamento do quadro costuma vir acompanhado de ansiedade, inquietações e medo. Apesar da necessidade de comunicação, as crianças costumam ter dificuldade de expressar seus sentimentos e dúvidas sobre o câncer, pois é comum entre as famílias acreditar que se deva evitar o assunto. Nesse campo, a psico-oncologia medeia positivamente as dúvidas e as orientações necessárias à criança em situação terminal. [6, 8]

Um paciente pediátrico que tudo aceita, não expressa seus pensamentos, pouco pergunta a respeito da situação ou nem mesmo indica desagrado com ela deve receber atenção especial. Em geral, trata-se de um subterfúgio da criança diante do temor de não ser acolhida pela família ou pelas equipes de cuidado ao expressar dor e sofrimento. Uma criança "boazinha" é quase sempre alguém que sofre em silêncio. É importante conduzir a expressão infantil para que seus desconfortos e dores sejam acolhidos e trabalhados, uma vez que são naturais a essas vivências. [9]

O psico-oncologista procura se aproximar da dimensão infantil do luto, pois essa é uma experiência individual. De acordo com o que é observado, são elaborados recursos para a abordagem da terminalidade e dos fenômenos da sua incidência.

Alguns dos principais instrumentos utilizados são brincadeiras, desenhos e outras abordagens do universo lúdico da criança que possam canalizar a expressão da sua experiência e de suas dúvidas. É importante reservar esses lugares de fala, pois nem sempre cuidadores e familiares dispõem de estrutura ou suficiência para falar sobre a morte ou sobre a condição vivida pela criança e suas angústias, já que isso também pode trazer elevado grau de dor pessoal. [2, 10]

A condição terminal de uma criança representa a sua saída de um mundo de ludicidade e de expectativas de futuro para a posição de um ser que sofre e depara com o morrer [10]. Por isso, a dimensão com que as crianças terminais de câncer são percebidas é ligada ao inesperado, ao indesejável e ao inominável. Além de sua fragilização perante a doença, precisam resistir aos preconceitos e paradigmas dessa situação. Este é o primeiro aspecto da intervenção psico-oncológica com a criança terminal: a reconfiguração do eu e de seu valor, de seu posicionamento e existência diante do desfecho da doença.

A criança com câncer terminal vive um momento determinante em que nem sua vontade nem a dos que lhe têm amor imperam [4, 10], mas não deixa de ter direito a conforto, atendimento e bem-estar. Nesse sentido, o apoio psicológico pode colaborar para o estabelecimento de diálogo, informação e condições de chegar até a dimensão infantil e suas necessidades.

Diante do câncer terminal, o comportamento infantil muda: seu comportamento alegre e natural torna-se influenciado pelos efeitos do câncer. A criança perde a sua ludicidade, a vitalidade e deixa de brincar e de ser autônoma [6, 8, 10]. Sem apoio, perde a resistência e, com pouca vontade ou poten-

cial para reclamar, se entrega ao quadro de finitude silenciada – enquanto na realidade deseja saber, comentar e conhecer o que experimenta e ainda experimentará em seus momentos finais.

Diante disso, a psico-oncologia trabalha com a elaboração do luto por seu corpo anterior e com a reconstituição de possibilidades e de caminhos para o bem-estar e o ser criança no ambiente hospitalar. Para isso, é preciso se aproximar do paciente e de suas demandas objetivas e subjetivas, compreender os seus dizeres implícitos e explícitos e depreender se necessita de informação, apoio, orientação ou do conjunto completo de suporte durante as abordagens.

Para tanto, faz-se necessário um repertório suficiente para atender a criança em suas múltiplas linguagens e flexibilidade [10]. É possível que, pelas repressões e dificuldades de expressão, ela não consiga falar sobre seus estados e necessidades subjetivos para enfrentar seu desligamento.

A clínica do luto na psico-oncologia não se limita à criança, mas contempla a todos que estejam envolvidos em seus cuidados e em suas demandas, de forma especial a mãe-cuidadora.

A mãe-cuidadora

Durante o tratamento paliativo do câncer infantil, as famílias precisam se adaptar à realidade de uma criança gravemente doente, ao mesmo tempo que mantêm a coesão da constelação familiar. O processo costuma ser longo e exigente, requerendo um cuidador exclusivo, dedicado. Quase sempre esse papel é assumido pela mãe, que, com frequência, também acumula o papel de manter a costura familiar na situação. O cuidador é importante dentro e fora do hospital, inclusive na presença de irmãos [7, 11]. Conforme a capacidade, a mãe-cuidadora pode oferecer um atendimento que vai da melhor estrutura possível a exigência e superproteção.

Algumas famílias se unem e outras se esfacelam diante do câncer infantil. Resiliência e desespero são comuns: até mesmo indivíduos muito equilibrados experimentam alterações de ânimo e disposição. Dor, raiva, inconformismo, impotência e culpa são sentimentos recorrentes [12]. Nesse sentido, a psico-oncologia intervém com o fim de manter boas condições tanto para a criança quanto para quem cuida dela, de forma que sua subjetividade seja assistida.

A mãe-cuidadora se desdobra entre as tarefas com o filho com câncer e as demandas exteriores a esse universo de zelo, como o cuidado com outros filhos (caso existam) e a vida familiar. A criança, por sua vez, precisa se adaptar às mudanças do seu corpo e às restrições à sua ludicidade no processo do fenecimento.

A dupla parental se vê altamente exigida, e o trabalho da clínica do luto na psico-oncologia se torna fundamental para transformar essa vivência dramática em uma experiência passível de significação e experimentada com a máxima qualidade possível.

A proximidade afetivo-emocional torna o impacto do câncer terminal infantil no cuidador quase ou tão intenso quanto o vivido pelo paciente, o que demanda atenção psicológica para aquele que cuida durante toda a doença terminal. Não são raras as manifestações de depressão entre cuidadores, o que pode comprometer a qualidade do cuidado com a criança com câncer terminal [12]. A oferta de assistência psico-oncológica aos que cuidam de pacientes (pediátricos ou não) com câncer visa atender e suprir as necessidades do paciente de maneira indireta, pelo manejo do impacto traumático sobre aqueles que dão provimento aos seus cuidados.

A mãe-cuidadora é uma ponte entre a criança terminal hospitalizada e aqueles que estão fora do hospital ou que não acompanham tão de perto o desenrolar da finitude. A ação psico-oncológica procura fortalecer a resolutividade nessas situações, inclusive na organização e mediação de forças familiares e na preparação para o luto e para os momentos terminais em andamento.

Um cuidador fortalecido é fundamental para a maior qualidade das experiências infantis finais e para uma recuperação pós-luto materna positiva e menos traumática (embora naturalmente dolorosa). [10, 11]

Em meio às dúvidas e aos conflitos surgidos no desenrolar dessas funções, é frequente entre as mães-cuidadoras o sentimento de desvelo e plenitude quando atingem bons resultados.

A religiosidade é o recurso mais evocado para o enfrentamento do quadro, e existe carência de interação e envolvimento com as equipes de cuidado hospitalar: as mães acreditam que os profissionais poderiam auxiliar mais ativamente em suas dúvidas durante o cuidar, ou mesmo apoiar na compreensão, intepretação e cumprimento das orientações médicas. Por analogia, além do apoio, a aproximação do psico-oncologista e seu trabalho pode ter aspecto educativo na finitude – apoiando e dando consistência ao cuidado materno. [13]

Enquanto acompanha o fenecimento da criança e lhe dá suporte, o cuidador tem a oportunidade de significar a morte nos contextos de irreversibilidade, compreendendo que a criança deixará de existir materialmente (fim da funcionalidade) e contatando a realidade da universalidade (de que tudo que é vivo morre). Enquanto cuida, essa figura constitui o seu posicionamento diante do luto e da finitude infantil.

Uma vez constatada a terminalidade, surgem os problemas graves da clínica do luto para as mães-cuidadoras: mediação da ansiedade, da dor, do desespero, do medo; e necessidade de empoderamento de resiliência e condições para a reconstrução do luto. [10, 11]

As preocupações que cercam essas mães envolvem efeitos físicos e psicológicos do cuidar e devem ser acompanhadas de perto. Há o sofrimento conhecido, mas elas também precisam enfrentar, entre as idas e vindas do hospital, os cuidados com o filho terminal, os impactos financeiros do adoecimento, as mudanças na rotina e os problemas para formar uma rede de apoio, cuidado e suporte com outros integrantes da família.

Os ganhos secundários quase sempre existem, mas as mudanças que ocorrem, quando não são bem orientadas, podem terminar em prejuízos à qualidade da relação entre mãe e criança. Alguns exemplos são os sentimentos de sobrecarga, de frustração e de impotência recorrentes, que impactam a forma como a mulher lida com o cuidado terminal infantil e com suas exigências. [2, 10, 13]

Nesse período, até mesmo necessidades biológicas – como higiene, alimentação e sono – podem criar dificuldades para a cuidadora. A mãe não está em seu espaço habitual e nem sempre os hospitais oferecem estrutura suficiente. Essas mulheres têm de se organizar emocionalmente para a finitude e não podem abandonar os papéis existentes fora do contexto do cuidado assumido, o que gera uma situação potencialmente estressante. É comum que a mãe se sinta dividida entre a criança terminal e sua família; a culpa aparece sobretudo em relação a outros filhos. [10, 13]

A mãe-cuidadora experimenta a certeza da morte de seu objeto de amor enquanto acompanha as aflições físicas e gerais que acometem a criança até a morte, com a consciência de um percurso irreversível.

A concepção concreta da finitude e a dor do processo se moldam de maneira progressiva na paliação, sendo quase sempre possível conduzir a transição psicológica para que ocorra de modo menos negativo. A intervenção psico-oncológica procura aprimorar a relação de qualidade entre mãe-cuidadora e filho terminal, a fim de propiciar um processo de passagem salubre com espaço para diálogos, despedidas e resolução de questões em aberto, reservando aos envolvidos boas vivências e experiências finais. [14]

A intervenção psico-oncológica ocorre dentro dos cinco estágios dados por Kübler-Ross para a aceitação e a vivência do luto: negação, raiva, barganha, depressão e aceitação [15]. Na negação está o conhecimento da doença fatal da criança e o movimento de aceitação ou não, que depende de tempo para se consolidar. Durante a raiva ocorrem o reconhecimento da realidade e a necessidade materna de lidar com o adoecimento e a busca de redes de apoio, ainda expressando alguma incredulidade e revolta diante do fato de que o filho morrerá e outras crianças continuarão vivas; buscam-se razões para o fato. Na fase da barganha, a mãe-cuidadora pode iniciar pactos, promessas e tomar atitudes para tentar reverter o quadro reafirmado.

Durante a depressão há o reconhecimento da ineficácia da barganha e da finitude inevitável, quando o isolamento é muito comum. Nessa etapa, uma das mais intensas da transição, é importante que a cuidadora e os familiares expressem o que sentem, falem a respeito do luto da perda da criança e fruam de assistência psico-oncológica. Na aceitação, o paciente admite a realidade e a compreende, bem como seus desdobramentos. Embora devastado pela situação, consegue se apresentar em paz e refletir sobre

as condições e experiências, dando significado aos acontecimentos. É preciso destacar que essas fases nem sempre ocorrem na ordem apresentada e que sua apresentação total não é uma regra (podem se mostrar em partes), ainda que comum. São, por fim, as diretrizes de intervenção e orientação das abordagens da psico-oncologia. [15]

O silêncio do adulto sobre a condição infantil é muito frequente, inclusive pela avaliação comum de que evitar o assunto protegeria a criança do conhecimento da gravidade de sua situação e das preocupações relacionadas com isso. Temporariamente, a omissão permite uma nova e melhor realidade, capaz de sustentar as medidas necessárias para a sua função ou maior conforto dado pela sensação ilusória de modificação da condição. [10, 13, 15]

O alvo da assistência psico-oncológica deve ser o reconhecimento da necessidade de alívio temporário da figura cuidadora, mas este precisa ser mediado para que o adulto possa ouvir e a criança possa falar. A omissão da terminalidade por parte do cuidador leva à perda infantil de seu principal objeto de confiança, amor e segurança para dialogar sobre as inquietações que vive no momento.

Quando a assistência ao cuidador é insuficiente, pode haver sequelas biopsicossociais, as quais costumam prejudicar sua adaptação social, a redução do seu nível de estresse e restruturação da sua vida como um todo. São efeitos muito similares aos vividos por uma criança com câncer, pois há uma paridade de impactos. Nesse sentido, a psico-oncologia é fundamental para suprir o adulto que vive a terminalidade com orientações e dinâmicas capazes de melhorar a experiência e permitir um melhor aproveitamento do tempo paliativo infantil. [2, 10, 11, 13]

As mães-cuidadoras vivem dilemas diferentes, próprios do mundo adulto e focalizados na responsabilidade de cuidar da criança com câncer e oferecer estruturação e cuidado à rede familiar durante e após a finitude. O papel que o cuidador assume é fundamental no atendimento da criança e define grande parte de sua experiência terminal, pois estará nele até que a criança encerre o seu ciclo. [7, 10, 11]

O principal objetivo da psico-oncologia é oferecer às mães fortalecimento e recursos para que possam cuidar, resolver situações com autonomia e ser resilientes diante do adoecimento e da morte de seu principal objeto de amor. Com isso, podem se reconstruir com maior estabilidade após sua morte, pois a finitude foi bem dirigida e elaborada para esse fim.

Mesmo diante das dificuldades, as mães se satisfazem quando podem cuidar plenamente de seus filhos e se apoiam no princípio religioso para isso. A presença de princípios-âncora (que dão apoio e força ao paciente, servindo de base e motivação) é fundamental no atendimento psico-oncológico, e permite ao psicólogo aportes para o seu trabalho de estimular a recuperação e a resiliência.

O trauma da morte do objeto de amor e do acompanhamento das aflições vivenciadas até a sua ocorrência é dramático [2, 14, 15]. Mas, quando vivenciado mediante a possibilidade de que a criança expresse seus sentimentos, desejos e necessidades e de que os cuidadores tenham um fôlego expressivo de suas demandas, pode gerar momentos de revelação, proximidade e amor, numa oportunidade final da vida.

A resolução dos assuntos infantis e momentos positivos com a criança são lenitivos importantes para a reconstrução da vida da cuidadora quando não mais estiver envolvida no cuidar de seu filho doente e retornar a uma rotina em que o câncer não estará mais presente diretamente – ainda que permaneça marcado em sua subjetividade. [14, 15]

O hospital

É no hospital que costuma ocorrer o encerramento da vida da criança terminal, embora em alguns casos isso ocorra em casa. Em geral, prefere-se o hospital pela presença de maiores recursos. Também é ali que a maioria das mães-cuidadoras vivencia o encerramento da experiência da finitude paliativa e o desenlace.

O hospital assume papel de espaço de mediação psico-oncológica por concentrar a realidade de boa parte das vivências e fatores que atingem a criança terminal e sua cuidadora. Nele, são evidenciadas as situações que indicam a vitória da doença e que fazem emergir a fragilização do tratamento, o que torna impossível o não reconhecimento de que algo não vai bem. É no hospital que o câncer se faz notar acima de qualquer negação. [7, 10, 11]

Nesse ambiente se consolidam as principais limitações e frustrações de se ter câncer; evidenciam-se, ainda, a impossibilidade da reversão da doença e a incapacidade diante da finitude e do fim da vida [7, 11, 13]. Mas é nele também que se apresenta um espaço de cuidado e acolhimento. O papel do psico-oncologista é fazer a ponte entre equipes de atendimento, cuidadores e pacientes para que a sinergia de informações, cuidados e proteção se forme, a fim de um encerramento o mais informado, educativo e protegido possível.

O hospital é um espaço cuja significação está associada à impotência, pois ali se evidenciam os limites para crianças e cuidadores entre os seus desejos e a realidade [7, 10, 11]. As constantes estadias requerem um trabalho psico-oncológico de significação do real papel funcional do hospital, que é o de cuidado, suporte e humanização.

As idas e vindas do hospital, quando negligenciadas, geram conformismo exterior, ao passo que no íntimo prevalece a angústia do estar ali, apesar de possíveis amenizações e cuidados. [4, 13]

A criança terminal de câncer, no hospital ou onde quer que vivencie o seu desenlace, passa por um processo de intensa modificação no encerramento precoce do ciclo de vida. Para que seja bem-sucedida, precisa de apoio para compreender as suas dúvidas, os seus temores e entender seu tratamento, a razão de suas limitações e principalmente que não é culpada nem tem algo que ver com a situação estabelecida. A criança demanda apoio para falar e ser ouvida dentro de sua linguagem, o que na maioria das vezes não é possível para pais ou familiares. Disso parte o segundo objetivo da intervenção e da ação psico-oncológica: apoiar a criança num viés psicológico, mas também educacional de sua situação.

Assim, o psico-oncologista deve orientar equipes, cuidadores, crianças e familiares a respeito das melhores possibilidades de conviver e se envolver com as questões da hospitalização terminal, elaborando sentimentos, demandas e exigências tanto da criança quanto dos que a assistem e a têm como objeto de amor e cuidado.

Considerações finais

As mães-cuidadoras têm como principal desafio ajustar sua figura para suprir todas as demandas oriundas do cuidado de uma criança terminal e, ao mesmo tempo, apoiar aqueles que são parte de sua vida cotidiana. Como cuidadoras, elas precisam lidar com a carga da perda de um de seus objetos de amor centrais e se reconfigurar após a sua partida.

Para as mães, a atuação da psico-oncologia é de reconfiguração e empoderamento, de fortalecimento pessoal e apoio na resiliência e estruturação pessoal, com escuta ativa e fortalecedora – a fim de que possam vivenciar o cuidado, o luto e a reconstrução.

Para as crianças, o encerramento da vida carrega a dor do luto do lúdico, da modificação e do medo do esquecimento. Os temores e angústias do sofrimento dos cuidados finais e da própria deterioração da doença, o luto do corpo e o conhecimento da condição são aspectos pontuais.

As crianças quase sempre identificam que a morte está por vir e sentem necessidade de saber, falar sobre, se preparar. O psico-oncologista deve observar as falas e as necessidades da criança nas áreas demandantes de atendimento (inclusive além da objetividade de seus discursos), a fim de promover a sua mediação.

É preciso ter cuidado e intervenção direta em ações como:

a. repressão de familiares e da equipe diante da expressão e da curiosidade infantil sobre o luto;
b. somatizações infantis associadas aos ganhos secundários no tratamento e à melhor aceitação no período terminal;
c. negações de condição sem análise completa de sua apresentação;
d. problemas familiares de relacionamento e dinâmicas em que a oncologia infantil esteja envolvida como fator de dificuldade de resolução;
e. apoio e estruturação na capacitação dos atendidos para a formação e a organização de uma rede de suporte e atendimento;
f. aplicação da mediação para a obtenção de qualidade de vida e homeostase nos momentos paliativos, tanto para mães quanto para filhos, a fim de uma terminalidade equilibrada.

Referências

1. Instituto Nacional de Câncer. *ABC do câncer: abordagens básicas para o controle do câncer*. Rio de Janeiro: Inca, 2011.
2. Bromberg, M. H. P. F. "Ser paciente terminal: a despedida anunciada". In: Berthoud, C.; Bromberg, M. H. P. F.; Coelho, R. (orgs.). *Ensaios sobre a formação e rompimento de vínculos afetivos*. Taubaté: Cabral Editora Universitária, 1998, p. 69-98.
3. Raimbault, G. *A criança e a morte: crianças doentes falam da morte – Problemas da clínica do luto*. São Paulo: Francisco Alves, 1979.
4. Flores, R. J. *A utilidade do procedimento de desenhos-estórias na apreensão de conteúdos emocionais em crianças terminais hospitalizadas*. Dissertação (mestrado em Psicologia), Pontifícia Universidade Católica de Campinas, Campinas, SP, 1984.
5. Almeida, F. A. "Lidando com a morte e o luto por meio do brincar: a criança com câncer no hospital". *Boletim de Psicologia*, v. 55, n. 123, 2005, p. 149-67. Disponível em: <http://pepsic.bvsalud.org/scielo.php?script=sci_arttext&pid=S0006-59432005000200003>. Acesso em: 23 abr. 2019.
6. Phuphaibul, R.; Muensa, W. "Negative and positive adaptive behaviors of Thai school-aged children who have a sibling with cancer". *Journal of Specialists in Pediatric Nursing*, v. 14, n. 5, 1999, p. 342-48.
7. Valle, E. R. M.; Françoso, L. P. C. "O tratamento do câncer infantil: visão de crianças portadoras da doença. Análise de desenhos e relatos". *Acta Oncológica Brasileira*, v. 12, n. 3, 1992, p. 102-07.
8. Souza, L. P. S. *et al.* "Câncer infantil: sentimentos manifestados por crianças em quimioterapia durante sessões de brinquedo terapêutico". *Rev Rene*, v. 13, n. 3, 2012, p. 686-92.
9. Oliveira, G. F.; Dantas, F. D.; Fonsêca, P. N. "O impacto da hospitalização em crianças de 1 a 5 anos de idade". *Revista da SBPH*, v. 7, n. 2, 2004, p. 37-54.

10. Valle, E. R. M. *Câncer infantil: compreender e agir*. Campinas: Psy, 1997.

11. _____. "Vivências da família da criança com câncer". In: Carvalho, M. M. J. (org.). *Introdução à psico-oncologia*. São Paulo: Psy II, 1994. p. 219-42.

12. Lima, R. A. G. *A enfermagem na assistência à criança com câncer*. Goiânia: AB, 1995.

13. Klassmann, J. *et al*. "Experiência de mães de crianças com leucemia: sentimentos acerca do cuidado domiciliar". *Revista da Escola de Enfermagem da USP*, v. 42, n. 2, 2008, p. 321-30.

14. Kübler-Ross, E.; Coelho, A. M. *Morte, estágio final da evolução*. Rio de Janeiro: Record, 1989.

15. Kübler-Ross, E. *Sobre a morte e o morrer: o que os doentes terminais têm para ensinar a médicos, enfermeiras e aos seus próprios parentes*. São Paulo: Martins Fontes, 2002.

PARTE III

SOBREVIVENDO AO CÂNCER

9. MANEJO DA DOR EM ONCOLOGIA: CONTRIBUIÇÕES DA PSICO-ONCOLOGIA

DÉBORA CRISTINA DOS SANTOS LISBOA, DÁGLIA DE SENA COSTA

Introdução

A dor é considerada um dos sofrimentos mais primitivos do ser humano. Algumas dores são a manifestação de que algo não está bem no organismo, ao passo que outras deixam de ter essa função e passam a comprometer a qualidade de vida do indivíduo. Segundo Miceli [1], a dor em doenças crônicas pode ultrapassar o *status* de sintoma e tornar-se uma doença à parte, sendo por isso considerada um problema de saúde pública.

A autora afirma que a experiência dolorosa é resultado da interação de fatores biológicos, psicológicos, comportamentais e sociais e relata que fatores psicológicos contribuem para o aumento da dor, embora não haja provas de que ela seja produzida por neurose, depressão ou outro fator psicológico. [1]

Em pacientes com câncer, a doença, por si só, resulta na perda da motivação, dos amigos e da saúde [1]. A dor não controlada gera ansiedade e sintomas depressivos, intensificando tais perdas e comprometendo o aspecto cognitivo, as atividades cotidianas e sociais e o sono em 58% dos casos.

Pela dimensão do problema, a Organização Mundial da Saúde (OMS) estabelece o controle da dor como uma das prioridades no sistema de saúde pública, visando à melhora da qualidade de vida de pacientes com câncer [1]. Além do controle com medicação, são propostas intervenções não farmacológicas, como técnicas psicológicas, acupuntura, fisioterapia, radioterapia e cirurgia, embora essas abordagens nem sempre sejam disponibilizadas nos serviços de oncologia.

Em se tratando de equipe interdisciplinar, recentemente se observa a inclusão do psico-oncologista como importante membro. Nessa perspectiva, o presente trabalho pretende abordar a dor em toda a sua subjetividade, destacando-se principalmente a dimensão da influência dos aspectos emocionais na etiologia da dor, em sua manutenção e em seus agravos.

Este estudo também enfatiza o papel do psico-oncologista como integrante da equipe de apoio aos pacientes oncológicos que sofrem de dores crônicas, visando contemplar não somente a dor, mas sobretudo o paciente e os sistemas que com ele interagem, como familiares e equipe de saúde.

Metodologia

Os dados foram coletados por meio de uma pesquisa exploratória em fontes secundárias, nas bases de dados Scielo, IndexPsi e PePSYC, utilizando os seguintes descritores: dor e oncologia; dor e psico-oncologia; e manejo da dor. A metodologia utilizada para composição deste artigo foi a pesquisa bibliográfica e a análise qualitativa de dados coletados, cujo tema era "Manejo da dor em oncologia: contribuições da psico-oncologia". Foram encontrados 98 artigos, analisados 22 e selecionados 20. Optou-se por textos que relacionavam o controle da dor a técnicas complementares. Ressalte-se que poucos estudos sobre o assunto foram encontrados, o que pode sinalizar a necessidade de pesquisa, tendo em vista a relevância do tema. As principais ferramentas de manejo da dor encontradas foram técnicas cognitivas – relaxamento, visualização, distração dirigida, *biofeedback*, respiração profunda, grupos educativos, modelação, reforço positivo e ensaio comportamental.

O que é dor

O conceito de dor mais aceito e difundido pela comunidade científica é o trazido pela Associação Internacional para o Estudo da Dor (Iasp). Segundo a instituição, trata-se de "uma sensação desagradável, subjetiva, relacionada a uma lesão real ou potencial, ou descrita em termos de tal lesão". [2]

Tal definição é o reconhecimento científico do caráter multifatorial da dor, que envolve fatores fisiológicos, cognitivos e comportamentais. Ao propor seu conceito de *dor total*, Saunders, citado por Graner, Costa Junior e Rolim [2], também reconhece essa natureza multidimensional. O autor inclui, juntamente com os aspectos físicos, os psicológicos (mudança de humor, afeto, disposição geral, apatia, entre outros), os aspectos sociais (convivência social prejudicada, isolamento social e desmotivação geral) e os espirituais (variação na relação do indivíduo com seus valores, crenças e princípios).

Assim, a dor, apesar de necessária por ser um importante sinal de alerta de que há algum dano no organismo, é um dos sintomas mais temidos entre as pessoas, devido à sua complexidade. Além de causar evidente desconforto físico, pode afetar as atividades diárias de quem a sente, atingindo uma dimensão biopsicossocial.

Essa sensação tão desconfortável pode ser classificada, conforme sua duração, como aguda, crônica ou recorrente. A primeira ocorre por tempo limitado, relacionada com algum trauma aos tecidos ou órgãos. A dor crônica, por sua vez, apresenta duração prolongada e contínua, em geral interligada a alguma doença crônica, persistindo muitas vezes mesmo depois de sua cura. Já a dor recorrente é sentida em períodos curtos e em intervalos frequentes, podendo se repetir durante toda a vida do indivíduo. [3]

No Brasil, dados revelam que a dor está presente em cerca de 70% dos pacientes que procuram atendimento médico, sendo a causa das consultas para um terço deles [3]. Devido a esse sintoma, aproximadamente de 50% a 60% dos doentes apresentam alguma incapacidade, seja temporária ou definitiva. Tal situação acarreta elevado estresse e sofrimento e interfere negativamente na qualidade de vida, tornando a dor a maior causa de absenteísmo no trabalho, o que resulta em ônus para a sociedade. [3]

A partir desses dados significativos é que a Organização Mundial da Saúde (OMS) considera, desde a década de 1980, o controle da dor uma das prioridades em saúde pública. Já a Agência Americana de Pesquisa e Qualidade em Saúde Pública e a Sociedade Americana de Dor passaram a tratar a dor como quinto sinal vital, determinando que esta deve sempre ser registrada como tal, juntamente com os demais sinais, como temperatura, pulso, respiração e pressão arterial. [4]

Entretanto, diferentemente dos demais sinais vitais, o caráter subjetivo da dor dificulta mensurá-la com precisão. Vale salientar que vários autores versam sobre a importância de se conhecer bem esse sintoma, pois quanto mais precisas forem as informações, maiores as chances de se estabelecer medidas efetivas de controle.

Assim, "considerar apenas a característica sensorial da dor, especialmente a sua intensidade, ignorando suas propriedades afetivas e motivacionais, é olhar para apenas parte do problema, e, talvez, nem mesmo para a parte mais importante dele". [5]

Os instrumentos utilizados para a mensuração da dor podem ser: a) unidimensionais, ou seja, utilizados para quantificar a severidade ou intensidade da dor, como escalas numérico-verbais e analógicas-visuais; b) multidimensionais, servindo para avaliar e mensurar as diferentes dimensões da dor – sensorial, afetiva e avaliativa. Algumas escalas incluem indicadores fisiológicos, comportamentais, contextuais e autorregistros. São exemplos a escala de descritores verbais diferenciais, o questionário McGill de avaliação da dor e a teoria da detecção do sinal. [4]

É válido destacar que a autoavaliação do paciente deve ser considerada em primeiro lugar, já que se trata de uma experiência individual que não pode ser compartilhada, sendo o próprio paciente a maior autoridade no assunto. "A dor é considerada como uma experiência, uma sensação, genuinamente subjetiva e pessoal". [5]

Dada essa individualidade, a sensação dolorosa pode sofrer influência de inúmeras questões, incluindo os demais sinais vitais do paciente, seu histórico médico e cirúrgico, suas condições socioeconômicas e psicológicas, o contexto cultural, sexo, habilidades interpessoais e cognitivas, como também das habilidades da equipe para manejá-la e minimizá-la.

Dor física e dor psicológica

No século 19, um marco para o tratamento da dor crônica foi o isolamento da morfina, que propiciou o desenvolvimento dos opioides. Além disso, estudos proporcionaram o reconhecimento dos receptores neurológicos e dos impulsos nervosos. Essas descobertas resultaram na separação entre a dor física e o sofrimento social, passando esta a ser entendida como um fenômeno biológico, justificado fisiologicamente. [1]

Mais tarde, a medicina desenvolveu a anestesia e depois o ácido acetilsalicílico, oferecendo condições para que o homem moderno não sentisse dor. Como somente a esfera neurológica era considerada, apesar de toda a evolução citada, havia ainda quadros de dores inexplicáveis.

Ocorre que, nesse período, apenas uma parcela do fenômeno doloroso era considerada e as dores que não tinham explicação orgânica continuaram sem ser solucionadas, até que Freud, com o advento da psicanálise, refutou a visão reducionista até então vigente.

Hoje, a complexidade do fenômeno doloroso e a influência de aspectos subjetivos em sua etiologia já são uma constatação. Inúmeros autores consultados trazem essa visão de uma forma bem respaldada. Com isso, pode-se inferir que a dor sentida física e psicologicamente interferem-se mutuamente.

Nesse prisma, a Associação Internacional para o Estudo da Dor enfatiza que a experiência dolorosa é uma sensação em uma ou mais partes do corpo, mas por ser desagradável também é uma experiência emocional. [5]

Assim, de acordo com Silva e Ribeiro-Filho [5], a dor demonstra ser composta por duas características autênticas: a sensação corporal e a consequência afetiva de caráter desagradável.

Tal é a veracidade dessa informação que os considerados indicadores de dor levam em conta não só reações físicas mensuráveis e observáveis como a resposta galvânica da pele, os batimentos cardíacos, a dilatação pupilar, a pressão sanguínea, a sudação palmar, a saturação de oxigênio, a pressão intracraniana, o fluxo sanguíneo na pele e imagens das diferentes áreas do cérebro por ressonância ou tomografia [5]. Mas incluem a autoavaliação e observação comportamental, como choro, expressões faciais e movimentos físico-corporais, entre outros.

Portanto, sugere-se que, se houver uma investigação adequada de todos os elementos que compõem o quadro doloroso, haverá maiores chances de minimizar esse sintoma e, consequentemente, de promover melhora na qualidade de vida do indivíduo.

Dor no câncer

Segundo Arantes [6], a dor é uma das queixas mais recorrentes nas neoplasias e também o mais temido dos sintomas. Acredita-se que cerca de 10% a 15% dos pacientes oncológicos sintam dor já nos estágios iniciais da doença. Essa estimativa aumenta gradativamente à medida que a doença evolui, sobretudo com o aparecimento das metástases. Em fases avançadas, entre 60% e 90% dos pacientes sentem dor de grande intensidade.

No Brasil, a preocupação com a dor no câncer tornou-se mais evidente nas décadas de 1980 e 1990. Para Pimenta, Koizumi e Teixeira [7], estudos realizados procuraram investigar a eficácia de recursos analgésicos específicos, como o uso de opiáceos, o papel da radioterapia no alívio da dor, o uso de técnicas alternativas ou bloqueios nervosos das vias sensoriais, a eficácia da hipofisectomia e da administração de medicamentos no sistema nervoso central.

A preocupação com os sintomas álgicos levou a OMS a priorizar e estabelecer normas para o controle da dor em pacientes oncológicos. Essa normatização é, hoje, aceita e reconhecida internacionalmente.

Existem métodos primários de controle da dor, como cirurgia, radioterapia e quimioterapia. Já para o controle sistemático são utilizados medicamentos e o controle da ansiedade e da depressão.

Um dos maiores problemas em oncologia consiste no subdiagnóstico. Isso ocorre, segundo Graner, Costa Junior e Rolim [2], devido à inabilidade de profissionais para um controle eficaz, à avaliação deficitária e à dificuldade e resistência dos próprios pacientes em demonstrar suas dores. Há também a falta de adesão ao tratamento e o temor da dependência medicamentosa e dos efeitos colaterais subjacentes.

Vale ressaltar que, como a dor envolve uma combinação de fatores, devem ser avaliadas sua história, localização, intensidade e suas consequências físicas e psicológicas, visando aumentar as chances de sucesso da intervenção.

Miceli [1] salienta que nenhum parâmetro isolado é ideal. Resumidamente, a tendência atual é a mensuração combinada, que leva em conta o autor-relato, a história pessoal, o contexto sociofamiliar, as alterações afetivas, sociais, familiares e comportamentais, o relato da família, a postura corporal, a mímica facial, os sinais fisiológicos, as escalas específicas e qualquer outra forma possível.

A mesma autora destaca a necessidade de atenção quanto à comorbidade e ao diagnóstico diferencial entre a dor e outras síndromes. Refere que pesquisas sobre o assunto revelaram que o aumento da dor favorecia a depressão, e que os pacientes deprimidos tinham a percepção de dor aumentada, a tolerância a ela diminuída e beneficiavam-se menos do tratamento.

Quando não tratada adequadamente, a dor contribui para o aumento da morbidade e da mortalidade de adultos e crianças, além de prejudicar a recuperação e atrapalhar a alta hospitalar. Assim, a dor tem impacto direto em diferentes dimensões da qualidade de vida do paciente, alterando seu bem-estar físico, psicológico, social e espiritual.

De acordo com a OMS, em 80% dos casos é possível controlar a dor oncológica, mas a falta de conhecimento, de habilidades e até de interesse no manejo da dor prejudica o controle efetivo. Há também o preconceito e questões políticas, econômicas e sociais envolvidas.

Desse modo, fica clara a visão de que o impacto emocional sobre os pacientes com câncer pode ser acentuado pela dor. Por isso, considera-se indispensável que os profissionais da área atentem para os recursos existentes para o manejo da dor, iniciando seu controle o mais precocemente possível.

Manejo da dor oncológica

Levando em conta o fato de que sentir dor não é algo natural, todos os esforços devem ser dedicados para o alívio desta. Segundo Miceli [1], os pacientes oncológicos com dor têm algumas necessidades fundamentais, como conforto, prevenção dos efeitos colaterais, manutenção da rotina diária, evitação de recaída, bom nível de qualidade de vida e renovação da confiança.

Seis são as necessidades dos pacientes com dor e seis são os princípios do manejo da dor: respeito ao paciente e à dor; saber quando tratá-la; tratá-la precoce e ofensivamente; tratar também as causas por trás do quadro álgico; não desconsiderar os aspectos psicológicos; e utilizar uma abordagem multidisciplinar. [2]

É importante destacar que, quando se fala em manejo da dor em oncologia, significa que não se deve tratar apenas a dor já estabelecida, mas também atuar de forma preventiva. O ideal é que desde o início do tratamento oncológico seja iniciado também o controle álgico.

Além do tratamento medicamentoso administrado para o controle da dor, os profissionais de saúde utilizam terapias complementares e alternativas, que são procuradas pelos pacientes em busca de alívio; trata-se de técnicas físicas, mecânicas e cognitivas indicadas e reconhecidas por autores da área. [2]

Os métodos físicos reconhecidos pela OMS incluem a estimulação nervosa elétrica transcutânea (Tens) e a manipulação de calor e frio. A primeira tem a vantagem de baixo custo, pequeno impacto, possibilidade de autoadministração e atoxicidade. A segunda consiste na aplicação de bolsas, compressas ou imersão, que alteram o fluxo sanguíneo e o tônus muscular.

Outra técnica física, reconhecida recentemente pela OMS como complementar, é a acupuntura. Ela ameniza os espasmos musculares e vesicais por meio da estimulação de regiões específicas da pele com finas agulhas, inseridas manualmente.

Os métodos mecânicos englobam a massagem, que pode ser associada à aromaterapia (feita com óleos e cremes com essência), e atividades físicas, preferencialmente suaves, com orientação de um fisioterapeuta, fisiatra ou educador físico. Os benefícios consistem em melhorar o humor, estimular o raciocínio e o autocuidado, regular o sono e amenizar a ansiedade.

Por fim, os métodos cognitivos existentes, objeto deste trabalho, são o relaxamento e a distração dirigida, a imaginação dirigida e a respiração profunda, o *biofeedback*, grupos educativos, modelação, reforçamento positivo, ensaio comportamental e a hipnose.

Tais terapias não substituem o tratamento convencional ou medicamentoso, mas podem contribuir com ele. Apesar disso, é comum que algumas pessoas troquem determinados medicamentos por estratégias como ioga, relaxamento, acupuntura, hipnose e outras.

Essas novas possibilidades, que incrementam os recursos para o controle da dor, ganharam mais visibilidade a partir dos anos 1980, quando a abordagem interdisciplinar em oncologia passou a ser discutida e valorizada. Essa vertente preocupa-se em minimizar a dor por meio de estratégias terapêuticas fisiológicas, emocionais, cognitivas e sociais, buscando o resgate da qualidade do cuidado.

Para Silva e Zago [8], a interdisciplinaridade no cuidado à saúde surge como possibilidade que trará criatividade e avanço no tratamento da dor crônica do paciente oncológico. Nesse sentido, entende-se que o trabalho interdisciplinar da equipe no manejo da dor é tão essencial quanto a conduta analgésica adotada.

Graner, Costa Junior e Rolim [2] citam as principais formas alternativas e complementares de minimizar a experiência dolorosa. Em primeiro lugar está a hipnose, seguida de distração, terapia cognitivo-comportamental, relaxamento, imaginação dirigida, treino de respiração, musicoterapia, jogos e auto-hipnose, acupuntura, arteterapia e treino de enfrentamento e de mudanças de humor.

Segundo esses autores, o National Cancer Institute (NCI) confirma a importância do uso de terapias alternativas e complementares em casos de detecção precoce de câncer. Acredita-se que o tratamento medicamentoso, aliado aos procedimentos alternativos, pode trazer melhores resultados.

Mas, apesar do reconhecimento, há ainda certa discriminação e desvalorização dessas estratégias. Uma das razões para tanto pode ser o desconhecimento dos benefícios do tratamento não farmacológico – daí a necessidade de uma melhor divulgação do assunto.

Mesmo assim, pesquisa mostrou que cerca de 70% dos pacientes estudados utilizaram-se de medidas não farmacológicas como aplicação de calor e frio, massagem, imaginação positiva, reza e atividade física. [7]

Certamente, nenhuma medida trará resultados satisfatórios se a avaliação das dimensões da dor de cada paciente, dada a peculiaridade dos casos, não for realizada com cuidado e com o devido rigor quanto às recomendações dos diversos autores do assunto. É unânime na literatura a relevância atribuída a uma avaliação completa e minuciosa.

Arantes [6], por exemplo, elenca um conjunto de orientações para que a dor no câncer seja tratada com sucesso. Em primeiro lugar, deve-se acreditar no paciente; em segundo, os analgésicos devem ser entendidos apenas como parte do tratamento. Outra orientação é que, se a dor for contínua, a medicação também deve ser. Destaca-se que, após a escolha da medicação, a dose deve ser individualizada, com preferência da via oral como forma de administração. A escada analgésica da OMS deve servir como base, e os medicamentos, combinados com cautela. Por fim, ao paciente não deve ser permitido sentir dor e as medidas adjuvantes não podem ser esquecidas.

A autora ainda alerta para o fato de que, como a opinião do paciente deve ser a primeira a ser cogitada, a administração de placebo é considerada uma falha ética importante.

Assim, "[...] a avaliação cuidadosa do paciente, contando com história clínica detalhada e exame físico completo, e a observação de aspectos emocionais, sociais e culturais envolvidos no processo de doença dolorosa são capazes de encontrar o foco do problema e apontar a melhor forma terapêutica". [6]

Recomendações da OMS para o manejo da dor

De acordo com o Instituto Nacional de Câncer [9], é obrigatório que os profissionais de saúde conheçam as estratégias para controlar a dor de pacientes com câncer avançado, que esclareçam mitos e conceitos, principalmente sobre os medicamentos disponíveis, e que se mantenham atualizados.

Os princípios norteadores para o controle da dor oncológica foram apresentados pela OMS em 2007, no "Guia para tratamento da dor no câncer". O objetivo da publicação consiste em melhorar a qualidade de vida do paciente oncológico e de sua família mediante o tratamento para a dor. Para a OMS, por meio de um método eficaz, é possível aliviar a dor do câncer em 80% dos casos. O referido método pode ser resumido em seis princípios: 1) pela boca; 2) pelo relógio; 3) pela escada; 4) para o indivíduo; 5) uso de adjuvantes; 6) atenção aos detalhes. [9]

O primeiro princípio, "pela boca", significa que os analgésicos devem ser administrados preferencialmente por via oral. O objetivo é poupar o paciente do desconforto da perfuração e preservar sua autonomia.

O segundo serve de orientação para dores de moderada a intensa. "Pelo relógio" significa que a analgesia deve ocorrer em intervalos fixos, impedindo que o retorno da dor ocorra antes da próxima dose. Além de evitar o sofrimento desnecessário, evita a utilização de doses maiores, bem como o desenvolvimento da tolerância.

"Pela escada" refere-se aos três degraus criados pela OMS na chamada escada analgésica.

Já "para o indivíduo" faz referência à importância de se considerar as necessidades individuais para a escolha da dose adequada: "A dosagem e escolha do analgésico devem ser definidas de acordo com a característica da dor do paciente. A dose certa de morfina é aquela que alivia a dor do paciente sem efeitos colaterais intoleráveis". [9]

Outro princípio é o "uso de adjuvantes", que visa potencializar os efeitos da analgesia com corticosteroides e anticonvulsivantes, minimizar os efeitos colaterais dos opioides e controlar outros sintomas indesejáveis que podem estar incrementando a dor do paciente, como sintomas depressivos, ansiosos e distúrbios do sono.

O sexto princípio, "atenção aos detalhes", foi criado para enfatizar a importância de comunicar ao paciente e seus familiares detalhes verbais e escritos sobre as drogas de que fará uso, incluindo nomes, indicação, dosagem, intervalo e reações adversas. Do outro lado, é imprescindível que seja investigada a dor de quem a sente em sua totalidade.

A OMS estabeleceu, também, políticas visando assegurar normas específicas, relacionadas com segurança, qualidade, acessibilidade e uso racional de terapias complementares, ou seja, não farmacológicas, indicadas para auxiliar as tradicionalmente utilizadas nos sistemas de atenção à saúde. [2]

Sobre elas, o documento *Cuidados paliativos oncológicos: controle da dor* [9] traz os métodos mais utilizados em oncologia, categorizados em físicos, mecânicos e cognitivos, os quais já foram resumidamente apresentados neste texto. Os métodos cognitivos serão aprofundados adiante.

Além disso, existe um movimento internacional para a formação de equipes multidisciplinares especializadas não somente na dor, mas em pacientes com dor, em seu aspecto biopsicossocial, que deve ser tratado de forma global, cuidadosa e o mais cedo possível. [10]

Atuação do psico-oncologista nos casos de dor

A atenção multidisciplinar no controle da dor em pacientes com câncer vem sendo amplamente discutida e valorizada, ao ponto de a grande maioria dos autores enfatizar o assunto. Silva e Zago [8], por exemplo, constataram que todos os sujeitos pesquisados citaram o enfoque multidisciplinar na área como fundamental. Para alguns, destaca-se a contribuição específica de outros profissionais além do médico, especialmente o psicólogo, o qual poderia contribuir para o alívio da dor e do sofrimento vivido por eles.

Segundo Lione [11], a abordagem multiprofissional aparece como o tratamento de maior eficácia nos casos álgicos de pacientes oncológicos. Médicos, enfermeiros, psicólogos, fisioterapeutas, fonoaudiólogos e terapeutas ocupacionais precisam atuar conjuntamente e de forma interligada. A autora inclusive cita uma pesquisa em que a abordagem multidisciplinar repercutiu em melhora do quadro álgico em 75% de pacientes com câncer que foram tratados em um centro especializado para o tratamento da dor.

Para ela, cada especialidade tem sua importância, já que todas estão engajadas no mesmo objetivo, o de proporcionar condições para que o paciente retome sua vida normal, proporcionando alívio dos sintomas dolorosos e melhora de sua qualidade de vida.

Recentemente, além dos profissionais já citados, foi incluído na equipe oncológica o psico-oncologista. Trata-se de uma especialização na área da saúde que utiliza, de forma integrada, conhecimentos da psicologia e da oncologia. Por ser uma área nova e que está em expansão, seus conceitos e sua aplicabilidade precisam ser difundidos e esclarecidos, havendo necessidade de mais estudos, pesquisas e publicações a respeito. Dessa forma, o presente trabalho enfatizará a atuação do psico-oncologista como membro da equipe multiprofissional e suas possibilidades de atuação em se tratando do controle da dor em oncologia.

> O tratamento neurofisiológico e neurofarmacológico são considerados eficazes, mas a abordagem multidisciplinar, que surgiu na década de 80, a psico-oncologia, tem importância ímpar para a qualidade de vida do paciente oncológico com dor crônica. Essa abordagem emprega modalidades de intervenções fisiológicas, emocionais, cognitivas e sociais. [8]

Como vimos, a contribuição da psicologia para o controle da dor consiste em variadas técnicas – como o relaxamento, a visualização, a distração dirigida, *biofeedback*, respiração profunda, grupos educativos, modelação, sistemas de recompensa ou reforço positivo e ensaios de comportamentos –, cujo objetivo é reduzir o sofrimento do paciente e contribuir para melhorar sua qualidade de vida, as quais são também preocupações fundamentais da psico-oncologia.

Graner, Costa Junior e Rolim [2] citam como procedimentos psicológicos os métodos cognitivos, que orientam o paciente sobre como se deve controlar a intensidade, a frequência e a duração da dor. Trata-se de métodos recomendados pela OMS para o controle da dor no câncer. [9]

Entre eles estão o relaxamento e a distração dirigida, que procuram amenizar a ansiedade e reduzir a tensão muscular. O treinamento de relaxamento mais utilizado é o progressivo, no qual os pacientes aprendem a tensionar e relaxar os músculos, separados em grupos específicos. Essas técnicas testadas proporcionaram alívio imediato dos sintomas dolorosos, porém não houve evidência de sua manutenção ao longo do tempo. [2]

Além das técnicas recomendadas, há outras que também são apontadas pelos autores como eficazes para o controle álgico – por exemplo, a imaginação dirigida e a respiração profunda. A primeira é muito utilizada com crianças, as quais são instruídas a descrever sua dor em desenhos e cores que a representem. Esta e a respiração profunda contribuem para amenizar a ansiedade, distanciando o paciente da realidade, aliviando a dor e elevando sua consciência corporal.

Há também o *biofeedback*, que consiste no repasse de respostas fisiológicas medidas por aparelhos aos pacientes, que aprendem a discriminá-las e manejá-las com técnicas de relaxamento.

Os grupos educativos, por sua vez, envolvem o repasse de informações educativas aos pacientes e cuidadores, tanto sobre o funcionamento da dor quanto sobre condutas ativas de autocuidado e aumento da tolerância e da adesão aos tratamentos indicados.

São citados, ainda, a modelação, o reforçamento positivo e o ensaio comportamental, treino de papéis ou *role-playing*. A primeira é utilizada quando o temor está presente, principalmente relacionado com os procedimentos médicos dolorosos necessários para tratar o câncer, e quando há falta de informação sobre o assunto. Essa técnica pode ser em tempo real ou por vídeos que descrevem os procedimentos e destacam sentimentos e pensamentos negativos mais comuns, esclarecendo-os. Já o reforçamento positivo parte da premissa de que o comportamento é modelado por suas consequências. Assim, elementos positivos proporcionados pelo ambiente, como elogios ou recompensas materiais, elevam a probabilidade de ocorrência do comportamento. Dessa forma, brinquedos, adesivos, jogos, balões e incentivos verbais encorajam a colaboração com os procedimentos médicos. Por fim, o ensaio comportamental consiste em simulações e treinamentos antecipados da situação real futura, enfatizando o desenvolvimento de estratégias de enfrentamento e promovendo a dessensibilização para situações e procedimentos que trazem sofrimento.

Finalmente, poderia ser citada também a hipnose, uma das técnicas mais antigas que podem ser utilizadas no manejo da dor em adultos com câncer, embora haja trabalhos na literatura também com crianças. Trata-se de "um estado mental de diminuição da capacidade de atenção e de concentração e de relaxamento mental". [2]

Em suma, os métodos citados são métodos psicológicos cognitivos, que poderiam ser seguramente utilizados pelo psico-oncologista em sua atuação, desde que ele tenha a preparação adequada e seja treinado de forma eficaz durante sua formação.

Vale destacar ainda a importância do apoio inclusive aos familiares dos pacientes oncológicos, para que estes tenham condições de melhor auxiliá-los. Nesse âmbito, a disciplina de psico-oncologia permite a interação dos fatores fisiológicos com os psicossociais do câncer, envolvendo tanto o paciente quanto a sua família.

Cabe à psico-oncologia promover a humanização do atendimento ao paciente oncológico e ampliar sua visão para além da dor, considerando-o em toda a sua totalidade e não o resumindo ao seu sintoma doloroso.

Robb *et al.*, citados por Lourenção, Santos Junior e Luiz [12], realizaram uma intervenção cognitivo-comportamental com pacientes em tratamento oncológico com dor. Foram utilizadas técnicas de visualização, respiração diafragmática e relaxamento muscular progressivo, juntamente com estratégias de automonitoramento, técnicas de distração e suporte sobre demais elementos que compõem a dor. Os resultados levantados por eles foram otimistas e revelaram melhora significativa em sintomas como ansiedade e depressão – e, consequentemente, melhor enfrentamento da dor.

Sardá Jr. [13] também defende o uso da terapia cognitivo-comportamental (TCC) em caso de dores persistentes. Para ele, os objetivos da TCC seriam oferecer informações adequadas sobre o problema; diminuir a incapacidade física causada pela algia; reduzir o desgaste emocional decorrente da experiência dolorosa; avaliar a participação das crenças e dos sentimentos que contribuem para o sofrimento; envolver o paciente ativamente no seu tratamento; melhorar sua qualidade de vida e oferecer contribuições à equipe multiprofissional com conhecimentos específicos.

Angelotti, citado por Sardá Jr. [13], entende que a TCC da dor inclui elementos psicoeducativos e procura ensinar o enfrentamento da dor por meio da conscientização de que é possível reduzi-la em sua intensidade, mediante alteração de crenças e pensamentos que contribuem para sua manutenção.

De forma geral, dados revelam que os indivíduos abordados sob a luz da TCC evoluem de forma mais satisfatória, com redução da incapacidade física e do sofrimento emocional e melhora significativa da qualidade de vida. [13]

As práticas complementares, em geral, buscam, além do controle sintomático, a restruturação do equilíbrio global, exigindo por isso um maior envolvimento do indivíduo em seu tratamento e mais disponibilidade de tempo para investir em si mesmo, com resultados que, embora não imediatos, costumam ser eficazes. [3]

Apesar disso, é imprescindível que se incentive o desenvolvimento de estudos que investiguem modalidades de tratamento eficazes para a redução da dor e do sofrimento em todas as etapas da doença.

Considerações finais

Os efeitos negativos causados pela dor em pacientes oncológicos intensificam seu sofrimento e interferem negativamente em sua qualidade de vida, prejudicando, ainda, a adesão ao tratamento e a melhoria do seu estado biopsicossocial e espiritual.

Devido a esse impacto, diversas possibilidades para o controle da dor oncológica estão sendo revistas e amplamente discutidas entre os estudiosos. As estratégias medicamentosas são mais aceitas por serem explicadas neurológica e fisiologicamente. Entretanto, órgãos respeitados de saúde vêm apontando que o controle álgico e a promoção da melhoria da qualidade de vida do paciente podem ser intensificados com o uso de métodos alternativos.

Por isso, foram desenvolvidas e estão sendo difundidas inúmeras terapias alternativas e complementares para a dor, visando aumentar as chances de sucesso nos tratamentos para o controle desse sintoma. Tais estratégias dependem de um trabalho multidisciplinar integrado, com a participação de diversos membros da equipe oncológica, o qual tem demonstrado resultado satisfatório nas pesquisas descritas na literatura da área.

Entre esses profissionais, destaca-se o psico-oncologista, membro que recentemente tem complementado as equipes de oncologia com seu olhar humanizado e compreensão globalizada do paciente, entendendo-o em sua complexidade, sem esquecer-se do meio familiar e social em que está inserido.

Em sua atuação, são utilizados conhecimentos específicos da oncologia e da psicologia. Esta fornece o embasamento para o uso de técnicas cognitivas e cognitivo-comportamentais que auxiliam na minimização dos quadros álgicos tão prejudiciais aos pacientes que o sentem, possibilitando a elaboração e a ressignificação da experiência dolorosa.

O reconhecimento científico dessas técnicas está em expansão, pesquisas vêm sendo realizadas e alguns resultados positivos apontados. Apesar disso, é fundamental uma maior produção e divulgação de estudos sistematizados nessa área. Supõe-se que o preconceito e a falta de conhecimento de profissionais de saúde e até de pacientes quanto a esses tratamentos alternativos estejam relacionados com o desconhecimento dos benefícios que eles podem oferecer.

Portanto, entende-se que psico-oncologistas que tratam de pacientes com dor devem incluir as técnicas aqui descritas em sua atuação como importantes coadjuvantes no processo de controle da dor em pacientes oncológicos, visando contribuir com o tratamento medicamentoso e, principalmente, incluir o aspecto subjetivo dessa experiência, que já não gera dúvidas quanto à sua existência.

Referências

1. Miceli, A. V. P. "Dor crônica e subjetividade em oncologia". *Revista Brasileira de Cancerologia*, v. 48, n. 3, 2002, p. 363-73. Disponível em: <http://www1.inca.gov.br/rbc/n_48/v03/pdf/artigo5.pff>. Acesso em: 27 maio 2019.

2. Graner, K. M.; Costa Junior, A. L.; Rolim, G. S. "Dor em oncologia: intervenções complementares e alternativas ao tratamento medicamentoso". *Temas em Psicologia*, v. 18, n. 2, 2010, p. 345-55. Disponível em: <http://pepsic.bvsalud.org/scielo.php?script=sci_arttext&pid=S1413-389X2010000200009&lng=pt>. Acesso em: 24 abr. 2019.

3. Eler, G. J.; Jaques, A. E. "O enfermeiro e as terapias complementares para o alívio da dor". *Arquivos de Ciência da Saúde*, v. 10, n. 3, 2006, p. 185-90.

4. Sousa, F. A. E. F. "Dor: o quinto sinal vital". *Revista Latino-Americana de Enfermagem*, v. 10, n. 3, 2002, p. 446-47. Disponível em: <http://www.scielo.br/scielo.php?script=sci_arttext&pid=S0104=11692002000300020-&lng=en>. Acesso em: 24 abr. 2019.

5. Silva, J. A.; Ribeiro-Filho, N. P. "A dor como um problema psicofísico". *Revista Dor*, v. 12, n. 2, abr.-jun. 2011, p. 138-51.

6. Arantes, A. C. L. Q. "Dor e câncer". In: Carvalho, V. A. *et al.* (orgs.). *Temas em psico-oncologia*. São Paulo: Summus, 2008, p. 287-93.

7. Pimenta, C. A. M.; Koizumi, M. S.; Teixeira, M. J. "Dor no doente com câncer: características e controle". *Revista Brasileira de Cancerologia*, v. 43, n. 1, 1997.

8. Silva, L. M. H.; Zago, M. M. F. "O cuidado do paciente oncológico com dor na ótica do enfermeiro". *Revista Latino-Americana de Enfermagem*, v. 9, n. 4, 2001, p. 44-49. Disponível em: <http://www.scielo.br/scielo.php?script=sci_arttext&pid=S0104-11692001000400008&lng=en>. Acesso em: 24 abr. 2019.

9. Brasil. Ministério da Saúde. Instituto Nacional de Câncer. *Cuidados paliativos oncológicos: controle da dor*. Rio de Janeiro: Inca, 2001. Disponível em: <http://bvsms.saude.gov.br/bvs/publicacoes/inca/manual_dor.pdf>. Acesso em: 27 maio 2019.

10. Miceli, A. V. P. "Dor crônica e subjetividade em oncologia". *Revista Brasileira de Cancerologia*, v. 48, n. 3, 2002, p. 363-73. Disponível em: <http://www1.inca.gov.br/rbc/n_48/v03/pdf/artigo5.pdf>. Acesso em: 27 maio 2019.

11. Lione, F. R. "Dor: aspectos médicos e psicológicos". In: Carvalho, V. A. *et al.* (orgs.). *Temas em psico-oncologia*. São Paulo: Summus, 2008, p. 287-93.

12. Lourenção, V. C.; Santos Junior, R.; Luiz, A. M. G. "Aplicações da terapia cognitivo-comportamental em tratamentos de câncer. *Revista Brasileira de Terapias Cognitivas*, v. 5, n. 2, 2009, p. 59-72. Disponível em: <http://rbtc.org.br/detalhe_artigo.asp?id=103>. Acesso em: 24 abr. 2019.

13. Sardá Jr., J. "Terapia cognitivo-comportamental em dores persistentes". *Revista Dor é Coisa Séria*, v. 4, n. 4, set. 2008, p. 3-10.

10. O MANEJO PSICOLÓGICO DIANTE DA DOR DO PACIENTE ONCOLÓGICO: REVISÃO INTEGRATIVA

ÂNGELA MARIA DIEHL, GLÁUCIA REZENDE TAVARES

"O sofrimento humano só é intolerável quando ninguém cuida dele."

CICELY SAUNDERS

Introdução

O câncer é uma doença genética. Caracteriza-se por múltiplas alterações no material genético (DNA), modificando a divisão celular e produzindo células capazes de resistir à morte celular programada, o que contraria o sistema natural do organismo. O grupo de células alteradas influencia as células normais que estão próximas, ocasionando uma proliferação descontrolada e, consequentemente, formando o tumor. Diferentes tipos de câncer são originados por diferentes tipos de células, e estas podem invadir órgãos e tecidos, desenvolvendo colônias pelo organismo. Tal fenômeno é denominado metástase. [1]

A Organização Mundial de Saúde (OMS) estima que, em 2030, podem-se esperar 21,4 milhões de novos casos de câncer e 13,2 milhões de mortes pela doença no mundo. No Brasil, a estimativa para o biênio de 2018-2019 é de 620 mil novos casos [2]. Estima-se que, nos próximos 30 anos, o aumento de casos de câncer será de 20% nos países desenvolvidos e de 100% nos países em desenvolvimento. Com esse cenário, o número de doentes sofrendo com as consequentes dores da doença será elevado, e esse sintoma afetará extremamente a qualidade de vida dos pacientes.

A dor está presente em 30% a 40% dos doentes com câncer no momento do diagnóstico. E, entre estes, 70% a 80% sofrem de dor moderada a intensa em estágios avançados da doença. [3]

A dor é observada pelos profissionais como um dos sintomas mais constantes nas neoplasias, bem como o mais assustador pelos pacientes oncológicos. Nesse sentido, Arantes [4] refere que 10% a 15% dos doentes com câncer, quando recebem o diagnóstico da doença, sofrem dor, mesmo estando em estágio inicial. Quando surgem as metástases, a incidência da dor aumenta para 25% a 30%. E, quando o paciente já está nas fases mais desenvolvidas da doença, 60% a 90% deles mencionam dor de intensidade significativa.

Nas unidades hospitalares, a dor é constatada em 45% a 80% dos pacientes. Ela é referida como um desafio incorporado à prática clínica e, nessa circunstância, é comumente visualizada como um sintoma físico. Todavia, a dor é um fenômeno complexo, decorrente não só do plano físico, mas também do psíquico. Assim, o nível de dor será definido tanto pela lesão orgânica quanto pela subjetividade do paciente. [5]

Um dos aspectos mais importantes durante o tratamento é o suporte psicológico ao paciente e a seus familiares. Segundo Pimenta e Teixeira [6], os cuidados aos pacientes com dor abrangem a retirada das causas, quando isso é possível, os medicamentos analgésicos e adjuvantes, as ações anestésicas, a medicina física e a psicoterapia. O tratamento acertado oferece melhora dos incômodos e da qualidade de vida à maior parte dos pacientes. Esse resultado será possível com o tratamento etiológico e sintomático juntamente com a atenção aos aspectos psicossociais que contribuem para a expressão da dor. Verifica-se, pois, que o tratamento da dor é multiprofissional.

A abordagem psicológica é realizada com base em tópicos e questões expressivas para a compreensão da dor dos pacientes graves. A avaliação e a intervenção psicológica serão consideradas de modo integrado, e tal avaliação objetiva compreender o sofrimento decorrente da dor e identificar os aspectos psicológicos (emoções, comportamentos, atitudes) que demonstram a percepção de dor do paciente. O objetivo da intervenção psicológica é aliviar o sofrimento do paciente grave, propiciando-lhe qualidade de vida e incentivando sua autonomia na vida diante da morte. [5]

As estratégias psicológicas de intervenção para o manejo da dor têm utilidade comprovada e devem estar à disposição dos psicólogos que trabalham com pacientes oncológicos. Nesse sentido, cumpre apontar os grupos educativos, programas cognitivo-comportamentais, técnicas de relaxamento, hipnose e imaginação dirigida e representação gráfica da dor, por exemplo. A compreensão do conteúdo trazido pelo paciente deve ser realizada por meio do referencial teórico e da escolha de uma técnica pelo psicólogo, levando em conta as características do paciente e sua condição física quando da aplicação, além da visível determinação do objetivo a ser obtido. [6]

De qualquer modo, é fundamental que os profissionais da saúde tenham cuidado no tratamento de pacientes com câncer, tendo em vista o investimento emocional da equipe multidisciplinar. Nesse sentido, destaca-se que os eventuais afeto, angústia e sensibilidade da equipe podem levar a outras doenças ocupacionais e, dessa forma, comprometer a saúde mental dos profissionais, bem como a qualidade do serviço prestado. [7]

Assim, o psicólogo e a equipe de saúde necessitam de constantes reflexões acerca das próprias frustrações, dos limites e possibilidades diante do tratamento do paciente com dor. Muitas conquistas ainda podem ser feitas por meio de trocas teóricas e da construção de produção científica sobre o tema,

instrumentalizando os profissionais da psicologia e da equipe de saúde na realização de um trabalho cada vez mais eficaz.

Considera-se de extrema importância o estudo sobre o manejo psicológico diante da dor do paciente oncológico, a fim de minimizar suas dores – sejam físicas ou emocionais –, no sentido de priorizar o cuidado integral e humanizado na área da saúde e fornecer subsídios para os profissionais da psicologia no reconhecimento do manejo da dor oncológica.

Este trabalho foi elaborado por meio de uma revisão integrativa, que se baseia em dados disponíveis na literatura e nas suas comparações, a fim de aprofundar o conhecimento do tema investigado. É um método de pesquisa empregado na prática baseada em evidências que permite a incorporação das evidências na prática clínica e utilizado por profissionais de diversas áreas de atuação na saúde.

Os conteúdos foram analisados na literatura selecionada, integrando com o tema do presente artigo para indicar e compreender as principais questões do manejo psicológico diante da dor oncológica (física e emocional) e as dificuldades vivenciadas, bem como a importância da intervenção psicológica no alívio do sofrimento do doente oncológico, favorecendo sua qualidade de vida e estimulando a adesão ao tratamento.

A dor do paciente oncológico

Arantes [4] menciona que a dor oncológica pode ser causada pelo tumor primário ou por suas metástases. O sofrimento dos pacientes é consequência da vivência da dor vinculada a incapacidade física, isolamento familiar e social, apreensões financeiras, medo da mutilação e da morte etc. Cerca de nove milhões de pessoas, a cada dia, sofrem a experiência da dor associada ao câncer. O mais relevante é que 85% desses doentes poderiam ter a dor aliviada com tratamento farmacológico e não farmacológico adequado, o que constata a importância de publicar o conhecimento sobre analgesia oncológica.

Bruscato e Kitayama [5] reforçam que a doença grave faz o doente vivenciar sintomas físicos, como a dor, que pode estar associada às limitações corporais, sejam estas temporárias ou permanentes. Associada a essas vivências está a morte, que chega como ameaça ou possível desfecho. A vida emocional básica é de insegurança, medo e sofrimento.

Segundo Lione [3], a dor oncológica é difusa e mal delineada, causando desconforto físico, emocional, social e financeiro, tanto ao paciente quanto aos seus familiares, interferindo na qualidade de vida do doente e de seus cuidadores.

Pimenta e Portinoi [8] definem dor nos seguintes moldes:

Dor é um fenômeno cuja etiologia e manifestação são multidimensionais, com bases teóricas advindas de várias ciências. Na apreciação do fenômeno álgico aspectos sensoriais, afetivos e socioculturais estão imbricados de modo indissociável. Este modelo multidimensional nos remete a que as intervenções para o controle da dor devam englobar esta multidimensionalidade.

Bruscato e Kitayama [5] esclarecem que o fato de o paciente não ter sua dor reconhecida desencadeia sentimentos de desamparo e sofrimento. É necessário que o paciente tenha clareza de que a função do psicólogo não é examinar se sua dor é "psicológica", mas sim apontar em que aspecto a dor o afeta, bem como de que modo seu estado emocional e suas atitudes podem evidenciar sua percepção de dor.

As fronteiras entre dor e sofrimento são tênues, e tal diferenciação teórica pode ser diferente na prática, pois ambos os fenômenos por vezes ocorrem simultaneamente, impossibilitando qualquer tentativa de distinção. A dor e o sofrimento interagem, constituindo-se num círculo vicioso que não permite discerni-las, muito menos as complexas relações entre elas. [9]

Para muitas pessoas, a dor é considerada a suprema causa do sofrimento, sendo muitas vezes mais temida que a própria morte. Pimenta [10] menciona que os conceitos sobre dor mudaram muito entre as décadas de 1950 e 1960, pois foram incluídos nas configurações das sensações dolorosas, além das questões físicas, os aspectos emocionais e culturais. Logo, os elementos sensoriais, afetivos, culturais e emocionais compõem o fenômeno doloroso.

O câncer provoca dor quando acomete ossos, músculos ou órgãos internos. O tratamento oncológico também pode causar estímulos dolorosos, como uma cirurgia ou o uso de medicamentos que causam lesão nos tecidos nervosos periféricos. Quanto mais a dor persistir, maior será o sofrimento do paciente. A presença contínua da dor também pode gerar ansiedade, depressão e raiva diante da doença. Além disso, prejudica a qualidade de vida e é uma experiência única, vivida de maneira solitária e diferente para cada um. [10]

Segundo Arantes [4], o conceito de dor total foi desenvolvido pela médica inglesa Cicely Saunders, na década de 1960. Para ela, o indivíduo sofre não apenas pelos danos físicos, mas também pelos efeitos emocionais, sociais e espirituais que a proximidade com a dor lhe propicia. A autora refere a abordagem multidisciplinar como uma forma eficaz de obter sucesso no tratamento do paciente oncológico avançado.

De acordo com Lione [3], os fatores emocionais do paciente oncológico podem aumentar ou diminuir sua dor. O medo, a sensação de falta de controle da vida, o desamparo sentido diante do desconhecido, o isolamento e o sentimento de não ser compreendido intensificam a sensação dolorosa.

Feitas essas considerações, verifica-se a importância da compreensão do significado da dor oncológica e do reconhecimento dessa dor contemplando os fatores sensitivos, afetivos e cognitivos. Assim, é fundamental que a equipe multidisciplinar escolha o tratamento adequado para cada paciente acometido da dor relacionada à doença neoplásica.

A atuação psicológica diante da dor oncológica

A qualidade de vida de pacientes graves está relacionada com a possibilidade de receber adequado controle da dor e manejo dos sintomas, controlar a própria vida, evitar o prolongamento da ideia da morte, aliviar o sofrimento, fortalecer o relacionamento com as pessoas queridas, não se sentir um peso para os familiares e poder conversar com seus médicos. Esses tópicos comprovam que, para além da cura e do tratamento das dores do corpo, os profissionais da saúde defrontam-se com a necessidade de atender as "dores da alma" de seus pacientes. [11]

O significado da dor difere de pessoa para pessoa e depende dos antecedentes psíquicos, da estrutura e da dinâmica da personalidade, da extensão que a dor ocupa na vida, da administração de situações críticas e de conflito, da fase de vida em que o paciente se encontra e de como a dor influencia as questões sociais e ocupacionais de sua vida. [3]

Para Lione [3],

> o psicólogo avalia a experiência da dor e seu impacto na vida do paciente visando identificar o significado dela na sua história pessoal. Esse trabalho deve ser feito com postura acolhedora, que respeite o paciente e suas questões e preocupações, seus valores e crenças, considerando suas atitudes e seu ambiente sociocultural. A dor incomoda e pode, dependendo da sua intensidade e frequência, demandar mais do paciente do que a própria doença. [...] O psicólogo deve saber ouvir e compreender essa vivência do paciente, o que será fundamental para ajudá-lo a desenvolver recursos para enfrentar sua nova realidade de progressão da doença, diagnosticada a partir do surgimento da dor.

De acordo com Angerami-Camon [12], o paciente pode falar sobre sua doença se observar que o profissional da saúde se esforça para compreendê-lo. Sem medo de ser criticado, ele é capaz de avaliar sua enfermidade e aliviar a ansiedade diante dos procedimentos terapêuticos ligados à doença.

Em nenhum momento a intervenção psicológica pode ser feita com o objetivo de curar o câncer, pois certamente se corre o risco de fracassar nessa ideia. É necessário aceitar as diversas limitações diante do acolhimento oferecido ao paciente para que a intervenção tenha verdadeiro significado. [12]

Na expressão do rosto de um paciente é possível perceber seu desamparo e seu desejo de atenção. A pessoa doente tem um olhar repleto de significados, mas esse olhar só é notado por aquele que se mostra receptivo à sua dor. O câncer pode ser elucidado como o extremo do sofrimento humano pelo fato de estar associado, em alguma instância, com a interrupção da vida. Dessa forma, cria-se a dualidade

emocional da doença: de um lado, há o medo de morrer; de outro, um enorme desejo de viver. Essa situação gera grande sofrimento. [13]

O trabalho do psicólogo diante do tratamento é instrumentalizar as definições terapêuticas, comunicando aos demais membros da equipe os benefícios que o paciente poderá alcançar das intervenções possíveis, e ajudar na aliança do paciente com essas modalidades terapêuticas. [5]

Conforme os estudos de Gaspar e Laterza [13], o psicólogo, no contexto hospitalar, tem como objetivo facilitar a expressão das emoções mobilizadas no paciente pela doença em si e também por tudo que esta envolve, como exames, internações, aplicações, medicações, tratamentos – devendo o intuito da equipe ser sempre o de recuperar a saúde do doente.

De acordo com Angerami-Camon [12], o paciente oncológico em estado avançado é alguém atirado à própria sorte. O avanço da doença, com a multiplicação descontrolada das células, mostra que estamos diante de um inimigo que não sabemos como destruir. Como profissionais, estamos envolvidos numa situação em que o paciente e seus familiares desejam algo inatingível; apesar disso, temos de acolhê-los e apoiá-los mesmo não estando instrumentalizados para tal tarefa.

Angerami-Camon [12] explica que é possível apresentar slides ao profissional mostrando vários pacientes com câncer, acrescentar depoimentos e discussões que mostram a evolução da doença em diferentes casos. Mas a realidade do câncer será conhecida apenas quando o profissional estiver diante do paciente que definha, diante de sua dor insuportável que não é aliviada com remédios. E, sobretudo, diante de seu olhar angustiado e desesperado clamando por vida, gritando por alívio diante daquele estado de intenso sofrimento.

São poucos os profissionais da psicologia que se responsabilizam por aliviar as dores dos seus pacientes. Muitos psicólogos estão propensos a se desviar do sintoma da dor, visto que ele desperta o sentimento de impotência, principalmente quando o sintoma é condizente com o quadro clínico. Assim, o sintoma da dor é um problema a ser trabalhado pelo psicólogo junto com sua equipe. [5]

O papel de cuidador de um paciente oncológico com dor gera grande desgaste e exaustão psíquica. Isso se torna mais intenso quando a dor está presente na fisionomia e nos comportamentos do paciente. Muitos profissionais referem culpa por não serem suficientemente eficazes no cuidado; outros não assimilam a importância da presença física para o paciente que sofre com dor. Os cuidadores podem também necessitar de orientações e suporte psicológico. [3]

Por fim, o trabalho de diminuir a dor do paciente por meio do uso farmacológico adequado e do alívio emocional com informações transparentes e encorajadoras pode transmitir ao paciente o controle do sofrimento, promovendo aumento no bem-estar e diminuição na percepção da dor. Quando confia na equipe terapêutica, ele sente mais esperança e motivação para o tratamento. [5]

Estratégias psicológicas para o manejo da dor

Existem algumas estratégias comprovadas de intervenção para trabalhar com pacientes oncológicos com dor. A técnica deve ser muito bem escolhida pelo psicólogo, tendo em vista as características do paciente, suas possibilidades clínicas no momento e o real objetivo a ser alcançado. [3]

É necessário oferecer ao paciente oncológico com dor e a seus familiares o contato com grupos educativos, pois a experiência da dor abrange aspectos cognitivos e emocionais. Tais grupos objetivam explicar os mecanismos de funcionamento da dor e possibilitam aos pacientes e à sua família uma postura mais ativa de cuidado, aumentando a tolerância à dor, o engajamento aos tratamentos farmacológicos e não farmacológicos e a sensação de controle da dor. Tais mudanças proporcionam uma melhora na qualidade de vida. [3]

Os programas cognitivo-comportamentais acontecem em grupos e intercalam intervenções físicas e psicológicas. A parte física inclui a prática de exercícios específicos, enquanto a psicológica ajuda o paciente a diminuir o estresse, a desenvolver formas de enfrentar a realidade e a manejar. Tais programas incentivam os pacientes oncológicos a ter uma participação ativa diante do tratamento. [3]

Técnicas de relaxamento como distração, imaginação dirigida e hipnose possibilitam momentos de alívio da dor e trabalham o distanciamento da realidade, vivida com pesar e grande sofrimento. O relaxamento também contribui para o aumento da consciência corporal, ajudando o paciente a perceber a importância de cuidar melhor do próprio corpo. A técnica de distração proporciona ao paciente um aumento no nível de tolerância e a sensação de controle da dor. Já a hipnose ativa a analgesia e a dissociação e aumenta a resposta de relaxamento. [3]

A representação gráfica da dor é uma técnica projetiva e permite ao paciente desenhar sua dor, reconhecê-la e pensar suas características – como intensidade, localização, situações de melhora e de piora, frequência e consequências –, facilitando sua expressão verbal. O fato de dar forma à dor por meio do desenho o ajuda a aproximar-se concretamente de aspectos subjetivos, desmistificando ideias de descontrole ou outros fantasmas presentes.

Cassileth, Gubili e Trevisan [14] concluem que as terapias integrativas têm a capacidade de reduzir a percepção da dor e melhorar a qualidade de vida. Afirmam ainda que acupuntura, massagem terapêutica, medicina mente-corpo, musicoterapia e exercícios são seguros e eficazes para o alívio da dor em pacientes com câncer.

De acordo com os estudos de Anderson [15], o controle da dor oncológica é um objetivo fundamental no tratamento dos pacientes. O autor considera fundamental que a equipe de saúde faça uma avaliação adequada da dor, evitando assim riscos durante o tratamento. Escalas de avaliação e questionários simples podem facilitar a rotina de medição de dor relacionada com o câncer em ambientes clínicos e de pesquisa.

De acordo com a Sociedade Brasileira de Oncologia Clínica (Sboc), nos países em desenvolvimento ainda é grande o número de pacientes que sofrem de dor oncológica em virtude da falta de profissionais devidamente capacitados para trabalhar com essa demanda. Diante das características específicas que a dor relacionada ao câncer apresenta, um grupo de oncologistas construiu um algoritmo, com algumas recomendações que abordam a dor desse tipo de paciente [16]. Cabe mencionar alguns princípios sobre o manejo da dor oncológica:

a. há evidências de que a sobrevida está relacionada com o controle dos sintomas e que o manejo da dor contribui sobremaneira para melhorar a qualidade de vida;

b. a terapia analgésica é realizada juntamente com o tratamento de vários sintomas;

c. é desejável uma equipe multidisciplinar, com formação no assunto;

d. o paciente precisa receber apoio psicossocial (suporte emocional e informações) para que consiga enfrentar o sintoma;

e. o paciente e seus familiares devem receber informações educativas;

f. é preciso valorizar o impacto que a doença gera no paciente e em sua família e lidar respeitosamente com esse sofrimento;

g. deve-se considerar o conceito de dor total, pois a dor física do paciente pode ser influenciada por fatores emocionais, sociais e espirituais;

h. todos os pacientes dever ser examinados quanto à dor sempre que forem atendidos pelos profissionais;

i. é preciso avaliar a dor quanto a intensidade, duração, características físicas, ritmo, fatores desencadeantes e atenuantes;

j. utilizar escala de classificação e incluir o relato do paciente sobre a dor é essencial.

Considerações acerca dos profissionais da saúde

As vivências emocionais da equipe de saúde envolvida no atendimento de pacientes oncológicos merecem atenção; é necessário pensar na atuação profissional na atualidade, nos desejos e intenções desses especialistas. Segundo Gaspar e Ortolan [7], cuidar de pacientes com câncer demanda investimento emocional e profissional. Esse trabalho, permeado por afeto, delicadeza e angústia, pode comprometer a saúde psíquica e a própria atuação da equipe. Seus membros precisam compreender seu papel profissional para que não se envolvam emocionalmente de forma exagerada:

A relação transferencial é a base do vínculo entre paciente e equipe de saúde e irá interferir em todo o processo de tratamento. Ao cuidar de um paciente com câncer, a equipe faz muito mais do que tratar. Cuidar significa estabelecer uma relação permeada por afeto e responsabilidade, que vai além das situações isoladas dos procedimentos e das consultas. Na relação transferencial, o paciente reproduz com o profissional de saúde padrões de comportamentos, dos relacionamentos passados e atuais. O profissional de saúde reage de maneira contratransferencial aos conteúdos de falas e ações, decorrentes dos procedimentos que realizam nos pacientes. [7]

Ainda de acordo com esses mesmos autores [7], a mobilização emocional causada na equipe de saúde diante de cada paciente com câncer é intensa. No tratamento de um paciente oncológico, as palavras "cuidar" e "curar" são muito tênues, parecendo se misturar na visão dos profissionais de saúde, dos pacientes e dos familiares.

Nem sempre curar é possível, o que desencadeia um sentimento de impotência na equipe e pode gerar esgotamento psicológico. Entre os fatores desse esgotamento estão: falta de estímulo, de motivação e fadiga; pacientes sem bons prognósticos ou em cuidados paliativos; carga horária excessiva; falta de lazer; e uma vida pessoal sem satisfações [7]. Dizem Gaspar e Ortolan:

Cuidar requer um investimento para salvar por meio das possibilidades terapêuticas existentes e disponíveis, e cuidar envolve aceitar a morte como parte da condição existencial humana. Muitas vezes, resta à equipe cuidar e tentar proporcionar ao paciente uma boa qualidade de vida [...] Ajudar um paciente é se esforçar para disponibilizar as melhores terapêuticas com segurança, respeito e dignidade. É um relacionamento que exige cuidado, delicadeza e compaixão, principalmente nos momentos de comunicar diagnósticos, metástases, recidivas e a falta de possibilidades terapêuticas. [7]

Diante do sofrimento do paciente, a vida dos profissionais se transforma; o significado de suas dificuldades internas perde importância diante daquele que sofre com dor e desespero. [12]

Considerações finais

Diante do exposto, evidenciou-se que o paciente oncológico é diferenciado, pois carrega grande sofrimento. Ele sofre vários sintomas físicos, entre eles a dor – sobretudo a dor de ter o câncer. Muitas vezes, um sentimento vivido de forma solitária, cheio de medos e receios diante do desconhecido.

Os resultados evidenciaram que a atenção psicológica ao paciente com câncer e sua dor, assim como o uso de recursos psicoterápicos e de técnicas de psicoterapia, representa um importante acréscimo aos tratamentos a ser realizados, beneficiando o paciente da melhor forma possível diante dos seus recursos psíquicos e sociais.

O levantamento da literatura especializada mostrou a importância do manejo psicológico em pacientes com câncer. A postura do psicólogo diante da dor oncológica – seja de apoio, acolhimento, aconselhamento, reabilitação, psicoterapia individual ou grupal – objetiva manter o bem-estar do paciente. É preciso compreender os fatores emocionais que interferem na sua saúde e realizar um trabalho de prevenção e diminuição dos sintomas emocionais e físicos ocasionados pelo câncer. Assim, por meio da escuta terapêutica, o psicólogo pode proporcionar ao paciente ressignificações do processo da doença e maior adesão ao tratamento.

As diferentes estratégias psicológicas para o manejo da dor e as terapias integrativas têm utilidade comprovada e podem auxiliar o trabalho do psicólogo para melhorar a qualidade de vida do paciente, tendo em vista suas características, suas condições clínicas no momento e o real objetivo a ser alcançado na intervenção. O benefício do manejo psicológico mostrou-se efetivo, dentro de um contexto multidisciplinar.

Observou-se que o controle da dor é um dos desafios do tratamento oncológico e que a avaliação inadequada da dor pelos profissionais é um importante fator de risco para o tratamento desse significativo sintoma.

Os resultados evidenciaram que é fundamental que essa avaliação seja realizada por uma equipe multidisciplinar com formação em dor oncológica. Nesse caso, os profissionais devem considerar a dor oncológica dor total, ou seja, aquela composta por aspectos físicos, emocionais, sociais e espirituais. Assim, a abordagem multidisciplinar é fundamental para o sucesso do tratamento.

Ressalta-se a necessidade de os profissionais da saúde aprofundarem seus estudos e conhecimentos para se sentirem mais habilitados e confiantes no manejo dos pacientes que sofrem com a dor oncológica. Muitas conquistas ainda podem ser feitas, por meio de trocas teóricas constantes e da produção científica na área.

Referências

1. Antunes, K. *et al. Psico-oncologia em discussão*. São Paulo: Lemar, 2009, p. 17-30.
2. Instituto Nacional de Câncer José Alencar Gomes da Silva. *Estimativa 2018: incidência de câncer no Brasil*. Rio de Janeiro: Inca, 2018. Disponível em: <https://www.inca. gov.br/sites/ufu.sti.inca.local/files//media/document// estimativa-incidencia-de-cancer-no-brasil-2018.pdf>. Acesso em: 9 abr. 2019.
3. Lione, F. R. D. "Dor: aspectos médicos e psicológicos". In: Carvalho, V. A. *et al.* (orgs.). *Temas em psico-oncologia*. São Paulo: Summus, 2008, p. 294-302.
4. Arantes, A. C. L. Q. "Dor e câncer". In: Carvalho, V. A. *et al.* (orgs.). *Temas em psico-oncologia*. São Paulo: Summus, 2008, p. 287-93.

5. Bruscato, W. L.; Kitayama, M. M. G. "Abordagem psicológica da dor no paciente grave". In: Andreoli, P. B. A; Erlichman, M. R.; Knobel, E. (orgs.). *Psicologia e humanização: assistência aos pacientes graves*. São Paulo: Atheneu, 2008, p. 133-48.
6. Pimenta, C. A. M.; Teixeira, M. J. "Avaliação do doente com dor". In: Figueiró, J. A. B.; Teixeira, M. J. (orgs.). *Dor: epidemiologia, fisiologia, avaliação, síndromes dolorosas e tratamento*. São Paulo: Moreira Junior, 2001, p. 58-68.
7. Gaspar, K. C.; Ortolan, P. E. "A importância do cuidado em oncologia: considerações acerca dos profissionais de saúde". In: Angerami-Camon, V. A.; Gaspar, K. C. (orgs.). *Psicologia e câncer*. São Paulo: Casa do Psicólogo, 2012, p. 207-21.

8. Pimenta, C. A. M.; Portinoi, A. G. "Dor e cultura". In: Carvalho, M. M. J. (org.). *Dor: um estudo multidisciplinar.* São Paulo: Summus, 1999, p. 159-73.

9. Paulo, J. M. R. "As vivências da dor e do sofrimento na pessoa com doença oncológica em tratamento paliativo". Dissertação (mestrado em Comunicação em Saúde), Universidade Aberta, Lisboa, Portugal, 2006. Disponível em: <https://repositorioaberto.uab.pt/bitstream/10400.2/698/1/TMCS_Jos%c3%a9%20Manuel-Paulo.pdf>. Acesso em: 24 abr. 2019.

10. Pimenta, C A. M. "Conceitos culturais e a experiência dolorosa". *Revista da Escola de Enfermagem da USP,* v. 32, n. 2, 1998, p. 179-86. Disponível em: <http://www.scielo.br/pdf/reeusp/v32n2/v32n2a11.pdf>. Acesso em: 27 maio 2019.

11. Kovács, M. J. "Morte no contexto dos cuidados paliativos". In: Anais do Simpósio Brasileiro e Encontro Internacional Sobre Dor – Simbidor. São Paulo: Instituto Simbidor, 2003.

12. Angerami-Camon, V. A. "A subjetividade do câncer". In: Angerami-Camon, V. A.; Gaspar, K. C. (orgs.). *Psicologia e câncer.* São Paulo: Casa do Psicólogo, 2013, p. 15-93.

13. Gaspar, K. C.; Laterza, I. D. O. "O entrelace da adolescência à (con)vivência do câncer: sonorizações da dor". In: Angerami-Camon, V. A. (org.). *Psicossomática e a psicologia da dor.* São Paulo: Pioneira Thomson Learning, 2012, p. 61-124.

14. Cassileth, B.; Gubili, J.; Trevisan, C. "Complementary therapies for cancer pain". *Current Pain and Headache Reports,* v. 11, n. 4, 2007, p. 265-69.

15. Anderson, K. O. "Assessment tools for the evaluation of pain in the oncology patient". *Current Pain and Headache Reports,* v. 11, n. 4, 2007, p. 259-64.

16. Sociedade Brasileira de Oncologia Clínica. *Consenso brasileiro sobre manejo da dor relacionada ao câncer.* Belo Horizonte: Sboc, 2014. Disponível em: <https://www.sboc.org.br/sboc-site/revista-sboc/pdfs/38/artigo2.pdf>. Acesso em: 27 maio 2019.

11. RESILIÊNCIA EM IDOSOS COM CÂNCER DE PRÓSTATA

Leliany Taize de Assis Ladeia, Marília A. de Freitas Aguiar

Introdução

Segundo dados do Instituto Brasileiro de Geografia e Estatística (IBGE), a população de idosos no Brasil conta hoje com mais de 29 milhões de habitantes. São considerados idosos aqueles com 60 anos ou mais. A estimativa fala em uma população de 73 milhões de pessoas até 2060, o que representa um aumento de 160%. Usando os parâmetros internacionais para definir um país envelhecido – quando 14% da população tem mais de 65 anos –, chegaremos lá em 2032, pois teremos 32,5 milhões de idosos para uma população de 226 milhões de brasileiros. [1]

Porém, a aceleração do envelhecimento populacional não vem sendo acompanhada de planejamento adequado para o atendimento de idosos, principalmente no que se refere à área da saúde. Mesmo considerando que envelhecer e adoecer não sejam sinônimos, não podemos ignorar que determinadas enfermidades são mais frequentes em idosos, como é o caso do câncer.

O desenvolvimento do câncer está tanto ligado ao envelhecimento celular [2] quanto ao aumento de tempo de exposição aos fatores de risco. Acrescente-se também um enfraquecimento dos mecanismos de defesa do idoso, em especial no que diz respeito à reparação celular. Mesmo que com grandes perspectivas de cura, desde que diagnosticado precocemente, ainda o câncer é uma das doenças crônicas não transmissíveis mais temidas. [3]

O câncer de próstata é o segundo tipo de neoplasia mais prevalente em homens. É também con-siderado o câncer da terceira da idade, uma vez que cerca de três quartos dos casos no mundo ocorrem a partir dos 65 anos. [4]

A doença – em especial o câncer, que carrega consigo todo um estigma – é uma das múltiplas perdas significativas que ocorrem simultânea e sucessivamente na vida do idoso.

Ao deparar com o diagnóstico de câncer de próstata, o idoso se vê diante de uma situação adversa que exige esforço de adaptação. Nesse caso, tal situação será ou não classificada como fator de risco dependendo da visão subjetiva do indivíduo, isto é, do modo como ele a percebe e, consequentemente, atribui significado a ela. [5]

Segundo Fortes e Neri [6] e Rech [7], incidentes inesperados relacionados com a saúde, que ocorrem com mais frequência na velhice, exigem da pessoa um grande esforço adaptativo e propõem uma demanda à identidade individual, orientando-a ao enfrentamento dos desafios de algo não desejado e ao ajustamento psicológico e social. Por isso, acionam intensamente os recursos emocionais e cognitivos.

Entre as diversas formas de enfrentamento que objetivam a mobilização de recursos protetores que permitem uma construção psíquica adequada à inserção social, aponta-se a resiliência como uma das mais importantes no caso do idoso com câncer de próstata em tratamento oncológico. A resiliência, como a entendemos, é um constructo que diz respeito à capacidade de enfrentar desafios e sair dessas situações transformado.

Desse modo, torna-se imprescindível investigar e analisar os fatores de proteção que contribuem para a construção do comportamento resiliente e, assim, minimizar as condições adversas inerentes ao processo de adoecer do idoso com câncer de próstata em tratamento oncológico.

Resiliência

Oriundo da física, o conceito de resiliência é definido pela capacidade de um material voltar à condição inicial depois de sofrer alguma deformação plástica. Na psicologia, assim como nas ciências sociais, o conceito foi adequado – uma vez que, em se tratando de pessoas, é impossível passar por um fato estressor e voltar à condição inicial. Consideramos que podemos aprender com essas experiências adversas, saindo delas mais amadurecidos. [8]

Por ser um conceito bem recente, que tem por volta de 30 anos, ainda buscamos um consenso sobre o tema. Entretanto, todos os estudiosos concordam que ele diz respeito a processos de enfrentamento seguidos de superação. Multifacetado e dinâmico, tem a função de interagir com os acontecimentos da vida, promovendo a adaptação e saúde emocional. [9]

É preciso cuidado para não seguir a tendência do senso comum e considerar a resiliência uma característica pessoal, inata, que pode (ou não) ser acionada em determinados momentos da vida de acordo com a "vontade" da pessoa. A resiliência é dinâmica e situacional.

Melillo *et al.* [10] ressaltam que três componentes são essenciais para dar sentido ao conceito. Primeiramente, é necessário que se tenha uma noção clara e objetiva do que são adversidade, trauma, risco e/ou ameaça ao desenvolvimento. Depois, a adaptação positiva ou superação da adversidade. Afinal, a resiliência é a capacidade da pessoa de se reconstruir positivamente. E, finalmente, considerar o processo da dinâmica entre os mecanismos pessoais de funcionamento emocional, cognitivo e sociocultural que influem no desenvolvimento humano.

Corroborando essa ideia, Cyrulnik [11] reforça que posturas resilientes requerem a existência de uma condição adversa e desfavorável que exigirá do indivíduo uma mobilização no sentido de buscar uma adaptação positiva. Para tanto, ele terá de resgatar na memória o que lhe deu confiança e alegria. Segundo o autor, "resiliência é a arte de navegar nas torrentes" (p. 213).

O idoso

Considerada por Shakespeare a última das "sete idades do homem", a velhice tem mudando bastante nos últimos anos. Os avanços da medicina propiciam hoje maior longevidade e busca-se uma melhor qualidade de vida. Afinal, estamos deparando com uma das mudanças demográficas mais surpreendentes nas últimas décadas: o envelhecimento da população mundial. [12]

O envelhecimento é responsável por mudanças de toda ordem, em especial as fisiológicas e funcionais. As adaptações nem sempre acontecem de forma adequada, saudável, no sentido de evitar o aparecimento de doenças. Fatores como estresse e sedentarismo contribuem para acelerar esse processo, comprometendo a saúde do idoso e favorecendo o surgimento das doenças crônico-degenerativas, entre elas o câncer. [3]

Claro que também não podemos desconsiderar a história anterior de saúde e das condições socioeconômicas do indivíduo. Quase sempre o envelhescente experimenta ansiedade diante do desconhecido que é a própria velhice; é assaltado por dúvidas, medos e frequentemente culpa, em maior ou menor intensidade, por coisas que fez ou poderia ter feito.

A adaptação às condições de vida do idoso não é fácil. As mudanças físicas são acompanhadas de questões psicológicas e sociais próprias dessa fase da vida. São sentimentos intensos que costumam acompanhar o processo de declínio físico, de perdas de papéis sociais, reflexões profundas sobre o que foi a vida até então e o que será a partir de agora, embaladas pela proximidade da morte. Acrescente-se a isso a percepção da sociedade, que vê essa população como improdutiva e sem função social. [13]

O medo do envelhecimento e a incapacidade de muitos de se confrontar com esse processo podem deflagrar as crenças "idosistas". A aposentadoria e a percepção da não produtividade também são responsáveis por sentimentos negativos. Por meio da compreensão do processo de envelhecimento e do devido respeito pela pessoa como indivíduo, as crenças e os mitos sobre essa fase do desenvolvimento podem ser enfrentados. Por isso, é fundamental que os idosos sejam tratados com dignidade e encorajados a manter sua autonomia. Segundo Rocha *et al*. [13], "preservar a autonomia e a independência durante a velhice é uma meta fundamental para os indivíduos e para a sociedade, constituindo-se como uma vertente central do envelhecimento saudável" (p. 302).

As interações sociais contribuem para uma adaptação bem-sucedida do idoso ao envelhecimento. O bom ajuste ao envelhecimento tem relação com a manutenção de hábitos bem estabelecidos, valores pessoais, relações sociais e interesses que integram o estilo de vida atual da pessoa.

Psicologicamente, o envelhecimento bem-sucedido reflete-se na capacidade do idoso de adaptar-se às perdas físicas, sociais e emocionais e de conseguir contentamento, serenidade e satisfação na vida. Como as mudanças nos padrões de vida são inevitáveis ao longo da existência, o idoso necessita das habilidades de flexibilidade e enfrentamento quando depara com mudanças e doenças. Uma autoimagem positiva estimula a aceitação do risco e a participação em novas e desconhecidas funções.

Entretanto, como bem nos lembram Schaie e Hofer [14], a velhice costuma ser marcada por uma diminuição das reservas, devido a múltiplas perdas sucessivas e simultâneas que ocorrem num curto período. As doenças tendem a se acumular nos últimos anos de vida do idoso. A idade avançada é um fator de vulnerabilidade à manifestação e à associação de doenças, por vezes resultando num processo degenerativo que pode levar à morte do corpo físico.

Para melhor compreender este processo, Teixeira e Guariento [15] explicam que os termos "envelhecimento" e "senescência", embora usados como sinônimos, diferem entre si. Enquanto o envelhecimento biológico começa no nascimento e continua até que ocorra a morte, a senescência é caracterizada por mudanças ligadas à passagem do tempo que causam efeitos deletérios no organismo.

Câncer de próstata no idoso: uma realidade delicada

O perfil de morbimortalidade por câncer de próstata tem se alterado nas últimas décadas. O Instituto Nacional de Câncer (INCA) estima 68.220 novos casos no Brasil no biênio 2018-2019 [4]. De acordo com a Sociedade Brasileira de Urologia (SBU), um em cada seis homens com idade acima de 45 anos pode ter a doença sem que nem sequer saiba disso. O câncer de próstata é o tipo de neoplasia mais prevalente em homens, desconsiderados os tumores de pele não melanoma. Porém, a mortalidade por câncer de próstata é relativamente baixa, o que em parte reflete seu bom prognóstico.

No idoso, o diagnóstico do câncer depende principalmente da atuação vigilante do clínico ou geriatra e se baseia, essencialmente, em *anamnese* e exame físico regulares, que indicam exames regulares de toque retal, realizados por urologista. Também se deve atentar para a validade dos chamados marcadores tumorais, cuja utilidade é restrita como meio de detecção e até mesmo de diagnóstico precoce, de critério de estadiamento, de indicação e controle terapêutico e de prognóstico. [2]

Para complementar o diagnóstico de câncer são necessários vários exames. Cada tumor tem marcadores tumorais específicos, que geralmente são hormônios ou proteínas. No caso do câncer de próstata, é utilizado o PSA (em português, "antígeno prostático específico"). Na avaliação do nível de PSA, é preciso considerar as condições gerais de vida do indivíduo, uma vez que outros fatores que não um câncer podem alterar os valores do antígeno. Logo, para se confirmar o diagnóstico de câncer de próstata é preciso realizar a biópsia prostática e o estudo histopatológico. A biópsia pode ser realizada ambulatorialmente e é guiada pelo ultrassom transretal. [15]

O câncer de próstata configura um adoecimento silencioso e pode ser confundido com outras doenças do trato geniturinário. Tem início com células cancerosas que se agrupam e ficam confinadas *in situ*. Quando mais avançado, pode invadir órgãos próximos e até mesmo se espalhar pelo corpo pela corrente sanguínea. [4]

Durante sua evolução, as doenças crônicas podem gerar sequelas incapacitantes que levam a um grave comprometimento funcional, tornando a pessoa acometida altamente dependente para as atividades de vida diária. Por serem de curso lento, essas doenças tendem a provocar um desgaste acentuado nas relações familiares, com muito sofrimento. Como a evolução da doença é inevitável e o paciente, por ser idoso, está sujeito ainda ao surgimento de novos problemas de saúde ou antigos que persistem, o quadro tende a se agravar. As doenças crônico-degenerativas podem acometer pessoas de todas as faixas etárias, porém o envelhecimento é um importante fator de risco para tal ocorrência, aliado a comorbidades [16]. Dessa forma, o câncer de próstata deve ser abordado como uma doença que tem grandes probabilidades de acometer um idoso, sendo necessário refletir sobre estratégias que contribuam para o melhor enfrentamento da doença e do tratamento.

Resiliência e câncer de próstata no idoso

O processo saúde-doença sofreu transformações substanciais no século 20, com a mudança de paradigma de um modelo biomédico para o biopsicossocial-espiritual. Portanto, mais que antes, todas as ciências da saúde se uniram a fim de proporcionar uma abordagem integral aos portadores de enfermidades. Dentro da oncologia, a psico-oncologia contribui abordando os aspectos que dizem respeito a questões não puramente biológicas. Buscamos colaborar para um atendimento mais humanizado ao paciente com câncer, como partícipes de equipes multiprofissionais, com uma atuação interprofissional que valoriza a subjetividade do ser humano adoecido no sentido de resgate da sua integralidade. Trabalhamos com o lado humano do câncer.

Historicamente, a psicologia tem buscado compreender e tratar patologias e pouco tem atentado para aspectos ou características pessoais que ajudam algumas pessoas a permanecer saudáveis, bem como para formas mais adaptativas de lidar com situações de conflito e tensão. [17]

Seligman [18] ressalta a importância dos sentimentos positivos e do exercício de forças e virtudes, explorados pela chamada psicologia positiva. Essa corrente tem como objetivo considerar as motivações positivas dos indivíduos e investigar sentimentos positivos visando promover forças e virtudes que o ajudem a obter qualidade de vida e bem-estar.

De outro lado, temos a psicologia da saúde, nascedouro da psico-oncologia, cujo objetivo também é a preservação da qualidade de vida e do bem-estar em meio a uma situação de adoecimento, valorizando a experiência do paciente. Ao colocá-lo no centro do cuidado, permitimos que ele se responsabilize pela construção da sua saúde. [18]

Somando-se a elas, temos a questão da autonomia, tão ressaltada pela bioética. O exercício da autonomia é o ponto básico para o desenvolvimento da resiliência, uma vez que constitui fator primordial no cuidado de si mesmo.

Portanto, a psicologia positiva, a psicologia da saúde, a psico-oncologia e a bioética convergem no intuito de buscar entender os problemas relacionados às vivências das questões de saúde e doença, as estratégias mais adaptativas utilizadas pelas pessoas para lidar com a dor, o sofrimento e os obstáculos causados pelo adoecimento de câncer e a posição do sujeito como centro do cuidado e participante ativo do processo.

Como vimos, a vivência de um adoecimento crônico como o câncer de próstata pode afetar o cotidiano e as relações do idoso, comprometendo sua autonomia. Muitas vezes, os próprios profissionais de saúde não consideram o idoso um ser autônomo. É comum depreciarem sua capacidade de decisão, sonegando informações ou até mesmo fornecendo dados superficiais sobre o diagnóstico, o prognóstico e o tratamento. [13]

Todavia, não estando o idoso com a capacidade cognitiva comprometida, suas decisões a respeito da sua vida e do seu adoecimento devem permanecer soberanas. A equipe de saúde precisa alimentá-lo com as informações precisas. Para Rocha *et al.* [13], "o cuidado dialogado e participativo, a educação e a informação em saúde são condições que instrumentalizam o idoso ao cuidado de si" (p. 302).

O câncer de próstata no idoso configura uma adversidade que pode comprometer bastante a qualidade do final de sua vida. Ao potencializar sua vulnerabilidade diante da finitude, caracteriza-se como fator de risco. Já a capacidade de lidar com essas mudanças e de adaptar-se a situações difíceis e os sentimentos de autoeficácia e autonomia, associados à valorização de um repertório amplo de experiência em resolução de problemas, podem ser utilizados como importantes fatores protetores.

Polleto e Koller [9] discutem o tema e afirmam que os mecanismos de proteção são aqueles que, numa trajetória de risco, modificam o rumo da vida do indivíduo, conduzindo-a a um final mais adaptado. São quatro esses mecanismos: 1) redução do impacto dos riscos, ou seja, diminuição da exposição do indivíduo a um fator estressor; 2) redução das reações negativas em cadeia que acompanham a exposição do indivíduo à situação de risco; 3) estabelecimento e manutenção da autoestima e da autoeficácia, por meio da presença de relações de afeto seguras e incondicionais e do cumprimento de tarefas com sucesso; e 4) capacidade criativa.

Assim, estudar a associação entre idoso, resiliência e câncer de próstata permite-nos compreender que é possível criar estratégias que proporcionem bem-estar nessa fase da vida do idoso. Destarte, a promoção da resiliência no idoso com câncer de próstata em tratamento oncológico pode ser vista como estratégia que contribui para sua qualidade de vida quando essa situação for vivenciada como situação adversa, permeada de sofrimento, dor física e psicológica, além do impacto na sua vida social.

Considerações finais

Os estudos sobre resiliência e envelhecimento têm se mostrado fundamentais, já que a própria fase em si designa situações características que configuram contexto de risco. Entretanto, cada idoso reage de forma bastante diferente à situação, o que nos leva a inferir que existe a possibilidade de criar estratégias que ajudem outros idosos a enfrentar as situações adversas de forma mais positiva.

A resiliência permite compreender o desenvolvimento de sujeitos que sofreram contextos traumáticos graves e, no entanto, se desvencilham do que poderia ser esperado. Os estudos mostraram que, sendo a resiliência uma habilidade possível de ser desenvolvida, ela pode contribuir significativamente para o enfrentamento do câncer de próstata em idosos em tratamento oncológico, apesar de todo o sofrimento diante do diagnóstico e do tratamento.

A resiliência em idosos com câncer de próstata é um tema que ainda carece de aprofundamento em pesquisas. Afinal, apesar de não termos tratado aqui das questões de masculinidade e câncer, não podemos desconsiderar que tradicionalmente os homens não costumam primar pela prevenção em saúde.

Referências

1. Sociedade Brasileira de Geriatria e Gerontologia. "OMS divulga metas para 2019; desafios impactam a vida de idosos". Sbgg.org.br, 27 jan. 2019. Disponível em: <https://sbgg.org.br/oms-divulga-metas-para-2019-desafios-impactam-a-vida-de-idosos/>. Acesso em: 8 maio 2019.

2. Gadelha, M. I. P.; Martins, R. G. "Neoplasia no idoso". In: Cançado, F. A. X. *et al.* (orgs.). *Tratado de geriatria e gerontologia*. Rio de Janeiro: Guanabara Koogan, 2002, p. 712-16.

3. Soares, L. C.; Santana, M. G.; Muniz, R. M. "O fenômeno do câncer na vida de idosos". *Ciência, Cuidado e Saúde*, v. 9, n. 4, 2010, p. 660-67. Disponível em: <http://periodicos.uem.br/ojs/index.php/CiencCuidSaude/article/view/7785>. Acesso em: 9 maio 2019.

4. Instituto Nacional de Câncer. "Câncer de próstata". 21 nov. 2018. Disponível em: <https://www.inca.gov.br/tipos-de-cancer/cancer-de-prostata>. Acesso em: 9 maio 2109.

5. Couto, M. C. P.; Koller, S. H.; Novo, R. F. "Resiliência no envelhecimento: risco e proteção". In: Falcão, D. V. S.; Dias, C. M. S. B. (orgs.). *Maturidade e velhice: pesquisas e intervenções psicológicas*. v. II. São Paulo: Casa do Psicólogo, 2006, p. 315-37.

6. Fortes, A. C. G.; Neri, A. L. "Eventos de vida e envelhecimento humano". In: Neri, A. L.; Yassuda, M. (orgs.). *Velhice bem-sucedida: aspectos afetivos e cognitivos*. São Paulo: Papirus, 2004, p. 51-70.

7. Rech, T. F. *A resiliência em idosos e sua relação com variáveis sociodemográficas e funções cognitivas*. Dissertação

(mestrado em Ciências da Saúde), Pontifícia Universidade Católica do Rio Grande do Sul, Porto Alegre, RS, 2007.

8. Polleto, M.; Koller, S. H. "Contextos ecológicos: promotores de resiliência, fatores de risco e de proteção". *Estudos de Psicologia*, v. 25, n. 3, 2008, p. 405-16.

9. Poletto, M.; Koller, S. H. "Resiliência: uma perspectiva conceitual e histórica". In: Dell'Aglio, D.; Koller, S. H.; Yunes, M. A. (orgs.). *Resiliência e psicologia positiva: interfaces do risco à proteção*. São Paulo: Casa do Psicólogo, 2006, p. 19-44.

10. Melillo, A. *et al. Resiliência: descobrindo as próprias fortalezas*. Porto Alegre: Artmed, 2005.

11. Cyrulnik, B. *Os patinhos feios*. São Paulo: Martins Fontes, 2004.

12. Bee, H. *O ciclo vital*. Porto Alegre: Artes Médicas, 1997.

13. Rocha, L. S. *et al.* "Práticas de profissionais de saúde na perspectiva de idosos que convivem com câncer". *Rev. Rene*, v. 17, n. 2, 2016, p. 301-08.

14. Schaie, K. W.; Hofer, S. M. "Longitudinal studies in research on aging". In: Birren, J. E.; Schaie, K. W. (orgs.). *Handbook of the psychology of aging*. San Diego: Academic Press, 2001, p. 53-77.

15. Teixeira, I. N. D. O.; Guariento, M. E. "Biologia do envelhecimento: teorias, mecanismos e perspectivas. *Revista Ciência & Saúde Coletiva*, v. 15, n. 6, 2010, p. 2845-57. Disponível em: <http://www.scielo.br/pdf/csc/v15n6/a22v15n6.pdf>. Acesso em: 9 maio 2019.

16. Hallak, J.; Cocuzza, M.; Nahas, W. C. "Câncer de próstata e de testículo". In: Carvalho, V. A. *et al.* (orgs.). *Temas em psico-oncologia*. São Paulo: Summus, 2008, p. 52-58.

17. Paula Junior, W. *Resiliência: análise das estratégias de enfrentamento de pacientes em tratamento radioterápico*. Dissertação (mestrado em Psicologia), Universidade Católica de Goiás, Goiânia, GO, 2009. Disponível em: <http://tede2.pucgoias.edu.br:8080/handle/tede/2005>. Acesso em: 25 abr. 2019.

18. Seligman, M. E. P. *Felicidade autêntica: usando a nova psicologia positiva para a realização permanente*. Rio de Janeiro: Objetiva, 2004.

PARTE IV

CUIDADOS PALIATIVOS, TERMINALIDADE E LUTO

12. CUIDADOS PALIATIVOS EM PSICO-ONCOLOGIA PEDIÁTRICA: A DIFÍCIL TRAVESSIA DO VIVER PARA O MORRER

ELISA MARIA PERINA, PAULA ELIAS ORTOLAN, CAMILA DA COSTA PARENTONI

> "Cuidar é mais que um ato; é uma atitude. Portanto, abrange mais que um momento de atenção. Representa uma atitude de ocupação, preocupação, de responsabilização e de envolvimento afetivo com o outro."
>
> LEONARDO BOFF

Apesar dos avanços técnico-científicos e do significativo aumento nas taxas de sobrevida do câncer infantil – em torno de 70% nas últimas décadas –, infelizmente um número significativo de crianças e adolescentes apresenta a doença sem chances de cura e a morte torna-se inevitável.

A Organização Mundial da Saúde [1-3] considera que os cuidados paliativos pediátricos devem começar no momento do diagnóstico de doenças ameaçadoras à vida e continuar durante todas as etapas do tratamento, independentemente de a doença estar ou não sendo tratada. Tem como princípio norteador dos cuidados a assistência multiprofissional ativa e integral voltada para as necessidades físicas, psicossociais e espirituais de crianças, adolescentes e seus familiares. As intervenções devem priorizar a qualidade de vida e a dignidade no viver e morrer com ênfase na prevenção e no alívio do sofrimento, por meio da identificação precoce e de uma adequada avaliação e tratamento da dor e de outros sintomas. Inclui, ainda, a utilização de recursos disponíveis na comunidade, os quais podem ser prestados em unidades de atendimento terciário, em centros comunitários de saúde e até mesmo em domicílio.

O cuidado humanizado, com respeito aos direitos das crianças e dos adolescentes, deve sempre existir no contexto ambulatorial, hospitalar e domiciliar. Somente com políticas públicas que sistematizem a assistência interdisciplinar com ações efetivas

no alívio da dor total e dos sintomas decorrentes da progressão da doença é que teremos cada vez mais homens cuidando de seres e de almas e não apenas de órgãos adoecidos ou de corpos mutilados. Cuidar do ser, do *ethos*, do *anima*, que fundamentam a existência e lhe dão sentido e prazer, só é possível dentro de uma postura psicossomática e ética, que pressupõe a compreensão no âmbito dos muitos sentidos ou além dele.

Segundo David Kessler [4], o paciente tem o direito de ser tratado como ser humano, de receber informações verdadeiras e honestas sobre suas dúvidas e perguntas e de receber cuidados contínuos, mesmo quando o que é ofertado seja apenas conforto, alívio do sofrimento e dignidade. O paciente deve ser cuidado por pessoas compreensivas, sensíveis e competentes, que entendam e respeitem suas necessidades, o ajudem a expressar os sentimentos e emoções acerca da morte e a participar das conversas sobre decisões relacionadas a seu tratamento, sua vida e sua morte.

Em relação à criança e ao adolescente sem possibilidades terapêuticas de cura, essas questões devem ser ponderadas e avaliadas de acordo com o nível de desenvolvimento da criança e do seu desejo de participar ou não de tais decisões. De acordo com Perina [5], a maioria das crianças e dos jovens tem consciência de sua finitude, sobretudo quando a morte está próxima, mas nem todos querem falar abertamente sobre algo tão ameaçador e angustiante. Nos relatos e desenhos das crianças com câncer em fase de terminalidade pode-se identificar a angústia diante do desconhecido – a morte –, da solidão, da desesperança e do medo das perdas progressivas, que culminam com o término da própria vida. Essas vivências das crianças, dos adolescentes e de seus pais levam à busca desesperada de elementos que amenizem a dor da morte ou da perda.

Freud [6] aprofunda as reflexões acerca da negação da morte como um mecanismo de defesa que todo ser humano utiliza para se proteger da angústia do aniquilamento do *self*. Do ponto de vista psicanalítico, é impossível para o inconsciente a concepção de nossa própria morte; por essa razão, as fantasias de onipotência, de invulnerabilidade do Eu e de imortalidade estão constantemente presentes no viver. Na oncologia pediátrica, quando crianças ou adolescentes não têm chances de cura e se veem diante da possibilidade da ameaça real de morte, intensificam-se os mecanismos de defesa, a busca de crenças e de heróis que reafirmam a indestrutibilidade narcísica. [7]

A relação e a comunicação com pacientes e familiares nos cuidados paliativos pediátricos podem ser influenciadas por fatores socioculturais, religiosos, pela idade da criança/do adolescente, pelas formas de enfrentamento e pela presença de diálogo franco e verdadeiro entre os membros da família ou conspiração do silêncio, que pode ser observada na maioria dos núcleos familiares. Depois que a equipe de saúde discute a melhor forma de comunicar más notícias ao paciente e seus familiares, levando em conta a dinâmica de funcionamento familiar e os fatores antes descritos, as consultas são realizadas em conjunto com o paciente e a família. O objetivo é planejar a assistência interprofissional que vai favorecer o viver até o fim com qualidade e dignidade.

A prática dos cuidados paliativos na psico-oncologia pediátrica requer que a equipe de saúde mantenha uma comunicação com o paciente e com seus familiares de maneira clara, objetiva, com informações concretas e sem omissões. A compaixão também é fundamental para que todos se sintam seguros ao lidar com a situação ameaçadora da vida. A omissão e a divergência de informações dificultam as condutas e decisões relacionadas com os cuidados paliativos.

Possibilitar que a criança e o adolescente se expressem em relação à morte por meio da fala ou de recursos criativos é imprescindível para que tenham a oportunidade de expor seus medos, desejos e fantasias, pois a percepção de progressão da doença é inevitável. O acolhimento das necessidades emocionais da criança e do adolescente permite o processo de elaboração do luto e facilita o ritual de despedida e a ressignificação do viver. Crianças e adolescentes, quando conscientes de sua realidade e capazes de decidir sobre a própria vida, devem ter a oportunidade de compartilhar seus desejos com os pais e a equipe de saúde.

A Initiative for Pediatric Palliative Care Quality [8] recomenda aumentar o envolvimento familiar nas decisões e possibilitar à criança em cuidados paliativos ser ouvida em suas necessidades e em seu desejo de participar das decisões. Frequentemente, estas estão relacionadas com o desejo de permanecer em casa, no quarto do hospital ou em "casas de apoio" semelhantes aos *hospices*. Em cada uma dessas escolhas as visitas de familiares e amigos são bem-vindas e o apoio interdisciplinar pode ser oferecido. É importante ressaltar que o suporte biopsicossocial e espiritual, bem como a psicoterapia focal baseada na busca de sentido, deve ser oferecido às crianças e aos adolescentes durante todo o processo do morrer, além das terapias complementares que promovem alívio da dor, fortalecimento da esperança e amparo existencial.

Também se faz necessário oferecer apoio psicológico aos familiares e irmãos na fase de progressão da doença e na terminalidade, permitindo-se assim a elaboração do luto antecipatório. O acompanhamento psicológico dos familiares deve continuar após a morte da criança, pois perder um filho é uma das maiores dores do mundo e a aceitação da realidade da perda é um difícil e longo processo permeado por raiva, revolta, negação, tristeza e depressão. O tempo do luto é subjetivo e depende da história de vida, da estrutura de personalidade de cada elemento do grupo familiar, do grau de significação e das relações com a pessoa perdida.

Ao realizar uma assistência ativa e integral, é possível observar mudanças significativas no comportamento dos profissionais de saúde, que se tornam coautores da história por meio de uma responsabilidade compartilhada, respeitando os direitos da criança terminal, e na perspectiva do resgate da qualidade de vida de todos os membros da família.

A criança e o adolescente com câncer em cuidados paliativos apresentam diversos sintomas físicos e psíquicos, de acordo com a progressão da doença, que podem ser concomitantes e de difícil controle. Assim, devem receber cuidados específicos para controle da dor e dos diferentes sintomas a ela associados.

Aspectos psicológicos e psiquiátricos

Durante o cuidado paliativo na oncologia pediátrica, é fundamental que o paciente e seus familiares recebam suporte psicológico e, quando necessário, avaliação psiquiátrica para a introdução de medicamentos. Vejamos os sintomas mais incidentes nas crianças e adolescentes em cuidados paliativos.

Agressividade: pode ser de intensidade variada e decorrente de alterações metabólicas e neurodegenerativas. É preciso atentar para o risco de autoagressão e de agressão a terceiros, e também para o impacto nos familiares cuidadores.

Ansiedade: pode ser manifestada pela criança de diversas formas: inquietude, irritabilidade, agitação e angústia, sendo muitas vezes verbalizada. É necessário que o paciente esteja acompanhado por alguém que seja afetivamente significativo para ele e que se sinta acolhido pela equipe de saúde. O uso de corticoides por períodos prolongados pode causar sintomas psicóticos, que costumam ser permeados de intensa ansiedade.

Depressão: a observação do comportamento e das reações das crianças é particularmente importante. Algumas podem demonstrar sentimentos intensos de tristeza, choro excessivo, prostração e angústia. As reações de tristeza são comuns no período de cuidados paliativos, mas sintomas recorrentes e com influência significativa na vida da criança devem ser avaliados e acolhidos.

Alteração do estado mental: abrange uma variedade de sintomas indicativos de alteração da consciência e da cognição. As alterações da consciência se manifestam em diminuição da percepção do ambiente, sonolência com despertar limitado, dificuldade na manutenção ou mudança da atenção com estupor – o coma é o estado mais severo. Os sintomas cognitivos da alteração do estado mental incluem desorientação, disfunção da memória, falta de atenção, prejuízo da linguagem e distúrbios perceptivos (alucinações, ilusões). O delírio pode ser sintoma de alteração da consciência e da cognição, com oscilações na intensidade durante o curso do dia.

As causas das alterações do estado mental estão relacionadas com o processo da doença de base ou com complicações do tratamento, que incluem as mudanças estruturais no sistema nervoso central (tumor, metástases, derrame e convulsões), alterações metabólicas, sepse e febre.

Alguns medicamentos utilizados para controle de sintomas – como glicocorticoides, neurolépticos, agentes anticolinérgicos e benzodiazepínicos – podem produzir alterações iatrogênicas na consciência e na cognição, estando associados à instalação do delírio em pacientes oncológicos pediátricos.

A alteração do estado mental indica um quadro clínico perigoso, sendo necessário avaliar e intervir imediatamente. O delírio está bastante associado ao aumento do risco de mortalidade e morbidade. A criança e o adolescente com delírio podem apresentar os seguintes sinais clínicos: prejuízo da atenção, confusão, diminuição da resposta, desorientação, labilidade afetiva, ansiedade, irritabilidade e distúrbio do sono. Inquietação e agitação noturnas costumam ser frequentes.

A avaliação do estado mental deve abordar anormalidades de afeto, humor, orientação, função psicomotora, conteúdo do pensamento, atenção, memória, fala e linguagem. Nessa avaliação os membros da família são os agentes mais importantes, por reconhecerem o comportamento da criança e do adolescente em diferentes contextos e serem capazes de discernir diferenças súbitas.

Distúrbio do sono: tem causas variadas, como dor, depressão, alterações metabólicas ou uso de alguns medicamentos. A insônia pode causar ansiedade e irritabilidade na criança e, muitas vezes, desestabilizar o familiar, cujo sono também fica comprometido.

A avaliação dos sintomas psicológicos deve incluir a percepção de todos os profissionais da equipe de cuidados paliativos. A equipe de enfermagem é a que tem o maior contato com o paciente e a família na fase terminal de vida, para o manejo tanto da dor e dos sintomas físicos decorrentes da progressão da doença quanto das angústias mobilizadas diante da possibilidade de morte.

Avaliação e manejo de sintomas

Aliado ao cuidado humanizado faz-se necessária uma sistematização da assistência da enfermagem no cuidado paliativo à criança e ao adolescente, com intervenções para manejo adequado da dor e de outros sintomas. O objetivo é oferecer alívio, conforto, qualidade de vida e dignidade no morrer.

No contexto da oncologia pediátrica, identificar e prever o fim da vida de uma criança pode ser difícil. Muitas crianças são resistentes e podem surpreender a família e a equipe multiprofissional com suas atitudes. A inapetência, a sonolência e a piora de alguns parâmetros laboratoriais – como eletrólitos e saturação de oxigênio – costumam dar indícios de que o fim está próximo. Por vezes, as crianças são mais conscientes espiritualmente do que os adultos.

Os sintomas que ocorreram durante o curso da doença intensificam-se nos momentos finais de vida. Alguns são especificamente associados com o processo de morte e, quase sempre, mais perturbadores para a família do que para o paciente. Sempre que possível, tais sintomas devem ser previstos e apresentados objetivamente aos familiares e responsáveis, assegurando uma "boa morte" para o doente e aliviando a ansiedade da família.

A avaliação das queixas clínicas e o exame físico são fundamentais para a melhor abordagem disponível. Nos cuidados paliativos em oncologia pediátrica, devem-se utilizar escalas de avaliação de sintomas para o manejo adequado dos principais sintomas dos pacientes pediátricos: dor, náuseas e vômitos, constipação, dispneia, desconforto bucal, úlceras de pressão, agressividade, anorexia e caquexia, convulsão, depressão, diarreia, hipertensão intracraniana, espasticidade, sangramento, tosse e secreções, obstrução mecânica intestinal parcial, distúrbio do sono, ansiedade, fadiga, prurido, sintomas psicológicos e alteração do estado mental.

O Programa de Assistência Integral de Cuidados Paliativos em Oncologia Pediátrica (PAI-CP) do Centro Infantil Boldrini (Campinas-SP) introduziu em suas diretrizes de cuidado um livreto sobre os sintomas mais comuns na fase da terminalidade, com a finalidade de orientar pacientes, pais e profissionais de saúde [9]. Os sintomas abordados são: dor, náusea e vômito, falta de ar e outros problemas respiratórios, fadiga, agitação e desconforto, convulsões, constipação, coceira, problemas urinários, sangramento e tumores cerebrais. A dor física ou emocional é o principal sintoma das crianças durante a fase de cuidados paliativos, mas pode ser difícil de ser identificada, pois por vezes a criança tem dificuldade de descrever como se sente.

A dor física pode ser observada em crianças que apresentam certa inquietação e dificuldade de se fixar em alguma atividade; ou que ficam sentadas, prostradas e com dificuldade de se mexer e dormir. Nesses casos, a equipe de cuidados paliativos avalia a dor do paciente e prescreve diferentes tipos de medicação para tentar mantê-lo sem dor a maior parte do tempo. Existem vários medicamentos para alívio da dor, que variam de acordo com a gravidade do sintoma: dor amena, suave, moderada e grave.

A dor também pode ser emocional e estar associada à dor física. A criança manifesta tristeza, retraimento, choro, recusa a falar, raiva, dificuldade de concentração, cansaço e pesadelos. Os profissionais de saúde mental desempenham um papel fundamental para auxiliar a criança a explorar e expressar seus sentimentos.

Avaliação do paciente na fase final de vida

Em 2009, o grupo britânico Gold Standards Framework [8] elaborou uma ferramenta de avaliação dos pacientes em final de vida, considerando suas necessidades holísticas. Essa avaliação considera: os campos físicos, emocionais e pessoais; o apoio social; a informação e a comunicação; controle e autonomia; intercorrências da doença; momentos finais e cuidados após a morte.

Para cada campo de avaliação há aspectos que devem ser considerados para auxiliar a nortear o plano de cuidado no final de vida:

- Físico: controle de sintomas e uso de medicamentos.
- Emocional: compreensão, expectativas, medos e relacionamentos.
- Pessoais: relacionamento familiar, vícios, isolamento e necessidades espirituais/religiosas.
- Sociais: nutrição, habitação, finanças e apoio aos cuidadores.
- Informação e comunicação: todos os envolvidos (familiares ou amigos) conhecem a situação clínica do paciente?
- Controle e autonomia: lugar do óbito, dignidade e opções de tratamento.
- Intercorrências: quem da família vai chamar socorro? Quando acontecer algo, o que cada membro da família vai fazer? Eles têm medicamentos e informações sobre o que fazer?
- Momentos finais: quais são as atitudes e a postura no final de vida?
- Cuidados após óbito: apoio do luto para a família, avaliação da dinâmica familiar e oportunidades de aperfeiçoamento da equipe no que diz respeito à assistência do doente.

Planejamento dos cuidados

É fundamental oferecer suporte físico, emocional e espiritual ao paciente e a seus familiares, que lidam com múltiplas perdas associadas ao tratamento do câncer. Planejar os cuidados paliativos pode proporcionar conforto físico e emocional a todos os envolvidos. O planejamento da assistência no final de vida – que é realizado em conjunto com a família e a equipe multiprofissional – visa identificar necessidades e ajudar a diminuir a angústia e o pânico, de acordo com eventuais complicações que surjam ao longo da doença. O planejamento, se antecipado, deve ser comunicado à família, à unidade de saúde, ao hospital e ao programa de atenção domiciliar. É possível elaborar um documento para orientar condutas de profissionais de saúde não familiarizados com a criança em caso de emergência, uma vez que a família pode estar muito angustiada e abalada emocionalmente para se comunicar ou lembrar-se desses cuidados.

A equipe multiprofissional diante da criança e do adolescente com câncer em cuidados paliativos

É comum que a equipe de saúde que atua no contexto da oncologia pediátrica vivencie um grave desgaste físico e emocional. O profissional pode sofrer intensamente ao cuidar de uma criança ou adolescente no final da vida e, na maioria das vezes, utiliza mecanismos de defesa psicológica como estratégia para lidar com a situação iminente da morte. Com isso, torna-se essencial auxiliar os membros da equipe a elaborar o luto da morte de cada um de seus pacientes para que possam continuar cuidando dos outros enfermos com eficiência e afeto.

A fim de compreender melhor a atuação da enfermagem diante da criança em cuidados paliativos na fase final de vida, Parentoni *et al*. [10] realizaram um estudo qualitativo, descritivo observacional, no qual identificaram uma ambivalência nos sentimentos desencadeados diante da iminência de morte, que incluíram: tristeza, desesperança, medo, ansiedade, sofrimento emocional, angústia, insegurança, negação, estresse emocional, importância do vínculo, empatia, alívio e tranquilidade.

Cuidar na terminalidade: vivências da enfermagem

Ao adentrar na temática câncer infantil, imediatamente pensamos ou desejamos, mesmo que inconscientemente, a cura da doença e negamos a possibilidade de morte. É fato que os profissionais que trabalham com crianças com câncer em cuidados paliativos foram preparados em sua formação para promover a saúde e a cura dos indivíduos e não para perdê-los para a morte.

A enfermagem é uma profissão comprometida com a proteção, a promoção da saúde, a prevenção de doenças e o alívio do sofrimento por meio dos cuidados prestados ao paciente. Além disso, culturalmente, a morte de crianças parece alterar a "ordem natural das coisas", sendo provável que o profissional de saúde experimente uma sensação de fracasso, visto que crianças são tidas como seres repletos de vitalidade e de continuidade da história familiar.

A dificuldade de aceitar a morte de forma precoce parece gerar frustração profissional.

No estudo que realizou com enfermeiros diante da terminalidade e da morte de crianças e de adolescentes com câncer, Parentoni [11] explica que é possível identificar alguns aspectos da atuação do enfermeiro e compreender de que maneira seus princípios, valores, crenças, percepções pessoais e sentimentos podem influenciar as suas atitudes profissionais e impactar positiva ou negativamente o cuidado da criança com câncer em iminência de morte.

Cuidar desses pacientes gera nos enfermeiros inúmeras sensações e reações desencadeadas por processos identificatórios ou dificuldades na aceitação da morte, sobretudo na fase inicial da vida, que vão facilitar ou dificultar o cuidado. A morte de uma criança raramente é encarada como algo positivo, mas diante de uma doença sem chances de cura pode ser vivenciada positivamente pelos enfermeiros – com sentimentos de alívio e tranquilidade –, pois o fim é compreendido como o término do sofrimento. Esses profissionais costumam sentir gratificação profissional, pois organizam, planejam e implementam os cuidados de acordo com as necessidades da criança, valorizando o conforto, a qualidade de vida e a dignidade, todos fundamentais ao encerramento desse ciclo.

Os enfermeiros também vivenciam reações negativas relacionadas com sentimentos de impotência e de sofrimento intenso diante da morte da criança e do adolescente. O tema da morte ainda é um tabu, e por essa razão costuma desencadear conflitos e reações negativas, despertando angústia, ansiedade, medo, dor, despreparo em lidar com a morte, negação da terminalidade, insegurança, tristeza, vinculação afetiva e identificação com maternidade/paternidade. Tais sentimentos também são vivenciados pelos pacientes e por seus familiares, os quais têm de ser acolhidos e compreendidos para que cada um possa encontrar respostas subjetivas diante do processo do morrer. Nessas situações, faz-se necessário o suporte individual ou a realização de grupos terapêuticos com os familiares e com os enfermeiros para ajudar na elaboração do luto antecipatório.

Em cuidados paliativos, o vínculo entre o enfermeiro e a criança é inevitável; porém, dependendo da intensidade desse vínculo e das sensações despertadas, o profissional sofre grande impacto emocional, a ponto de causar-lhe algum tipo de paralisia diante das demandas e da sensação de fracasso profissional. Quanto maior o vínculo que o enfermeiro tem com o paciente e sua família, mais desafiadora se torna a situação.

Por outro lado, atitudes de maior distanciamento e menor vínculo permitem lidar de maneira objetiva com o sofrimento físico e emocional, com menos envolvimento afetivo – o que não caracteriza uma atitude adequada, pois pode comprometer a relação com o paciente e seus familiares. Porém, mesmo que não haja um considerável vínculo entre profissional e paciente, é importante que o enfermeiro estabeleça uma relação empática com crianças, adolescentes e seus familiares. Aqueles que são pais e mães inevitavelmente tornam-se mais vulneráveis, empáticos e, às vezes, identificados com os pais que estão diante da perda do filho.

Apesar de relatarem como é desafiador lidar com a situação de morte iminente, muitos profissionais de enfermagem conseguem manter a distância crítica pessoal e profissional necessária ao bom desempenho de suas funções técnicas e apoiar o paciente e a família dentro de suas competências. É preciso entender que as pessoas processam as dificuldades de maneiras diferentes. Com maior ou menor sofrimento, o desempenho técnico padrão deve ser executado eficazmente. Talvez, por defesa, o enfermeiro priorize a ação terapêutica, deixando de lado os fatores psicológicos que podem interferir em sua conduta profissional, garantindo assim uma assistência de enfermagem adequada.

Cada pessoa traz consigo uma bagagem biopsicossocial, cultural, familiar, aprendizados pessoais e profissionais que podem interferir em sua assistência de enfermagem tanto positiva (auxílio, cuidado, apoio) como negativamente (negação, afastamento). Conhecer melhor a temática da morte e atuar de forma empática subjetivamente e equilibrada tecnicamente são a chave para uma assistência de enfermagem humanizada. O conhecimento ajuda a minimizar o sofrimento da equipe de saúde. Além disso, é perceptível que os profissionais de enfermagem necessitam de estratégias para enfrentar situações causadoras de estresse e desestabilização emocional. Muitos recorrem a recursos internos ou a estratégias pessoais para lidar com elas, como oração, crenças pessoais e espiritualidade/religiosidade.

Partindo do princípio de que o enfermeiro recorra à religiosidade/espiritualidade como estratégia de enfrentamento, acredita-se que tal recurso favoreça sua atuação profissional, uma vez que a busca de fortalecimento interior conduz a situação de forma mais equilibrada, garantindo uma assistência humanizada e de qualidade. Há também aqueles que, na tentativa de se proteger e de não vivenciar a dor da perda ou de expressar seus sentimentos, tornam-se frios, distantes e racionais no momento da morte do paciente. Outros se apoiam em crenças pessoais para garantir uma boa prática profissional e uma postura solidária. Para os enfermeiros, atitudes como empatia e aceitação da finitude costumam auxiliar no enfrentamento das situações de terminalidade e morte, bem como garantir melhor assistência integral ao paciente.

Embora os enfermeiros descrevam a importância de atitudes empáticas e de acolhimento emocional aos pacientes e seus familiares em fase de terminalidade, identificou-se, nos relatos e nas percepções dos enfermeiros que participaram do estudo de Parentoni [11], que a atuação puramente técnica se destaca no âmbito de intervenções estratégicas para alívio da dor e do desconforto físico. Os enfermeiros têm uma formação focada nos aspectos físicos e nas ações de apoio operacional para conforto e alívio de sintomas, que na maioria das vezes se sobrepõe ao cuidado dos aspectos psicológicos.

Entende-se que o processo de trabalho do enfermeiro deve ser estruturado por práticas flexíveis e dinâmicas, de modo que facilitem a adaptação da criança e de sua família às rotinas do ambiente hospitalar e garantam a individualidade, a dignidade e a serenidade nessa fase da vida. Como exemplo, destacam-se ações que eventualmente saiam do padrão normativo assistencial, como atender a um desejo da criança de comer algo diferente, permitir que veja um ente querido fora do horário de visitas, realizar uma atividade fora do ambiente hospitalar (dentro das possibilidades clínicas) ou até mesmo incentivar,

no ambiente hospitalar, a relação de aproximação de irmãos saudáveis com a criança em cuidados paliativos por meio de jogos e brincadeiras. O brincar no mundo da criança pode ser visto como um recurso terapêutico facilitador, pois a ajuda a elaborar melhor o adoecimento. Fato é que os pacientes com câncer necessitam de cuidados holísticos, que abranjam sua totalidade. Entre os recursos de apoio indicados estão psicoterapia, suporte espiritual, boa comunicação, organização do ambiente, respeito à privacidade da criança e da família.

Faz-se necessário promover todo e qualquer tipo de apoio e conforto não somente ao paciente, mas também à sua família. É preciso saber ouvir, demonstrar confiança, solidariedade, carinho e acima de tudo o seu desejo, como enfermeiro, de que o paciente e sua família vivenciem a experiência da morte com o maior respeito, dignidade e conforto possíveis. Muitas vezes, a realização de um procedimento técnico invasivo torna-se infinitamente inferior à sensibilidade do enfermeiro em demonstrar afetuosidade, atenção, apoio e conforto.

O enfermeiro que trabalha em oncologia pediátrica está inserido em um contexto desafiador, pois tem de lidar com a morte cotidianamente. A morte é um tema pouco discutido não só durante a formação acadêmica como na prática profissional. A realização de capacitações, treinamentos, palestras, grupos de estudos, entre outros, poderia facilitar o trabalho da enfermagem, bem como de toda a equipe multiprofissional.

As reflexões sobre a atuação dos profissionais que atuam na clínica de cuidados paliativos em oncologia pediátrica permitiram identificar a empatia como recurso essencial no cuidado aos pacientes com doenças ameaçadoras à vida, sobretudo na fase final. Ter empatia e compaixão é um exercício constante e contínuo na arte de cuidar, de se colocar no lugar do outro, acima de todo conhecimento e preparo técnico científico, e nos deixar tocar pelo encontro de almas. Como escreveu Carl Gustav Jung, "conheça todas as teorias, domine todas as técnicas, mas ao tocar uma alma humana, seja apenas outra alma humana".

Referências

1. World Health Organization. "Cancer: palliative care". s/d. Disponível em: <http://who.int/cancer/palliative/en>. Acesso em: 26 abr. 2019.

2. _____. "WHO definition of palliative care". s/d. Disponível em: <http://who.int/cancer/palliative/definition/en>. Acesso em: 26 abr. 2019.

3. _____. "WHO Guidelines on the pharmacological treatment of persisting pain in children with medical illnesses". Genebra: WHO, 2012. Disponível em: <http://whqlibdoc.who.int/publications/2012/9789241548120_Guidelines.pdf>. Acesso em: 26 abr. 2019.

4. Kessler, D. *The rights of the dying: a companion for life's final moment*. Nova York: HarperCollins, 1997.

5. Perina, E. M. *Estudo clínico das relações interpessoais da criança com câncer nas fases finais*. Dissertação (mestrado em Psicologia), Universidade de São Paulo, São Paulo, SP, 1992.

6. Freud, S. "O mecanismo psíquico do esquecimento". In: *Obras completas*. v. III. Rio de Janeiro: Imago, 1976.

7. Costa, A. O.; Marino, A. S. "O herói na psicanálise de Freud e Lacan: revolução e subversão". *Psicologia USP*, v. 29, n. 3, 2018, p. 394-403.

8. Nelson, J. E. *et al.* "Models for structuring a clinical initiative to enhance palliative care in the intensive care unit: a report from the IPAL-ICU Project (Improving Palliative Care in the ICU)". *Critical Care Medicine*, v. 38, n. 9, 2010, p. 1765-72.

9. Gold Standard Framework. "PEPSI COLA aide memoir – Palliative care monthly checklist". 2009. Disponível em: <https://www.goldstandardsframework.org.uk/cd-content/uploads/files/Library%2C%20Tools%20%26%20resources/PepsicolaHPAguidancedocument.pdf>. Acesso em: 26 abr. 2019.

10. Parentoni, C. C. *et al.* "Feelings experienced by nurses before the death of a child/adolescent with cancer in palliative care". *Applied Cancer Research*, v. 35, n. 2, 2015, p. 62-66.

11. Parentoni, C. C. *Atuação do enfermeiro diante da terminalidade e morte da criança e do adolescente com câncer em cuidados paliativos*. Dissertação (mestrado em Ciências), Universidade Estadual de Campinas, Campinas, SP, 2015. Disponível em: <http://www.repositorio.unicamp.br/bitstream/REPOSIP/312103/1/Parentoni_CamiladaCosta_M.pdf>. Acesso em: 26 abr. 2019.

13. REPRESENTAÇÕES SOCIAIS DOS PROFISSIONAIS DE SAÚDE SOBRE A TERMINALIDADE INFANTOJUVENIL EM ONCOLOGIA

FERNANDA DE SOUZA FERNANDES, JACKS SORATTO

"Algumas flores desabrocham apenas por alguns dias. Todos as admiram e amam por serem um sinal de primavera e de esperança. Depois, essas flores morrem. Mas já fizeram o que tinham de fazer."

ELISABETH KÜBLER-ROSS

Introdução

O crescimento da incidência do câncer em brasileiros de todas as idades nos últimos anos tem exigido que os profissionais de saúde se preparem para lidar com todas as dimensões da vida humana em relação a essa doença. E, embora haja investimentos para ampliar as diversas habilidades para o trabalho em oncologia, observa-se que os aspectos subjetivos desse trabalho têm sido ignorados: ainda é difícil para o profissional de saúde lidar com o sofrimento humano. Conforme dados recentes, estima-se que no Brasil, nos próximos anos, haverá cerca de 600 mil casos novos de câncer em todas as faixas etárias. Essa situação exigirá uma resposta governamental com políticas de enfrentamento e exercício profissional mais qualificado para a assistência a pessoas em situação de doença crônica e terminalidade. [1]

Diante desse cenário do aumento de neoplasias, destaca-se, em especial, o público infantojuvenil (crianças e adolescentes), cujo percentual mediano dos tumores pediátricos observados nos registros de câncer de base populacional dos brasileiros encontra-se próximo de 3%. Assim, ocorrerão nos próximos anos aproximadamente 12.600 casos novos de câncer em crianças e adolescentes até os 19 anos [1]. Considerando que o processo de terminalidade deve ser compreendido e valorizado como uma inevitável etapa em muitos casos de doença oncológica pediátrica, é necessário refletir sobre a oferta de cuidado, visando que essa oportunize o máximo de qualidade de vida à criança em fase terminal e aos envolvidos no cuidado. [2, 3]

Segundo a Organização Mundial da Saúde (OMS), o cuidado paliativo deve ser iniciado quando a doença crônica é diagnosticada, correndo concomitantemente com o tratamento curativo. A avaliação e o alívio do sofrimento são prioridades nessa abordagem e devem ultrapassar o campo biológico, alcançando as esferas psíquicas e sociais [4-6]. No cotidiano de trabalho com a terminalidade existem desafios que ultrapassam a prática técnica, e são justamente eles que por vezes são desconsiderados em vez de ser atendidos. De acordo com estudos recentes, os desafios mais comuns são os sentimentos de impotência, não envolvimento emocional, conformismo, compaixão fatigadora, identificação com o ser que morre e com seus familiares, fracasso e despreparo acadêmico para enfrentar a morte. [5, 6]

Por mais que esses profissionais se sintam preparados tecnicamente para realizar suas atividades assistenciais, as emoções e os sentimentos emergentes diante do sofrimento, e da sensação de impotência na iminência de morte, parecem dificultar o exercício do cuidado. As representações sociais dos profissionais de saúde sobre a terminalidade podem ter um impacto significativo na capacidade de enfrentamento no que se refere assistir o paciente[1] que necessita da prestação de cuidados em saúde. Portanto, é fundamental discutir os reflexos das representações sociais que esses profissionais de saúde têm sobre terminalidade e como elas podem impactar a integralidade e a humanização do cuidado aos pacientes infantojuvenis em tratamento oncológico e a seus familiares.

Para lidar com os significados da terminalidade, em especial de crianças e adolescentes em tratamento oncológico, é imprescindível que o profissional de saúde sinta ter as condições técnicas e psicológicas satisfatórias para a prestação de cuidados. Quando falamos em condições psicológicas satisfatórias, consideramos que estas ocorrem quando o profissional consciente e atento aos seus sentimentos e emoções consegue buscar estratégias de autocuidado ou aciona a ajuda psicológica quando necessário. Também é preciso que ele esteja integralmente conectado com seu ambiente profissional para que possa compartilhar sentimentos e emoções emergentes das experiências vividas.

Essas discussões reforçam a ideia de que os profissionais de saúde devem, sim, estar envolvidos em sua tarefa, mas sempre acolhidos nas dimensões que lhes causam sofrimentos – muitas vezes resultantes das representações que a rotina de trabalho pode gerar.

Dessa forma, nosso objetivo neste capítulo é compreender como o fenômeno da terminalidade infantojuvenil na oncologia tem sido vivenciado por profissionais de saúde. Como se configuram as representações desse fenômeno em suas ações assistenciais? Esta pesquisa conta com o fundante das representações sociais que são constituídas de ideias, imagens, concepções e visões de mundo que os grupos sociais têm da realidade, podendo se manifestar em condutas.

A realização da pesquisa

O presente trabalho seguiu todas as diretrizes éticas para a realização de pesquisas com seres humanos. Tratou-se de um estudo do tipo exploratório descritivo, com abordagem qualitativa [6], balizado

pela Política Nacional de Humanização [7] e pelas reflexões teóricas sobre as representações sociais. [8, 9]

O estudo foi realizado no município de Criciúma, sul do estado de Santa Catarina, com profissionais de saúde que atuam ou atuaram em oncologia com crianças e jovens em situação de terminalidade. Dele participaram dez profissionais de saúde: três enfermeiros, três psicólogos, um médico, um nutricionista, um assistente social e um técnico de enfermagem. O número de participantes foi considerado suficiente segundo os critérios de saturação dos dados. [10]

Para a seleção dos participantes adotou-se a técnica de coleta de dados de amostragem em rede ou o *snowball* (bola de neve) [10]. A execução do processo de amostragem em rede se materializou da seguinte forma: recrutamento das fontes por meio de redes sociais e de contatos de e-mail dos pesquisadores envolvidos; seleção dos informantes-chave, que indicaram novos contatos com as características desejadas; contato com os nomes indicados pelos informantes-chave, com vistas a confirmar o atendimento dos critérios de seleção.

A coleta de dados foi realizada por meio de duas técnicas utilizadas em estudos qualitativos: entrevista semiestruturada como instrumento principal e rede associativa ou associação livre de palavras (ALP) como instrumento complementar. As entrevistas foram realizadas entre 1º de julho e 1º de outubro de 2017 em local e hora definidos pelo participante e contou com um roteiro composto de 14 perguntas – sete fechadas, para identificar o perfil dos participantes, e sete perguntas abertas, com ênfase no objeto de investigação deste estudo. A ALP foi materializada por meio de uma nuvem de palavras [*word cloud*] para fortalecer achados provenientes das entrevistas semiestruturadas.

No dia e local da coleta de dados, apresentamos o objetivo da pesquisa e colhemos as assinaturas do Termo de Consentimento Livre e Esclarecido (TCLE). Todas as entrevistas foram gravadas, transcritas e validadas pelos participantes por e-mail.

Os dados foram organizados segundo os preceitos da análise de conteúdo, que se divide em três fases – pré-análise, exploração do material e interpretação [12] –, e contou-se com o auxílio do *software* para análise de dados qualitativos Atlas.ti. A relação da análise de conteúdo com o *software* aconteceu pela inserção

---

1. Ao longo deste capítulo, utilizamos o termo "paciente"; porém, este é visto como um usuário do Sistema Único de Saúde que tem direitos e deveres e um sujeito que deve ser assistido nas suas diversas concepções, sejam elas fisiológicas, psíquicas, sociais, econômicas, culturais ou espirituais.

Figura 1 – Elementos constituintes das representações sociais da terminalidade infantojuvenil

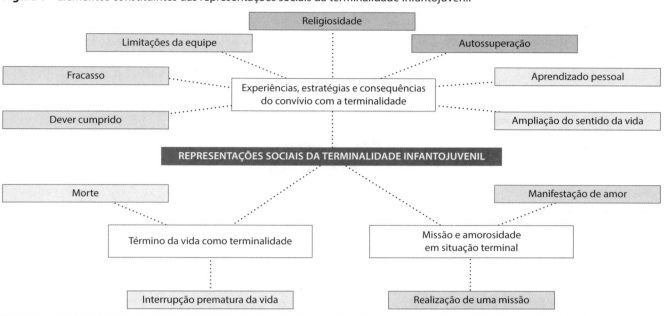

Tabela 1 – Categorias, subcategorias e total de trechos selecionados

Categoria	Subcategorias	Códigos	Total de trechos selecionados
Experiências, estratégias e consequências do convívio com a terminalidade	a) Experiências com situações que envolvem terminalidade	sentimento de fracasso (20); limitações da equipe (5); sentimento de dever cumprido (12)	37
	b) Estratégias de superação no convívio com a terminalidade	autossuperação (12); religiosidade (19)	31
	c) Consequências da vivência com situações de terminalidade	ampliação do sentido da vida (9); aprendizado pessoal (12)	21
Missão e amorosidade em situação terminal	–	realização de uma missão (7); manifestação de amor (6)	13
Terminalidade como interrupção da vida		interrupção prematura da vida (8); morte (5)	13
			115

das entrevistas [*documents*], da seleção dos trechos de falas [*quotations*], da criação de códigos [*codes*], do agrupamento dos códigos [*code groups*], da extração de resultados [*outputs*] e da geração de nuvem de palavras [*word cloud*].

Resultados e discussão do estudo

Os resultados indicaram a existência de 115 trechos de narrativas, condensados em 11 códigos, os quais foram agrupados em três categorias. A Figura 1 ilustra a síntese dos resultados.

Destaca-se que foram contemplados trechos de falas que tiveram relação com um ou mais códigos, os quais serão destacados na discussão, para gerar um melhor entendimento dos leitores, articulando a teoria e a percepção dos pesquisadores. A Tabela 1 resume os resultados.

Para fortalecer os achados das entrevistas, realizou-se a ALP, que totalizou 32 palavras, com 52 evocações, e seguiu um formato espiral: os termos mais evidenciados (dor, sofrimento e amor) ficaram ao centro; os menos evidenciados orbitaram em torno desse núcleo. A Figura 2 ilustra essa relação:

Figura 2 – Palavras evocadas pelos profissionais de saúde relacionadas com a terminalidade infantojuvenil.

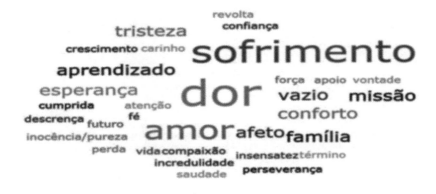

Experiências, estratégias e consequências do convívio com a terminalidade

As **experiências** dos entrevistados parecem transitar pelo desenvolvimento de potencialidades ou facilidades que o profissional amplia ao lidar com a terminalidade e também pelas fragilidades ou dificuldades sustentadas muitas vezes por afastamento, evitação e/ou sentimento de impotência associados à ideia de fracasso diante da assistência – que no caso da terminalidade infantojuvenil se manifesta na tentativa de evitar a morte do paciente. [11, 12]

As narrativas dos participantes a seguir demonstram essas experiências associadas a sentimentos de evitação, afastamento e **impotência**:

[...] às vezes tu quer fazer alguma coisa e não pode. Eu falo como assistente social de uma instituição: a gente queria poder buscar qualquer recurso para poder salvar. Então, tem muitas coisas que são muito boas na teoria, mas na prática, mesmo que se tenha dinheiro, tu vai fazer o quê?

O sentimento de impotência, fracasso, com a sensação de que poderiam fazer algo mais, foi materializado também no momento da evocação de palavras: dor, sofrimento, tristeza, descrença, incredulidade, insensatez e término. Isso mostra até que ponto a terminalidade e a morte são vistas como algo transmissor de negatividade. As representações sociais emergem como um modo de dar um valor simbólico a um objeto em particular, de defini-lo e conferir-lhe identidade. [8, 9]

Nesse sentido, para os profissionais, o momento é de dor e sofrimento; vislumbram a necessidade de oferecer presença, de estar juntos em momentos em que a vida reserva o grande desafio da despedida. A presença e a escuta que o profissional realiza são fundamentais para o alívio do sofrimento no momento da terminalidade e da morte e alcançam espaços da dimensão humana que nenhum outro tipo de remédio consegue acessar. [11-14]

O profissional de saúde que não se coloca diante da própria morte terá dificuldade de compreender a morte do outro; portanto, assistir na terminalidade se tornará desafiador [13]. Além disso, essas fragilidades poderão se disfarçar na necessidade de afastamento e evitação, transformando-se em sentimento de fracasso e impotência.

No ambiente de trabalho se faz necessário um espaço de segurança cultivado na relação entre os membros da equipe. Os participantes da pesquisa também mencionaram fragilidades que se materializavam em **limitações** de alguns colegas de lidar com a terminalidade infantil: "A dificuldade que eu tenho às vezes é com outras pessoas que interferem nesse momento [...] eu não consigo ser muito incisiva nesse momento, porque às vezes eu quero aparar a situação, mas não consigo".

O despreparo da equipe de saúde ao lidar com situações de terminalidade pode gerar consequências; estas refletirão no sistema de cuidado, que precisa estar em sintonia com as necessidades totais (física, social, familiar, psicológica e espiritual) do paciente e sua família.

O sentimento de ser útil, benéfico e de estar presente, somado à sensação de paz emitida pela interpretação de que o paciente descansou, também aparece. Nas narrativas, o trabalho com a terminalidade aparece como o cumprimento de um dever: "Fácil ver que elas pararam de sofrer, eu penso que elas foram para um lugar melhor; a gente tenta se confortar dessa maneira, pensando que o sofrimento acabou". E ainda: "[...] E ao mesmo tempo foi [...] muito bonito, apesar da dor daquela situação, ver a força da mãe, a garra da mãe [...] aquilo [...] foi forte pra mim, foi o que mais me marcou".

As experiências com a terminalidade e a aproximação da morte também podem ensinar grandes lições [13]. Depois que o paciente morre, se o profissional que o assiste tiver feito tudo a seu alcance para acolhê-lo e aliviar sua dor, terá os dias seguintes leves e bons, sentindo a paz do dever cumprido.

Tal sensação de dever cumprido sustenta a realização profissional e pessoal e sustenta a prática de cuidado. Afinal, os cuidados paliativos são uma abordagem

> [...] que aprimora a qualidade de vida dos pacientes e famílias que enfrentam problemas associados com doenças ameaçadoras da vida, através da prevenção e alívio do sofrimento, por meio de identificação precoce, avaliação correta e tratamento da dor e outros problemas de ordem física, psicossocial e espiritual. [4]

Para lidar com esse cotidiano são necessárias **estratégias** que o profissional de saúde acessa para superar os momentos difíceis a cada etapa da terminalidade infantojuvenil. Tais estratégias estão vinculadas à **autossuperação**, que aparece em uma tríade, ou seja, ligada ao cuidado, ao afastamento ou evitação e à **religiosidade**. As palavras evocadas nessa categoria foram: esperança, perseverança, fé, confiança e força.

A autossuperação diz respeito a uma força que conduz o ser humano a criar alternativas que gerem satisfação. Muitos profissionais buscam a superação de sua dor mostrando-se fortes, abstendo-se, dando espaço para a família viver sua dor: "Tenho facilidade de entender que aquele é o momento da família, não meu nem de mais ninguém, [...] então eu tenho que [...] me abster [...]. E: "[...] muitas vezes tu precisa se vestir de forte. Quantas vezes tu vai ao quarto e depois sai chorando? Então [...] acho que às vezes tu acaba criando uma certa barreira para não esmorecer totalmente na frente daquele familiar".

O ambiente de sofrimento e dor é comum no cotidiano dos profissionais de saúde que atuam na assistência a pacientes em terminalidade. Porém, na maioria desses momentos é vedado ao profissional expressar sua dor, visto que alguns não conseguem reconhecê-la e outros têm medo de ser incompreendidos. [5, 11, 12]

Aqueles que temem encarar a morte poderão vivenciar fragilidade, incertezas e vulnerabilidade. Quando não se autorizam a sentir ou não têm autorização para expressar ou compartilhar o que sentem, o desconforto e até mesmo o adoecimento são inevitáveis:

> E eu ficava "pilhadaço" [ansioso], com taquicardia, ficava pensando na criança, direto. Até me acostumar... Bom, acabei saindo de lá e não acostumei. [...] Porque querendo ou não eles precisam da gente [...] Se tu chorar um dia com um pai ou com uma criança eles vão chorar contigo, mas se tu te mostrares forte perto deles, eles vão se estimular, vão se sentir mais fortes.

A desconsideração dos sentimentos relacionados com o luto configura uma estratégia de fuga. Esta pode ser reforçada durante a formação, que muitas vezes ensina que o não envolvimento com o paciente e sua família protegerá o profissional. Porém, como vimos, acabam por surgir mecanismos de defesa inconscientes que podem se transformar em psicossomatizações, comprometendo a saúde do profissional. [13]

Outro aspecto presente nas representações dos participantes em relação às estratégias de convívio com a terminalidade foi a **religiosidade**, referida como instrumento para auxiliar as crianças e a família a passar pelo momento de despedida de forma mais digna: "Eu trabalho a minha fé, porque a gente tendo fé em Deus [...] busca uma resposta para nos confortar. Se não ficou é porque tem algo melhor, porque era uma pessoa muita boa para ficar na Terra sofrendo. Então, eu tento trabalhar a fé e fortificar minha relação com Deus". E ainda: "[...] por não ter filho e por seguir a doutrina espírita, acho que não encaro como um "nunca mais vou te ver". Para mim é [...] como se eles tivessem ido viajar".

No que tange à religiosidade como estratégia de autossuperação, os participantes vinculam a terminalidade e a morte da criança a imagens celestiais. Ao ser convidados a pensar numa imagem que definisse o tema, os profissionais definiram a terminalidade e a morte da criança como um momento de transição, no qual os pacientes se transformam em seres celestiais: "Acho que não tem figura melhor que a figura de um anjo, um anjinho mesmo"; "Anjinhos confortáveis"; "Um anjo, um anjo bem bonito com as asas bem grandes, assim (abre os braços)"; "[...] acho que são anjos. Acho que eles estarão num lugar melhor do que nessa vida, em que sofrem bastante, passam por tantas coisas ruins".

O pensamento representado na imagem angelical parece também estar vinculado à ideia dos profissionais de que a criança nasce com a missão (como um anjo missionário) de transformar vidas ou de passar por uma prova divina. Além de contribuir com a humanidade, tornando-a mais bondosa e empática a fim de também merecer a vida eterna.

Assim, para os participantes da pesquisa, as crianças não morrem de fato, mas continuam a viver em forma de anjos. Isso nos remete às ideias de Kübler-Ross sobre a esperança. Nas fases iniciais da doença, a esperança permite a expectativa de cura, mesmo que esta seja impossível. E, nos últimos momentos da vida, está ligada à possibilidade do reencontro num provável céu, relembrando o sentido religioso de cada um.

As **consequências da vivência** com a terminalidade para os profissionais deste estudo são repletas de sentido, que se reproduzem na revisão da sua vida e do seu viver e colaboram para suas representações sociais. Segundo eles, há uma **ampliação do sentido da vida** e **aprendizado pessoal**:

> [...] a gente começa a dar valor às pequenas coisas da vida, porque a gente está vendo uma criança, um adolescente que não tem pecado, passando por tudo aquilo ali, e como eles ficam felizes com as coisas simples quando estão dentro do hospital sendo furados [...] muitas vezes eu cheguei lá para fazer uma visita e eles

estavam sorrindo. E, mesmo com muita dor, para eles não te expressarem um sorriso é bem difícil, eles têm sempre algo de bom. Então eu valorizo as coisas mais simples da vida.

Aliada à construção e reconstrução do sentido de viver, os profissionais relataram que a convivência com a terminalidade lhes permitiu transformar e aprofundar suas vivências cotidianas:

> Eu acho que é uma forma de aprendizado [...], quem trabalha na área da saúde sempre acaba criando um escudo [...] às vezes até um pouco mecanizado, porque tu sabes que nossa vida é ciclo; a gente nasce, cresce, vive e tem a morte. Então tu [...] acaba se tornando um pouco mais forte por ter passado por essa vivência toda [...].

Os profissionais de saúde que atuam com a terminalidade necessitam de um espaço em que possam se sentir ouvidos e se conectem de forma segura com suas histórias pessoais de perda, para então legitimar a experiência do luto que certamente viverão ao acompanhar pacientes em processo de partida. Além de possibilitar-lhes a produção de novos sentidos e aprendizados sobre a vida, o viver e a morte, a consciência das perdas pessoais promove e amplia as suas habilidades no campo pessoal e profissional. Nesse sentido, destacam-se na pesquisa os termos aprendizado, esperança, apoio, crescimento, força, futuro, perseverança, vida e vontade.

Quanto à **missão em situação terminal**, os profissionais entrevistados utilizam-na para ressignificar o sofrimento das crianças e das famílias diante da morte: "Eu acho que [...] é tão pouco o que ele [paciente] deixou [...] para terminar nessa vida que ele vem, passa esse período bem curtinho com a gente e vai, ele conclui e vai".

Sobre as palavras evocadas que podem ser associadas a essa missão destacam-se: amor, afeto, conforto, família, missão, atenção, carinho, compaixão e confiança. Sobre o amor nesse processo, parece que é justamente pela relação de carinho e amorosidade que se estabelece, entre o profissional, o paciente e a família, a necessidade de uma explicação sobre os sentimentos emergentes da vivência.

No que se refere ao entendimento que o processo de terminalidade evidencia, observa-se a necessidade de dar um sentido a esse cenário, do qual esses profissionais também fazem parte. Surge a necessidade de ir acomodando esses sentimentos que emergem da vivência até chegar à aceitação.

Embora se possa confundir a aceitação com um momento de alívio e felicidade, esse estado na verdade configura "[...] quase uma fuga dos sentimentos. É como se a dor tivesse se esvanecido, a luta tivesse cessado e fosse chegando o momento do repouso derradeiro antes da grande viagem". [14]

Além disso, a aceitação dos profissionais de saúde parece ser construída com base na relação de amorosidade estabelecida entre os envolvidos no processo de morrer.

> [...] e aí tu percebe que aquilo [morte] é um livramento; para aquele serzinho ali, para aquela família, é uma libertação de um sofrimento, de uma dor. E isso não é ruim, então quando eu olho para isso eu consigo tentar pelo menos compreender, e isso me faz sentir melhor, sabendo que de alguma forma [...], com um pequeno gesto, eu pude contribuir para um processo de crescimento. Isso é o que me faz sentir melhor.

Conectar-se com essa relação é conseguir perceber o amor que pulsa na vida, mesmo quando esta termina:

> [...] é trabalhar muito com a questão do amor, porque esse é um momento de apego da mãe com a criança, é muito amorosa essa relação. [...] Mas, apesar de toda carga emocional que tem ali, eu entendo como um momento muito rico. E que a gente pode trazer e fazer aflorar muito, muita emoção ali, emoção que pode ser produtiva para aquela família que vai sobreviver àquela perda [...].

Apesar disso, a interrupção da vida vem carregada de angústia e de negação de que esse é um processo que é parte da natureza, e, portanto, também humano.

> Eu acho que é uma coisa triste. Não deixa de ser. [...] em qualquer fase da vida a morte é triste. Quando tu vê uma criança, que teria toda a vida pela frente, adolescência, fase adulta, que ela poderia se tornar pai, contribuir para construir uma sociedade, tu acaba visualizando como uma tristeza, porque interrompeu muito jovem aquele caminho que ela teria todo a percorrer.

Neste sentido, entende-se que a morte é uma das etapas presentes no processo que costumamos chamar de terminalidade. Observou-se que os profissionais a consideram uma antecipação da morte. Alguns parecem enlutar-se antecipadamente:

> A terminalidade é a morte, né? [...] é um período desgastante de angústia, por saber que não tem mais recurso pra ser feito pelos médicos aqui na Terra. A gente sempre acredita que Deus pode fazer um milagre, mas pelos médicos não tem mais o que fazer e tu vê o sofrimento a qualquer hora. [...] às vezes a criança deu uma reagida, tu fica alegre, mas daqui a pouquinho já está ruinzinha de novo. Eu falo que quando isso acontece é um velório antecipado: tu não quer, mas está vendo que é o que vai acontecer.

A perda é considerada uma situação que gera potencial sofrimento no ser que a vivencia. Em geral, a intensidade da dor dessa separação – entre outros fatores da relação – estará relacionada com a importância do vínculo criado com o que foi perdido [11, 12]. A compaixão é ferramenta preciosa nesse contexto. [5, 14]

As políticas de humanização surgiram para possibilitar aos profissionais de saúde intervenções – permeadas por compaixão – que transcendam as tecnologias que burocratizam e endurecem [7]. Nesse campo de trabalho em que o amor e a dor se entrelaçam constantemente, amplia-se a cada dia a necessidade de que os profissionais sejam compreendidos e acolhidos no que tange a esse complexo de representações simbólicas e sociais sobre a terminalidade e a morte. [4, 5, 7]

Tais representações se materializam no dia a dia no formato de fragilidades pessoais ou profissionais. E emergem em razão do sentimento de impotência e de fracasso pela impossibilidade de evitar a morte.

Somado a isso está o conjunto de potenciais desenvolvidos durante a relação com o paciente e a família. Nessa categoria foram elencadas as seguintes palavras: amor, missão cumprida, afeto, compaixão, fé, vida, término e futuro.

Considerações finais

As representações sociais dos profissionais de saúde sobre a terminalidade infantojuvenil estão relacionadas com sentimentos de fracasso e enlutamento, os quais lhes direcionam para a construção de estratégias associadas à autossuperação e à religiosidade.

Na prática de cuidado, os profissionais vinculam-se aos pacientes e a seus familiares e conectam-se com a essência da amorosidade. Com isso, percebem a terminalidade como um momento inevitável que, embora precoce, acontece para o cumprimento de uma missão. Esse trabalho gera dor, sofrimento e amor, mas também permite que eles se reconectem com a essência de sua humanidade.

Quanto às recomendações a partir deste estudo, sugere-se ampliar o escopo investigativo proposto, de modo que contemple especialmente o luto que os profissionais vivenciam nesse processo. Infere-se ainda que o tema seja difundido e aprofundado no ensino e na pesquisa, e que a partir disso nasçam estratégias que reforcem ações ou políticas públicas em cuidados paliativos.

Nessa perspectiva, vislumbra-se a criação de um laboratório da terminalidade na integralidade da vida. Um espaço de estudos que possibilite a criação de projetos de extensão universitária no intuito de unir o pensar e o fazer da academia com a comunidade. Um lugar onde possam ser acolhidas pessoas que desejem compartilhar expressões e sentimentos oriundos do contato com situações de terminalidade.

Por fim, entre as recomendações destinadas aos gestores da saúde, especialmente do campo hospitalar, está o desenvolvimento de programas que permitam ao profissional receber educação permanente sobre o tema e ser atendido/ouvido em suas necessidades quando o inevitável enlutamento acontecer.

Referências

1. Brasil. Ministério da Saúde. *O que é câncer*. Rio de Janeiro: Inca, 2016.
2. Felix, Z. C. *et al.* "Eutanásia, distanásia e ortotanásia: revisão integrativa da literatura". *Ciência & Saúde Coletiva*, v. 18, n. 9, 2013, p. 2733-46.
3. World Health Organization. *Cancer pain relief and palliative care in children*. Genebra: WHO, 1998.
4. Pessini, L.; Bertachini, L. (orgs.). *Humanização e cuidados paliativos*. 6. ed. São Paulo: Edunisc/Loyola, 2014.
5. Kovács, M. J. "A caminho da morte com dignidade no século XXI". *Revista Bioética*, v. 22, n. 1, 2014, p. 94-104.
6. Morse, J. M. "Critical analysis of strategies for determining rigor in qualitative inquiry". *Qualitative Health Research*, 25, v. 9, 2015, p. 1212-22.
7. Martins, C. P.; Luzio, C. A. "Política Humaniza SUS: ancorar um navio no espaço". *Interface*, v. 21, n. 60, 2016, p. 13-22.
8. Moscovici, S. *Representações sociais: investigações em psicologia social*. Petrópolis: Vozes, 2011.

9. Martinez, E. A.; Tocantins, F. R.; Souza, S. R. "The specificities of communication in child nursing care". *Revista Gaúcha de Enfermagem*, v. 34, n. 1, 2013, p. 37-44.
10. Minayo, M. C. S. "Amostragem e saturação em pesquisa qualitativa: consensos e controvérsias". *Revista Pesquisa Qualitativa*, v. 5, 7, 2017, p. 1-12.
11. Kovács, M. J. "A caminho da morte com dignidade no século XXI". *Revista Bioética*, v. 22, n. 1, 2014, p. 94-104.
12. Scannavino, C. S. *et al.* "Psico-oncologia: atuação do psicólogo no Hospital de Câncer de Barretos". *Psicologia USP*, v. 24, n. 1, 2013, p. 35-54.
13. Silva, A. F. *et al.* "Cuidados paliativos em oncologia pediátrica: percepções, saberes e práticas na perspectiva da equipe multiprofissional". *Revista Gaúcha de Enfermagem*, v. 36, n. 2, 2015, p. 56-62.
14. Clauduro, M. L.; Custódio, S. A. M. "O processo de fase terminal (morte/luto) com familiares de pacientes oncológicos pós-óbito e a atuação do serviço social". *RIPE – Revista do Instituto de Pesquisas e Estudos: Construindo o Serviço Social*, v. 14, n. 25, 2016, p. 1-74.

14. LUTO NA INFÂNCIA POR PERDA PARENTAL: OS ÓRFÃOS DO CÂNCER

KAMILA KNAKIEWICZ, MARÍLIA A. DE FREITAS AGUIAR

No trabalho em uma unidade de atendimento oncológico, é inevitável acompanhar o processo da terminalidade de vida – e, muitas vezes, presenciar a morte de adultos jovens com filhos pequenos. Diante dessa realidade, faz-se necessário identificar os sentimentos das crianças e as perdas lentas e diárias que, embora percebidas por elas, nem sempre são levadas em consideração. Corroborando essa ideia, Escudeiro [1] diz que, "além da angústia da morte final, também são vivenciadas várias finitudes em muitos acontecimentos da vida diária [...]". A pesquisa aqui apresentada visa observar, por meio de revisão bibliográfica, os aspectos decorrentes do acompanhamento de crianças que enfrentam a terminalidade e a morte dos pais acometidos pelo câncer.

Em várias culturas, o adoecimento, visto como punição, suscita o sentimento de culpa – assim como o câncer, em diversos grupos, é associado moral e socialmente a uma enfermidade punitiva. [2]

Diferentemente dos conceitos populares que encaram o adoecimento como algo punitivo, diversos autores apontam-no como um período que permite adaptações e transformações graduais que preparam para uma possível ausência do sujeito doente. [2, 3]

Doenças progressivas como o câncer remetem à expectativa de morte, possibilitando de algum modo que os planejamentos familiares sejam reavaliados e permitindo a intervenção psicológica. Quando a família participa de forma intensa dos cuidados do paciente grave, isso facilita o luto pós-morte, pois atenua possíveis culpas. [3]

Diante da possibilidade de morte, facilitar o processo de despedida entre familiares e pacientes pode beneficiar a todos os envolvidos, inclusive a equipe de saúde. É possível proporcionar ao paciente: apoio no enfrentamento da terminalidade; a ressignificação de relações comprometidas; e o fortalecimento de vínculos saudáveis. O ritual de despedir-se permite que as famílias se aproximem e se preparem para a separação provocada pela morte. [2]

A morte e a perda parental pelo olhar infantil

Durante a infância, a experiência da morte pode ter diversos significados, dependendo de como essa vivência é interpretada e do suporte oferecido à criança pelos vínculos. Vários aspectos decorrem da perda de um membro no ciclo de vida familiar, o que gera o risco de disfunção. Quando um dos genitores morre, é possível que essa experiência afete o desenvolvimento infantil em curto e em longo prazos [4], por se tratar de um vínculo que se rompe e exige uma reorganização emocional por parte de todos os envolvidos. [5]

Para tanto, o modo como a criança elabora a perda de um familiar depende dos fatores intrapsíquicos, como a elaboração de recursos depressivos arcaicos e de recursos preexistentes para elaborar perdas. Já entre os fatores externos estão a relação com o membro familiar morto, o relacionamento com o familiar sobrevivente, a circunstância da morte, as informações recebidas, a comunicação sobre o ocorrido e sobre a pessoa perdida, assim como a dinâmica familiar, rituais, estressores e mudanças no cotidiano após a perda. A elaboração também pode estar diretamente relacionada com a capacidade de elaboração do genitor sobrevivente e dos demais familiares. [5]

A morte de um dos pais pode significar uma das experiências de maior impacto na criança, pois ao perder um deles se perde também a ilusão narcisista de onipotência infantil no momento em que ela é importante como fonte de segurança. Diante dessa ausência, a criança se vê carente de um vínculo que provia sustentação, descobrindo sentimentos de desamparo e impotência. Assim, há uma mudança no mundo como a criança o conhecia anteriormente. [5]

Para Franco e Mazorra [5], "o luto é o processo de reconstrução e de reorganização, diante da morte, desafio emocional e cognitivo com o qual ela tem que lidar". Complementando esse conceito, as mesmas autoras qualificam como "um trabalho que o ego tem de realizar para adaptar-se à perda do objeto amado [...]". Já o processo de elaboração do luto em si é descrito pela teoria psicanalítica "como um processo de identificação do objeto perdido, no qual há retirada gradual do investimento libidinal nesse objeto e investimento libidinal em novos objetos" [5]. A finalidade da elaboração do luto ocorre de modo que o indivíduo que padece do luto retorne a um estado de equilíbrio. [6]

Em relação à experiência da perda, a pessoa em luto pode apresentar características como tristeza intensa, insônia e baixa autoestima, assim como desinteresse pelas coisas à sua volta e perda da capacidade de visualizar novos objetos de investimento [6]. Além disso, a primeira resposta ao desaparecimento do objeto de apego é a ansiedade e o protesto emocional.

No caso de uma morte esperada, quando a doença sem perspectiva de cura acomete um familiar, ocorre o luto antecipatório, ou seja, "[...] fenômeno adaptativo que pode ocorrer em situações de morte esperada, nas quais é possível para o paciente, bem como para os familiares, prepararem-se cognitiva e emocionalmente para a perda". [4]

Em suma, o luto antecipatório é um modo de preparar-se psicologicamente para tal acontecimento. Todavia, esse processo não substitui o luto após a morte, embora o torne menos complicado. [7]

A criança, por se encontrar em processo de formação de significados, não tem acesso a experiências que lhe permitam uma adequada elaboração dos conceitos de morte, de perda e de dor. Tais experiências costumam ser evitadas por aqueles que a cercam, o que gera um "pacto do silêncio" – bastante comum em uma sociedade incapaz de lidar com a finitude. [8]

Segundo Hilkner e Hilkner [9], temas como o luto, a morte e o morrer estão banidos de nossa sociedade, ao passo que no início do século 19 até mesmo as crianças estavam familiarizadas com o assunto.

Há uma tendência a proteger as crianças de temas considerados impuros ou pesados; o objetivo seria manter sua inocência, o que mostra que a "invenção da infância" fez surgir o movimento de segregar o mundo das crianças daquele dos adultos [8]. A infância como a conhecemos hoje provém dos valores burgueses, da diminuição do número de filhos e da constituição do núcleo familiar em torno destes. Tudo isso tornou "[...] a infância um templo isolado, onde qualquer evidência da realidade considerada dura demais é logo afastada". [8]

Ao falar sobre a dificuldade de expressar sentimentos no contexto da terminalidade e da morte, Kübler-Ross [2] explica que as crianças em geral são esquecidas; não que as pessoas à sua volta não se importem, pelo contrário. Embora poucos se sintam à vontade para conversar sobre o assunto da morte com elas, a dificuldade reside em transmitir a informação de uma forma que elas compreendam.

A construção do conceito de morte pela criança

A construção do conceito de morte na criança ocorre agregada a seu desenvolvimento cognitivo. Nesse processo, alguns aspectos inerentes à morte vão sendo inseridos: a irreversibilidade (compreensão de que o corpo físico não pode viver depois de morrer); a não funcionalidade (todas as funções vitais cessam depois da morte); e a universalidade (tudo que é vivo morrerá). [8]

Na criança de até 5 anos, os conceitos citados ainda não estão totalmente desenvolvidos. Desse modo, ela não compreende a morte no seu sentido literal, podendo encará-la pelo animismo infantil, que dá vida a todos os objetos. [8]

Citando Bowlby, Franco e Mazorra [5] afirmam que por volta dos 16 meses de idade a criança começa a apresentar recursos emocionais e cognitivos para lidar com o luto. Porém, as autoras consideram arriscado comparar a capacidade de elaboração de luto infantil com a do adulto, uma vez que essa característica ainda está em formação.

Dos 5 aos 9 anos de idade, a criança começa a desenvolver o conceito de irreversibilidade, mas ainda não compreende que é algo inevitável. Mais tarde, ela entende que a morte é inevitável e vê a cessação de atividades do corpo como morrer, compreendendo que ela própria também está sujeita à finitude. [8]

Para Lima e Carvalho [8], situações que envolvem perdas – como morte ou doença de um dos pais ou até mesmo das próprias crianças – produzem um impacto significativo, mesmo que o estágio cognitivo e o histórico pessoal exerçam influências diferentes em suas manifestações.

As reações da criança

Apesar das particularidades de cada fase, algumas reações são comuns e costumam se manifestar em estágios [8]. O primeiro deles é marcado pelo *protesto*: a criança não acredita na ocorrência da morte e tenta reaver o ente querido pelo choro ou buscando-o em locais onde normalmente o encontraria. Na fase de *desespero e reorganização* da sua personalidade, a aceitação da perda se inicia. Nesse período, a esperança de reencontro começa a dissipar-se, mesmo que sua angústia ainda persista. É comum que a criança passe da agressividade a um estado de apatia ou retraimento. Na terceira fase, a da *esperança*, a criança busca novas relações, sendo capaz de reorganizar sua vida sem a pessoa que morreu. Porém, é possível que a saudade, a tristeza e a necessidade do outro retornem a qualquer momento, uma vez que o processo de luto nunca estará concluído por completo. [4, 8]

Por meio do contato com as pessoas que a cercam, a criança absorverá os valores culturais. Entretanto, não é comum que ela encontre esclarecimentos adequados para temas polêmicos como a morte. Por isso é importante conversar abertamente com a criança, respeitando sua idade e seu estágio de desenvolvimento, para que ela não apenas compreenda a perda de um ente querido como construa a consciência sobre a própria finitude de forma mais natural. [8]

Mentir ou ocultar informações da criança pode influenciar negativamente seu processo de luto e a reelaboração da afetividade investida no familiar que morre. Sem a clareza necessária, o processo de desligamento necessário diante de uma perda se prejudica, assim como a qualidade de vida. [8]

Os adultos costumam sonegar informações das crianças em relação à morte do genitor porque creem que elas não têm condições de sentir ou compreender a perda; diz o senso comum que a verdade poderia causar trauma [4]. Porém, a mentira costuma gerar raiva e frustração em relação ao adulto que mentiu, abalando a relação de confiança. Ao contrário do que o senso comum crê, a criança não só assimila essa realidade como se mobiliza com ela. Para tanto, dizer a verdade é importante para que se possa realizar o processo de luto de forma saudável. [4]

Outro aspecto a ser observado diante do luto infantil é a falta de reação emocional diante da ocorrência da morte de um dos pais. Tal situação pode estar relacionada com a carência de informações oferecidas; por vezes, ainda, a criança sente, mas tem pouco espaço para expressar suas emoções – o que pode resultar em um processo de luto não adequado. [10]

A experiência na família

Tendo em vista o conceito teórico do luto e das fases de compreensão dessa vivência na criança, é importante relacioná-lo com a experiência da família diante da morte ou do processo de perda de um dos genitores.

Em famílias com filhos pequenos, perder o cônjuge é difícil, pois as obrigações financeiras e as da rotina de vida sobrepõem-se à vivência do luto. A tristeza do cônjuge sobrevivente se alia à dificuldade de compartilhar esses sentimentos com os filhos – o que pode ocasionar o distanciamento entre ambos e, portanto, maior dificuldade na elaboração do luto para a criança. Quando o progenitor economicamente responsável é quem morre, desdobramentos adicionais surgem para os demais membros da família até que surja uma nova fonte de renda. [3]

A perda de um dos pais pode trazer consequências em curto e longo prazos. Todavia, como vimos, o modo como a criança ou o adolescente lidará com isso depende do estado emocional do pai sobrevivente, do vínculo com o progenitor falecido e do estágio cognitivo da criança [3]. As reações apresentadas diante da perda de um dos pais variam bastante: afastamento, isolamento, choro compulsivo, culpa e remorso, tristeza, ressentimento, autocomiseração, desespero, resignação, desorientação e revolta. [3, 4]

Ao vivenciar o luto, a criança sente dúvidas, insegurança e medo, necessitando conversar com o adulto sobre o tema. Quando isso não ocorre, o sentimento de frustração se faz presente, o que também dificulta o processo de luto. [11]

Por vezes, a morte de um genitor cristaliza as tarefas de desenvolvimento da família: os filhos, em alguns casos, tornam-se dependentes ou um dos irmãos se transforma num substituto paterno/materno em relação aos demais. [3]

Já vimos que a capacidade do genitor sobrevivente de lidar com luto e a comunicação aberta são aspectos importantes na resolução do luto das crianças. A incapacidade de expressar sentimentos pode prejudicar essa elaboração, assim como os segredos em relação à morte, a falta de rituais de despedida e a ausência de apoio. Ocultar informações impede que os envolvidos participem de forma plena dos acontecimentos relacionados com a perda, o que prejudica o processo de percepção da realidade e a socialização do pesar. Além disso, o fato de a criança não participar dos rituais de morte do pai ou da mãe pode acarretar índices mais elevados de depressão na vida adulta, assim como culpa. [4]

A morte de um dos genitores durante a infância e a adolescência costuma causar desorientação, desespero, desamparo e vulnerabilidade, além da frustração oriunda da falta de convívio com o ente falecido.

As perdas secundárias, nesse processo, estão relacionadas com mudanças necessárias após a morte de um dos genitores, como mudança de residência, de escola, alteração da figura de apoio etc. [4]

Somadas aos demais fatores, as perdas secundárias abalam o equilíbrio intrafamiliar, desencadeando conflitos associados à expressão de fortes emoções num contexto inadequado para recebê-las – assim como a carência de suporte emocional em outros contextos que fazem parte da vida da criança, como a comunidade escolar e o âmbito social.

O luto infantil e a psico-oncologia

No caso da perda no contexto oncológico, o papel da psico-oncologia é o de propor atenção integral e apoio psicoterapêutico à família, auxiliando-a a enfrentar a situação e obter qualidade de vida [12]. A função do psicólogo é oferecer apoio, esclarecer e informar o enfermo sobre aspectos da doença e do prognóstico, assim como facilitar o relacionamento da equipe em todos os âmbitos [3]. Para Scannavino *et al.* [12],

> nas últimas décadas, psicólogos da saúde vêm integrando equipes médicas como facilitadores na identificação dos medos, dúvidas e expectativas do paciente, bem como na comunicação mais eficiente entre médico/paciente. Além disso, contribuem no desenvolvimento de estratégias de prevenção e intervenção com cuidadores de pacientes frente às perdas, muitas vezes irreversíveis, determinadas pela doença.

Ao observar todos os aspectos que permeiam o enfermo, a família não pode ficar de lado, pois suas ações e reações afetam inegavelmente as reações do próprio paciente. Reconhecer a unidade família-paciente é imprescindível, levando-se em conta que na vivência da terminalidade surgem problemáticas não resolvidas em outros momentos [3]. Diante da abordagem da família que vivencia a terminalidade, é preciso observar a expressão dos sentimentos, a melhora da qualidade de vida e a facilitação da comunicação. Beneficiam-se dessas intervenções tanto a pessoa em processo de terminalidade quanto seus familiares, o que diminui a probabilidade de ocorrência de sintomas psicopatológicos futuros, como depressão e ansiedade, decorrentes da perda ou luto não elaborados. [7]

Nesse contexto, a reaproximação da família (quando for o caso), a resolução de questões pendentes e a disponibilidade de espaço para compartilhar os sentimentos entre os familiares são aspectos importantes para o cuidado, devendo-se incluir as crianças nesse processo. [3]

É comum que os cursos de graduação da área da saúde deem pouco espaço à aprendizagem sobre o cuidado com a família dos doentes. Todavia, o preparo para uma atuação próxima desse público apresenta resultados positivos [3]. Perder um ente querido é uma experiência dolorosa para quem a vivencia e para quem observa, em virtude do sentimento de impotência que gera [7]. Nesse sentido, o psicólogo pode estender a intervenção à equipe, pois "frequentemente membros da equipe mobilizam-se em situações de terminalidade e morte de pessoas hospitalizadas". [7]

Contribuindo com essa ideia, Escudeiro [1] explica que "a dificuldade dos adultos é enfrentar a dor da criança, por medo que ela sofra mais, como se ela não tivesse o direito de sofrer a dor de sua perda". Assim, quando a equipe enfatiza o cuidado com familiares de pacientes terminais e inclui crianças e adolescentes na vivência, ela valida os sentimentos que resultam desse contexto e permitem uma experiência de luto com qualidade, prevenindo danos futuros.

Para tanto, atender a essa demanda de imediato pode evitar o risco do mau prognóstico. Recomenda-se favorecer as visitas ao cemitério, contatar familiares, orientar pessoas do entorno da criança, promover um ambiente com lembranças, auxiliar o genitor sobrevivente ou cuidador da criança a expressar seus sentimentos e a falar de modo mais adequado sobre as perdas. Para que isso ocorra, é fundamental que os profissionais da psicologia estejam preparados para lidar com esse público, seja em termos psicológicos e contratransferenciais, seja em termos de técnicas e abordagens adequadas. [4]

Essas ações que beneficiam a criança diante do processo de morte do genitor, em conjunto com o cuidado interdisciplinar, podem abranger as demandas do paciente oncológico em cuidado paliativo, seja na atenção técnico-médica ou nos anseios psicológicos dessa demanda, permitindo assim um cuidado humanizado e de fato integral a todos os envolvidos.

Considerações finais

A percepção atual da infância blinda o entorno das crianças a fim de impedir que qualquer dano ocorra. Pesquisar o tema da perda parental na infância é uma tarefa delicada, uma vez que envolve um assunto e um público que requerem atenção e cuidado. O que acontece quando a morte se faz pre-

sente nesse meio? Inúmeros são os sentimentos envolvidos; conhecê-los e desenvolver ações para que um dano não gere outros é fundamental quando a agressão ocasionada pela morte é inevitável.

Mais do que estudar a morte, estuda-se o morrer "devagarzinho", que muitas vezes ocorre no âmbito da oncologia, cercando a família de incertezas e de aflições em relação ao futuro. O luto antecipatório, nesses casos, visa preparar os indivíduos em relação ao amanhã que pode não chegar, permeando os familiares do sentimento de perda antes mesmo de ela ocorrer.

É possível perceber, nesse momento, a importância da atenção a crianças e adolescentes no contexto da terminalidade em oncologia, uma vez que a perda de um dos genitores durante a infância pode afetar negativamente o desenvolvimento. Todavia, a reação da criança estará relacionada com a interpretação dos fatos e com o suporte oferecido pelo entorno. Além disso, os fatores intrapsíquicos que a criança já desenvolveu exercem influência, assim como fatores externos: relacionamento mantido com o falecido e com o familiar sobrevivente, circunstâncias da morte, comunicação do ocorrido, participação nos rituais de despedida, dinâmica familiar, mudanças após a perda etc. O modo como o genitor sobrevivente lida com a morte também tem peso importante.

Incluir as crianças no contexto da morte é um processo complexo, pois em geral elas são esquecidas ou poupadas. Além disso, é difícil encontrar um adulto que se sinta à vontade para conversar sobre o tema com a criança.

A possibilidade de morte, presente na vivência da terminalidade do paciente oncológico, permite a reavaliação de planejamentos familiares diante da intervenção psicológica, assim como a facilitação da despedida entre o paciente e seus familiares, além do apoio nesse enfrentamento, a ressignificação de relações comprometidas e o fortalecimento de vínculos. O ritual de despedida propicia aos familiares a aproximação e o preparo para a separação ocasionada pela morte. Permitir que a família participe dos cuidados com o paciente é um facilitador para o luto posterior à morte porque ajuda a reduzir o sentimento de culpa.

Pela intervenção psicológica, objetiva-se identificar medos, dúvidas e expectativas dos pacientes e familiares, auxiliando na comunicação entre os envolvidos, assim como o desenvolvimento de estratégias de prevenção e intervenção diante das perdas ocasionadas pela doença e a expressão de sentimentos, incluindo as crianças nesse processo. Afinal, é papel do psico-oncologista propor atenção integral, objetivando qualidade de vida para o paciente oncológico e seus cuidadores e familiares.

Por isso, fazem parte do trabalho do psicólogo no contexto da oncologia a atenção e orientação à equipe, uma vez que o trabalho em situações de terminalidade e morte com frequência mobiliza seus membros. Além disso, ele deve ajudar a equipe a acolher os familiares de pacientes terminais, validando sentimentos que facilitem, inclusive nas crianças, a vivência de um luto funcional.

É importante ressaltar que na vivência da terminalidade as perdas se iniciam antes da ausência efetiva trazida pelo óbito e diante das perdas diárias ocasionadas pela doença. Assim, essas orientações podem ser úteis antes da morte, nas adaptações trazidas pelo luto antecipatório. É importante orientar a equipe e os familiares, facilitando os processos de despedida e permitindo que as crianças participem deles.

A fim de dar continuidade à atenção ao paciente oncológico terminal e às pessoas do seu entorno, é fundamental que novas pesquisas sejam realizadas, de modo que aprimorem e atualizem os conhecimentos acerca do assunto – apesar da dificuldade de realizá-las, devido às questões éticas que envolvem o tipo de público e o contexto.

Ainda em relação ao trabalho do psicólogo, é importante reforçar a necessidade do aprimoramento profissional constante, bem como o aspecto contratransferencial e os sentimentos gerados no trabalho com esse público.

Referências

1. Escudeiro, A. "Sobre o viver e o morrer". In: Escudeiro, A. (org.). *Tanatologia: temas impertinentes*. Fortaleza: LC, 2011, p. 17-26.

2. Kübler-Ross, E. *Sobre a morte e morrer: o que os doentes têm para ensinar a médicos, enfermeiros, religiosos e aos próprios parentes*. 7. ed. São Paulo: Martins Fontes, 1996.

3. Schmidt, B.; Gabarra, L. M.; Gonçalves, J. R. "Intervenção psicológica em terminalidade e morte: relato de experiência". *Paidéia (Ribeirão Preto)*, v. 21, n. 50, 2011, p. 423-30. Disponível em: <http://www.scielo.br/scielo.php?script=sci_arttext&pid=S0103-863X2011000300015>. Acesso em: 3 maio 2019.

4. Anton, M. C.; Favero, E. "Morte repentina de genitores e luto infantil: uma revisão da literatura em periódicos científicos brasileiros". *Interação em Psicologia*, v. 15, n. 1, 2011, p. 101-10. Disponível em: <https://revistas.ufpr.br/psicologia/article/view/16992>. Acesso em: 3 maio 2019.

5. Franco, M. H. P.; Mazorra, L. "Criança e luto: vivências fantasmáticas diante da morte do genitor". *Estudos de Psicologia (Campinas)*, v. 24, n. 4, 2007, p. 503-11. Disponível em: <http://www.scielo.br/scielo.php?pid=S0103-166X2007000400009&script=sci_abstract&tlng=pt>. Acesso em: 3 maio 2015.

6. Branco, C. M. V. B. C. "A importância de viver o luto". In: Escudeiro, A. (org.). *Tanatologia: temas impertinentes*. Fortaleza: LC, 2011, p. 105-12.

7. Schimidt, B. *et al.* "Terminalidade, morte e luto em famílias com crianças e adolescentes: possibilidades de intervenção psicológica". In: Garcia, A.; Díaz-Loving R. (orgs.). *Relações familiares: estudos latino-americanos*. Vitória: Ufes, 2013.

8. Lima, F. F.; Carvalho, L. V. "A criança e a morte". *Boletim Eletrônico da SBPO*, ano IV, n. 3, 2009.

9. Hilkner, M.; Hilkner, R. R. "A questão da terminalidade". *Saúde, Ética & Justiça*, v. 17, n. 2, 2012, p. 75-81. Disponível em: <https://www.revistas.usp.br/sej/article/view/57255>. Acesso em: 3 maio 2019.

10. Leandro, J. C.; Freitas, P. M. L. "Luto infantil: a vivência diante da perda de um dos pais". *Revista Uningá*, v. 46, n. 1, 2015, p. 69-75. Disponível em: <http://revista.uninga.br/index.php/uninga/article/view/1228>. Acesso em: 3 maio 2019.

11 Campos, C. C. R. "O luto infantil". In: Escudeiro, A. (org.). *Tanatologia: temas impertinentes*. Fortaleza: LC, 2011, p. 95-104.

12. Scannavino, C. S. S. *et al.* "Psico-oncologia: atuação do psicólogo no Hospital de Câncer de Barretos". *Psicologia USP*, v. 24, n. 1, 2013, p. 35-53. Disponível em: <http://www.scielo.br/scielo.php?script=sci_arttext&pid=S0103-65642013000100003&lng=en&nrm=iso>. Acesso em: 3 maio 2019.

15. CUIDADOS PALIATIVOS: O COMPORTAMENTO DA EQUIPE DO SERVIÇO DE ONCOLOGIA DIANTE DA MORTE

Roberta Alexandra Ulrich, Gláucia Rezende Tavares

Situações psicologicamente difíceis na prática do profissional de saúde são aquelas que despertam sentimentos de diferentes tipos ou intensidades, porém envolvendo em algum grau sofrimento psíquico, estresse e necessidade de esforço adaptativo. Caracterizar tais situações seria tarefa difícil, na medida em que a identificação de agentes estressores depende de fatores individuais, como interpretação pessoal e recursos para enfrentamento. [1]

Ainda assim, priorizar a qualidade de vida ao paciente quando já não existem possibilidades terapêuticas curativas e proporcionar-lhe uma morte digna quando em cuidados paliativos e terminais são elementos apontados como importantes e vêm sendo amplamente comentados e analisados, não somente por profissionais que atuam na oncologia como em diversas outras áreas.

Nesse sentido, este capítulo visa apresentar as principais manifestações emocionais e dificuldades dos profissionais da área de oncologia diante da morte e de pacientes em cuidados paliativos oncológicos, uma vez que seu trabalho implica prazer e sofrimento específicos à missão.

Segundo Andreis, Chitero e Silva [2], "[...] o contato constante com pessoas fisicamente doentes ou lesadas e adoecidas gravemente com frequência impõe um fluxo contínuo de atividades que incluem a execução de tarefas agradáveis ou não, repulsivas e aterrorizadoras [...]" (p. 312).

Lidar com a morte, ver, ouvir e pensar sobre ela é um desafio constante na prática dos cuidados paliativos. Compreendê-la e aceitá-la como um processo natural é algo difícil e complexo; porém, essa compreensão e esse reconhecimento podem levar o profissional de saúde a vivenciar a própria morte ou finitude. Isso se dá sobretudo quando não se consegue evitar nem minimizar o sofrimento do paciente, o que torna o processo, muitas vezes, bastante doloroso. [3]

Conforme Incontri [4],

> como o ser humano é uma unidade em que os diferentes aspectos (e carências) estão interconectados, para ir ao seu encontro é preciso um cuidado integrado, com a visão harmoniosa de uma equipe que trabalha em sintonia, conjugando conhecimentos, ações e sensibilidades. (p. 143)

É necessário que os cuidadores que acompanham o paciente, a equipe e seus familiares reconheçam e aceitem a possibilidade da morte e enfrentem, com o doente, todas as questões inerentes ao fim da vida. A equipe deve estar preparada para lidar com a morte iminente do paciente, levando em conta suas crenças e seus valores. Portanto, além do conhecimento técnico, o autocuidado, a empatia e o autoconhecimento constituem fatores essenciais nesse momento, sendo de suma importância que esses profissionais estejam em sintonia no que se refere a alguns princípios, valores e condutas. [4]

Nesse ponto, é preciso destacar o aspecto individual do enfrentamento da morte, o qual está relacionado com fatores pessoais, familiares, históricos e socioculturais. Características de personalidade, histórico pessoal de perdas e de enfrentamento, educação recebida para a morte, características e circunstâncias da morte ou doença, acesso às informações sobre o ocorrido, apoio recebido e possibilidade de expressão dos sentimentos terão influência no modo de enfrentamento. É comum que o profissional reflita sobre a vida, a finitude e a própria morte quando está diante de um paciente terminal ou em cuidados paliativos. [5]

Por isso, é fundamental conhecer e identificar as principais dificuldades manifestadas pelos profissionais que atuam diretamente na assistência aos pacientes oncológicos, em cuidados paliativos e em fase final de vida. Estes devem estar preparados para lidar com as próprias emoções e para auxiliar pacientes e familiares a lidar com reações emocionais adversas.

Manifestações emocionais da equipe diante da morte

A morte, a finitude, os cuidados paliativos e a terminalidade são sempre temas delicados, pouco comentados e pouco discutidos nas mais diversas culturas. A morte, por exemplo, pode ter várias definições. Para Kovács [6], ela "se caracteriza pela interrupção completa e definitiva das funções vitais de um organismo vivo, com o desaparecimento da coerência funcional e destruição progressiva das unidades tissulares e celulares" (p. 10).

Segundo Matias [7], "a palavra morte traz consigo muitos atributos e associações, tais como: dor, ruptura, interrupções, desconhecimento, tristeza. Designa o fim absoluto de um ser humano, de um animal" (p. 205).

Culturalmente, costumamos ver a doença como um castigo e a morte como um fim devastador e trágico, que rouba a vida. Figueiredo e Bifulco [1] lembram-nos de que a morte é a finalização de um ciclo, o ciclo da vida. No caso de adoecimentos que provocam muito sofrimento, podem ser o descanso tão almejado.

Difícil querer entrar em contato com a nossa finitude, pois a vida é o maior bem que temos, e para vivermos bem é necessário aceitar que a morte faça parte dela. Embora todos nós, por meios próprios, tentemos evitar e até adiar o encontro relacionado com a perda e a morte, só seremos capazes de evoluir quando refletirmos sobre nossa finitude – algo que só pode ser feito individualmente.

Para Kübler-Ross [8], "talvez devamos voltar ao ser humano individual e começar do ponto de partida para tentar compreender nossa própria morte, aprendendo a encarar menos irracionalmente e com menos temor este acontecimento trágico, mas inevitável" (p. 26).

Embora a morte seja um tema sempre presente para a humanidade e cotidianamente vivenciado por cada um, ainda é motivo de angústia e reflexões. Não há como negá-la [9]. Como outros fenômenos da vida social, o processo de morrer pode ser vivido de distintas formas, de acordo com os significados compartilhados por essa experiência. Os sentidos atribuídos ao processo do morrer sofrem variação segundo o momento histórico e os contextos socioculturais. [10]

A experiência da perda é um dos acontecimentos mais estressantes que o ser humano pode vivenciar. A vivência da proximidade da morte se reflete no indivíduo, na família, na equipe de saúde envolvida nos cuidados aos pacientes e na comunidade, pois está relacionada com o rompimento de vínculos. Kovács [11] sugere que a educação para a morte é primordial para o desenvolvimento pessoal.

Os vínculos formados entre a equipe e pacientes podem ser frágeis, no sentido de que vai se construindo uma relação subjetiva de compromisso, permeada por solidariedade, ternura e apegos mútuos. Os significados deixam de ser individuais para configurar um sentido social. Popim e Boemer [12] afirmam que "a morte implica na ruptura do vínculo gerado, revelando ser um processo doloroso para o profissional. Esse desgaste, gerado pela morte e agravo do estado de saúde do paciente, geralmente é reconhecido por profissionais que atuam com pacientes oncológicos" (p. 683).

Para Chaves *et al.* [13], "a não cura é encarada por muitos profissionais como uma derrota, uma frustração, uma área de não investimento. A doença terminal e a morte foram 'hospitalizadas' e a sociedade em geral distanciou-se dos problemas do final de vida" (p. 253).

Por isso, as questões relacionadas com as limitações do tratamento, mais precisamente com os princípios éticos, precisam ser discutidas para que só então as decisões sejam tomadas. Afinal, não é somente a morte o evento mais temido, mas também acompanhar o caminho a ser trilhado até lá. [14]

É possível observar que, para um profissional de saúde, a questão de não saber o que fazer ou de sentir-se incapaz diante de determinadas situações acaba servindo como justificativa para o distanciamento – e muitas vezes para a evitação – perante o paciente e seus familiares. Em muitas situações os cuidadores não estão desistindo ou desinvestindo do paciente, mas se defendendo do sofrimento que a consciência da morte suscita. Quase sempre esses profissionais se sentem impotentes diante das angústias, das dores e dos medos daqueles que estão se despedindo da vida. [15]

O contato constante e contínuo com a morte pode gerar bastante ansiedade [16] e levar os profissionais a criar comportamentos muitas vezes defensivos diante de situações mais delicadas. Estas acabam não sendo compartilhadas entre a equipe, o que pode influenciar significativamente o estado emocional do paciente durante o tratamento. Assim, as conversas entre os profissionais da equipe evitam que o profissional lance mão de algumas defesas para tentar lidar com o estresse causado pelo trabalho com a morte.

De acordo com Franco [3], "[...] fragmentação da relação com o paciente; despersonalização e negação da importância da pessoa; distanciamento e repressão de sentimentos e até mesmo não responsabilização pelas decisões tomadas" (p. 112) constituem fatores significativos a ser discutidos para proporcionar de maneira ética e eficaz o cuidado integral ao paciente.

Os cuidados paliativos podem gerar na equipe sensação de frustração e impotência. Diante disso, conforme Quintana, Santos e Lima [17], "a dificuldade de estabelecer um diálogo com o paciente sem perspectivas de cura se inicia na própria comunicação do diagnóstico, quando é comum a ocultação de informação, geralmente sustentada pelo argumento de que essa notícia poderia levá-lo à depressão, gerando um agravamento da doença" (p. 416).

As dificuldades relacionadas com as limitações de tratamento e terminalidade do paciente também se tornaram mais evidentes pelos avanços tecnológicos que surgiram na área da saúde nos últimos anos. Quintana, Santos e Lima acrescentam que, à medida que os profissionais se tornaram dependentes da tecnologia, distanciaram-se mais ainda do paciente em situação de finitude, mesmo que tal fato traga a sensação de um controle sobre o tempo e as condições da morte.

Em consequência, o profissional pode vivenciar a morte como fracasso, um incidente frustrante, desmotivador e sem significado. Historicamente, em função dos avanços da medicina, a maneira de lidar com a morte e a doença mudou muito; hoje a morte é vista como oculta, vergonhosa, e não mais como contingência da vida. [11]

Para fazer frente às dificuldades vivenciadas pela equipe, suporte e cuidado são fundamentais. A capacitação contínua da equipe de saúde, condições de trabalho adequadas e uma boa relação entre os diversos serviços são ferramentas que permitem atender demandas tão complexas e variáveis [18]. Ao lidar com as dificuldades, o despreparo decorrente de uma formação não dirigida para as questões da morte e do morrer faz que boa parte das condições definidas como necessárias para o encaminhamento do tratamento não seja atingida.

A equipe precisa utilizar uma comunicação clara e transparente, sempre buscando respeitar, valorizar, compreender e confiar nos membros da equipe. A discussão de casos e a comunicação aberta e amistosa ajudam os profissionais de saúde a lidar com esses casos. Afinal, é uma equipe composta por trabalhadores de diversas formações básicas, que precisam atuar interdisciplinarmente em momentos bem delicados [4]. Por isso a discussão de conflitos e condutas deve ser compartilhada entre todos. Uma das estratégias utilizadas para que os profissionais desenvolvam seus cuidados de maneira integral e mantenham sua saúde mental é manter a manutenção de uma cultura de cuidados paliativos na equipe. [3]

Quintana, Santos e Lima [17] sugerem que "[...] sejam propiciados momentos para discutir as questões da morte e do morrer, tanto no meio acadêmico quanto hospitalar, proporcionando a elaboração dos medos e fantasias da equipe de saúde frente ao desconhecido que essa questão envolve" (p. 423).

Na prática, muitas vezes cria-se uma expectativa de que o profissional tenha um comportamento de distanciamento do paciente – algo fora da realidade e das condições do ser humano, pois é quase impossível que não ocorra a formação de vínculos. Daí a importância de a equipe adotar uma filosofia e princípios comuns que orientem as ações de maneira uniforme, sendo compassiva e competente tecnicamente para lidar com as mais diversas etapas da doença. O paciente não pode ser visto como uma derrota, um caso perdido, mas como um ser humano que necessita de ajuda diante da morte.

Segundo Franco [3],

> embora os objetivos e os princípios relativos aos cuidados paliativos já estejam delineados, sua operacionalização não é tão simples. A consecução do estabelecido esbarra em questões que envolvem treinamento técnico, filosofia institucional, valores e crenças dos profissionais, além de aspectos interpessoais relacionados ao paciente, à família e à equipe. (p. 105)

O processo de decisão dos profissionais está relacionado com as metas que se deseja alcançar dependendo do estado de cada paciente, uma vez que a cura não é mais possível. Nesse sentido, devem-se procurar e realizar condutas que não sejam invasivas e agressivas ao paciente, mesmo que a probabilidade de sucesso seja baixa ou indeterminada. Quando as metas de prolongar a sobrevida tornam-se inatingíveis, é preciso mudar as prioridades. A sensibilidade do profissional é importante para perceber quão vulnerável está o paciente a fim de agir de modo empático. [19]

É nesse momento que a fala, os desejos e as preferências do paciente são mais relevantes. Ele tem direitos e precisa participar de todo o processo de adoecimento até o momento da morte iminente. Aquele que depara com as limitações de seu tratamento deve ter ciência do avanço da doença e da proximidade da morte, bem como oportunidade de expressar seus desejos e sentimentos aos familiares e à equipe de cuidado. Nesse momento, é fundamental que o profissional exerça seu compromisso bioético, levando em consideração os valores e a dignidade do viver e do morrer, considerando essa dignidade e valorização além da dimensão físico-biológica, mas ampliando o horizonte e integrando a dimensão sociorrelacional. [13]

É importante que os profissionais estejam preparados emocional e espiritualmente para ser confrontados com dilemas existenciais dos pacientes que podem gerar reações emocionais neles próprios. O contato com os cuidados paliativos e a terminalidade gera impacto emocional significativo na equipe, que se compromete com o cuidado integral do paciente. Um dos principais objetivos do profissional da área de oncologia é aliviar o sofrimento, respeitando um direito ético que envolve componentes como cuidado, compaixão, empatia, justiça, resiliência, coragem, humildade e audácia, sensibilidade às diferenças, verdade, espiritualidade e aceitação da morte como parte do ciclo natural da vida. Kovács [11] ressalta que "[...] hoje os sintomas são camuflados, não se fala a respeito e, muitas vezes, vemos pacientes confusos e desorientados com o estágio da doença em que se encontram" (p. 265).

Incontri [4] pondera "[...] que se não houver uma certa liga afetiva numa equipe interdisciplinar, não há como fazer emanar dela o cuidado sensível com o outro, o trabalho bem-feito, a capacidade de superar conflitos para gerar um afeto pleno" (p. 146).

Muitas vezes é necessário que cada membro da equipe, em vez de criar mecanismos de defesa e fuga diante do sofrimento do outro, aceite o risco de sofrer compartilhando sua dificuldade com a própria equipe, fazendo que a união de sentimentos e condutas alivie o sofrimento do próximo.

Considerações finais

O objetivo deste trabalho foi apresentar e conhecer as principais manifestações emocionais e dificuldades dos profissionais da área de oncologia diante da morte e de pacientes em cuidados paliativos oncológicos. Para isso, analisamos as principais dificuldades da equipe, a fim de refletirmos sobre profissionais mais estruturados emocionalmente para lidar com esses pacientes.

Os dados levantados mostram a importância de observarmos a formação do profissional de saúde que lida com a terminalidade, bem como a complexidade de todo esse processo. Isso nos permite compreender por que a preocupação com a formação de recursos humanos nesse campo é mais do que urgente, uma vez que exige atenção a todas as dimensões do ser – física, espiritual, social, psicológica, relacional e econômica.

Na prática dos cuidados paliativos em oncologia, percebe-se nitidamente a presença de sentimentos de impotência na equipe e, muitas vezes, até de fracasso diante da impossibilidade de proporcionar a cura ao paciente – o que o impede de vivenciar seu processo de morte iminente de maneira adequada e digna. Identificam-se também vários medos, frustração e tristeza por parte dos profissionais diante da morte e da finitude. No caso dos cuidados paliativos, fica claro que características culturais, crenças e valores exercem papel determinante na estruturação dessas equipes. Muitas vezes, os sentimentos revelados escapam à observação objetiva, mas as acompanham, interferindo em seu modo de agir, de pensar, de existir.

A complexidade do tratamento do câncer requer habilidades tanto técnico-científicas como relacionais e espirituais. Quando o paciente depara com os limites do tratamento, leva a equipe a seus valores e crenças diante da morte.

As pesquisas também mostram a dificuldade da equipe de comunicar limitações do tratamento ao paciente e a seus familiares. Levando em conta que essa comunicação é necessária e importante no processo de cuidado do enfermo, isso traz várias dificuldades, inclusive de conduta, para o restante da equipe envolvida nos cuidados específicos do paciente.

Assim, fica patente que o profissional que atua na assistência aos pacientes oncológicos e no cuidado integral do paciente em cuidados paliativos necessita se aperfeiçoar e atentar para as principais limitações. A boa conduta garante ao paciente e a seus familiares uma melhor qualidade de vida, com respeito e dignidade.

Para finalizar, ressaltamos a necessidade da educação para a morte, a perda e o luto para profissionais de saúde que atuam na assistência a pacientes oncológicos. Faz parte da nossa tarefa contribuir para a transformação das atitudes diante desses processos.

Referências

1. Figueiredo, M. T. A.; Bifulco, V. A. "A psico-oncologia e o atendimento domiciliar em cuidados paliativos". In: Carvalho, V. A. *et al.* (orgs.). *Temas em psico-oncologia*. São Paulo: Summus, 2008.

2. Andreis, M.; Chitero, E. F.; Silva, S. C. A. "Situações psicologicamente difíceis: preparo de equipes". In: Knobel, E. *Psicologia e humanização: assistência aos pacientes graves.* São Paulo: Atheneu; 2008.

3. Franco, M. H. P. *Formação e rompimento de vínculos: o dilema das perdas na atualidade.* São Paulo: Summus, 2010.

4. Incontri, D. "Equipes interdisciplinares em cuidados paliativos – Religando o saber e o sentir". In: Santos, F. S. (org.). *Cuidados paliativos: diretrizes, humanização e alívio dos sintomas.* São Paulo: Atheneu, 2011.

5. Callegari, L. A. "A autonomia do médico". In: Santos, F. S. (org.). *Cuidados paliativos: diretrizes, humanização e alívio dos sintomas.* São Paulo: Atheneu, 2011.

6. Kovács, M. J. *Morte e desenvolvimento humano.* São Paulo: Casa do Psicólogo, 1992.

7. Matias, B. D. "Profissionais de saúde diante da morte". In: Escudeiro, A. (orgs.). *Tanatologia: conceitos, relatos, reflexões.* Fortaleza: LC, 2008.

8. Kübler-Ross, E. *Sobre a morte e o morrer: o que os doentes terminais têm para ensinar a médicos, enfermeiras, religiosos e aos seus próprios parentes.* 7. ed. São Paulo: Martins Fontes, 1996.

9. Almeida, A. M. *et al.* "Coping espiritual e cuidados paliativos". In: Santos, F. S. (org.). *Cuidados paliativos: diretrizes, humanização e alívio dos sintomas.* São Paulo: Atheneu, 2011.

10. Menezes, R. A. *Em busca da boa morte: antropologia dos cuidados paliativos.* Rio de Janeiro: Garamond/Fiocruz, 2004.

11. Kovács, M. J. "Aproximação da morte". In: Carvalho, V. A. *et al.* (orgs.). *Temas em psico-oncologia.* São Paulo: Summus, 2008.

12. Popim, R. C.; Boemer, M. R. "Cuidar em oncologia na perspectiva de Alfred Schütz". *Revista Latino-Americana de Enfermagem*, v. 13, n. 5, 2005, p. 677-85. Disponível em: <http://www.scielo.br/scielo.php?script=sci_arttex-

t&pid=S0104-11692005000500011&lng=en>. Acesso em: 3 maio 2019.

13. Chaves, J. H. B. *et al*. "Cuidados paliativos na prática médica: contexto bioético". *Revista Dor*, v. 12, n. 3, 2011, p. 250-55. Disponível em: <http://www.scielo.br/scielo.php?script=sci_arttext&pid=S1806-00132011000300011&lng=en>. Acesso em: 3 maio 2019.

14. Silva, R. C. F.; Hortale, V. A. "Cuidados paliativos oncológicos: elementos para o debate de diretrizes nesta área". *Cadernos de Saúde Pública*, v. 22, n. 1, 2006, p. 2055-66. Disponível em: <http://www.scielo.br/scielo.php?script=sci_arttext&pid=S0102-311X2006001000011&lng=en>. Acesso em: 3 maio 2019.

15. Prade, C. F.; Casellato, G.; Silva, A. L. M. "Cuidados paliativos e comportamento perante a morte". In: Knobel, E. (org.). *Psicologia e humanização: assistência aos pacientes graves*. São Paulo: Atheneu, 2008.

16. Moraes, M. C. "O paciente oncológico, o psicólogo e o hospital". In: Carvalho, M. M. J. (org.). *Introdução à psico-oncologia*. Campinas: Livro Pleno, 2003.

17. Quintana, A. M.; Santos, M. S.; Lima, L. D. "Sentimentos e percepções da equipe de saúde frente ao paciente terminal". *Paideia*, v. 16, n. 35, 2006, p. 415-25.

18. Macieira, R. C.; Palma, R. R. "Psico-oncologia e cuidados paliativos". In: Santos, F. S. (org.). *Cuidados paliativos: diretrizes, humanização e alívio dos sintomas*. São Paulo: Atheneu, 2011.

19. Floriani, C. A.; Schramm, F. R. "Cuidados paliativos: interfaces, conflitos e necessidades". *Ciência & Saúde Coletiva*, v. 2, supl. 2, 2008, p. 2123-32. Disponível em: <http://www.scielo.br/scielo.php?script=sci_arttext&pid=S1413-81232008000900017&lng=en>. Acesso em: 3 maio 2019.

16. A MORTE NA ONCOLOGIA: ARRANJOS FUNDAMENTAIS QUE POSSIBILITAM SIGNIFICAR A PRÓPRIA EXPERIÊNCIA DO MORRER

Keli Virginia Ebert, Regina Liberato

"É impossível conhecer o homem sem lhe estudar a morte, porque, talvez mais do que na vida, é na morte que o homem se revela. É nas suas atitudes e crenças perante a morte que o homem exprime o que a vida tem de mais fundamental."

Edgar Morin [1]

A vivência de um trabalho psicológico com pacientes oncológicos evoca inúmeras questões sobre a vida e a morte, ou sobre o processo de morrer. Mesmo diante de tantos avanços no campo da ciência, a morte continua sendo a nossa única certeza, de difícil digestão. Acreditamos que falar sobre a morte é aproximá-la de nós.

Por mais que os avanços aconteçam, a ciência se recrie e a tecnologia se sobressaia, sabe-se que esses conhecimentos ainda não nos ajudam diante da imensidão daquilo que insiste em permanecer na ordem do desconhecido. Entre os mistérios da vida encontra-se a morte, esse terror de tornar-se inexistente. Nesse campo o sujeito se defronta com a ideia do nada, do deixar de ser e da impossibilidade de falar, para assim poder representar essa angústia, o que é estarrecedor para o ser humano.

Diante dos avanços das ciências, ainda deparamos nos hospitais com leitos repletos de pessoas morrendo com dor ou com a consciência entorpecida por analgésicos. A ciência ainda não sabe balsamizar dores tão importantes quanto as físicas, as dores da alma. Não há medicamento que atue nas estruturas de uma alma.

O surpreendente disso tudo é perceber que, quando a equipe se vê diante dos limites das terapêuticas que curam, resta algo que podemos definir como a essência do bom andamento de um tratamento. Quando não há mais a que recorrer, resta então ao paciente e a seus familiares voltar-se para si. É aí que, muitas vezes, algumas pessoas começarão a falar daquilo que lhes é necessário. Quando a ciência revela seu limite, o sujeito é então convocado. Portanto, o que preocupa, como Marisa Decat cita [2], é pensar que "eliminar a doença antes mesmo de o sujeito existir é a direção dos avanços da ciência" (p. 408).

A escuta na psico-oncologia nos possibilita tratar do sofrimento psíquico de uma pessoa acometida pelo câncer, diferenciando-se, assim, de uma prática oncológica que visa tratar do câncer de uma pessoa. A nossa escuta se direciona, desse modo, para aquilo que ultrapassa os limites de um corpo/órgão/matéria palpável, caminhando ao encontro da singularidade de cada sujeito, que nessa condição se aflige por deparar com o limite de um corpo que sofre.

O adoecimento e a ideia de que não existem possibilidades terapêuticas para curar o câncer são experiências que exigem um esforço do paciente para acolher essa realidade em seu psiquismo, pois isso é buscar dar sentido àquilo que não faz, a princípio, sentido nenhum.

Segundo Lacan [3], é nesse momento que o sujeito depara com o Real, num espaço esvaziado de saber e de sentido: "É justamente onde o sujeito não encontrou, de imediato, significantes que circunscrevem esse Real, que irrompe esse excesso pulsional que transborda em seu corpo, produzindo nele a experiência de angústia, a experiência de estranhamento" (p. 112).

O Real citado por Lacan é aquilo que é apontado pela angústia. O Real entra em cena quando o sujeito depara com a lembrança da condição humana em sua finitude, habitualmente recalcada. Por mais que o Real seja um limite da palavra, como profissionais que trabalham com a psique, devemos estar diante desse sujeito que se dispõe a falar, instigando assim o paciente a falar sobre isso. Colocar em palavras é importante.

No ápice da angústia falta ao sujeito um saber que organiza o campo das incertezas. Portanto, aí está a importância de fazer falar. Entrar em contato com a finitude, no Real do corpo, é uma experiência que deixa marcas, pois essa é uma maneira de percebemos que as pessoas têm o insuportável hábito de morrer.

Mesmo diante da notícia de impossibilidade de cura de uma doença, convém que o sujeito esteja acordado para enfrentar o que for necessário. A luta pela vida que ainda pulsa está vinculada ao processo de elaboração do luto de uma condição perdida, como cita Maria Lívia Moretto [4]: "Aquilo que é impossível no Real é comum ser experienciado pelo paciente como impotência pela via imaginária" (p. 89). Para tornar possível o impossível de suportar, precisamos usar meios terapêuticos, tomando uma direção que possibilite tratar do Real pela via do simbólico. E essa trilha é singular.

Diante dessas ideias, gostaríamos de nos dedicar ao assunto do atendimento a pacientes em final de vida, buscando assim criar possibilidades para que a assistência ao paciente oncológico seja ofertada aos que sofrem. Esse é um momento em que o paciente vivenciará situações "inesperadas" de perda – da perda da condição de ser humano saudável à perda daquilo que o representava na condição de sujeito e à possibilidade da perda da própria vida.

A ideia é a de levantar questões e elaborar condições visando compreender essas situações enfrentadas por um paciente oncológico terminal por intermédio dos preceitos da psico-oncologia. Para tanto, utilizaremos a experiência clínica e levantamentos bibliográficos, que possibilitam analisar e investigar os "arranjos" que cada paciente cria em busca de uma tentativa de nomear sua experiência do morrer. Ressaltaremos neste trabalho um tipo de "arranjo" muito utilizado pelos pacientes: o "delírio" diante da morte. É como se o paciente, diante da própria morte, lançasse mão de outra linguagem – a do delírio – para falar dessa experiência que aponta para o limite da palavra.

A proposta é investigar essa outra linguagem, necessária para tornar possível a vivência desse Real escancarado e descoberto que chega como inassimilável simbolicamente, delírio esse que não é reação a tratamento medicamentoso – *delirium mortis*, como a medicina nos descreve – nem psicótico, mas que se apresenta com a intenção de defrontar e conviver com algo incompreensível para o sujeito: a própria morte. Aqui trataremos de falar dele, mas antes precisamos levantar algumas questões.

Será possível para o sujeito, por meio desse arranjo feito pela linguagem do delírio, representar parcialmente a própria morte?

O que Freud nos deixou, no texto *Reflexões para o tempo de guerra e morte*, e que muito nos ajudou a esmiuçar essa ideia, foi a concepção de que o sujeito não representa a própria morte, pois não sobrevive a ela.

Escreve Freud [5] que, "de fato, é impossível imaginar a própria morte e, sempre que tentamos fazê-lo, podemos perceber que ainda estamos presentes como espectadores, ou dizendo a mesma coisa de outra maneira, que no inconsciente cada um de nós está convencido de sua própria imortalidade" (p. 327).

Porém, independentemente de não sobrevivermos a ela, isso não significa que ela passe despercebida. Não significa, portanto, que o fato de não experimentarmos a nossa morte implicaria não podermos falar dela quando jogados à sua frente.

A investigação dessa questão está na aposta de que o delírio entraria aqui como uma possível forma de nomear isso que, mesmo livremente, não damos conta de falar.

O delírio apresentado pelos pacientes em final de vida precisa ser interrogado. Não podemos nos reduzir à resposta de um diagnóstico de *delirium mortis*, de *delírio medicamentoso* ou de *delírio psicótico*, todos esses tendo seu lugar de importância para a condução e o tratamento de cada caso. Porém, é necessário atentarmos para algo que se dá para além desses tipos de delírio, já muito bem estudados e fundamentados. É preciso criar espaço para inserir um modo de pensar sobre o aparelho psíquico diante das situações da finitude do paciente oncológico e ampliar o entendimento das reações diante desse processo.

O desamparo diante da morte

Para falar do que aqui nos interessa, abordaremos o trauma vivido por um paciente diante da ideia da sua finitude. Filosofar sobre a morte pode ser algo excepcional, mas as condições mudam quando se vive essa condição na própria pele.

Quando o sujeito depara com a ideia do fim de sua existência, ele não encontra meios de elaborar essa situação enfrentada; ocorre então o que nomeamos trauma – ele vive algo que não consegue simbolizar. Há, nessas situações, uma dor para além do corpo físico que padece de uma doença junto com um órgão afetado. Encontramos um ser que sofre e que precisa ser acolhido em sua dor psíquica.

Diante disso, percebe-se a necessidade de um espaço em que seja possível um trabalho de restituição subjetiva para com esses pacientes oncológicos.

A literatura psicanalítica mostra que, independentemente do fato de algo escapar ao processo simbólico, isso não significa que deixa de ter um caráter ativo na vida dessas pessoas. É preciso abrir vias, criar condições para que o sujeito simbolize o acontecido, pois a piora do quadro clínico do paciente não oferece trégua ao aparelho psíquico. Este está o tempo todo se havendo com os excessos que o tratamento oncológico lhe traz.

Tomar conhecimento de que não há possibilidade de cura para uma doença leva o sujeito a desorganizar suas certezas, pois até então provavelmente vivia em certa condição de estar amparado, de ter estabilidade e segurança na vida. A doença faz que o paciente presentifique o afeto do desamparo. Trata-se, nessa situação, de um desamparo subjetivo, estando ele diante do traumático sem possibilidades de representá-lo.

Para isso, faz-se necessário repensar alguns modos de atuação da clínica psicológica, pois quando nos referimos à finitude reportamo-nos a questões de difícil conceituação. Por se tratar de algo que quando vivenciado se mostra muitas vezes impossível de nomear, evidencia a necessidade de encontrar recursos que permitam simbolizar o vivenciado.

Estudos apontam para a linguagem do delírio como um arranjo natural emergente no momento em que o sujeito enfrenta seu morrer, com a função de lidar, mesmo que parcialmente, com o processo de finitude que tratamos como irrepresentável no inconsciente.

Como bem afirma a psicanálise, a morte é um significante velado pela linguagem – portanto, difícil de representar, porém não impossível. É justamente por ser velado que devemos entender que há algo por trás disso: a aposta de que falar sobre a morte é possível, sim, para que o sujeito possa parcialmente dizer e viver esse momento diante dela; parcialmente por se tratar de um "não todo" possível de representações, pois há algo nisso, como há em diversas situações, que escapa, foge, escorrega da via de representação pela palavra.

Freud, em 1927, elabora algumas concepções a respeito do desamparo, entre elas a noção do desamparo relacionado com a necessidade de o bebê satisfazer as próprias demandas, denotando assim total dependência do outro para sobreviver. Essa primeira relação de desamparo citada pelo autor trata somente da incapacidade do bebê de sobreviver pelas próprias forças sem a ajuda de outro.

Freud [5] afirma que "os primeiros objetos sexuais de uma criança são as pessoas que se preocupam com a sua alimentação, cuidados e proteção" (p. 103). Ele retoma a questão do desamparo mais tarde [6], referindo-se a ela como

> [...] uma falta de garantias que o ser humano tem para com o mundo, criando assim deuses e se ancorando nas religiões na tentativa de compensar este desamparo. Através destas ideias religiosas o homem atribui poder a um pai protetor, para que este pai possa lhe salvar e principalmente oferecer alternativas para o sujeito diante da temível morte. (p. 103)

Freud confere ao desamparo um estatuto de dimensão fundamental da vida psíquica, sendo o que indica os limites e condições de possibilidades dos processos de simbolização e da linguagem [7]. A condição de desamparo é, portanto, determinante na estruturação psíquica e impossibilidade de acesso ao objeto de satisfação.

Lacan, ao retomar Freud em suas obras, relatou que a questão da dependência da criança para com a mãe se inscreve para além das necessidades vitais. O mais importante na demanda não é satisfazer a necessidade em si, mas o fato de o Outro responder, pois enquanto sua necessidade é satisfeita a questão do outro nem se coloca para o sujeito. Diz Pereira [7]:

A questão da dependência para com a mãe inscreve-se numa dialética da dádiva. Enquanto a criança recebe a satisfação desejada onde a espera, a questão do outro nem mesmo se coloca para ela. Nestas condições, a mãe ainda não é vivenciada como distinta do próprio indivíduo. No entanto, tudo se modifica no momento em que a mãe não traz mais a satisfação esperada. (p. 655)

Nesse exato momento, segundo Lacan, a mãe torna-se Real. Torna-se Real no momento em que a criança faz sua passagem ao simbólico. A mãe pode, a partir de então, não mais se inscrever, não aparecer no lugar de satisfação que lhe era atribuído e a criança descobre, para seu desespero, que nada pode fazer. A dependência da mãe, portanto, é dependência de amor. Por meio do amor dessa mãe para com seu bebê é que esse corpo poderá se tornar um corpo pulsional. Ao demarcar o corpo do bebê, por meio da fala, do contato, do olhar, propõe-se trabalho ao psiquismo. A mãe erogeniza esse corpo e demarca-o por meio do afeto que vem do outro e nutre essa criança, assim a inscrevendo no mundo, o que é efeito do trabalho da pulsão – e é desse trabalho que se constituirá o eu.

Vemos que a criança, ao se constituir, passa primeiro à condição de objeto de desejo da mãe, que é quem articula suas necessidades vitais e de amor. E é nesse plano de ser objeto de realização do desejo dessa mãe que a angústia se instaura. É por isso que Lacan diz que o desamparo que o sujeito vive é o desamparo do encontro com o obscuro desejo do Outro, diante do qual se vê sem recursos para agir. E mais, será por meio desse drama vivido pelo sujeito, de não saber sobre o Outro e nem sobre si, que o sujeito se constituirá, pois será por esse "não saber" que o sujeito terá de se situar, criar caminhos, construir seu modo de ser.

Quando falamos de finitude, observamos uma falta de recursos simbólicos capazes de lidar com o Real, uma dificuldade de representar a angústia vivida. É nesse momento que nos deteremos para dizer dessa experiência com pacientes que, muitas vezes, como citam as equipes de saúde que os acompanham, estão "fora de possibilidade de cura".

É quando algo se rompe na vida do sujeito que muitas vezes ocorre a interrupção de um circuito de satisfação pulsional, lançando assim esse sujeito em um desamparo difícil de nomear e que ocasiona a angústia.

Trata-se de uma perda de posição libidinal. O lugar que antes esse sujeito ocupava já não é mais possível de ser ocupado por ele, pois, após o recebimento de uma notícia que rompe com a realidade vivida até o momento, algo mexe com as certezas que o sustentavam. É importante e faz parte da função do psico-oncologista oferecer primeiramente um lugar para que esse indivíduo possa buscar representar seu sofrimento, restituindo seu valor na condição de sujeito que busca um fim de vida digno.

Durante o período de fim de vida, o sujeito vive perdas todo o tempo, atravessa etapas de um luto, abdica da própria posição que antes ocupava no mundo. Vive e diz sentir-se desamparado, recorrendo a ideias que supostamente possam "acalmá-lo". Sua posição anterior deixa de existir para dar espaço a uma nova. Porém, essa nova posição muitas vezes lhe causa horror. É a escuta fundamentada nos preceitos da psico-oncologia que possibilitará que o excesso seja simbolizado, retirando assim o sujeito do mortífero que experiencia ainda vivo e do irrepresentável. Por meio da escuta psicológica, será possível criar caminhos que permitam incluir a vida quando se está caminhando para o desfecho dela.

O delírio como forma de representar o inominável

O *delirium mortis* é descrito pelo discurso médico, segundo Bernardo [8], como um

estado confusional agudo que deriva de uma disfunção orgânica cerebral difusa, funcionando nos doentes terminais como um sinal da possível proximidade da fase agônica. O delírio para a medicina pode se dar devido a diversos fatores, dentre eles: em decorrência de fatores químicos como a própria toxicidade, decorrente de metástases cerebrais no caso dos tumores, ou então aquele que aqui venho questionar, um delírio ocasionado pela desordenação da atividade mental, devido à hipóxia, que é a baixa concentração de oxigênio no sangue. (p. 46)

Sabemos que, para a psiquiatria, o estatuto de delírio está estruturado na psicose, o que também não se encaixa nesses casos que aqui descrevemos, pois estamos falando de neuróticos diante de situações-limite.

É preciso deixar claro que não se trata de delírios psicóticos e que não se resumem a *delirium mortis*. Referimo-nos a um estado confusional de pacientes diante da morte que aqui chamamos de delírio porque assim a equipe médica o nomeia.

O objetivo é analisar esses estados confusionais dos pacientes oncológicos diante da morte, demarcando esses delírios como uma possibilidade de representação da própria morte.

A ideia não é fechar pontos de discussão, mas concluir que esse é o início de um longo caminho que precisa ser percorrido. É fundamental encontrarmos meios para que o paciente fale de seu desamparo, podendo assim significar sua angústia. Para tanto, é indispensável repensarmos os conceitos propostos sobre o estado delirante do paciente terminal e, por meio disso, analisarmos a possibilidade de um modo de significar a própria morte quando diante dela.

Basta estarmos atentos a esses delírios, nos pacientes em fim de vida, por meio da escuta para verificarmos que há algo para além do sintomático nessas situações. O delírio tem uma dinâmica de ordem subjetiva que visa significar a situação atual vivida ou, em muitos casos, constitui um apelo rumo à reparação de um trauma anterior.

Um sujeito que ouve e vivencia, a cada momento, no próprio corpo a ideia de que é um "ser-para-a-morte" experiencia momentos de angústia. Diríamos até que o sujeito imaginar o seu próprio desaparecimento é uma forma de sentir-se traumaticamente desamparado. Portanto, essa experiência nos convoca a reinventar práticas de atuação. Reinvenção porque tanto o paciente necessita de arranjos para passar por esse momento como nós, na função de psico-oncologistas, precisamos reinventar modos de operar diante desses sujeitos que sofrem e devem ser ouvidos em sua dor.

São poucos os que não se recusam a falar quando as dificuldades de se manter presentes são grandes. Nos que falam, observamos que muitos o fazem sob delírio, que ousamos aqui chamar de delírio para

a morte. O que precisamos nos interrogar é se não será somente por meio desse delírio que poderemos representar algo de irrepresentável.

É como se somente por meio dele se pudesse estar "pronto" para deixar o que para muitos é tão difícil deixar: *a vida.*

É preciso, portanto, que o psico-oncologista se ofereça para o trabalho, possibilitando assim a fala, dado que será somente por meio dessa oportunidade que algo poderá ser analisado. Será justamente por meio desse espaço concedido que poderemos ouvir algo que vai além da ideia da impossibilidade de representar a própria morte, não a tomando mais como inanalisável, mas como um limite do que é analisável.

É preciso, por meio de um olhar psicológico, abrir espaço para um modo de pensar o aparelho psíquico diante dessas situações, e não mais pensar só no orgânico e em suas reações diante o término da vida, pois isso a medicina já faz muito bem. Cabe, portanto, aos profissionais da psicologia que atuam em hospitais encontrar novos meios para trabalhar com pacientes e familiares diante da morte.

Resumimo-nos muito ao dizer que um delírio que não é psiquiátrico ou devido a metástases cerebrais dá-se simplesmente em decorrência da baixa da atividade cerebral. Claro que isso não só pode como deve ocorrer. Porém, como explicar alguns casos em que o que o paciente tenta, durante o delírio, resolver suas pendências?

É comum ouvir do paciente em seu leito de morte que ele necessita rever questões que ficaram pendentes durante toda a sua vida, para que assim possa morrer em paz. Como então explicar essas situações exclusivamente por meio dos tipos de delírio que a medicina conceitua?

Há algo do passado que se presentifica nesse momento, por meio das lembranças do sujeito diante da própria morte. Talvez, então, haja a necessidade de irmos além dos fatores orgânicos e colocarmos em jogo o aparelho psíquico do sujeito diante da própria morte, pois sabemos que algo tão delicado como a ideia de "desaparecimento do eu" não pode passar despercebido.

Ao questionar os delírios tratados pela psiquiatria e pela medicina, não visamos descartar as hipóteses levantadas pela última, até porque seria algo incabível. Porém, somente partindo do pressuposto de que há algo além dessas hipóteses levantadas poderemos não só pensar no novo como também abrir possibilidades para que algo surja a partir da criação desse novo. Portanto, precisamos ouvir o que esses pacientes têm a nos dizer, pensar no que é da nossa prática e abrir possibilidades para o inédito. Só assim poderemos lidar com os impasses que o trabalho psico-oncológico nos coloca.

Finalizando...

Heidegger [9] afirma que cada um é *ser-para-a-morte*; essa é a possibilidade de nossa existência e convivemos com ela continuamente. Pensar na morte nos faz pensar na própria vida e em como estamos vivendo. O paciente e a família precisam ser ouvidos e sentir-se acolhidos em seu sofrimento a fim de lidar melhor com a própria morte e a perda. E esse espaço de escuta deve ser ocupado pelo psicólogo, para que assim cada um fale aquilo que for de sua necessidade.

Será somente por meio da fala e da escuta que algo para além do plano verbal poderá ser produzido, pois é preciso encontrar respostas que transcendam as palavras. É isso que contribuirá para a eficácia do enfrentamento da doença e para o prolongamento do tratamento que o paciente e sua família tendem a enfrentar.

Ainda que defendamos a necessidade e a importância de cada paciente ser ouvido em sua particulari-dade, para que assim possibilitemos um novo significado às suas histórias de vida e morte – seja por meio da palavra ou dos "arranjos" necessários para passar por isso –, ainda assim depararemos com as dificuldades e os impasses para um melhor resultado. Porém, é necessário enfrentar o desafio. Caberá somente ao psico-oncologista enfrentar esse lugar desconhecido e assim encontrar novas respostas diante dele.

Como psico-oncologistas, esse caminho deve nos interessar a percorrê-lo, pois precisamos pensar em nossa prática para assim abrir novas possibilidades de um trabalho que precisa ser, caso a caso, reinventado e recriado. Diante da doença, há um forte discurso que às vezes circula de modo silencioso: o do fracasso na condição de ser humano que vive o limite no corpo.

O mundo contemporâneo impõe essas penalidades àquele que vivencia seus limites, e a psico-oncologia tenta resgatar esse sujeito imerso em tais determinantes sociais, pois visa que ele consiga alterar sua posição em relação ao próprio sofrimento.

Nesse meio oncológico, em que o paciente está sentenciado a tratamentos longos, exames frequentes e consultas corriqueiras, proporcionar um espaço para a nomeação dos prejuízos sofridos é o que criará condições para considerar a ruptura, a finitude e os limites.

É esse espaço de escuta e o desejo de recriar que nomeiam, de forma concisa, o nosso campo de atuação, demarcando assim os limites e as possibilidades de uma clínica psico-oncológica.

Referências

1. Morin, E. *Cuidados paliativos: discutindo a vida, a morte e o morrer*. São Paulo: Atheneu, 2009.

2. Moura, M. D. *Oncologia clínica do limite terapêutico? Psicanálise & medicina*. Belo Horizonte: Artesã, 2013.

3. Lacan, J. [1962-1963]. *O seminário, livro 10: a angústia*. Rio de Janeiro: Zahar, 2005.

4. Moretto, M. L. T. *O que pode uma analista no hospital?* São Paulo: Casa do Psicólogo, 2001.

5. Freud, S. [1914/1915]. "A história do movimento psicanalítico: artigos sobre metapsicologia e outros trabalhos". In: *Obras completas*. v. XIV. Rio de Janeiro: Imago, 1996, p. 327.

6. Freud, S. [1927/1931]. "O futuro de uma ilusão: o mal-estar na civilização e outros trabalhos". In: *Obras completas*. v. XIV. Rio de Janeiro: Imago, 1996, p. 103.

7. Pereira, M. E. C. "O pânico e os fins da psicanálise: a noção de 'desamparo' no pensamento de Lacan" [publicação on-line]. 1999. Disponível em <http://www2.uol.com.br/percurso/main/pcs19/artigo1929.htm>. Acesso em: 3 maio 2019.

8. Bernardo, A. "O delírio em cuidados paliativos". *Revista Portuguesa de Clínica Geral*, v. 19, n. 1, 2003, p. 46-53.

9. Heidegger, M. *Ser e tempo*. v. I. Petrópolis: Vozes, 1993.

17. A MORTE E O PROCESSO DO MORRER EM PACIENTES ONCOLÓGICOS: SIGNIFICADOS PARA A ENFERMAGEM

DEOLINDA FERNANDES MATOS DA SILVA, MARÍLIA A. DE FREITAS AGUIAR

"Quando a morte está tão próxima e a tristeza e o sofrimento dominam, pode ainda haver vida, alegria, movimentos da alma de uma profundidade e de uma intensidade às vezes, até então, nunca vividas." [1]

Introdução

Nas últimas décadas, o câncer adquiriu dimensão de problema de saúde pública mundial. A estimativa da Organização Mundial de Saúde (OMS) para o ano de 2030 é de 27 milhões de casos de câncer, com 17 milhões de mortes e 75 milhões de enfermos. O câncer pode se tornar um grande obstáculo para o desenvolvimento socioeconômico de países emergentes como o Brasil e causar danos devastadores para famílias inteiras. [2]

Mas por que a morte atormenta se faz parte do ciclo da vida? Por que falar no tema causa medo ou desconforto se até o século 19 era algo natural e familiar? A morte na atualidade é um tabu, um fenômeno pouco ou nada discutido que precisa ser eliminado. [3]

Os profissionais da área da saúde são ensinados a cuidar da vida, e a morte incomoda e desafia sua onipotência humana e profissional [4]. Nesse sentido, por ser um elemento constante no cotidiano desses trabalhadores, a morte provoca dor e sofrimento. [5]

Como é para a enfermagem, que passa grande parte do tempo ao lado do paciente – e também foi preparada para cuidar e curar, ignorando a morte como se não fizesse parte da vida –, o trabalho com o paciente oncológico em fase terminal, em iminência de morte e após o fato? [6]

Ao analisar fatos subjetivos e questões da vivência e do entendimento que o ser humano tem acerca de sua condição de mortalidade, bem como os recursos que pode utilizar para reflexão e reformulação de valores, crenças e certezas, esbarra-se em uma importante questão: quais são, para a enfermagem, os sentimentos, significados e comportamentos evocados pela morte?

A literatura brasileira publicada na última década traz informações que permitem compreender o significado da morte e do processo de morrer para a enfermagem, identificar sentimentos evocados pela morte do paciente oncológico e conhecer o comportamento desses profissionais nas diferentes modalidades de atuação após a morte do paciente oncológico.

No presente trabalho, os conteúdos foram organizados por categorias principais, a saber: a morte e as mortes; a enfermagem da formação à prática assistencial e à docência; e sentimentos e significados.

A morte e as mortes

Abordaremos neste tópico o entendimento que a comunidade científica tem sobre as questões relacionadas à morte, com destaque para a diferenciação histórica dos conceitos da morte.

Sendo a morte a notícia mais frequente que reside no imaginário coletivo, distintas são as formas de encará-la e ao processo do morrer nos vários períodos da história. [7]

Na Idade Média, entre os séculos 5 e 15, a morte era natural e familiar: todos tinham consciência de que era certa e compreendiam sua inevitabilidade. O moribundo esperava a morte no leito e familiares – inclusive as crianças – e vizinhos se despediam da pessoa em suas últimas horas de vida. [3]

Segundo Oliveira, Quintana e Bertolino [3], o homem começa a se preocupar com a morte do outro, do qual terá saudades e lembranças, a partir do século 19, sem, no entanto, negá-la. No século 20, a morte é transferida para o hospital, ficando subordinada aos profissionais de saúde e tornando-se um fenômeno técnico.

Kovács [5] lembra que, quando essa transferência acontece, impulsionada pelos progressos da medicina, o doente perde a característica de pessoa e o direito de planejar sua morte e seu final da vida, tendo sua morte roubada. A autora explica que o conceito é de Marie de Hennezel, que o diferencia em algumas situações:

a. *a morte roubada ao paciente*, que acontece quando a autonomia lhe é retirada. Não há respeito por suas necessidades e vontades e ele não participa ativamente do processo terapêutico. O diálogo entre a equipe de saúde e a unidade de cuidados (compreendida por paciente e família) deve ser franco, com esclarecimentos claros, para evitar dúvidas quanto ao tratamento e permitir escolhas certas.

b. *A morte pedida pelo paciente* – em geral não é um pedido de morte, mas de escuta do sofrimento, seja ele físico, para alívio de sintomas, ou emocional, social, familiar, espiritual. A comunicação deve ser mantida com constância entre paciente, familiares e equipe profissional.

c. *A morte exigida pelo paciente*, que pode ser um pedido para equipe e família deixá-lo morrer de fato. É importante compreender e respeitar aquilo que está sendo comunicado pelo paciente, mesmo que seu desejo nem sempre possa ser atendido.

Atualmente, a morte também é veiculada pela mídia eletrônica de uma forma que apresenta cenas e imagens fortes de sofrimento e dor. Sem conceder um tempo para reflexão e elaboração, tais cenas são seguidas por comerciais ou por assuntos mais amenos. Com a ideia de chocar, mas não de comprometer as pessoas, essa é uma forma de banalizar a morte. A morte na TV tem um caráter de impessoalidade. [8]

Sousa *et al*. [9] afirmam que a morte tem sido vista como um tabu nos últimos séculos, como um tema proibido, interdito. Além disso, adquire conotação de fracasso profissional em uma sociedade em que as pessoas tentam negar que o fenômeno do morrer faz parte da vida.

Hoje, a morte continua sendo vista como uma inimiga que deve ser escondida e ocultada, já que fere a onipotência do ser humano moderno. Por dificultar a comunicação entre a equipe de saúde, paciente e familiares, permanece, como no século 20, interdita. [5]

A visão de morte é subjetiva e depende da conotação adquirida no ambiente cultural, religioso, social, bem como da formação familiar e da personalidade de cada um [10]. Assim, a verbalização sobre a morte poder ser entendida como um assunto mórbido para alguns profissionais ou como oportunidade de reformulação de valores, crenças, certezas e reflexão sobre a morte e o morrer para outros. [10]

Desde as mais primitivas sociedades até a atualidade, o homem vivencia dois tipos de morte: a biológica, que representa o fim do organismo, e a social, que denota o fim da identidade social. Os rituais funerais e de luto permitem a expressão socialmente aceita de dor e, ao mesmo tempo, abrem a possibilidade de cicatrizar o sofrimento dos que ficam. [11]

Durante o adoecimento, vivencia-se a perda de papéis desempenhados ao longo da vida, como o de filho, cônjuge, genitor, profissional etc. A elaboração dessas perdas entre os vivos favorece a prevenção de sofrimento posterior, constituindo o luto antecipatório. O processo de luto antecipatório tem caráter preventivo, pois permite elaborar a dor e estimular a comunicação entre pacientes, familiares e profissionais. Na mentalidade da morte interdita, não se autoriza a expressão de emoções, tão necessárias para realizar o trabalho de luto. [5]

O processo de elaboração do luto pode sofrer interferência de circunstâncias anteriores à morte, bem como durante e após o ocorrido. Para que tal processo não seja dificultado, é fundamental:

- reconhecer o luto;
- reagir à separação;
- reconhecer e revivenciar as experiências com a pessoa perdida;
- abandonar relações antigas ou desligar-se delas;
- reajustar-se a uma nova situação;
- reinvestir energia em novas relações. [8]

De acordo com Kovács [5], há duas maneiras de vivenciar a morte: a) lentamente, quando as funções do corpo vão diminuindo até o óbito; b) com dificuldade, quando há comportamentos e sintomas como delírio, confusão mental, agitação e dor intensa. Para que a boa morte ocorra, deve-se: ter consciência de sua aproximação; promover a dignidade e a privacidade; aliviar os sintomas; oferecer suporte emocional, social e espiritual; facilitar a presença de pessoas significativas; garantir e preservar o direito a despedidas; não prolongar a vida indefinidamente. Já a morte difícil é vivenciada com revolta e conflito entre familiares e se caracteriza por sentimentos de abandono, solidão e não aceitação.

A enfermagem: da formação à prática assistencial e à docência

A ação da enfermagem tem como objetivo melhorar a qualidade de vida dos pacientes. [12]

Kovács [5] lembra que a origem do termo "cuidado" é antiga: deriva do antigo inglês *carion* e das palavras góticas *kara* ou *carion*, significando aflição, pesar ou tristeza, mas também "ter preocupação por", sentir uma inclinação ou preferência, respeitar, considerar no sentido de ligação de afeto, amor, carinho e simpatia.

Por prestar cuidados diretos, e se manter sempre ao lado do paciente, o profissional de enfermagem pode envolver-se afetivamente com ele. Tal comportamento de proximidade pode ser considerado uma base de segurança; quando por algum motivo é interrompido, como quando da morte, gera sofrimento e sentimento de perda, provocando o luto. Essa reação é esperada diante da separação. [9]

Em sua função de prestar cuidados diários aos pacientes, a equipe de enfermagem tem alto risco de colapso, devido ao contato mais intenso com a dor e o sofrimento. O paciente também busca a enfermagem para falar de seus sentimentos e temores mais íntimos, como no caso do agravamento da doença e da proximidade da morte. Por vezes, isso leva esses profissionais a situações constrangedoras, pelo fato de não terem respostas a todas as questões e pelo aparecimento de sentimentos intensos. [5]

Oliveira, Quintana e Bertolino [3] apresentam uma abordagem histórica da ação da enfermagem:

1. na "morte silenciada e ocultada" (1937--1979), a enfermagem não se envolve nem demonstra sentimentos;
2. na "luta contra a morte" (1980-1989), a morte ocorre nas UTIs de forma mais rotineira, mas com a possibilidade de prolongar a vida em função dos inúmeros aparatos tecnológicos;
3. na "morte em cena" (1990-1999), a enfermagem começa a questionar o fenômeno e a utilizar mecanismos de defesa como negação e racionalização;
4. nas "ações humanizadas" (2000-2005), a enfermagem aborda a morte por meio dos cuidados paliativos, apresentando uma mudança de paradigma assistencial do cuidado no fim da vida.

Entretanto, verifica-se que as enfermeiras docentes também se incomodam, como qualquer ser humano, ao falar da morte e do morrer, e que, apesar da convivência diária com esse processo, elas parecem não se acostumar com a finitude humana. [10] As docentes assumem-se despreparadas e revelam dificuldades para trabalhar com os acadêmicos as questões da morte e do morrer, além de sentir ser inevitável ensinar a cuidar da pessoa em iminência de morte, embora o tempo na formação seja pequeno.

Nascimento *et al.* [13] referem que, nas aulas de anatomia dos primeiros anos de formação de cursos de enfermagem, os alunos são levados a lidar com a morte defensivamente pela via da negação, promovendo, dessa maneira, a despersonalização. A perspectiva técnica, na qual se cuida da doença e não da pessoa, prevalece diante da perspectiva humanista.

Santos e Bueno [14] corroboram essa ideia ao relatar que regras, normas e rotinas, numa atitude sem reflexão, são mecanizadas pelos docentes, que cobram uma postura profissional tanto na sala de aula quanto em campo de estágio. Assim, mantêm-se distantes dos discentes, sobretudo em relação aos sentimentos oriundos de vivenciar o paciente terminal, sentindo-se, tais quais seus alunos, angustiados e temerosos. Os docentes também não foram formados para aceitar ou vivenciar o que é tão presente no seu dia a dia profissional: a morte.

Também Vargas [15] afirma que aspectos técnicos e práticos são enfatizados no preparo do estudante para a função profissional, com pouca ênfase em questões emocionais e na instrumentalização para o duelo constante entre a vida e a morte. Mesmo diante do enfrentamento de situações de morte durante as práticas curriculares, não tem sido oportunizado ao aluno nem sequer a discussão dessas situações.

Corroborando essa ideia, Brêtas, Oliveira e Yamaguti [4] afirmam que o professor investe mais na técnica e exige do aluno um comportamento voltado exclusivamente para o material, sem dar espaço ao discente para refletir sobre a morte. Os docentes oferecem maior respaldo às técnicas assistenciais, sem propiciar uma organização de sentimentos aos acadêmicos em campo de estágio, que se encontram diante das primeiras experiências com o processo de finitude.

Em estudo realizado com alunos do último ano de Enfermagem de uma universidade estadual brasileira, Cantídio, Vieira e Sena [16] explicitam que os acadêmicos não sabem como agir para confortar a família pela perda de um ente querido e/ou realizar o acolhimento do luto. Eles se sentem inseguros, sem saber se contribuem para minimizar o sofrimento por meio de algum gesto ou palavra de carinho, ou se, opostamente, reprimem atitudes diante da dor dos familiares.

Os mesmos autores verificam que o fortalecimento oriundo dos mecanismos de defesa utilizados pelos acadêmicos para evitar o sofrimento produzido pela morte origina-se no distanciamento dos profissionais no cotidiano da morte e propicia a ruptura de interações continuadas, além de endurecimento da

relação com o paciente em iminência de morte. Pior: essa prática torna-se rotineira. Cuidar de um paciente que se encontra nessa fase de enfrentamento da morte e do processo do morrer exige dos estudantes e dos profissionais de saúde envolvimento, sensibilidade, olhar atento, empatia, percepção aguçada, conhecimento, interação, crença e fé. A fim de prestar assistência de qualidade nesse processo, é necessário que o cuidador compreenda, reflita e se questione sobre o rito de passagem da vida para a morte, já que a finitude é um tema existencial humano. [16]

Benedetti *et al.* [17] partilham da opinião de que, para assumir uma postura terapêutica, o enfermeiro deve estar devidamente preparado, sendo difícil encontrar nos hospitais profissionais capazes de dialogar com o paciente moribundo e com seus familiares, assistindo-os em suas necessidades emocionais nos momentos que antecedem a morte.

Sentimentos e significados

Hoje, observa-se na área da saúde um maior interesse pelos aspectos sociais, culturais e psicológicos relacionados com o processo do morrer. Essa tendência permite-nos superar a perspectiva estabelecida no Ocidente desde o século 19, que orientava a atitude dos profissionais de saúde – especialmente enfermeiros e médicos – diante da morte: a negação. Essa atitude se formou com a gradativa desvinculação do processo de morrer e da morte do ciclo vital humano. Assim, o morrer assumiu o significado de frustração, fracasso profissional e interrupção do projeto de vida, sendo representado por medo, desespero e negação. [13]

Mesmo quando há chance de cura do paciente oncológico, as enfermeiras, com frequência, associam a doença à terminalidade, o que pode levar ao aparecimento de sentimentos de sofrimento, angústia e impotência. [12]

Salimena *et al.* [18] revelam que o profissional de enfermagem que cuida do paciente oncológico convive com diversos sentimentos, de sofrimento a satisfação profissional; a morte é percebida como fracasso profissional e a vida, como um sinal de glória. Mesmo sendo um fenômeno natural, o temor do desconhecido se reflete na finitude porque é vivido na condição de experiência do outro.

Nesse sentido, Vargas [15] refere que, para amenizar seu sofrimento, os acadêmicos se distanciam do paciente oncológico em iminência de morte. Nesse processo, surgem frustração, culpa, impotência, tristeza, medo e indiferença. Diante da impossibilidade de falar sobre o assunto, raiva e ansiedade também aparecem.

Independentemente do cuidado dispensado pelo profissional ao paciente, toda situação de perda gera sofrimento e transtorno ao primeiro. O preparo do corpo após a morte é difícil, já que cuidar de uma pessoa morta, fria, muitas vezes exalando odor fétido e cheia de secreções, evoca medo e a certeza de que a morte chegará para cada um de nós. Por isso, o corpo inerte é retirado de vista o mais rápido possível. Esse comportamento sinaliza o incômodo experimentado pelo profissional. [10]

No que se refere aos procedimentos de preparo do corpo após a morte, Fernandes, Iglesias e Avellar [19] afirmam que mecanismos de defesa e condutas nem sempre éticas são utilizados por algumas enfermeiras no intuito de suportar esses momentos: fazer piadas e aparentar frieza.

Pinto *et al.* [6] citam o exemplo de uma enfermeira que, estranhamente, no dia a dia de trabalho com pacientes terminais, deixa o rádio ligado com música alta a fim de não atentar para os gemidos de dor dos enfermos. Essa é sua estratégia de enfrentamento da situação.

Segundo Bellato e Carvalho [11], a noção de finitude humana é apreendida por meio da revelação da morte do outro. Com a presença dos "restos" (o cadáver), a morte ganha corpo e rosto ao se encarnar na carne do cadáver.

Tristeza e revolta podem acompanhar a morte vinculada à ideia de finitude, principalmente quando considerada interrupção da vida, além de ter conotação de morte fora de hora. [7]

A morte de pacientes com os quais a enfermagem estabelece uma relação diferenciada e singular pode provocar o luto, que causa sofrimento e dor e é caracterizado por sintomas psicológicos e somáticos. Tais sintomas são expressos por meio de manifestações emocionais como ansiedade, depressão, culpa; manifestações comportamentais como choro e fadiga, atitudes de autorreprovação, voltadas contra si e contra o contexto, desamparo e baixa autoestima; lentidão da concentração e do pensamento; distúrbios do sono; transtornos alimentares como perda de apetite e mudança de ingestão; manifestações somáticas como dores, nó na garganta, sensação de estômago vazio, náuseas, palpitações e vulnerabilidade a doenças. Ao assistir pacientes em iminência de morte, o profissional de saúde pode vivenciar sentimentos de pesar, derrota, tristeza e frustração. [20]

Fernandes, Iglesias e Avellar [19] relatam que, na lida com a morte e o processo do morrer, é importante para os profissionais de saúde não entrar em um processo de luto. A vivência do luto oriundo da perda do paciente cuidado poderia provocar uma longa elaboração com alto custo emocional – que, mesmo sendo penosa, não evitaria o vazio da perda. Em outras palavras, não teria a capacidade de afastar em definitivo o ser que foi perdido.

Porém, as mesmas autoras apontam que a morte do paciente com câncer avançado é significada pela enfermagem como alívio do sofrimento e da dor, tanto para a pessoa que morre quanto para os familiares. Assim, a morte tem o significado de descanso. [6]

Em pesquisa sobre as percepções dos profissionais de enfermagem acerca da morte, Silva Júnior *et al.* [7] revelam que passagem, separação e finitude são os conceitos emergentes. A morte como transição entre os mundos material e espiritual demonstra a concepção espiritual compreendida no vocábulo "passagem" e revela convicções espirituais e crenças do ser humano.

Benedetti *et al.* [17] reportam que os alunos de enfermagem encaram a morte como passagem para outra vida e tendem a associar o fenômeno à transcendência. Sendo a perda das funções do corpo e não da alma, a morte soa como algo positivo e mantém viva a esperança de um reencontro com entes queridos, conforme o fundamentado por algumas crenças religiosas e espirituais.

Para Pinto *et al.* [6], a espiritualidade permite melhorar a qualidade de vida das pessoas, propiciando-lhes condições e competências para suportar sentimentos como ansiedade, raiva e frustração. Nesse sentido, a espiritualidade é compreendida como o conjunto de valores íntimos que dá sentido à vida.

Alguns profissionais da saúde recorrem à fé, à oração e à crença na vida após a morte como apoio para lidar com preocupações espirituais e com o sofrimento dos pacientes terminais.

Em outro estudo, Brêtas, Oliveira e Yamaguti [4] apontam que o papel da religião é o de socializar e dirigir os ritos da morte para lidar com o terror. Diante da morte e do processo de morrer, a religião exerce função ansiolítica, já que de certa forma torna-os mais aceitáveis por serem inteligíveis e, portanto, explicáveis.

Cantídio, Vieira e Sena [16] verificam a dificuldade dos estudantes de enfermagem de conceituar o fenômeno da morte. Eles costumam usar o termo "perda", como se estivessem perdendo algo que não conseguem identificar. Tal atitude permite recordar experiências significativas em sua história pessoal, manifestas por meio de lembranças vividas no passado.

Nascimento *et al.* [13] constatam que as significações sobre a morte do paciente constituem três tipos de representação para a enfermagem. De um lado, o profissional de saúde lida com a morte pelo viés existencial ou religioso, por meio do qual alcança a aceitação. De outro, ocorre o oposto, ou seja, a negação da morte, sendo o paciente descaracterizado de sua individualidade/subjetividade – ele passa a ser visto apenas como objeto de cuidados técnicos e burocráticos. E, por fim, a necessidade de evitar o óbito, já que diante da morte o profissional sente-se emocionalmente mobilizado. O sofrimento psíquico é desencadeado por sentimentos de fracasso e insucesso e o afeta em suas atividades laborais e pessoais.

Considerações finais

É muito difícil para os profissionais da área de saúde, em particular para a enfermagem, vivenciar situações de finitude. Alguns dos fatores fundamentais para esse mal-estar são o pouco espaço dado à expressão de sentimentos perante a morte e a escassez de recursos que tais profissionais sentem ter para enfrentar a problemática do fim da vida.

O paciente deixa marcas no profissional que dele se ocupa. Entretanto, segundo as características pessoais desse profissional, surgem distintas possibilidades de lidar com dificuldades. A primeira consiste em utilizar mecanismos de defesa contra a dor e o sofrimento, protegendo-se da aflição que nele é gerada. A segunda refere-se àqueles que convivem com a dor como uma ferida sempre aberta, em constante angústia, o que lhes impossibilita a realização da tarefa laboral e afeta seu desempenho profissional.

Ampliar o conhecimento sobre o conteúdo tanatológico não levará o indivíduo a compreender a morte em toda a sua complexidade, mas possibilitará uma melhor atitude diante dela. Só assim se construirá um agir profissional mais ético, filosófico, afetivo e humano, o qual preparará indivíduos capazes de enfrentar melhor a morte e o morrer.

Referências

1. Hennezel, M. *A morte íntima: aqueles que vão morrer nos ensinam a viver.* 3. ed. Aparecida: Ideias e Letras: 2004.

2. Brasil. Ministério da Saúde. Instituto Nacional de Câncer. *Estimativa 2012: incidência de câncer no Brasil.* Brasília: Ministério da Saúde, 2011.

3. Oliveira, S. G.; Quintana, A. M.; Bertolino, K. C. O. "Reflexões acerca da morte: um desafio para a enfermagem". *Revista Brasileira de Enfermagem*, v. 63, n. 6, 2010, p. 1077-80.

4. Brêtas, J. R. S.; Oliveira, J. R.; Yamaguti, L. "Reflexões de estudantes de enfermagem sobre morte e o morrer". *Revista da Escola de Enfermagem da USP*, v. 40, n. 4, 2006, p. 477-83.

5. Kovács, M. J. "Sofrimento da equipe de saúde no contexto hospitalar: cuidando do cuidador profissional". *O Mundo da Saúde*, v. 34, n. 4, 2010, p. 420-29.

6. Pinto, M. H. *et al.* "O cuidado da enfermagem ao paciente oncológico fora de possibilidade de cura: percepção de um grupo de profissionais". *Cogitare Enfermagem*, v. 16, n. 4, 2011, p. 647-53.

7. Silva Júnior, F. J. G. *et al.* "Processo de morte e morrer: evidências da literatura científica de enfermagem". *Revista Brasileira de Enfermagem*, v. 64, n. 6, 2011, p. 1122-26.

8. Kovács, M. J. "Desenvolvimento da tanatologia: estudos sobre a morte e o morrer". *Paideia*, v. 18, n. 41, 2008, p. 457-68.

9. Sousa, D. M. *et al.* "A vivência da enfermaria no processo de morte e morrer dos pacientes oncológicos". *Texto & Contexto Enfermagem*, v. 18, n. 1, 2009, p. 41-47.

10. Pinho, L. M. O.; Barbosa, M. A. "A morte e o morrer no cotidiano de docentes de enfermagem". *Revista Enfermagem Uerj*, v. 16, n. 2, 2008, p. 243-48.

11. Bellato, R.; Carvalho, E. C. "O jogo existencial e a ritualização da morte". *Revista Latino-Americana de Enfermagem*, v. 13, n. 1, 2005, p. 99-104.

12. Gargiulo, C. A. *et al.* "Vivenciando o cotidiano do cuidado na percepção de enfermeiras oncológicas". *Texto & Contexto – Enfermagem*, v. 16, n. 4, 2007, p. 696-702.

13. Nascimento, C. A. D. *et al.* "A significação do óbito hospitalar para enfermeiros e médicos". *Rev. Rene*, v. 7, n. 1, 2006, p. 52-60.

14. Santos, J. L.; Bueno, S. M. V. "Educação para a morte a docentes e discentes de enfermagem: revisão documental da literatura científica". *Revista da Escola de Enfermagem da USP*, v. 45, n. 1, 2011, p. 272-76.

15. Vargas, D. "Morte e morrer: sentimentos e condutas de estudantes de enfermagem". *Acta Paulista de Enfermagem*, v. 23, n. 3, 2010, p. 404-10.

16. Cantídio, F. S.; Vieira, M. A.; Sena, R. R. "Significado da morte e morrer para os alunos de enfermagem". *Investigación y Educación en Enfermería*, v. 29, n. 3, 2011, p. 407-18.

17. Benedetti, G. M. S. *et al.* "Significado do processo morte/morrer para os acadêmicos ingressantes no curso de enfermagem". *Revista Gaúcha de Enfermagem*, v. 34, n. 1, 2013, 173-79.

18. Salimena, A. M. O. *et al.* "O vivido dos enfermeiros no cuidado ao paciente oncológico". *Cogitare Enfermagem*, v. 18, n. 1, 2013, p. 142-47.

19. Fernandes, P. V.; Iglesias, A.; Avellar, L. Z. "O técnico de enfermagem diante da morte: concepções de morte para técnicos de enfermagem em oncologia e suas implicações na rotina de trabalho e na vida cotidiana". *Psicologia: Teoria e Prática*, v. 11, n. 1, 2009, p. 142-52.

20. Silva, L. C. "O sofrimento psicológico dos profissionais de saúde na atenção ao paciente com câncer". *Psicologia para América Latina*, n. 16, jun. 2009.

18. CUIDADOS PALIATIVOS, TERMINALIDADE E LUTO: O PROFISSIONAL DE SAÚDE E OS TEMAS DELICADOS

GLÁUCIA REZENDE TAVARES

Introdução

Segundo o *Dicionário Priberam da língua portuguesa* [1], terminalidade é definida como um estado clínico grave e irreversível que precede uma morte próxima.

Nos aspectos psicológico e espiritual, podemos interrogar o que finda com a iminência da morte e de sua realidade. Trata-se de um tema complicado, melindroso, constrangedor e de solução difícil se considerarmos a morte um fim.

Outra possibilidade será tratar o tema delicado como afável, sutil, frágil, que requer zelo e atenção se virmos a terminalidade como fechamento e possibilidade de novas aberturas.

É preciso distinguir o que é acabar ciclos do que é fechá-los. Acabar denota destruir, esgotar-se, exaurir-se. Fechar e abrir ciclos, revelar, descerrar, dar a conhecer. Parece que aí está a diferença que faz diferença. A questão não é a terminalidade em si, mas a forma como se aborda o tema. Assim, a palavra "delicado" pode adquirir sentidos diferentes, dependendo da abordagem.

O meu convite é para que ultrapassemos a forma de lidar com o tema da terminalidade apresentada na primeira opção e possamos coconstruir um contexto que favoreça meios afetivos e efetivos de se trabalhar com a segunda possibilidade.

Como refletir sobre a terminalidade, considerando que todos somos finitos e também eternos? Qual é o grau de distanciamento crítico que nos permite essa reflexão e uma aproximação afetiva para considerar essa regra essencial? Partimos do pressuposto de que não se pode lidar com a possibilidade da morte do outro sem digerir e assimilar a própria finitude e a das pessoas que nos são queridas.

Do paciente/unidade de cuidados ao sistema terapêutico

É sabido que o diagnóstico de doenças graves, incuráveis e progressivas não afeta apenas a pessoa que adoece, mas repercute também em todo o sistema familiar. A pessoa doente, a doença e suas relações familiares se transformam em uma unidade, foco para os cuidados integrados.

Durante a crise, surge a oportunidade de criar.

O paradigma sistêmico foi divulgado por Bertalanffy [2] em 1968. Ao publicar o livro *Teoria geral dos sistemas*, ampliou as fronteiras disciplinares:

> A visão sistêmica se apresenta como um guia para a leitura dos fenômenos físicos, biológicos, psicológicos, antropológicos e ideológicos. Lida com o conceito de complexidade, enfatizando a interação entre os fenômenos, que deixam de ser abordados de forma isolada. [3]

Segundo Galera e Luis [4], a abordagem sistêmica reconhece que a relação entre a dinâmica familiar e uma problemática de saúde é complexa, sendo impossível distinguir claramente os efeitos de uma sobre a outra. Há um movimento recursivo em que a dinâmica familiar influencia a evolução da doença e esta, por sua vez, influencia a dinâmica da família e volta a interferir na evolução da doença, num processo contínuo ao longo do tempo.

Assim, a abordagem ao câncer deve se dar num contexto sistêmico, incluindo o subsistema paciente-familiares e o subsistema prestador de assistência profissional. Assim se compõe o sistema terapêutico, cuja função é administrar a crise que se instala.

O subsistema prestador de assistência profissional pode ser constituído por médicos, enfermeiros, psicólogos, farmacêuticos, terapeutas ocupacionais, fisioterapeutas, assistentes sociais, nutricionistas, fonoaudiólogos, biomédicos, odontólogos, religiosos e profissionais que cuidam dos aspectos administrativos. O nosso pressuposto é o de que a interação profissional, além das ações objetivas, inclui a subjetividade.

O subsistema paciente-família tem a tarefa de lidar com suas emoções, pensamentos e ações, excluindo os excessos por meio da inclusão da objetividade.

Este é o desafio de coconstrução do sistema terapêutico: ao subsistema prestador de assistência, cabe articular sua objetividade à subjetividade; ao subsistema paciente-familiares, articular sua subjetividade à objetividade. Escolhas e decisões, nesse contexto, implicam sair da emoção choque para a emoção do sentimento, do pensamento mecânico para o pensamento criativo, agregando competência técnica e aspectos econômicos. É das conversações compartilhadas que as soluções serão cocriadas, considerando o bem-estar comum, e não reduzidas às partes isoladas da relação.

Essas interações promovem mudanças no contexto do cuidado ao câncer. Nessa perspectiva, o paciente e sua família, integrando-se aos profissionais cuidadores, assumem seus papéis como agentes, partícipes, cocriando um ambiente favorável, propondo mudanças de valores e perspectivas a partir da crise, acionando a criatividade e contínuos aprendizados.

> Assim como o móbile, a família é um todo composta de vários elementos ou membros. Uma mudança em um de seus membros afeta todo o grupo. Porém, a família tem habilidades para criar um balanceamento entre mudanças e estabilidade. [4]

Quem se enluta diante do diagnóstico de câncer

Segundo Bowlby, citado por Kovács [5], o luto é um processo e não um estado, processo esse gradual e nunca totalmente concluído. O que determina o luto complicado é a exacerbação dos processos presentes no luto normal. Com base na perspectiva sistêmica, verificamos que o luto repercute em todas as pessoas envolvidas, inclusive no sistema terapêutico.

Quanto mais nos fixamos em posições ilusórias, mais estagnamos no "abso-luto", adotando uma postura paralisante e irracional diante do fluxo da vida. Fixamos na certeza imaginária e idealizada e fazemos confusão prática. Emoções desorganizadas interferem em práticas confusas. As atitudes humanas, ainda não humanizadas, se caracterizam por quatro desmedidas: excesso, extremo, exagero e exigência. Sem amparo e colaboração, surge o idealismo.

Os indivíduos passam a se apoiar em quatro referências idealizadas: tudo/nada; sempre/nunca. A dor real é transformada em sofrimento desmedido. Nesse sentido, o tema delicado se restringe à conotação de luto complicado, melindroso, constrangedor, que ofende com facilidade e de solução difícil. Dessa forma, o diagnóstico e o tratamento podem ser recebidos como punição e vivenciados sem possibilidades, como fim.

A outra possibilidade de tratar o luto como tema delicado afável, sutil, frágil, e que requer zelo e atenção é considerar os desafios reais da vida um fechamento de ciclos e, também, novas aberturas. Assim, o luto

> será entendido como o processo vivido após o rompimento de um vínculo, seja ele com uma pessoa em si ou uma abstração, como um projeto de vida, saúde, grupo de pertencimento, identidade pessoal ou familiar, entre outras. [6]

Um vínculo significativo que se rompe diante do diagnóstico de câncer é o da ilusória posição de nunca adoecer ou não se reconhecer frágil. Há diferentes formas de repercutir os desdobramentos da doença, dependendo do papel e da função em que a pessoa acometida se encontra.

Como lidar com a vulnerabilidade do(a) provedor(a) familiar? Como lidar com a possibilidade do câncer em jovens, com inúmeros sonhos e projetos? Como suportar a fragilidade de crianças? Como administrar as frustrações e dores sem que sejam compreendidas como fracasso? Como digerir a possibilidade de conviver em ambientes que oferecem radioterapia, quimioterapia, pessoas com mutilações e óbitos? Quais são as novas identidades que se manifestam nessas circunstâncias?

Destacamos alguns aspectos do luto antecipatório relacionados com o diagnóstico do câncer. Qual é o sentido atribuído a essa experiência, incluindo todos os envolvidos? Como o sistema terapêutico lida com as contínuas modificações? Há espaço para conversações claras e compartilhadas ou se mantém a conspiração do silêncio?

O luto se instala desde o diagnóstico do câncer, constituindo um processo vivo. Suas características demarcam a compreensão sistêmica novo-paradigmática descrita por Vasconcellos [7]: imprevisibilidade, instabilidade e intersubjetividade. A função do luto antecipatório é a de absorver, de maneira gradual, as mudanças que vão se desenrolando no sistema terapêutico.

Segundo Rando, citado por Franco [6], trata-se de uma oportunidade de lidar com questões pendentes, incluindo todas as pessoas envolvidas no processo. É um período fértil para a expressão de sentimentos, oportunidade de se trabalhar o perdão, a gratidão, a demonstração de afeto, o cuidado, rever valores perante a vida, atualizar identidades, sonhar e planejar o futuro de forma realística. A construção de sentido é a marca dessa experiência. Aponto que sentido tanto se refere à orientação adotada como à biodigestão das vivências.

Diz-se que a experiência do luto nos humaniza. Isso é verdade, ela deita-nos abaixo do nosso pedestal narcísico. Machuca-nos, humilha-nos, lembra que não somos onipotentes, que tudo passa, que tudo muda, que nem sempre teremos ao nosso lado aquele que amamos. E toda essa dor do luto, contra a qual nos defendemos de todas as maneiras possíveis, acaba por abrir um espaço dentro de nós. Um espaço de pobreza e de fecundidade. Um espaço para amar. [8]

O luto real requer o desenvolvimento de sensibilidade fina da reparação, em busca de reorganização. Da emoção estagnada à motivação para acessar o espírito do novo e preservar a memória. Da prisão à libertação da condição de copartícipe da vida real. Fazer luto é topar com o novo, atravessar de um lado para outro. Não faz luto quem é refém da sedução da idealização. Processar o luto não despreza ganhos e perdas: há contínua renovação regulando o imaginário, que é desmoderado.

A transição do imaginário, do passado para o real da vida se dá quando se aprende a lidar com a mudança de posições, com a coconstrução de soluções, com a frustração e com as possibilidades. Há o duplo exercício de acolher diversas renúncias e validar as prioridades. Há a prática de se fazer perguntas que ampliem a capacidade de compreensão. Há dois tipos de pergunta que considero armadilhas, por impedirem a ampliação de percepção: por quê? E se?

Perguntar de uma forma que favorece a contribuição das pessoas comprometidas enriquece as interações e nos ajuda a caminhar para uma prática humanizada. Destacamos algumas perguntas: O que nós queremos fazer? O que devemos fazer para operacionalizar o que queremos? O que nós podemos? Como o sistema terapêutico contribui diante dessas questões?

O padrão primário da condição humana, diante da frustração, é o de se fixar na posição de vítima das circunstâncias, com alta expectativa de enlaçar um salvador. Quando este não realiza essa tarefa, passa a ser um vilão.

Deslocar-se para a conduta humanizada é aceitar os desafios, buscar negociações reais e sair da culpa paralisante rumo a responsabilidades compartilhadas. Há dor, que se orienta em busca do aprendizado contínuo e da decisão de construir bem-estar. A perspectiva dos limites reais se articula às possibilidades, em fluxo contínuo. É a saída do absoluto, representado pelo tudo ou nada/sempre ou nunca, para o todo, sempre maior do que a soma das partes.

É possível reconhecer as perdas e aprender a perder sem se perder. Ir além das frustrações que regem o real da vida. A nossa maturidade relacional se manifestará pela capacidade de lidar com os contratempos, com as contradições, com os contrastes, com os conflitos e com as contrariedades. Reconhecer que há falhas e que podemos nutrir o nosso poder pessoal e ir além, ressignificando, coconstruindo novos sentidos, a despeito do impacto da perspectiva dos limites.

Três movimentos se desdobram diante da posição de aprender a aprender: a) deixar ir o que não está atualizado, o que se caracteriza como processo de luto; b) deixar vir o novo, aceitando a nova realidade; c) ir além da rigidez frouxa ou da frouxidão rígida e deixar permanecer – ser capaz de manter o essencial e liberar o supérfluo.

"O luto faz parte do existir humano, na elaboração das perdas vividas, sendo por isso uma possibilidade de reflexão sobre a vida." [9]

Distinções entre a evasão e o despertar

No contexto do câncer há perdas objetivas, externas, e é possível conectar essas perdas à preservação das experiências. O que é vivido é pessoal e intransferível. Há três atitudes a ser acionadas: aceitar o inaceitável, discernir tristeza de depressão e distinguir humor de ironia e sarcasmo.

> O correr da vida embrulha tudo. A vida é assim. Esquenta e esfria, aperta e daí afrouxa. Sossega e depois desinquieta. O que ela quer da gente é coragem. O que Deus quer é ver a gente aprendendo a ser capaz de ficar alegre a mais, no meio da alegria e mais alegre ainda, no meio da tristeza. [10]

Luto é ir além da irracionalidade desmedida, conquistando posições moderadas. No lugar de paralisar nas críticas e recusas, abrir caminho que se apoia na decisão de aprender a aprender. No lugar de ficar preso à exclusividade do mundo material, compreender que a vida tem o simbólico, que reúne, e o sentimento, que permite a biodigestão, indo além das emoções choque.

O processo de luto é compreendido como um trabalho de transição psicossocial, desdobrando-se em reorganização pessoal, afetiva, familiar, social, profissional, espiritual.

A decisão pela aventura de SER FELIZ requer a construção diária do aprendizado de inventar a própria vida. Essa construção requer maturidade relacional que se desenvolve na capacidade de ver os dois lados de cada situação simultaneamente. Nunca há perdas sem ganhos e nem ganhos sem perdas, por mais que um dos lados se torne mais evidente. [11]

O trabalho de luto requer desenvolver a sensibilidade de aceitar as contingências reais da vida, articulando objetividade e subjetividade. Delírio é a incapacidade de pensar e se organizar pelas evidências do real. A perspectiva dos limites oferece reguladores ao nosso imaginário excessivo, exagerado, exigente e extremista. Introduz a ideia de moderação, distanciamento e diferenciação.

A aceitação dos limites é um trabalho de luto da nossa subjetividade, lidando com limites objetivos. A subjetividade é inata. É pela subjetividade que temos sensação e ideias. Desarticulada da objetividade, tende a focar exclusivamente no que é pessoal, parcial, emocional e fixo. As avaliações são feitas colocando-se acima da verdade e abaixo da linha da razão, agarrando-se a crenças e motivações impulsivas, desmedidas. [12]

A subjetividade, sem objetividade, tende a um padrão destrutivo e violento. Tende a se envolver com queixas subjetivas, sem construir providências objetivas. A subjetividade, desconectada, voltando-se para o futuro, manifesta-se com ansiedade; para o passado, manifesta-se com angústia.

Fazer o luto da subjetividade indiferenciada é reconhecer que não somos especiais, mesmo diante da perspectiva dos limites. Estes são impessoais, imparciais e transitórios. É preciso exercitar a capacidade de aprender a estar no presente, criando condições favoráveis para construir e desenvolver as relações com a vida de forma reflexiva. Aprender a perder expectativas, aceitando as perdas sem se perder. Processar os sentimentos e acionar o simbólico. Lamentando um pouco menos e amando um pouco mais a si próprio, as relações e as circunstâncias.

Evadir é buscar se livrar, se desviar, se afastar. Reagir e buscar uma saída de forma abrupta tende a ser um padrão primário, pouco refletido, de se colocar contra o que não se gosta.

Despertar é acordar, fazer acordo com as circunstâncias da vida, mesmo diante do que não se sonhou e que não se gosta.

Se evadir é reagir, despertar é relacionar.

O processo de luto é se relacionar com as imprevisibilidades e se preparar para mudar de ideia. O luto não é necessariamente ruim, mas uma travessia. Fazer luto é se dispor a assumir o novo. Quem não faz luto não se prepara para ser feliz.

Não faz luto quem é refém da sedução e da vaidade. Com o luto, regula-se o imaginário. O luto não despreza nem o ganho nem a perda.

Qual é o sentido da vida humana?

Em geral, quando temos a ilusão de ter controle sobre os acontecimentos, essa pergunta não aparece. Entretanto, ela surge diante dos infortúnios da vida – mais especificamente diante do cenário do câncer.

Tanto animais quanto humanos comem, dormem, têm relações sexuais e se defendem. O que diferencia uns dos outros? Será que a consciência de que temos consciência é a diferença que faz diferença? Jamais seremos capazes de apreender e perceber tudo, mas a disposição para estar abertos ao todo, para compreender que há aspectos que percebemos e outros que não, pode ser mais bem digerida com humildade. Ninguém é dono da verdade, mas podemos nos relacionar com o que se nos apresenta de forma sincera, sem cera, sem artifícios.

Sem princípios reguladores a vida se restringe à biologia, sem biografia nem legado. No mundo social, a questão material é a garantia da porta de entrada. Pessoas imaginativas constroem a imagem dos heróis, representadas pelos ídolos, pelo dinheiro, pela beleza, pela popularidade e pela ilusão de invulnerabilidade. Se alguém consegue simular essa idealização, receberá uma série de facilidades sociais. O mundo social se formata por um grande apelo à aparente felicidade e um desprezo às fragilidades, dores e perdas reais. As pelejas da existência estão a serviço de extirpar os padecimentos da vida, que mal digeridos se transformam em sofrimento desmedido.

Enquanto o desejo for do grau máximo de prazer neste mundo, nos distanciaremos do que é moderação e do que é suficiente. Existe um sofrimento inútil, que implica reações irracionais, e um sofrimento útil, que nos faz ver as coisas como são, aprender com elas e avaliar o que é possível modificar e aprender.

Uma das formas de se evadir da vida é considerar que o caráter de alguém será decidido por condições materiais e aparentes. Uma pessoa que não tenha competência para atender a essas exigências pode ser considerada insultável.

Curiosamente, como humanos, afligimo-nos diante de quatro condições da vida: nascimento, morte, doença e velhice. Quanto maior a aflição, maior a redução à dimensão material.

A despeito da alta valorização das conquistas tecnológicas e de todo o avanço científico relacionado com o câncer, com muitas conquistas e reversões, não se consegue, em determinadas circunstâncias, deter a morte. Se não conseguirmos conectar a nossa mente criativa, que reconhece e se ajusta aos limites, ela poderá se reduzir à mente robótica e transformar a morte em nossa temível inimiga.

O desgaste e o declínio vital são inevitáveis; nossa trajetória existencial nos coloca como consumidores de vida. É desafiante aceitar a perda de autonomia de forma digna e cuidar do que é possível preservar.

A atitude de despertar valida a vida, mesmo diante das fragilidades. Pode-se acionar os princípios reguladores, que preservam o centro da nossa existência, expandindo nossa atitude amorosa para conosco, com os outros e com a vida. Enquanto nos orientarmos pela referência do tudo, estaremos também orientados para o nada. Esta é a lei básica da vida real: todo muito faz o muito pouco.

Prosseguir e prosperar é lidar com o suficiente e favorecer a coconstrução do bem comum.

Como fica o ser que tem câncer?

De adoecer para adoeSer. O espaço-tempo de fazer o luto de renunciar ao que se se mostra supérfluo e aparente e priorizar o que se mostra essencial. Ser capaz de distanciar-se do que não faz sentido e se conectar com o que nutre a alma. Relações funcionais no contexto do câncer podem ser cocriadas com atitude calma, tranquila, pura e honesta.

É possível uma vida funcional, a despeito da perspectiva de limites do contexto do câncer? É possível despertar para a busca de conexão, ações coerentes, respeitosas, claras e solidárias?

A meta da vida humanizada é a de se apoiar nas condições materiais e buscar valores, diferentes de preços, que vão além delas. Os constituintes básicos do mundo imaterial são as redes de relações – entidades intangíveis que se desdobram no relacionamento da pessoa com ela mesma, com as demais e com as circunstâncias da vida. Estar com é uma proposta. Nenhum episódio tem prioridade intrínseca, suas propriedades surgem das relações que passam a ser construídas. O que é vivo e real se manifesta na base das relações.

Quem retarda a vida esperando dias melhores – os que adiam a felicidade – está, de fato, matando o tempo. Viver sabiamente é perceber que não há diferença entre a eternidade e o presente. É acionar a capacidade de pousar atenção ao todo em constante movimento de evolução. A complexidade da vida é a de abraçar o materialismo sem excluir o aspecto espiritual, compreendido como totalidade.

A política da boa vida baseia-se na capacidade de se informar, de refletir, de discutir, de se organizar e de agir coerentemente. Qual é a qualidade de relação que se estabelece com a nossa condição de sermos mortais? Ou de reconhecer que as pessoas que nos são queridas podem morrer de câncer?

Processar o luto é aceitar os fatos como informações e nos dispor a aprender a perder sem nos perder. É ser capaz de continuar a amar depois da perda. Desiludir é um trabalho de luto. É aprender a perder as expectativas inflexíveis e validar as experiências.

Kovács [13] expõe o processo de luto segundo o modelo dual apresentado por Stroebe e Schut [14]. Para os autores, a elaboração do luto implica um trabalho marcado pela oscilação necessária entre dois polos: o enfrentamento orientado para a perda (sentimentos e emoções ligados à morte da pessoa amada) e o enfrentamento orientado para a restauração (tarefas de casa, cuidado dos filhos e familiares, reorganizar a vida e desenvolver novas identidades).

É preciso aprender a viver com a ausência do outro. A gratidão não anula o luto, consume-o. É ne-

cessário curar os infortúnios pelo saber de que não é possível anular o que aconteceu. Trata-se de aceitar o que é e o que não é mais; trata-se de passar da dor atroz da perda à doçura da lembrança. A gratidão é essa própria doçura, quando se torna alegre.

Quem se poupa do trabalho de luto não reconhece a alegria e a felicidade autênticas. A expectativa desmedida faz viver mal. De tanto esperar viver, não se vive – ou só se vive na alternância de expectativa e decepções, sendo constantemente afligido pelo medo. Temos expectativa do que não depende de nós e queremos o que depende. Prisioneiros da expectativa, deixamos de agir.

Negar-se a enfrentar e elaborar o luto é transformar as experiências em problema enrijecido. A teimosia não é virtude e tende a ações irracionais. Vale resignar-se e entrar em uma temperança com a capacidade de ser racional e afetivo, integrando esses polos de maneira sensível, reflexiva e razoável.

Parar de desejar é parar de viver. Esperar um pouco menos e querer um pouco mais. O caminho é o da coragem da ação e da atitude amorosa, menos dependente da expectativa desmedida e do medo paralisante. Trata-se de viver no lugar de esperar viver.

A vida não para de ensinar a si mesma, de se inventar. A vida vale pensada, vivida em ação e em verdade, aqui e agora.

A questão não é se a vida é bela ou trágica. Ela contém ambas as tonalidades. A questão é saber amar a vida tal como ela se desdobra. O real da vida não é dado, ela é vivida em sua plenitude não dividida.

O que vale a vida se não amamos? Não há valor absoluto. A beleza só vale para quem ama a verdade e a justiça. O amar é o que dá ao objeto amado o seu valor.

Desejar o que me falta é um sofrimento e desejar o que não me falta é amar. Desejar, amar e se alegrar. Quando o desejo se retira na vazante do viver, o que fica a descoberto é a própria morte. A humildade é uma virtude; seu contrário é a vaidade.

Despertar é se conectar com o tempo. *Kairós* é o tempo oportuno, o momento propício, a ocasião favorável. Composto por momentos que se põem a serviço da vida, que nos trazem ao real, à verdade de viver e à lucidez, à inteireza.

Melancolia é a perda da capacidade de amar. O que nos sufoca não é a lucidez, é a angústia, o egoísmo, a dureza de coração, a falta de coragem de amar. O oposto da asfixia é respirar livre e amorosamente diante do real da vida.

Esforço de viver, ofício da difícil tarefa de viver. Viver é fazer esforço de viver. Avançar, progredir, tanto quanto for possível, considerando que a perfeição é inalcançável.

Valer a pena é uma decisão pessoal e intransferível. Requer humildade, modéstia, simplicidade, gentileza, humor e amor. Assumir ações sinceras é nos deixar alegres. Permite que se faça o que é possível com os recursos disponíveis.

Para que estamos vivos? É uma pergunta sobre o sentido de vida. Uma mente sem autoengano é mais lúcida e penetrante e permite ver as coisas como elas são. Ir atrás da sensatez, longe do dogma. É o deslocamento para a libertação da escravidão: sair do confortável e mórbido engano de si mesmo e tornar-se aprendiz de transformações, para ter luz própria.

O otimismo ilusório pode ser tão nefasto quanto o pessimismo crônico. A antecipação catastrófica é uma forma de pessimismo.

É nas situações-limite que percebemos que muitas das coisas que defendíamos a ferro e fogo de nada servem na vida. Na adversidade, quando o status está em risco, a soberba não encontra onde fincar raízes.

Referências

1. *Dicionário Priberam da língua portuguesa* [on-line]. Lisboa: Priberam Informática, 2017. Disponível em: <https://www.priberam.pt/dlpo/terminalidade>. Acesso em: 5 maio 2019.

2. Bertalanffy, L. V. *Teoria geral dos sistemas*. Petrópolis: Vozes, 1973.

3. Tavares, G. R.; Mota, J. A. C.; Magro, C. "Visão sistêmica da prematuridade: as interações família e equipe de saúde diante do nascimento do recém-nascido pré-termo em UTI neonatal". *Revista Paulista de Pediatria*, v. 24, n. 1, 2006, p. 27-34.

4. Galera, S. A. F.; Luis, M. A. V. "Principais conceitos da abordagem sistêmica em cuidados de enfermagem ao indivíduo e sua família". *Revista da Escola de Enfermagem da USP*, v. 36, n. 2, 2002, p. 141-47.

5. Kovács, M. J. *Morte e desenvolvimento humano*. São Paulo: Casa do Psicólogo, 1992.

6. Franco, M. H. P. "Cuidados paliativos e vivência do luto". In: Bifulco, V.; Caponero, R. (orgs.). *Cuidados paliativos: um olhar sobre as práticas e as necessidades atuais*. Barueri: Manole, 2018, p. 225-36.

7. Vasconcellos, M. J. E. *Pensamento sistêmico: um novo paradigma da ciência*. Campinas: Papirus, 2002.

8. Hennezel, M.; Leloup, J.-Y. *A arte de morrer: tradições religiosas e espiritualidade humanista diante da morte na atualidade*. 8. ed. Petrópolis: Vozes, 1999.

9. Kovács, M. J. "Educação para a morte". In: Bifulco, V.; Caponero, R. (orgs.). *Cuidados paliativos: um olhar sobre as práticas e as necessidades atuais*. Barueri: Manole, 2018, p. 237-49.

10. Rosa, J. G. *Grande sertão: veredas*. Rio de Janeiro: José Olympio, 1971.

11. Tavares, G. R. (org.). *Do luto à luta*. Belo Horizonte: Folium, 2014

12. Tavares, E. C.; Tavares, G. R. (orgs.). *E a vida continua*. Belo Horizonte: Edição do autor, 2016.

13. Kovács, M. J. "Luto: elaboração da perda de pessoas significativas". In: Tavares, E. C.; Tavares, G. R. (orgs.). *E a vida continua*. Belo Horizonte: Edição do autor, 2016, p. 140-59.

14. Stroebe, M. S.; Schut, H. "Models of coping with bereavement: a review". In: Stroebe, M. S. *et al.* (orgs.). *Handbook of bereavement research: consequences, coping, and care*. Washington: American Psychological Association, 2001, p. 375-403.

PARTE V

ESPIRITUALIDADE E CÂNCER

19. A RIQUEZA DOS "FÓRUNS DE DISCUSSÃO" SOBRE ESPIRITUALIDADE NA FORMAÇÃO EM PSICO-ONCOLOGIA

REGINA LIBERATO

Introdução

No ano de 2011, recebi um convite muito interessante, que mudaria sensivelmente meus conceitos sobre educação: ser professora num curso de educação a distância. Eu não tinha a menor ideia de como a experiência proposta pela vida continha a força para me transportar para um novo entendimento moderno e arrojado.

Grande parte da minha atuação como professora seria a distância e dentro de um ambiente virtual, o que era para mim completamente desconhecido.

A princípio, tive emoções conflitantes, ambivalentes. Fiquei animadíssima para ministrar aulas na disciplina que é meu campo de estudos até hoje, e ao mesmo tempo me sentindo completamente estrangeira em um ambiente estranho, que parecia não ter contornos definidos, o que era assustador.

Eu gosto de desafios; resolvi aceitar.

Embora existisse uma tutora responsável por acompanhar os alunos no período de interação, resolvi estabelecer uma parceria no acompanhamento, para que eu pudesse aprender a me relacionar com os instrumentos do ambiente e conhecer melhor os alunos e a interação que essa proposta oferecia.

Depois de me dedicar a aprender sobre esse mundo fascinante, amplo e abrangente da educação a distância, muitas surpresas agradáveis foram aparecendo. São inúmeras as possibilidades de treino e desenvolvimento humano nesse formato de ensino-aprendizagem, porém a que mais me chamou a atenção foi o fórum de discussão.

A literatura existente evidencia um aspecto essencial da modalidade EaD que é a educação, caracterizando-a como categoria de ensino e aprendizagem que acontece em local e tempo distintos entre os seus agentes, exigindo um planejamento abrangente e detalhado de todo o processo.

O fórum de discussão é um dispositivo acessível ao professor, ao tutor e ao aluno, aberto durante um período definido que possibilita a publicação de qualquer dúvida ou questão.

Ao primeiro olhar, tudo parece relativamente simples; porém, simples não é simplório. Alguns recursos que parecem facilitar a expressão do aluno devem ser trabalhados como qualquer outro recurso educacional, o que foi para mim uma constatação interessante e bastante desafiadora. Gosto quando meus preconceitos são desmontados pela experiência. Para não se cometer um engano fútil, deve-se considerar a especificidade desse ambiente e as particularidades da expressão e da interação humana dentro desse contorno específico.

A formação humana e a capacitação profissional como aspectos éticos do desenvolvimento humano na área da saúde

A formação humana depende de autoconhecimento, portanto é um fundamento ético da experiência humana. Conhecer as características de personalidade, os sentimentos, as formas de funcionamento e a expressão desses aspectos é imprescindível para identificar e discriminar a postura que se adota em relação às questões da vida.

Para Pessini e Barchifontaine [1], a ética como conduta humana é um processo de aprendizado, de revisão constante de cada um de nós. Emerge do laço de solidariedade que existe entre os atores da sociedade, já que *ethos* demanda liberdade para se fazer escolhas, que serão respeitadas por todos. O caminho é a construção conjunta, compartilhada; assim, a convivência é uma necessidade vital.

Segundo Maturana [2], a formação humana se baseia nos processos educativos contínuos e permanentes que acontecem durante a jornada evolutiva de tornar-se e manter-se humano, que perdura por todo o ciclo vital. Propicia ao indivíduo o papel de cocriador de um espaço de convivência social de qualidade, ao gerar possibilidades de desenvolver a individualidade, a identidade e a confiança em si mesmo fundamentados no respeito.

A formação humana subsidia a nossa ética profissional.

Na verdade, essa afirmação abre um espaço de discussão urgente e gera uma significativa preocupação, pois a nossa cultura educacional valoriza muito mais os processos de capacitação profissional do que a nossa formação pessoal, o que coloca em segundo plano nossos valores e virtudes, aparentemente considerados de maneira fútil.

A formação é o processo responsável por reforçar valores e princípios éticos essenciais para relacionamentos saudáveis, e isso é primordial no estabelecimento de vínculos que tenham como objetivo o privilégio da saúde e do bem-estar.

Por meio da formação humana, preparamo-nos para ser o melhor instrumento possível do nosso trabalho, que tem como característica principal o processo empático. Só assim participaremos do encontro terapêutico sem risco de contaminação psíquica, com integridade e compaixão, aproximando-nos do sofrimento do outro pela apreensão do significado do sofrer, apoiados em nossos valores e princípios essenciais. [3]

O processo de capacitação possibilita a aquisição de habilidades, capacidades de ação ou recursos operacionais pertinentes ao exercício profissional, assim como propicia a criação de espaços de ação onde se exercitem as habilidades que desejamos desenvolver [2]. Podemos capacitar o humano para acontecimentos específicos, e grande parte do que conceituamos como cuidado depende de reflexão, treino e desenvolvimento.

A interseção das duas dimensões nos torna capazes e competentes para exercer a tarefa profissional, que necessita de características das duas instâncias educacionais em momentos e situações específicos.

Educação a distância: especificidades estruturantes na interação social

Atualmente, podemos considerar duas grandes modalidades de educação: presencial e a distância. A primeira é conhecida como ensino convencional, sendo utilizada nos cursos regulares. Nela, professores e alunos encontram-se em um mesmo local físico e ao mesmo tempo.

Segundo Moran [4], os avanços sociais, econômicos e culturais vêm provocando mudanças também nas práticas pedagógicas. Esses avanços, especialmente das tecnologias da informação e da comunicação (TIC), dos fatores econômicos e de infraestrutura, das políticas educacionais e institucionais, contribuíram para a criação de um novo sistema de educação: a modalidade a distância. [5, 6]

Ainda para Moran [4], na modalidade a distância, professores, tutores e alunos estão separados fisicamente no espaço e/ou no tempo, podendo participar também de encontros presenciais.

A literatura [5-9] aponta algumas características básicas da EaD:

- representa uma modalidade de educação efetivada por meio das tecnologias de informação e comunicação, que nos possibilita novos processos de ensino-aprendizagem a distância;
- apresenta distância física e temporal entre professores, tutores e alunos;
- executa planejamento prévio das atividades e dos materiais disponibilizados e possibilita maior autonomia dos alunos, assim como exige maior responsabilidade por seus estudos.

Atualmente a EaD constitui um recurso de extrema importância para atender a um grande contingente de alunos sem correr riscos de reduzir a qualidade dos serviços oferecidos.

A metodologia da educação a distância tem grande relevância social, pois permite o acesso de todos, em igualdade de condições, ao sistema educacional, ampliando a possibilidade de ensino e aprendizagem àqueles que vêm sendo excluídos do processo educacional por qualquer motivo. Assim, trata-se de um instrumento eficaz de promoção de oportunidades.

Segundo Litwin [10], o desenvolvimento dessa modalidade de ensino impulsionou os mais variados projetos educacionais, como: cursos profissionalizantes, capacitação para o trabalho, campanhas de alfabetização e também estudos formais em todos os níveis e campos do sistema educacional.

O conceito de EaD no Brasil é definido oficialmente, por meio do decreto n. 5.622, de 19 de dezembro de 2005 [11], como modalidade educacional com mediação didático-pedagógica nos processos de ensino-aprendizagem, que ocorre por meio da utilização de tecnologias de informação e comunicação, com estudantes, tutores e professores desenvolvendo atividades educativas em lugares ou tempos diferentes. É obrigatório haver encontros presenciais, que têm finalidades específicas: avaliação dos estudantes, estágios obrigatórios e defesa de trabalhos de conclusão de curso, quando previstos na legislação pertinente, e atividades relacionadas a laboratórios, quando for o caso.

O ambiente virtual como metáfora da realidade

Nos encontros no ambiente virtual, cabe ao professor promover a articulação entre os objetivos educacionais e os interesses de aprendizagem dos alunos, tendo por papel orientar, auxiliar e criar situações de aprendizagem. [9, 12]

Esse modelo exige do aluno maior responsabilidade pelo próprio aprendizado, o que significa que o professor deverá efetivar um planejamento de atividades e de materiais que incentivem o interesse e a autonomia dos estudantes. [5, 6, 9, 12, 13]

Do aluno se espera organização e disciplina para administrar o tempo de dedicação aos estudos, além

da realização das atividades propostas pelo tutor e/ou professor.

Durante certo período, professor, tutor e alunos se encontram em um ambiente comum, debruçados sobre um tema de interesse. Esse procedimento suscita questões relacionadas a esse tema, mas também desperta curiosidade e dúvidas sobre outros assuntos correlacionados. Os estudantes expõem suas opiniões, posições, crenças e seus valores. Muitas trocas valiosas emergem nessas oportunidades; reflexões e mudanças no estilo do viver decorrentes dessa convivência específica e complexa são relatadas com frequência nas aulas presenciais.

Esse processo educacional precisa ser validado; muitas vezes passa despercebido, porém algo de extrema importância acontece naqueles encontros. Os alunos trocam experiências profissionais e, nessa troca por meio da empatia, aprendem a respeito de autoconhecimento, autocuidado, relacionamento interpessoal e formas aprimoradas do cuidar. Se considerarmos essas categorias implicadas no desenvolvimento humano, podemos perceber processos tanto de formação pessoal (autoconhecimento, por exemplo) quanto de capacitação profissional (formas de cuidar, por exemplo). Professor e tutor organizam e exercem a coordenação desses eventos e são igualmente tocados pelos contribuintes do desenvolvimento humano.

Com relação ao tema "espiritualidade" – tanto no curso de psico-oncologia quanto no de cuidados paliativos –, vale ressaltar que abordar a dimensão da espiritualidade na educação voltada para a área da saúde propicia, além da aquisição de conhecimentos atuais, que auxiliam na prestação de cuidados de excelência, oportunidades para refletir sobre questões essenciais e existenciais relacionadas com o significado, o sentido e a totalidade da vida [14]. A angústia existencial na busca de sentido para aquilo que vivemos é latente no ser humano, e isso naturalmente instiga reflexões que podem influenciar os princípios éticos. Como Jung [15] afirmou: "Para o ser humano, a questão decisiva é esta: você se refere ou não ao infinito? Tal é o critério de sua vida. Finalmente, só valemos pelo essencial e, se não acedemos a ele, a vida foi desperdiçada".

A dinâmica ensino-aprendizagem que envolve a interação professor-aluno na educação a distância deve ser abrangente. As condições da vida do aluno, a relação que ele estabelece com a escola, a percepção e a compreensão do conteúdo programático devem ser aspectos inseridos com importância nessa interação [16]. A troca estabelecida entre os membros participantes promove o movimento e a transformação no processo de ensino-aprendizagem.

É preciso dar atenção especial à preparação dos professores que atuam nessa modalidade de educação, para que possam compreender esse processo específico de ensino e aprendizagem, especialmente quanto às novas formas de exploração do conhecimento e da construção coletiva do saber [17]. Portanto, segundo Behar [13], a formação desses professores deve contemplar o uso das tecnologias e das propostas teórico-metodológicas em EaD, cujo modelo pedagógico demanda complexidade. Nele, as diversas variantes didáticas específicas, associadas ao uso contextualizado de tecnologias, subsidiam uma forma de promover o exercício da educação.

O fórum de discussão como instrumento de interação social por meio da compaixão

> O primeiro estágio da compaixão é a empatia. Com empatia, há sofrimento. Mas o sofrimento que se sente com a empatia se torna combustível para o fogo da compaixão. [...] O poder da compaixão está além do sofrimento pessoal e está focado em soluções, no que pode ser feito. [...] quando a compaixão surge, o sofrimento é transcendido e a atenção se volta a como ser útil. O sofrimento é o combustível da compaixão, não o seu resultado. [18]

O termo "empatia" deriva da palavra grega *empatheia*, que significa "ser muito afetado" [19], "entrar no sentimento", termo inicialmente utilizado pelos teóricos da estética para designar a capacidade de perceber a experiência subjetiva do outro. [20]

Segundo Fish e Shelly [21], a empatia é a capacidade de entender aquilo que a pessoa está sentindo e, ao mesmo tempo, manter objetividade naquilo que compreende, para poder prestar a ajuda necessária.

Goleman [20] cita o psicólogo americano Edward Titchener como primeiro a defender que a empatia surgia de um movimento espontâneo e similar da imitação física da angústia do outro, e que evocava os mesmos sentimentos originais.

Já no início do século 19, a psicologia defendia que a empatia era uma capacidade por meio da qual as pessoas compreendiam umas às outras, sentiam e percebiam o que acontecia com os outros, como se elas mesmas estivessem vivenciando as experiências alheias. [19]

No século 20, o conceito de empatia foi motivo de estudo para alguns pesquisadores, mas apenas no início da década de 1950 passou a ser investigada com afinco e aplicada na psicoterapia a partir da iniciativa de Carl Rogers. Desde 1940, Rogers já ressaltava a atitude de compreender o outro pelo ponto de vista da pessoa que estava sendo ouvida, compreendida. O estado de empatia, ou de entendimento/compreensão empático(a), consiste em perceber a referência interna da outra pessoa com os significados e componentes emocionais que contém. [22]

Suas descobertas nesse campo fundamentaram uma modalidade psicoterápica que ficou conhecida como abordagem centrada na pessoa, na qual o psicoterapeuta busca estabelecer sentimentos empáticos pelo cliente em um ambiente de aceitação incondicional, mantendo autenticidade na sua expressão. [22]

A empatia legitima a humanidade, à medida que ao compreender outro ser humano como par ampliamos o nosso autoconhecimento e nos conscientizamos sobre nossa pertença à espécie humana. A partir daí, podemos aprender a respeito das diversas particularidades que cercam a nossa experiência tão singular e complexa.

Aprendemos a viver compartilhando experiências, refletindo sobre histórias de vida transmitidas como legados deixados por nossos companheiros de trajetória. A empatia também se relaciona com um sentimento que nos permite olhar o acontecimento de uma perspectiva diferente da nossa, apreciando a situação como se estivéssemos no lugar da pessoa que vivencia a experiência. Quando isso não ocorre, corremos o risco de desconsiderar o outro, seus valores, crenças e desejos. [23]

Segundo Boff [24], cuidar deve ser uma atitude e não um ato isolado; é ocupar-se, preocupar-se com o outro, assumir responsabilidade pelo vínculo que existe no cuidado. Portanto, não é possível cuidar sem o sentimento de empatia, que também é um dos atributos essenciais na relação profissional de saúde-paciente.

Ainda segundo o mesmo autor, cuidar não se estabelece em atos; na verdade, deveria ser uma atitude, um modo de ser, e representa ocupar-se, preocupar-se, responsabilizar-se e envolver-se afetivamente com o outro. Assim, o cuidado se consolida com o estabelecimento de vínculos afetivos significativos.

Para o budismo, compaixão não significa sentir pena das outras pessoas. A compaixão, em termos tibetanos, é um sentimento espontâneo de vínculo com todos os seres vivos.

Segundo Kagan, citado por Lomonaco [25], somos programados biologicamente para reagir ao ambiente, evitando ameaças à nossa sobrevivência e aproveitando eventuais oportunidades para melhorar nosso bem-estar. A mesma programação biológica que nos impulsiona para a agressividade também nos proporciona emoções que não apenas inibem a agressividade como nos compelem a agir a serviço de nossos pares. Trata-se de certa tendência biológica para a gentileza, a compaixão, o amor e o cuidado com o outro.

Invariavelmente me surpreendo com o que as pessoas são capazes de fazer pelo outro. Os bombeiros que atuaram na tragédia do rompimento da barragem em Brumadinho (MG), que colocaram sua saúde em segundo plano para localizar os desaparecidos; os profissionais da ONG Médicos sem Fronteiras, que se dirigem para lugares sem recursos suficientes para a saúde humana, colocando a vida em risco para salvar outras vidas; pessoas cavando com as mãos a terra do deslizamento em que vizinhos, às vezes desconhecidos, estão soterrados; o mundo que se mobiliza, torce e reza para salvar os meninos que ficaram presos na caverna da Tailândia; pais que esquecem seus desejos para acudir mínimas necessidades de seus filhos; sacrifícios que indicam existir um conjunto de fatores biológicos que transcendem necessidades, medos e desejos pessoais, o que ampara a afirmação de Kagan de que "o senso ético é uma característica biológica de nossa espécie" – embora a autora deste capítulo não concorde que a compaixão se restrinja à condição humana.

Considerações gerais

O estudo dirigido de forma interativa efetivado em um fórum de debate no ambiente virtual de aprendizagem, tendo o *chat* como forma de construção e reconstrução de conhecimento a partir de respostas dadas às questões propostas dentro do conteúdo programático, gera liberdade para aprender e reformular conhecimentos que auxiliam o grupo a relacionar fundamentação teórica e prática profissional. Isso parece ampliar a compreensão e consolidar fundamentos para criar e posteriormente gerenciar procedimentos de cuidado mais eficazes. Além disso, as diversas trocas estabelecidas entre os participantes – professor, tutor e alunos – produzem reflexões éticas que interferem tanto no desenvolvimento da formação pessoal quanto no aprimoramento da capacitação profissional, qualidade imprescindível para o tipo de tarefa profissional que desempenhamos. Para que saibamos se esse é um diferencial específico da educação a distância, seria interessante que investigações futuras procurassem aprofundar a verificação. Tais pesquisas indubitavelmente reforçariam instrumentos de ensino-aprendizagem tanto na educação tradicional quanto naquela a distância.

Ao considerar que o conhecimento é um produto da linguagem, que por sua vez é construída nas relações, o processo de viver emergente nas experiências da existência humana está diretamente vinculado com o modo de se organizar no espaço relacional. É certo que essa demanda necessita de adaptabilidade, mas é muito mais que isso.

As interações sociais são marcadas pelos afetos e pelo cuidado, mas também pela cooperação.

A consolidação da EaD como modalidade de ensino-aprendizagem coloca em discussão as ideias de aprendizagem cooperativa e/ou colaborativa, aprendizagem em rede e comunidades de aprendizagem, além de suscitar importantes reflexões sobre interatividade e interação na educação como parte da formação do indivíduo, que é primordial na nossa construção profissional.

Referências

1. Pessini, L.; Barchifontaine, C. P. *Problemas atuais de ética*. São Paulo: Loyola, 2014.

2. Maturana, H. R. *Formação humana e capacitação*. Petrópolis: Vozes, 2008.

3. Liberato, R. P. "O cuidado como essência humana". In: Abrale – Associação Brasileira de Linfoma e Leucemia. *Transdisciplinaridade em oncologia: caminhos para um atendimento integrado*. São Paulo: HR, 2009

4. Moran, J. M. "Aperfeiçoando os modelos de EAD existentes na formação de professores". *Educação*, v. 32, n. 3, 2009, p. 286-90.

5. Belloni, M. L. *Educação a distância*. 5. ed. Campinas: Autores Associados, 2009.

6. Peters, O. *A educação a distância em transição: tendências e desafios*. São Leopoldo: Unisinos, 2009.

7. Keegan, D. J. *Theoretical principles of distance education*. Londres: Routledge, 1983.

8. Moore, M. G.; Kearsley, G. *Educação a distância: uma visão integrada*. São Paulo: Cengage, 2008.

9. Litto, F. M. *Aprendizagem a distância*. São Paulo: Imprensa Oficial, 2010.

10. Litwin, E. *Educação a distância: temas para o debate de uma nova agenda educativa*. Porto Alegre: Artmed, 2001.

11. Brasil. Decreto Lei n. 5.622 de 19 de dezembro de 2005. Regulamenta o art. 80 da Lei n. 9.394, de 20 de dezembro de 1996, que estabelece as diretrizes e bases da educação nacional. Diário Oficial da União, 20 dez. 2005. Disponível em: <http://legis.senado.gov.br/norma/566415/publicacao/15727450>. Acesso em: 6 maio 2019.

12. Pereira, A. *et al. Modelo pedagógico virtual da Universidade Aberta: para uma universidade do futuro*. Lisboa: Universidade Aberta, 2007.

13. Behar, P. A. "Modelos pedagógicos em educação a distância". In: Behar, P. A. (org.). *Modelos pedagógicos em educação a distância*. Porto Alegre: Artmed, 2009.

14. Reginato, V. O. "Conceito de espiritualidade e sua interface com a medicina". In: Pereira, F. M. T. *et al.* (orgs.). *Espiritualidade e oncologia – Conceitos e prática*. São Paulo: Atheneu, 2018.

15. Jung, C. G. *Memórias, sonhos e reflexões*. Rio de Janeiro: Nova Fronteira, 1986.

16. Silva, O. G.; Navarro, E. C. "A relação professor-aluno no processo ensino-aprendizagem". *Interdisciplinar: Revista Eletrônica da Univar*, v. 8, n. 3, 2012, p. 95-100.

17. Gomes, L. F. "EAD no Brasil: perspectivas e desafios". *Avaliação: Revista da Avaliação da Educação Superior* [on-line], v. 18, n. 1, 2013, p. 13-22. Disponível em: <http://submission.scielo.br/index.php/aval/article/view/113548>. Acesso em: 6 maio 2019.

18. Wallace, A. *Budismo com atitude*. Rio de Janeiro: Nova Era, 2007.

19. Sampaio, L. R.; Camino, C. P. S.; Roazzi, A. "Revisão de aspectos conceituais, teóricos e metodológicos da empatia". *Psicologia, Ciência e Profissão*, v. 29, n. 2, 2009, p. 212-27.

20. Goleman, D. *Inteligência emocional*. Rio de Janeiro: Objetiva, 1995.

21. Fish, S.; Shelly, J. A. *Cuidado espiritual do paciente*. São Paulo: UMHE, 1986.

22. Rogers, C. "As condições necessárias e suficientes para a mudança terapêutica da personalidade". In: Wood, J. K. (orgs.). *Abordagem centrada na pessoa*. Vitória: Fundação Ceciliano Abel de Almeida, 1995, p. 155-78.

23. Goldim, J. S. "Compaixão, simpatia e empatia". 2006. Disponível em: <https://www.ufrgs.br/bioetica/compaix.htm>. Acesso em: 6 maio 2019.

24. Boff, L. *Saber cuidar: ética do humano, compaixão pela terra*. 6. ed. Petrópolis: Vozes, 1999.

25. Lomonaco, J. F. B. "Três ideias sedutoras e quatro sugestões preciosas: algumas reflexões de Jerome Kagan". *Psicologia: Ciência e Profissão*, v. 26, 3, 2006, p. 384-405. Disponível em: <http://www.scielo.br/scielo.php?script=sci_arttext&pid=S1414=98932006000300005-&lng=en&nrmiso>. Acesso em: 6 maio 2019.

20. RESSIGNIFICAR A VIDA PELO CÂNCER: A ESPIRITUALIDADE COMO ESTRATÉGIA DE ENFRENTAMENTO

Simone de B. Mantuani, Regina Liberato

"Quem olha para fora sonha… quem olha para dentro desperta."

Carl G. Jung

Introdução

Diante do processo de hospitalização e principalmente do adoecimento decorrente de uma doença cheia de mistificações como o câncer, surgem aspectos emocionais e psicossociais como medo, insegurança, instabilidade e dúvidas com relação ao tratamento, por vezes abalando e fragilizando a estrutura psíquica do indivíduo. Sabe-se que o câncer é um problema de saúde pública, representando a segunda causa de morte na população adulta brasileira. [1]

O diagnóstico de câncer está estritamente relacionado com o medo da morte. Mesmo com os avanços técnicos científicos e todos os esforços das pesquisas em divulgar os casos de sucesso diante dos tratamentos, existe no senso comum o estigma de que a pessoa com câncer está condenada a morrer, pois, mesmo que haja um bom prognóstico para a doença, o impacto emocional dessa correlação é soberano. Os sentimentos desencadeados pelo diagnóstico de câncer surgem mesmo com o alcance da cura e da sobrevida de muitos tipos de câncer. [2]

Chiattone [3] afirma:

O viver e conviver com a doença é permeado de conhecimentos (ideias), crenças (aceitação de uma proposição como verdadeira), valores (sentimentos que incentivam o comportamento humano), normas (que indicam o modo de agir) e símbolos (realidades valorativas), que propiciam assim o conhecimento adquirido (implícito ou explícito) que as pessoas utilizam para interpretar sua experiência e gerar um novo comportamento social.

E, nesse conviver com a doença, observa-se a espiritualidade como forma de autoconhecimento e de contato com seu íntimo – e, em alguns casos, até mesmo como busca de um consolo e de um sentido para a vida. Mas o que acontece com o ser que, ao adoecer, busca a espiritualidade, que antes não lhe era tão presente e agora se faz tão urgente e necessária? Essas questões nos impulsionam a pesquisar e a compreender de que modo a espiritualidade pode ser utilizada como estratégia de enfrentamento e forma de ressignificar a vida quando se tem câncer.

Câncer

De acordo com o Instituto Nacional de Câncer (Inca) [4], câncer ou neoplasia é o nome dado a um conjunto de mais de cem doenças que têm em comum o crescimento desordenado (maligno) de células que invadem os tecidos e órgãos, podendo espalhar-se (metástase) para outras regiões do corpo, acometendo tanto adultos como crianças.

Segundo Neme [5],

os diferentes tipos de câncer não têm uma única causa, mas etiologia variada. Para que a doença ocorra, é necessária uma operação conjunta de diversos determinantes, como predisposição genética, fatores hormonais, exposição a fatores ambientais de risco, contágio por determinados vírus, uso de cigarro e álcool, ingestão de substâncias alimentícias cancerígenas, imunodepressões ocasionadas por estresse e outros fatores, além das variáveis relacionadas com a reprodução e a genética celular.

Além desses fatores, pesquisas na área do estresse, da psiconeuroimunologia e da psico-oncologia, incluindo estudos clínicos, indicam a importância da contribuição de aspectos psicológicos e sociais na gênese e no desenvolvimento dos cânceres, destacando aspectos psíquicos e de personalidade. [5]

Diversos avanços técnicos ocorridos nos últimos anos têm contribuído para o aumento da sobrevivência e a melhora da qualidade de vida do paciente com câncer, além da redução do impacto emocional por ele sofrido. Mas, devido provavelmente ao diagnóstico tardio, o câncer continua a ser uma das maiores causas de mortalidade. [6]

Dessa maneira, a prevenção ainda é o método mais efetivo para reduzir o número crescente de casos e prevenir as possíveis mortes atribuídas à doença. A prevenção do câncer depende de medidas para reduzir ou evitar a exposição aos seus fatores de risco. Esse é o nível mais abrangente das ações de controle das doenças. Nesse ponto entram todas as orientações relacionadas a alimentação equilibrada, diminuição do uso de bebidas alcóolicas, bem como medidas de redução e controle do tabagismo e o incentivo à prática de atividades físicas. Além dessas orientações, existem duas formas de estratégia de conhecimento utilizadas na detecção precoce do câncer: o diagnóstico precoce e o rastreamento. [4]

Espiritualidade *versus* religiosidade

A palavra "espiritualidade" vem da raiz latina *spiritus*, que significa sopro, o princípio que anima, o sopro da vida [6]. Pode ser definida como um modo de ser e de sentir que ocorre pela tomada de consciência de uma dimensão transcendente, sendo caracterizada por certos valores identificáveis com relação a si mesmo, aos outros, à natureza, à vida. [6]

"Religião" vem do latim *religare*, religar, restabelecer ligação [7]. A religiosidade é um conjunto de crenças associadas a alguma seita ou instituição religiosa, caracterizada pela prática de determinados rituais religiosos públicos que estão relacionados a vivências extrínsecas, assim como intrínsecas. Nesse sentido, é comum que a espiritualidade coexista com a religiosidade, embora às vezes isso não aconteça necessariamente. [7]

A busca da espiritualidade e da aproximação com o seu sentir vem sendo muito procurada e até mesmo explorada na contemporaneidade. Segundo Liberato e Macieira [6], a espiritualidade é universal e está disponível a qualquer ser humano. Não se restringe a uma religião, cultura ou a um grupo de pessoas; independentemente da denominação religiosa, está também associada com a promoção e a manutenção da saúde, além de prover aos pacientes esperança, significado para a doença e um sentido para a vida.

Coping religioso-espiritual: como se dá o enfrentamento

O termo enfrentamento, usado com o mesmo sentido da palavra inglesa *coping*, significa a estratégia ou o esforço cognitivo e comportamental que o indivíduo emprega para administrar as exigências impostas por um agente estressor [6]. Nesse esforço, o indivíduo tenta resolver o problema e regular o estresse emocional dele advindo. A consequência disso está relacionada com o controle da situação ou a diminuição da resposta emocional. Temos duas maneiras diferentes de enfrentamento: uma centrada no problema e outra centrada na emoção. [8]

O enfrentamento focado no problema constitui-se de estratégias ativas (planejamento e solução de problemas) de aproximação em relação ao estressor. A estratégia de enfrentamento focada na emoção visa regular a resposta emocional causada pelo estressor, e por vezes se apresenta em atitudes como esquiva e negação. O enfrentamento religioso pode estar relacionado tanto com as estratégias focadas no problema quanto nas centradas na emoção.

Já o *coping* religioso-espiritual (CRE) [9] é caracterizado como o uso de estratégias religiosas e/ou espirituais para manejar o estresse diário e/ou advindo das crises que ocorrem ao longo da vida, constituindo uma estratégia de enfrentamento importante diante de situações consideradas difíceis – como é o caso do diagnóstico do câncer, que produz um forte impacto na vida da pessoa.

As pessoas que recebem o diagnóstico de câncer experimentam um grande abalo em seu estilo de vida. Os tratamentos, as idas ao hospital e os efeitos colaterais da medicação provocam grande sofrimento. Algumas delas encontrarão na prática da sua dimensão espiritual, ou por meio da expressão de sua espiritualidade, ajuda para o enfrentamento das crises físicas e psicológicas resultantes do diagnóstico e do tratamento. [6]

A espiritualidade também pode proporcionar sentimentos e sensações que provoquem o bem-estar físico e psicológico. De acordo com Gobato e Araújo [9], ao que parece, o bem-estar espiritual é um fator de proteção associado a atitudes positivas por parte de pacientes idosos com câncer. Pesquisas indicam o enfrentamento religioso/espiritual como fonte de equilíbrio e fortalecimento, que promove serenidade e favorece a luta pela vida.

Observa-se que as pessoas manifestam essa fé e confiança na busca da espiritualidade [7]. O adoecimento faz o ser humano dar-se conta da sua finitude, e nesse momento surgem perguntas que antes não faziam sentido.

A vivência da espiritualidade pode trazer significado e sentido à vida. Liberato e Macieira [6] reforçam que o significado de vida, conceito explorado por Viktor Frankl, representa o processo de encontrar pleno sentido de significância e propósito em quaisquer circunstâncias; esse sentido poderia se expressar por meio de pensamento criativo, experiências e atitudes de valor. Como característica individual, a espiritualidade pode incluir a crença em um Deus, que representaria uma ligação do "Eu" com o Universo e com outras pessoas. [8]

Práticas religiosas e espirituais *versus* qualidade de vida

A relação entre religiosidade, espiritualidade e qualidade de vida tem despertado a atenção dos pesquisadores. Estudos com pacientes oncológicos evidenciaram relações positivas entre qualidade de vida e bem-estar espiritual, existencial e religioso, assim como melhor percepção do suporte social. [7]

O bem-estar espiritual é uma das dimensões de avaliação do estado de saúde, junto com as dimensões corporais, psíquicas e sociais [7]. Essa perspectiva vem sendo cada vez mais compreendida e aceita na atualidade, mas sabe-se que nem sempre a ciência compreende com clareza esses fatores.

Embora no século 20 os profissionais da saúde mental tenham apresentado uma tendência a negar os aspectos da religiosidade na vida do ser humano (que em muitos casos era considerado patológico), a religiosidade continua a ser relevante para o ser humano, tendo uma ação positiva em sua saúde mental. [7]

O enfrentamento religioso abrange a religiosidade e a espiritualidade, que se diferenciam em alguns aspectos [8]. Como vimos, a religiosidade está relacionada com uma instituição religiosa e/ou igreja, pela qual o indivíduo segue uma crença ou prática proposta por determinada religião. Já a espiritualidade está relacionada com a transcendência e a busca de significado.

Fornazari e Ferreira [8] verificaram, em seu estudo com pacientes acometidos por doenças graves e seus familiares, que os principais provedores de cuidados espirituais foram familiares, amigos e profissionais da saúde. A atividade de cuidado espiritual relatada como mais frequente foi "ajudar no enfrentamento da doença"; a menos frequente foi "oferecer oração intercessora". Com base nos dados obtidos, os autores sugerem que intervenções espirituais podem ser produtivas e recomendam mais estudos sobre os mecanismos envolvidos no cuidado espiritual.

As mesmas autoras [8] identificaram estratégias positivas aquelas que resultam em melhoras na saúde mental, na redução de estresse, no "crescimento espiritual" e na cooperatividade. As estratégias negativas estão relacionadas com resultados que apontam correlações negativas referentes a qualidade de vida, depressão e saúde física, como a atitude de não adesão ao tratamento por acreditar em cura divina. Assim, é preciso estar atento à forma e ao mecanismo de enfrentamento que a pessoa passa a desenvolver. Religiosidade e espiritualidade podem ser aliadas se forem utilizadas como recursos positivos; do contrário, dificultam a aderência ao tratamento clínico.

Embora a tendência da relação religião-saúde seja predominantemente positiva, a diversidade de correlações entre práticas e inúmeras crenças religiosas requer que intervenções clínicas sugeridas incluam advertências cautelosas. O julgamento de um Deus benevolente foi associado com baixo índice de depressão, mas quando visto como uma entidade punitiva contribui para o seu aumento. [6]

O profissional de saúde necessita respeitar e compreender a religiosidade do paciente como um aspecto psicossocial. Acima de tudo, deve estar apto a acolher esse aspecto nos processos de cura e crescimento das pessoas. Quando não estiver capacitado para tal, precisa buscar auxílio na equipe multiprofissional com abordagem interdisciplinar para atender à necessidade espiritual de quem sofre.

O capelão ou assistente espiritual é o profissional que pode auxiliar nesse aspecto. Capelães são clérigos profissionais ou leigos teológica e clinicamente treinados para fornecer cuidado espiritualista por meio de uma escuta empática, demonstrando entendimento de pessoas em angústia. [10]

Ao entrar em contato com esse entendimento da crença religiosa do paciente, o profissional de saúde sente-se mais confortável para dialogar com ele e com seus familiares, uma vez que o assunto seja trazido por eles.

De alguma maneira há aquelas pessoas que conseguem superar os problemas devido a uma sólida ligação com o mundo que as envolve [7]. Assim, entre os que são submetidos às adversidades da vida, alguns conseguem tirar forças dos momentos de fraqueza, como se tivessem um reservatório biopsíquico – sobretudo quando o meio social lhes propicia alguma ajuda, tornando a realidade suportável, como é o caso do apoio vindo de grupos religiosos da própria fé do sujeito.

Desse modo, a espiritualidade e a religiosidade podem auxiliar na compreensão de uma consciência encarnada, capaz de se orientar para fora e para dentro de si mesma. [11]

Considerações finais

Identificamos que a dimensão espiritual é utilizada de maneira recorrente como estratégia de enfrentamento, pois pode auxiliar a qualidade de vida e oferecer serenidade e tranquilidade durante o tratamento oncológico. A espiritualidade ou *coping*

religioso é uma importante ferramenta de apoio ao paciente e à sua família.

O ser adoecido e em tratamento oncológico necessita ser compreendido por seu meio social, familiar e por profissionais de saúde dentro das esferas biopsicossocial e espiritual. Ele tem as suas particularidades, sua moral, suas crenças e seus valores; muitas vezes, o adoecimento faz surgir reflexões antes sem significado ou sem sentido. O medo entra em jogo, a angústia aumenta, a ansiedade surge. A busca, e até mesmo o encontro com a dimensão espiritual, como foi percebido nos materiais estudados, proporciona certo conforto e segurança à pessoa.

Um ponto que merece destaque é a dificuldade das equipes assistenciais de observar a espiritualidade como aliada. Isso ocorre, em geral, por desconhecimento a respeito da existência de profissionais preparados para lidar com a dimensão espiritual do paciente ou até por preconceito.

O psicólogo que se integra à equipe de oncologia necessita desse olhar abrangente, assim como os demais profissionais. Em nosso meio cultural, e principalmente no meio científico, a dimensão espiritual e o trabalho com ela ainda são tidos e vistos como tabu. Nos últimos anos, houve um aumento nas pesquisas relacionadas com o tema; porém, o material existente é escasso – tanto em virtude da complexidade de recursos ligados à religiosidade como por existirem poucos instrumentos que validem e possam mensurar os dados obtidos.

O estudo desse tema proporciona melhor compreensão da dimensão espiritual como ferramenta auxiliar na ressignificação do câncer. Diariamente, milhares de pessoas enfrentam situações de perda – da saúde, da autonomia, da liberdade, da autoconfiança etc. Trabalhar na área da psico-oncologia nos faz deparar com o confronto, com barreiras que podem ser tanto intrínsecas como extrínsecas.

Percebe-se, ainda, que a abordagem espiritual carece de maior informação e compreensão por parte da equipe profissional, bem como de cursos extensivos ou acadêmicos que possam abordar a temática.

Referências

1. Rodrigues, F. S. S.; Polidori, M. M. "Enfrentamento e resiliência de pacientes em tratamento quimioterápico e seus familiares". *Revista Brasileira de Cancerologia*, v. 58, n. 4, 2012, p. 619-27. Disponível em: <http://www1.inca.gov.br/rbc/n_58/v04/pdf/07-artigo-enfrentamento-resiliencia-pacientes-tratamento-quimioterapico-familiares.pdf>. Acesso em: 6 maio 2019.

2. Salci, M. A.; Marcon, S. S. "Após o câncer: uma nova maneira de viver a vida". *Rev. Rene*, v. 12, n. 2, 2011, p. 374-83. Disponível em: <http://repositorio.ufc.br/handle/riufc/12244>. Acesso em: 6 maio 2019.

3. Chiattone, H. B. C. "Uma vida para o câncer". In: Angerami-Camon, V. A. (org.). *O doente, a psicologia e o hospital*. São Paulo: Pioneira, 1992, p. 88-109.

4. Instituto Nacional de Câncer José Alencar Gomes da Silva. *ABC do câncer: abordagens básicas para o controle do câncer*. 2. ed. rev. e atual. Rio de Janeiro: Inca, 2012.

5. Neme, C. M. B. (org.). *Psico-oncologia: caminhos e perspectivas*. São Paulo: Summus, 2010, p. 99-147.

6. Liberato, R. P.; Macieira, R. C. "Espiritualidade no enfrentamento do câncer". In: Carvalho, V. A. *et al.* (orgs.). *Temas em psico-oncologia*. São Paulo: Summus, 2008, p. 414-31.

7. Geronasso, M. C. H.; Coelho, D. "A influência da religiosidade/espiritualidade na qualidade de vida das pessoas com câncer". *Revista Saúde e Meio Ambiente: Revista Interdisciplinar*, v. 1, n. 1, 2012, p. 173-87. Disponível em: <http://www.periodicos.unc.br/index.php/sma/article/view/227/0>. Acesso em: 9 maio 2019.

8. Fornazari, A. S.; Ferreira, R. E. "Religiosidade/espiritualidade em pacientes oncológicos: qualidade de vida e saúde". *Psicologia: Teoria e Pesquisa*, v. 26, 2, 2010, p. 265-72. Disponível em: <http://www.scielo.br/pdf/ptp/v26n2/a08v26n2>. Acesso em: 9 maio 2019.

9. Gobatto, C. A.; Araújo, T. C. C. F. "Coping religioso-espiritual: reflexões e perspectivas para a atuação do psicológico em oncologia". *Revista da SBPH*, v. 13, n. 1, 2010. Disponível em: <http://pepsic.bvsalud.org/scielo.php?script=sci_arttext&pid=S1516-08582010000100005>. Acesso em: 9 maio 2019.

10. Saad, M.; Nasri, F. "Grupos de religiosidade e espiritualidade". In: Knobel, E. *Psicologia e humanização: assistência aos pacientes graves*. São Paulo: Atheneu, 2008, p. 349-61.

11. Jung, C. G. *Espiritualidade e transcendência*. Petrópolis: Vozes, 2015.

21. A ABORDAGEM DA ESPIRITUALIDADE NA ASSISTÊNCIA A PACIENTES ONCOLÓGICOS

KARYNNE PRADO, MARÍLIA A. DE FREITAS AGUIAR

A medicina tem alcançado grande avanço no tratamento do câncer, e esse progresso aumenta as chances de cura da enfermidade. Apesar disso, as neoplasias têm importantes repercussões no paciente. Por causarem, desde o diagnóstico, alterações em diversos âmbitos de sua vida, provocam medo, aflição e raiva, sentimentos oriundos das dúvidas do que ocorrerá futuramente. [1, 2]

Como lidar com essa situação? Faz-se necessário algo que tenha sentido – sentido não apenas para a doença ou para sua procedência, mas também para a vida, possibilitando renovação mesmo em face das diversas mudanças na história do paciente. Inúmeras pessoas recorrem à espiritualidade para enfrentar o câncer [2]. O diagnóstico de uma doença como o câncer faz que tanto o enfermo quanto seus familiares se interessem por uma resposta espiritual. [3]

No âmbito espiritual, encontra-se o que é mais intenso no ser humano; todo indivíduo carrega em si essa porção que o estimula a buscar o sagrado com mais intensidade [4]. Nesse sentido, é preciso distinguir espiritualidade de religiosidade. A primeira é universal e não se limita a uma religião, cultura ou grupo de pessoas, mas abrange valores pessoais, constituindo-se naquilo que dá sentido à vida. Já a religiosidade é definida como um sistema de crenças e práticas ligadas a uma instituição, as quais podem ser contempladas para promover a espiritualidade [5]. Logo, a espiritualidade não é sinônimo de religiosidade, e apesar de serem distintas ambas influenciam a qualidade de vida.

A espiritualidade pode ser utilizada pelo paciente como enfrentamento diante da doença; ao auxiliá-lo nesse percurso, diminui seu sofrimento e estimula a expectativa de cura [2]. O enfrentamento ou *coping* religioso/espiritual (CRE) relaciona-se com um grupo de estratégias cognitivas e comportamentais usadas no intuito de enfrentar circunstâncias de estresse. Pode ser positivo, quando utiliza recursos que ofereçam resultado favorável à pessoa, como buscar proteção e segurança divina; ou negativo, quando abrange estratégias que causam impactos maléficos – por exemplo, considerar a adversidade uma punição divina. [6, 7]

Nesse sentido, estudos indicam que a fé auxilia na superação da dor e da angústia e proporciona auxílio emocional e psicológico, refletindo diretamente na vivência social dos indivíduos. Entende-se que a espiritualidade e a fé devem ser abordadas no cuidado ao paciente, já que influem também na mudança de hábitos e na adesão ao tratamento, aumentam a qualidade de vida e a busca da cura. Além disso, dão sentido à vida, mediante sua valorização, ativam o sistema imunológico e endócrino, diminuem o estresse e a ansiedade, estimulam o crescimento pessoal, sentimentos de esperança e de pertencimento – e outros fatores que instigam a melhora física e psíquica do enfermo. [3, 5, 8]

É importante que os profissionais de saúde considerem e valorizem, além dos sentimentos, a fé a que muitas vezes o paciente se apega para sobreviver e manter a esperança. Pacientes e familiares precisam ter suas necessidades espirituais contempladas, tornando-se imprescindível a introdução de práticas espirituais no exercício profissional. [9]

Sendo o câncer uma doença que agride o paciente como um todo, e a espiritualidade uma área que beneficia os demais âmbitos do ser humano, realizou-se um estudo que fosse além da atenção ao corpo físico dos portadores de câncer. O objetivo foi analisar a espiritualidade dos pacientes como parte do cuidado integral. [9]

Rumo aos objetivos

O presente estudo foi realizado em uma organização não governamental (ONG) em Belo Horizonte (MG) que oferece atenção a pessoas em tratamento oncológico e a seus familiares. Nessa ONG foi criado, em 2013, o grupo "Viver com alma", que era coordenado pela enfermeira da instituição. Seu objetivo era fomentar as discussões acerca do tema "espiritualidade" e de sua influência na saúde física, no diagnóstico e no tratamento de pacientes com câncer. Os encontros foram semanais, com duração de 90 minutos. Temporário, o grupo se reuniu por um período de três meses, num total de 12 reuniões, e contou com 20 participantes. Posteriormente aos 12 encontros do grupo, realizou-se a entrevista individual com cada participante, guiada por um roteiro semiestruturado e direcionada ao objetivo da pesquisa. A pesquisa foi aprovada por um comitê de ética e seguiu todos os critérios para garantir o sigilo dos participantes.

Perfil dos participantes

Predominaram as mulheres, cuja idade variou entre 34 e 63 anos. Em relação à religião, os participantes eram majoritariamente evangélicos e católicos. Um deles era espírita kardecista e outro informou não ter religião.

No que concerne ao diagnóstico, ao tipo ou à localização das neoplasias que mencionaram ter, encontramos câncer de mama, linfoma não Hodgkin e Hodgkin, neoplasias das células epitelioides perivasculares (PEComa), câncer cervical, leucemia, câncer colorretal, de pâncreas, de língua e de laringe.

A vivência da espiritualidade antes do câncer, no diagnóstico e no tratamento

Na última década, aumentaram as pesquisas sobre a espiritualidade e a religiosidade como mecanismos de enfrentamento utilizados por pessoas com câncer [7]. Situações de fragilidade provocadas pela doença levam o paciente a buscar o âmbito espiritual [10], uma vez que a experiência do sofrimento provocado pela enfermidade desencadeia uma forte ligação com esse tema [7]. Tal enfrentamento beneficia o enfermo: segundo Guerrero *et al.* [2], pela ótica do paciente, "o câncer amedronta e a espiritualidade renova" (p. 58).

Muitos pacientes relatam que, se antes a espiritualidade não se mostrava presente no seu dia a dia, com a descoberta do câncer passaram a valorizá-la. Para outros, a fé aumentou ao longo das adversidades provocadas pela enfermidade [3]: "Não é que ela [fé] aumentou, ela foi mantida viva ali, porque eu já tinha muita fé antes [...] ela só foi adubada".

Neste estudo, a fé foi apontada como elemento essencial da espiritualidade. E, de acordo com a Bíblia [11], ela "[...] é a certeza de coisas que se esperam, a convicção de fatos que se não veem" (p. 1194). Nesse cenário, a fé permite ao ser humano acreditar em algo que ainda não existe e, mesmo diante de circunstâncias desfavoráveis, vivenciar o sentimento de realização. Mais que apoio, a fé dos pacientes oncológicos é percebida como alívio e garantia mediante as incertezas oriundas da doença. [7]

Inúmeras pessoas associam a espiritualidade à confiança de sobreviver ao câncer [6, 7]. Devido ao estigma da doença, mesmo com os avanços no tratamento oncológico, sua cura ainda é associada a um milagre. [2]

> Ah, eu tive muita fé. Eu sempre tive fé que ia ser curada.
> Eu ouvi dizer "esta não passa de logo". E isso prova que eu estou aqui até hoje porque eu passei o logo, passei o amanhã, passei o hoje e eu vou continuando...
> [...] ele [o médico] falou assim: "Pode contar para todo mundo que isso é um milagre, que é raro isso acontecer". Sair com vida dessa cirurgia que eu fiz...

Por outro lado, encontramos pacientes que não acreditavam ter experimentado o milagre. Mesmo enfatizando a importância da vivência espiritual durante o tratamento, para alguns o milagre só existe quando a cura acontece: "Eu acredito que recebi muita força através da espiritualidade e da minha ligação com Deus diretamente, mas milagre não. [...] Eu nunca vi um [milagre]".

Tais declarações corroboram as evidências de que aqueles que vivem conectados a experiências espirituais "tendem a apresentar menor incidência de doenças, maior longevidade, recuperação mais rápida e menos intercorrências durante o tratamento" (p. 49) [7]. Entretanto, cada um vivencia a espiritualidade de forma própria, e isso reflete na sua percepção e nos sentimentos aflorados. Assim como o CRE costuma proporcionar benefícios ao indivíduo, o vínculo do sujeito com a religiosidade/espiritualidade pode ser negativo. Em geral, isso ocorre em jovens, em pessoas que em pessoas que não têm crença e naquelas que desconsideram o apoio espiritual. O CRE negativo leva a aumento da ansiedade, depressão, menos uso de autoafirmações positivas e menos bem-estar espiritual. [6, 7]

O tratamento do câncer muitas vezes é percebido como um caminho intransponível que agride o corpo físico e também a dimensão emocional, por confrontar o paciente com a finitude do ser humano. Surge então um embate em que todas as ferramentas são buscadas para alcançar a vitória – a cura. Na pesquisa, os pacientes equipararam o câncer a um inimigo; precisavam de força para lutar e vencer a batalha contra a doença. Nesse sentido, as palavras "luta" e "força" se misturam com esperança, fé, práticas religiosas e amor [3, 12]: "Só com muita fé que resolvi lutar. Um amigo teve [câncer] na mesma época e não lutou, então ele morreu. [...] [a fé] ajudou na minha luta com a certeza de sair vitorioso e hoje estou aqui".

A dimensão espiritual intervém na maneira como o indivíduo enfrenta o adoecimento e influencia no modo como o enfermo atribui significado ao processo de adoecer e às repercussões vividas na trajetória terapêutica [5]. Aqueles que valorizam a espiritualidade têm melhor qualidade de vida e mais facilidade para lidar com os problemas. Alguns trabalhos comprovam que pacientes internados que estão deprimi-

dos recebem alta hospitalar mais rápido quando são mais espiritualizados. [8, 13]

Como vimos, a fé costuma impulsionar a possibilidade de recuperação e de superação do câncer. Em certos momentos, religiosidade e espiritualidade se confundem e muitas vezes é dado a Deus o poder dessa cura, mesmo que dependendo de uma barganha: "[Pedia] a Deus, para que me curasse, que me desse a cura, né? Que eu seria um servo Dele com mais... com mais fé".

A espiritualidade na assistência à saúde

Apesar dos vários estudos que indicam a importância da dimensão espiritual na saúde do paciente, e de ser este um tema inerente ao ser humano, alguns dos assistidos só entraram em contato com a espiritualidade quando passaram a fazer parte do grupo "Viver com alma".

Oliveira et al. [14] realizaram uma pesquisa com o intuito de compreender a importância da crença do paciente na saúde, bem como observar a abordagem desse tema na assistência integral. Os autores relatam que 86% dos participantes nunca foram abordados acerca da espiritualidade/religiosidade em atendimento médico, ainda que 81,1% desejassem que isso ocorresse e que 81,3% confiassem que a religiosidade os auxiliaria no processo saúde-doença.

Nesse sentido, é necessário que a equipe tenha liberdade e sensibilidade para abordar a espiritualidade do doente e consiga entender a confiança que este tem em sua crença; só assim o indivíduo terá segurança de se expor sem censura, sentindo-se abrigado e compreendido pela equipe que o trata [7, 9, 15]. Ressalta-se que essa abordagem ainda é um desafio a ser conquistado na saúde. [16]

Por outro lado, há profissionais que têm sensibilidade para abordar o paciente de maneira humanizada e utilizam a fé como estímulo à melhora da saúde, já que a espiritualidade é um dos segmentos que contribuem para o cuidado integral [12]: "[...] no meio da consulta falava sobre a minha fé e ele [oncologista] também. [...] Ele me fez falar mais da minha fé".

Estudos comprovam que a qualidade de vida dos pacientes aumenta quando suas necessidades espirituais são consideradas pelos profissionais da saúde [9, 15]. Na ótica do paciente, essa atenção é indispensável e deveria ser valorizada por aqueles que o atendem [6, 7]. É importante que o cuidador perceba o que é essencial para o paciente, estimulando e valorizando a sua fé para gerar os benefícios que a espiritualidade proporciona. [17]

No estudo realizado por Mesquita *et al.* [6], 93% dos pacientes pesquisados consideraram importante a abordagem da espiritualidade/religiosidade por profissionais da saúde para lidar com o câncer. Porém, na mesma pesquisa, apenas 16% vivenciaram esse tipo de abordagem no cuidado, embora 80% almejassem-na. Diante desses números, fica o questionamento: o profissional de saúde tem realmente considerado, valorizado e abordado aquilo que o paciente considera importante e melhora a qualidade do atendimento? [6] Muitos atendimentos ainda são fragmentados por não abordarem o enfermo na sua plenitude. [9, 18]

Na área da enfermagem, estudos apontam alguns fatores que dificultam a atuação do enfermeiro na prestação de apoio espiritual concomitantemente ao cuidado físico do paciente: aspectos culturais, falta de formação profissional e baixa instrução teórica para o cuidado espiritual, desconforto em abordar a espiritualidade na prática clínica e dispêndio de tempo para atender à organização do trabalho na gestão da assistência. [7, 9]

A espiritualidade como fator de integração

A experiência do adoecimento pode ser bastante significativa na vida do ser humano: quando ele depara com um sentido para prosseguir, apesar das barreiras, pode ultrapassar os problemas impostos pelas adversidades [5]. Incluir a espiritualidade no cuidado ao paciente é considerar o ser humano além do corpo físico; é cuidar de maneira absoluta e proporcionar a ele apoio para transcender os obstáculos.

Os grupos podem facilitar a socialização, proporcionar suporte e aumentar o autocuidado, entre outras possibilidades [19]. Assim, a existência de um grupo permite a interação entre os participantes, estimula autonomia e demonstra que cada um, mesmo sendo

"paciente", pode auxiliar e interferir positivamente na vida do outro. A troca que ocorre entre os componentes se expande para os familiares e o meio social [20]: "O grupo 'Viver com alma' pra mim foi muito bom [...] um passava entendimento para o outro, experiência... experiência minha de vida espiritual".

Nesse sentido, a experiência do grupo "Viver com alma" proporcionou um espaço para conversar sobre a fé e a espiritualidade dos pacientes, mas também permitiu discutir outros temas que surgiram ao longo das reuniões. A abordagem favoreceu a relevância da participação dos membros do grupo, uma vez que foi concedida a oportunidade de não apenas receber, mas também compartilhar as experiências.

Para os componentes, integrar esse grupo era uma oportunidade de falar sobre a fé, de compartilhar experiências positivas e negativas e de auxiliar o próximo. Havia um cuidado mútuo e muita interação nas reuniões. A maneira como a espiritualidade foi abordada facilitou a integração das pessoas e suscitou a liberdade de expressar a fé, os acontecimentos da vida, os medos existentes e os sonhos que tinham. Tudo era compartilhado e recebido com respeito.

Além disso, os participantes sentiram-se confortáveis porque não havia a intenção de discutir a religião de cada um, mas de abordar a espiritualidade no cotidiano: "[...] é um grupo que não estava relacionado à religião, ele estava relacionado apenas à fé". Isso permitiu que os membros do grupo vivenciassem a espiritualidade de maneira própria, como se fosse uma proposta de autocuidado.

Os encontros não geravam reflexões apenas no momento em que ocorriam: proporcionavam questionamentos internos e estimularam, inclusive, mudanças de condutas em relação à vida.

A participação no grupo trouxe benefícios aos participantes, dando-lhes a oportunidade de falar da vida, das conquistas e dificuldades; aproximou as pessoas e permitiu que fossem além daquilo que as limitava. Nesse sentido, a espiritualidade ocasiona senso de controle e alivia o sofrimento vivenciado [2, 4, 5]: "Descobri a convivência com o próximo, também. Eu era, assim, muito fechada, e aí consegui ser mais alegre com as outras pessoas".

Dessa forma, apesar de o grupo ter como abordagem principal a espiritualidade, os encontros proporcionaram conforto não apenas no âmbito espiritual, mas também no físico, emocional e social [8]. As pessoas experimentaram o valor pessoal independentemente de serem portadoras de neoplasia maligna ou de terem sequelas. Foi possível aos integrantes perceber que não estão sozinhos e que são mais do que portadores de câncer: são pessoas com lutas e vitórias. Além disso, o grupo oportunizou o compartilhamento de cada história de vida, o que de alguma forma deixou marcas na alma de cada um.

Simplesmente grupo "Viver com alma"

O grupo "Viver com alma" constituiu uma ferramenta que facilitou o fornecimento do apoio espiritual da enfermagem ao paciente oncológico. Contudo, em nenhum momento perdeu o que lhe era inerente, proporcionando a possibilidade da troca, do aprendizado e da interação. Os participantes tiveram a oportunidade de se sentir amados e valorizados por seus colegas e pelos profissionais de saúde da ONG [9]. Em relação ao cuidado, sentiram-se acolhidos de forma integral, uma vez que tiveram a oportunidade de relatar e vivenciar o que lhes era precioso. [7]

Para os participantes, o grupo "Viver com alma" excedeu o cuidado espiritual. Ele representou uma família, um lugar de fé, amor, paz, abrigo, respeito, comunicação, confiança, alegria, companhia. Um lugar de ensinar, aprender e ter união.

> Amor, união, compreensão, né?
> É muito importante a gente conversar. Na minha casa eu não tenho isso.
> Aprendi a não me ver como doente, aprendi a ter fé, um pouquinho mais, aprendi a respeitar mais, entendeu? A buscar mais, não ficar me queixando, não ficar reclamando e outras coisas mais.

Ter a oportunidade e a coragem de realizar um cuidado integral, que enfatize a espiritualidade, além de proporcionar grande satisfação e ganho pessoal aos profissionais de saúde, aumenta a interação com os pacientes e ajuda também na adesão ao tratamento, visto que aumenta o vínculo de confiança entre as partes. [7, 15]

Considerações finais

A experiência aqui relatada mostrou que os pacientes utilizam a espiritualidade e fé como enfrentamento do câncer e suas implicações. Além de estimuladora de esperança e força para o dia a dia do paciente com câncer, a fé era considerada um escudo que protegia das consequências e dos danos provocados pela doença.

O grupo "Viver com alma" – instrumento utilizado para abordar a espiritualidade do paciente – permitiu aos participantes relatar a influência da espiritualidade e da religiosidade no período do diagnóstico, tratamento e recuperação. Permitiu-lhes ainda descrever aquilo que era precioso e fundamental nesse processo. Por meio da fé, passaram a acreditar na cura e na sobrevivência ao câncer, mesmo quando as possibilidades eram poucas. Assim, a maioria dos participantes considerou as conquistas na saúde um milagre.

Apesar de considerarem a espiritualidade importante e de utilizarem-na para lidar com o câncer, a maioria dos participantes nunca abordou a dimensão espiritual no cuidado à saúde, ainda que desejassem. Apesar de várias pesquisas apontarem a influência positiva da espiritualidade na saúde, muitos profissionais rejeitam essa abordagem no plano de cuidado, sendo necessário mencionar que quando a espiritualidade tem efeito negativo para o paciente cabe também ao profissional identificá-la e auxiliá-lo nesse processo.

A realização do grupo "Viver com alma" contribuiu também para mudanças no âmbito social, emocional e físico, ajudando a diminuir a timidez, aumentando a comunicação e a interação social, criando amizades, estimulando a alegria, o autocuidado e, consequentemente, incrementando a qualidade de vida dos participadores.

A abordagem da espiritualidade como integrante da assistência à saúde de pacientes oncológicos é um tema amplo e complexo. Espera-se com esta pesquisa estimular novos estudos que enfoquem não apenas a opinião do profissional e do paciente acerca da espiritualidade no cuidado, mas também os relatos da prática na assistência à pessoa com câncer.

Referências

1. Souza, B. F. *et al.* "Pacientes em uso de quimioterápicos: depressão e adesão ao tratamento". *Revista da Escola de Enfermagem da USP*, v. 47, n. 1, 2013, p. 61-68.

2. Guerrero, G. P. *et al.* "Relação entre espiritualidade e câncer: perspectiva do paciente". *Revista Brasileira de Enfermagem*, v. 64, n. 1, 2011, p. 53-59.

3. Geronasso, M. C. H.; Coelho, D. "A influência da religiosidade/espiritualidade na qualidade de vida das pessoas com câncer". *Saúde e Meio Ambiente: Revista Interdisciplinar*, v. 1, n. 1, 2012, p. 173-87.

4. Liberato, R. P.; Macieira, R. C. "Espiritualidade no enfrentamento do câncer". In: Carvalho, V. A. *et al.* (orgs.). *Temas em psico-oncologia*. São Paulo: Summus, 2008. p. 414-31.

5. Benites, A. C.; Neme, C. M. B.; Santos, M. A. "Significados da espiritualidade para pacientes com câncer em cuidados paliativos". *Estudos de Psicologia (Campinas)*, v. 34, n. 2, 2017, p. 269-79.

6. Mesquita, A. C. *et al.* "A utilização do enfrentamento religioso/espiritual por pacientes com câncer em tratamento quimioterápico". *Revista Latino-Americana de Enfermagem*, v. 21, n. 2, 2013.

7. Sousa, F. F. P. R. D. *et al.* "Enfrentamento religioso/espiritual em pessoas com câncer em quimioterapia: revisão integrativa da literatura". *SMAD, Revista Eletrônica de Saúde Mental, Álcool e Drogas*, v. 13, n. 1, 2017, p. 45-51.

8. Saad, M.; Medeiros, R. "Espiritualidade e saúde". *Einstein: Educação Continuada em Saúde*, v. 6, n. 3 (parte 2), 2008, p. 135-36.

9. Nascimento, L. C *et al.* "Atenção às necessidades espirituais na prática clínica de enfermeiros". *Aquichán*, v. 16, n. 2, 2016, p. 179-92.

10. Cervelin, A. F.; Kruse, M. H. L. "Espiritualidade e religiosidade nos cuidados paliativos: conhecer para governar". *Escola Anna Nery Revista de Enfermagem*, v. 18, n. 1, 2014, p. 136-42.

11. Bíblia sagrada. Hebreus 11:1. São Paulo: Sociedade Bíblica do Brasil, 1993.

12. Espírito Santo, C. C. *et al.* "Diálogos entre espiritualidade e enfermagem: uma revisão integrativa da literatura". *Cogitare Enfermagem*, v. 18, n. 2, 2013, p. 372-78.

13. Panzini, R. G. *et al.* "Qualidade de vida e espiritualidade". *Revista de Psiquiatria Clínica*, v. 34, supl. 1, 2007, p. 105-15.

14. Oliveira, G. R. *et al.* "Saúde, espiritualidade e ética: a percepção dos pacientes e a integralidade do cuidado". *Revista Brasileira de Clínica Médica*, v. 11, n. 2, 2013, p. 140-44.

15. Taylor, E. J.; Park, C. G.; Pfeiffer, J. B. "Nurse religiosity and spiritual care". *Journal of Advanced Nursing*, v. 70, n. 11, 2014, p. 2612-21.

16. Gobatto, C. A.; Araújo, T. C. C. F. "Coping religioso-espiritual: reflexões e perspectivas para a atuação do psicólogo em oncologia". *Revista da SBPH*, v. 13, n. 1, 2010, p. 52-63.

17. Nascimento, L. C. *et al.* "Espiritualidade e religiosidade na perspectiva de enfermeiros". *Texto & Contexto Enfermagem*, v. 22, n. 1, 2013, p. 52-60.

18. Arrieira, I. C. O. *et al.* "Espiritualidade na equipe interdisciplinar que atua em cuidados paliativos às pessoas com câncer". *Ciência, Cuidado e Saúde*, v. 10, n. 2, 2011, p. 314-21.

19. Dias, V. P.; Silveira, D. T.; Witt, R. R. "Educação em saúde: o trabalho de grupos em atenção primária". *Revista de APS*, v. 12, n. 2, 2009, p. 221-27.

20. Almeida, S. P.; Soares, S. M. "Aprendizagem em grupo operativo de diabetes: uma abordagem etnográfica". *Ciência & Saúde Coletiva*, v. 15, supl. 1, 2010, p. 1123-32.

22. ESPIRITUALIDADE E RELIGIOSIDADE COMO ENFRENTAMENTO DO ADOECIMENTO: UMA LEITURA PSICANALÍTICA

SÉRGIO SILVÉRIO DA CONCEIÇÃO, DÁGLIA DE SENA COSTA

Introdução

Apesar dos avanços tecnológicos e das pesquisas sobre as doenças oncológicas, o câncer é uma das principais causas de morte no Brasil e no mundo. A cada ano, mais de 12,7 milhões de pessoas são diagnosticadas com a doença no mundo e 7,6 milhões morrem em consequência dela. Em 2018, estimava-se o aparecimento de 500 mil novos diagnósticos de câncer no Brasil. [1]

Diante disso, o diagnóstico de câncer não raro gera profundos abalos na vida das pessoas, impelindo-as a buscar uma série de recursos para o enfrentamento da doença, sendo um dos mais comuns a religiosidade/espiritualidade. A presença de características da espiritualidade abrange 100% dos pacientes, enquanto a religiosidade aparece em 50% deles [2]. Vale ressaltar, tomando as ideias de Fornazari e Ferreira [2], que existem diferenças entre religiosidade e espiritualidade: a primeira se vincula a uma religião, enquanto a segunda, considerada muito mais ampla, não necessariamente precisa alicerçar-se em uma doutrina para se manifestar.

A religiosidade foi submetida à análise de Freud em 1930 na obra *O mal-estar na civilização*. Nela, Freud faz uma leitura da dimensão emocional do caráter religioso do ponto de vista psicanalítico. Na ocasião, ele dedicou um capítulo da sua obra a entender a origem desse sentimento, cujo desfecho remontará à forma primitiva do ego de se constituir em oposição à realidade.

O curso da ideia freudiana leva a crer que a mente preserva tudo que nela ocorre, mesmo em época muito primeva [3]. Embora Freud considerasse que essa premissa pudesse conter qualquer possibilidade de exceção, a única explicação que encontrou para a tendência do homem a manter uma religiosidade durante a vida seria a busca de um pai que pudesse dar amparo e conforto, especialmente nas horas difíceis. É assim que a imagem do pai na infância encontra substituto na vida adulta.

O ego está sujeito a três fontes distintas de sofrimento: a possibilidade de decadência do nosso corpo, do mundo externo e dos relacionamentos com as outras pessoas [3]. Assim, o câncer estaria ligado à possibilidade de sofrimento relacionado com a decadência do corpo, pois leva o sujeito a pensar na própria morte como uma situação real e iminente.

Investigar a origem do sentimento religioso e entender os efeitos da religiosidade/espiritualidade no paciente com câncer serão os objetivos centrais deste trabalho. Compreendemos que este estudo poderá auxiliar psico-oncologistas a lidar melhor com as questões religiosas/espirituais de seus pacientes.

O capítulo será estruturado em quatro tópicos. No primeiro e no segundo, analisaremos alguns artigos freudianos relacionados com a discussão sobre a origem da religiosidade, bem como a obra *O mal-estar na civilização*, referência central do estudo. Num terceiro tópico, o conceito de religiosidade será analisado da ótica lacaniana, quando tentaremos mostrar as distâncias entre religião e a psicanálise. No

Análise de uma experiência religiosa: carta de 1927

A religiosidade é uma característica com presença marcante na história da humanidade. E, não raro, a fé que muitos denotam ter numa figura divina representa fonte de esperança para aqueles que atravessam situações de estresse. Mas qual é a origem do sentimento religioso? Em que se baseia a necessidade humana de eleger para si um salvador para os males irremediáveis, entre eles o medo provocado pela proximidade da morte?

Há mais de 80 anos Freud formulava perguntas semelhantes em relação à religiosidade e, como fundador do método psicanalítico, não se pode esperar que as respostas para tais questionamentos fossem subsidiadas por outros princípios senão a psicanálise.

Em 1927, Freud concedeu uma entrevista ao jornalista George Sylvester Viereck. Este o havia questionado sobre a sua crença na sobrevivência da personalidade após a morte, ao que Freud respondeu simplesmente: "Não penso no assunto". [4]

Ao ter acesso às afirmações de Freud, em especial à sua falta de expectativa no que tange à continuidade da existência após a morte, um jovem médico americano resolveu lhe transmitir sua experiência religiosa. Os relatos do médico dão conta de que, ao avistar uma velhinha sendo levada à mesa de dissecção, ocorreu-lhe um pensamento que abalou sua crença em Deus. "Não existe Deus; se existisse, não permitiria que essa pobre velhinha fosse levada à sala de dissecção" [5]. No entanto, o abalo da sua fé foi recomposto por uma voz que se fez ouvir do seu interior. De acordo com o relato, poucas semanas depois, Deus lhe confirmou que a Bíblia era mesmo a Sua palavra e Jesus, o único salvador.

Segundo Freud [5], o jovem médico, ao se reconciliar com Deus, nada mais fez do que evitar um conflito com os aspectos que o remeteriam diretamente ao complexo de Édipo. A imagem daquela simpática senhora recordava os sentimentos relacionados com sua mãe. Essa imagem o fez regredir até o ponto em que os maus-tratos a que aquela senhora estava prestes a ser submetida, com permissão de Deus, o remeteram aos maus-tratos que o pai cometera contra sua mãe. Tanto Deus como o seu pai permitiam a maldade e a violência contra velhinhas indefesas. Esse fato, que ameaçou a integridade do ego do jovem médico, diz respeito ao ato sexual, entendido pela criança como uma brutalidade do pai contra a mãe. Além disso, a situação ameaçava também trazer à tona a relação de amor e ódio vivenciada pelo médico em sua infância no romance edípico.

A voz que o jovem médico relatou ouvir, fazendo-o reconciliar-se imediatamente com Deus, nada mais é do que uma estratégia do ego de manter inconsciente o sentimento de ódio que na infância nutria pelo pai. Fazer as pazes com Deus foi a saída encontrada para impedir que o conflito edípico ameaçasse retornar à consciência em forma de conflito. Em outras palavras, a negação da bondade de Deus o conduziria à negação da bondade do seu pai da infância.

A origem do sentimento religioso do ponto de vista psicanalítico

Se, em 1927, Freud busca uma explicação para o sentimento religioso partindo de uma análise restrita ao seu amigo médico, na obra *O mal-estar na civilização* ele realça o assunto, dando destaque para o sentimento religioso.

Não se pode negar que a vida psíquica do ser humano começa em fase muito precoce. Não há dúvida, diante das evidências de muitos estudos, de que acontecimentos da infância podem originar patologias psíquicas na vida adulta. Porém, mesmo quando o indivíduo não apresenta patologias na vida adulta, estudando sua história com observação apurada, encontrar-se-á várias maneiras de compreensão dos aspectos comportamentais, principalmente quando se pode acessar com detalhes as informações a respeito da infância da pessoa em questão. Isso ocorre porque o ser humano, entre outras coisas, só pode sustentar um "eu" quando consegue reconhecer a si mesmo no curso de uma história, fruto de inúmeros confrontos e da diferenciação com o meio em que vive.

O que acaba de ser relatado pode e deve soar óbvio, mas é indispensável para o que se pretende elucidar adiante. Segundo Freud [3], as origens de vários sentimentos não podem ter outra explicação senão pela vida psíquica do sujeito datada desde os primeiros contatos com a realidade e a cultura. Muitos aspectos, tais como se observam na vida adulta, parecem bastante diferentes dos fatos que os originaram, sendo, portanto, uma tarefa onerosa seguir tais vestígios e daí relacioná-los ao comportamento adulto. No entanto, quando se busca uma relação entre o hoje e o ontem, notar-se-ão resquícios da situação primeva que evoluiu até o momento em que se encontra. Assim, a necessidade religiosa estaria ligada a uma fase primitiva do ego, pois o que se passa na vida mental permanece preservado:

> Talvez devêssemos contentar-nos em afirmar que o que se passou na vida mental pode ser preservado, não sendo, necessariamente, destruído [...]. Podemos apenas prender-nos ao fato de ser antes regra, e não exceção, o passado achar-se preservado na vida mental. [3]

Levando em conta a ideia de que a mente humana nada perde dos acontecimentos anteriores, constata-se que aspectos relacionados com o desamparo infantil desencadeiam na vida adulta a necessidade de proteção semelhante à experimentada em épocas passadas. É a partir daí que o sentimento religioso pode se alojar tão bem na vida dos adultos.

Na medida em que o sujeito é capaz de perceber que a realidade oferece riscos de sofrimento e que a sensação de amparo do pai biológico é desmitificada pela maturação mental, faz-se necessária a reconstrução de uma figura que seja capaz de tamponar esse sentimento de desamparo diante dos riscos advindos do mundo externo. O pai biológico da vida infantil é substituído por um pai divino e supremo na vida adulta, cuja proteção tem caráter tão elevado que se sobrepõe e consola os males mais trágicos. Assim, "a origem da atitude religiosa pode ser remontada, em linhas muito claras, até o sentimento de desamparo infantil. Pode haver algo mais por trás disso, mas, presentemente, ainda está envolto em obscuridade". [3]

Embora Freud considerasse que o assunto merecesse uma análise mais profunda, estava convencido de que o desamparo infantil é o ponto de partida para a necessidade religiosa do ser humano.

O conceito religioso psicanalítico: a produção de sentido

A esperança de Freud [5] era a de que a razão e a experiência triunfassem sobre a religião. Porém, sem grande dificuldade nota-se que, apesar dos avanços tecnológicos e científicos, a religião continua presente de forma universal, independentemente de classe social. Para Lacan a religião "não triunfará apenas sobre a psicanálise, triunfará sobre muitas outras coisas também. É inclusive impossível imaginar quão poderosa é a religião". [6]

Esse poder que Lacan atribui à religião, capaz de superar a experiência científica, se dá em função da prontidão da doutrina religiosa de produzir sentido para todas as coisas deste mundo e para além dele.

> Desde o começo, tudo o que é religião consiste em dar um sentido às coisas que outrora eram coisas naturais [...] e a religião vai dar um sentido às experiências mais curiosas, aquelas pelas quais os próprios cientistas começam a sentir uma ponta de angústia. A religião vai encontrar para isso sentidos truculentos. É só ver o andar da carruagem, como eles estão se atualizando. [6]

A divergência primordial entre a religião e a psicanálise está na forma de operar com o sentido. Enquanto a primeira preconiza uma solução para os anseios dos homens de modo generalizado, a segunda se interessa pela singularidade do sujeito – atuando, portanto, na contramão do pensamento religioso. Porém, a psicanálise acaba por produzir um paradoxo indissociável para a existência humana, uma vez que a construção do eu se fundamenta em última instância sobre um frágil alicerce. Ou seja, na medida em que o ego toma para si os símbolos disponíveis em determinada sociedade, símbolos esses que lhe antecedem e lhes são alheios, ele se constitui à semelhança dos desígnios de determinada cultura. Desse modo, o indivíduo constrói para si, a partir de retalhos representacionais, um "eu" e, em consequência, a sua centralidade. Em linhas gerais, ainda que a construção do ego seja alheia à sua vontade, assumi-la como genuína num curso natural das coisas é que torna possível a existência da personalidade tal como a percebemos. Se, do contrário, o sujeito se nega a sucumbir e aceitar para si a representação que lhe foi ofertada, em prol da preservação do acesso ao id, certamente estará fadado ao fracasso. Será um indivíduo descentralizado e desconectado dos padrões de normalidade concebidos em uma sociedade normatizada. O ego produz um ser apaziguado e dócil, na medida em que insere o ser humano em um mundo de regras, privações e obrigações sociais. Aqui se nota o paradoxo desse pensamento, a saber: ou o indivíduo aceita tomar para si o que lhe é alheio, mas, ao mesmo tempo, lhe outorga um ajustamento e uma aceitação social, ou se recusa a ser representado pelos símbolos da linguagem, que na verdade o antecedem e não lhe representam de fato – o que o tornaria um ser descentralizado e desconectado, já que o indivíduo continua indiferenciado do meio. Desse último ponto de vista, o ego não se afirma nem se apoia em lugar nenhum. O fato curioso sempre fundamenta as funções mentais a partir de aspectos "desfavoráveis", mas devendo posteriormente reconciliar-se com os entraves da sua formação mental, por meio da dura tarefa de impor a si mesmo a necessidade de acessar aspectos inconscientes e indesejáveis.

Esse difícil retorno ao desconhecido sempre foi a proposta da psicanálise, que criou métodos que facilitam o acesso ao inconsciente e, portanto, a possibilidade de chegar às suas verdades. Porém, algumas correntes terapêuticas e a religião são apontadas como fontes distorcidas de se chegar à verdade do sujeito, uma vez que tratam o assunto pela contramão da metodologia psicanalítica, ou seja, construindo ainda mais sentido para o sem sentido da vida. Em outras palavras, é uma maneira de o sujeito atribuir um protagonista externo a seus desamparos e angústias. Essa forma de operar com a realidade furta do sujeito a possibilidade de se haver com suas próprias questões.

> É possível analisar que a religião tampona a angústia da decisão na medida em que esta é conforme a vontade de Deus e já está determinada nos princípios da igreja e na Bíblia. O homem tem na religião a possibilidade de não ter trabalho com seu próprio desejo, uma vez que basta entregá-lo a Deus. [7]

A religiosidade não cerceia apenas a liberdade de escolha do homem: ela atua como forma de escamotear o conflito concomitante à vida psíquica, pois o bem e o mal são faces da mesma moeda. Na religião é possível encontrar um substituto externo para a origem dos maus pensamentos e inclusive da agressividade, evitando desse modo a responsabilidade de lidar com aspectos desagradáveis. A religião funciona como uma espécie de superego externo, pois impede que o sujeito ultrapasse o limite de segurança de suas conflitantes fronteiras psíquicas, construindo para si mesmo um lugar afastado do real indesejável.

> Este desarranjo, ou mau arranjo fundamental, parece ser precisamente o ponto onde a religião comparece com mais êxito, ofertando uma forte defesa ao sujeito que o ampara e o livra do mal que lhe é mais próprio e mais íntimo, para que ele não tenha que disso se ocupar, e nada venha disso saber. [8]

A psicanálise atua de maneira inversa, ou seja, não impera com a produção de sentido, mas precisamente aponta "[...] para um lugar insustentável, difícil de se conviver, se ocupa em abrir espaço para o sujeito fazer sua singularidade". [7]

No entanto, quando a religião trata a angústia do sujeito a partir de uma imposição de sentido generalizado, ela atua também como uma entidade proibitiva. Assim, é capaz de sustentar o desejo pela via do proibido e, por outro lado, funciona como terapia, na medida em que é também capaz de ofertar sentido sobre o insuportável do real, ou seja, acerca daquilo que não funciona. [8]

Desse modo, a principal diferença entre a psicanálise, a religião e as demais psicoterapias está na forma de lidar com o sentido. Enquanto as duas últimas assumem um lugar de saber do outro, atuando a partir do discurso do mestre, a psicanálise, ao contrário, não tem essa pretensão. A ética psicanalítica não define *a priori* um conhecimento a respeito do outro nem, portanto, a possibilidade de abrir espaço para que o sujeito faça sua aparição mediante o discurso do analista [9]. Aqui, "Outro" faz referência aos quatro discursos de Lacan, que são as possíveis maneiras para o indivíduo criar laços sociais, a saber: por meio do discurso do mestre, do universitário, da histérica e do Analista.

A religiosidade como forma de enfretamento do câncer e o processo de morte

Como vimos, o conceito de religião concebido por Freud – e sua ideia de que as pessoas se vinculam à religião como um substituto do pai biológico – nos leva a pensar que um momento de sofrimento aguça ainda mais essa tendência do ser humano de buscar conforto e proteção divinos.

Segundo Elias [10],

parece que a adesão a crenças no outro mundo que prometem proteção metafísica contra os golpes do destino, e acima de tudo contra a transitoriedade pessoal, é mais apaixonada naquelas classes e grupos cujas vidas são mais incertas e menos controláveis.

Por tudo que já se sabe sobre o câncer e o seu tratamento, pode-se afirmar que para a maioria das pessoas essa doença causa sentimentos semelhantes aos relatados por esse autor. A doença traz o medo da dor; das transformações do corpo; das amputações; do sentimento de culpa e, sobretudo, coloca a pessoa perante a difícil tarefa de pensar na própria morte.

Diante da doença, principalmente quando a enfermidade ameaça a vida, a busca da religiosidade impera como uma forte base de enfrentamento. A morte é sem dúvida um processo doloroso, difícil de ser assimilado. A religião, vista como uma fonte abundante de sentido, se revela como uma entidade capaz de apaziguar o desamparo. Não importa que nome o sujeito usa para caracterizar o seu Deus; o que de fato importa é que a religiosidade e/ou espiritualidade respalda-o, na medida em que cria um subsídio para enfrentar a morte, pois é capaz de dar explicações que transcendem esta vida.

Destarte, o religioso consegue fazer da morte não um fim em si mesmo, mas uma passagem para uma nova forma de vida, cuja promessa é de uma existência ainda mais elevada e eterna. A religião não funciona apenas como um acalento aos males da vida; em última análise, ela é capaz de apaziguar e transformar o aspecto real e insuportável da morte em algo menos dilacerador, na medida em que o fim, tal qual a morte impõe como verdade, é desmascarado pelo aspecto de infinitude da alma, como se nota no trecho a seguir:

Além de um deslocamento do complexo de Édipo, a religião pretende também apaziguar a angústia real que a consciência da finitude da vida provoca no homem: ao desenvolverem seus constructos religiosos os homens inventam também uma maneira de vencer a morte, fazendo dela não o fim, mas o começo de um novo tipo de existência que se acha no caminho da evolução para algo mais elevado. [11]

Quando a religião consegue dar sentido para o que virá depois da morte, constrói uma maneira de amenizar seu impacto dilacerador. Mais do que isso, a morte passa a ser vista como uma evolução, ou seja, uma promessa de existência muito mais refinada do que este mundo é capaz de proporcionar [11]. A origem do sentimento religioso agora se aloja à ideia de que o homem não cria apenas um pai substituto que garanta uma vida plena aqui na Terra: ele deve ser capaz de ofertar consolo para além desta vida.

Para Freud [3], a religião frustra a satisfação pulsional, pois impõe ao homem um só caminho, submetendo-os às privações que tanto são benéficas à manutenção da civilização.

O caminho percorrido por Freud na busca da origem do sentimento religioso apresenta-se como algo bastante evidente. No entanto, a religião não deixará de ser uma forte tendência das pessoas para enfrentar situações difíceis, sobretudo em caso de doença grave. Muito embora a religião remeta a questões não comprováveis pelos métodos científicos tradicionais, Freitas e Marques [12] atestam que ela é tão presente nos hospitais que seria impossível não a perceber nas pessoas enfermas.

Diante da questão religiosa, o sentido de ilusão também comporta interpretações variadas. A religião pode ser considerada uma ilusão por se dirigir a algo falso ou enganoso; por ser entendida como saída para a fantasia; ou ainda, na concepção psicanalítica, por estar atrelada à necessidade de afastamento da realidade para satisfazer desejos. No entanto, a religiosidade/espiritualidade pode também significar avanço, projeção e ser fonte de criatividade e realização. [13]

A psicanálise não pontua nenhuma diferenciação evidente entre os termos "espiritualidade" e "religiosidade", de modo que ambos são tomados como uma forma de lutar contra o desamparo, numa "espécie de parto às avessas em direção de um útero paradisíaco". [13]

Jung [14], que rompeu com a psicanálise por divergências teóricas, não concebe a religião como um entrave ao crescimento do homem; ao contrário, ele a considera intrínseca à vida e fonte de sabedoria humana. Para Jung, a tendência do homem rumo à espiritualidade não seria apenas uma forma de escapar da angústia da morte ou de livrar-se do desamparo, tampouco uma forma de criar um escudo para os conflitos da vida. Diz ele: "A morte não é uma mera cessão de sentidos sem sentido, mas a realização plena do sentido da vida e sua verdadeira meta". [14]

De acordo com Jung, os homens passam por transformações durante a vida, transformações que os conduzem ao crescimento, substituindo convicções da infância por outras mais elevadas. "O que foi grande na manhã será pequeno ao anoitecer, e o que de manhã era verdade irá tornar-se mentira ao anoitecer". [14]

Ainda segundo esse autor [14], o ser humano passa por transformações durante a vida, sendo o início dela marcada por influências de caráter mais externo do que interno. A primeira fase da vida se refere ao amanhecer. Já a outra metade da vida seria o anoitecer, que revela ao homem aspectos internos, de modo que as verdades antes defendidas são substituídas por outras de caráter evolutivo e com mais sabedoria. Nesse momento, os símbolos presentes no inconsciente virão à tona não como um refúgio ao desespero e ao desamparo ao aproximar-se do fim, mas como revelação ao homem.

O paciente com câncer, sobretudo em estado avançado, encontra-se num momento semelhante à metáfora do anoitecer utilizada por Jung. Esse momento, a medicina e todo o aparato à sua disposição já não lhe outorgam nenhum sentido. Assim, o que importa são as coisas que transcendem as limitações deste mundo, do corpo físico sujeito à dor, à enfermidade e ao desaparecimento. A religiosidade e/ou espiritualidade, apreciada desse ponto de vista, representa uma forma de sabedoria – e por que não de suporte? – diante do enigma da existência humana.

O diálogo entre Carlo Maria Martini e Umberto Eco [15] – o primeiro, um cardeal e o segundo, um leigo, pensador da cultura moderna – gerou o livro intitulado *Em que creem os que não creem*. A obra não trata das diferenças que divergem crentes de não crentes, mas, ao contrário, das semelhanças.

Entre os pontos em comum notam-se: capacidade de dar sentido à vida; empenhar-se com responsabilidades; servir a valores superiores; e tomar o passado como ponto de reflexão. E, principalmente, tanto crentes como não crentes compartilham esperanças, embora cada um lhes atribua um sentido próprio. Portanto, espiritualidade não é privilégio das pessoas que têm uma religião ou qualquer entidade que possa assim representá-la, mas se expande a todo ser humano que nutre suas convicções com algo que lhe traga paz de espírito. Nesse sentido, a espiritualidade se manifesta de diversas formas, inclusive para aqueles que se dizem ateus.

Fato é que determinadas religiões impelem os discípulos a uma doutrina repetitiva, mecanizada e apartada de qualquer possibilidade de reflexão. Nesse caso, vale lembrar que a psicanálise aponta os entraves e a ilusão impostos por algumas correntes dogmáticas, que impõem a todos os homens um só destino e um só caminho para a salvação.

Considerações finais

Do ponto de vista psicanalítico, o sentimento religioso está fundamentalmente atrelado à sensação compensatória de alívio ao desamparo humano, que elege para si uma maneira de reconciliação com um pai substituto, bondoso e soberano. Evidente que essa forma de conceber a tendência do homem para o caminho religioso faz sentido, mas não explica os efeitos de bem-estar que a religiosidade pode proporcionar aos indivíduos, em especial nos momentos de enfrentamento de doenças graves como o câncer. Percebe-se que a religiosidade/espiritualidade, salvo exceções, não é por si só um acalento às almas em desespero, mas um veículo que aponta e conduz o sujeito para a relação com o outro e com o todo. Assim, não constitui, geralmente, um entrave para se alcançar formas mais elevadas de pensar e de relacionar-se com o próximo, como fora possível perceber na produção de alguns dos autores pesquisados.

Fica evidente que a religiosidade/espiritualidade não deixa de ser uma forte base de enfrentamento para aqueles que estão doentes, sobretudo os que têm câncer – que anda lado a lado com a ideia de morte, ao menos no imaginário das pessoas.

A sociedade atual privilegia a felicidade a qualquer preço, a satisfação contínua, excluindo do mundo moderno qualquer situação indesejável. E, portanto, não reserva espaço para a velhice, a tristeza, a dor, o sofrimento, o fracasso, a impotência, o feio. Também não há mais lugar para a morte, já que esta tem sido considerada, nas palavras de Ariès [16], algo "vergonhoso e objeto de interdição". Vale lembrar que talvez a busca da religiosidade/espiritualidade em momentos de sofrimento, tal qual o acarretado pelo câncer, seja justamente o inverso do que se pretendeu elucidar com a pesquisa, ou seja, a investida pelo lado espiritual tem sido um momento de refúgio, um salto para um lugar mais íntimo, onde seria possível resgatar o direito à tristeza, à vivência da dor e a tudo mais que uma doença como o câncer possa acarretar.

Se a psicanálise pontua a religião/espiritualidade como forma de escamotear o desejo, impedindo os indivíduos de caminhar para a singularidade, talvez na atualidade, ao contrário, esse recurso seja uma forma de renunciar ao grande Outro da ciência – ou seja, uma forma de se refugiar num lugar onde não impere o martírio superficial da beleza, da juventude sem limite, da saúde, da cura e da felicidade. Um lugar em que é permitido sentir dor, chorar, refletir sobre a vida. Um lugar onde a morte ainda tem permissão de chegar, livre do arsenal que a interdita a todo custo.

Seria interessante apontar, ainda, que embora algumas religiões imponham limites à autonomia do ser humano, elas são capazes de prover a ele maior singularidade, sobretudo no ambiente mecanizado e generalista em que se transformaram os hospitais. Nesse sentido, não se trata de propiciar apenas bem-estar espiritual, mas a possibilidade de um possível encontro com as questões que se expandem para além da doença. Não seria conveniente trazer a psicanálise para a análise sem contrapô-la às mudanças contemporâneas, sem levá-la ao crivo da falta de espaço do mundo atual para a indesejável presença da doença e da morte. Indesejável o bastan-

te a ponto de tornar o funeral o mais discreto possível, sendo este "conduzido de maneira que exclua ao máximo a obrigação do luto, devolvendo ao morto uma fisionomia de 'quase-vivo', numa tentativa obstinada de afastar do cenário fúnebre a presença vergonhosa da morte". [16]

Desse modo, os profissionais da saúde devem ficar atentos: a ciência já alcançou descobertas fantásticas, mas não tem sido muito sensível aos vieses espirituais e – por que não dizer? – às singularidades do doente. Ao pressupor que tudo sabe do sujeito que adoece, a ciência o impede de conhecer a si mesmo e a suas verdades, já que o coloca numa situação de objeto que se sujeita pacientemente aos tratos (ou maus-tratos) do outro que tudo sabe.

Espiritualizar, nos tempos modernos, talvez seja o caminho mais contundente para aquele que, submetido aos caprichos alheios da ciência e do mundo atual, recorre à religião na salvaguarda de vivenciar um pouco mais de si mesmo. Assim, a crença em algo divino é percebida pelo sujeito como a derradeira condição de retomar para si o direito de participar da sua enfermidade, uma vez que esta já pertence há muito tempo aos médicos e aos profissionais de saúde.

Por outro lado, por mais que os preceitos psicanalíticos compareçam com respeitável êxito para esclarecer a necessidade religiosa na vida adulta, em especial na presença de doenças graves, verifica-se que com a aproximação do fim as atrativas invenções do mundo civilizado parecem perder de vez o seu colorido. Crer em outro plano, onde a paz e a tranquilidade possam novamente reinar, é quase um curso natural para o ser humano que já sente a doença vencer a vida.

Já as outras espécies animais nada sabem e nada temem, nem neste mundo nem para além dele, já que não têm ciência da dimensão existencial. Temos, então, mais um dos questionamentos de Freud: por que, perante a capacidade de consciência da verdade, o homem se rearranja numa condição de ilusão? A explicação pode ser creditada ao fato de que essa é a saída menos dolorosa, porque essa ilusão ou mentira bem contada ganha intensa adesão perante o embaraço de se haver com a dura certeza de certeza alguma.

Também a indesejável presença da morte é um ataque direto à fragilidade do ego diante da dura realidade do fim. Perante o poder real da morte, o ego se vincula com mais intensidade ao recurso de maior poder e proteção, evitando assim a sua desfragmentação. A precipitação do ego em se recompor, fazendo uso de recursos religiosos, evita que este se choque com todos os restos insuportáveis que o sujeito evitou durante todo o curso da vida. Além de preservar a sua integridade, o recurso causa alívio, pois o pai que por vezes era destino de ódio agora se torna o único protetor. Portanto, é bem sensato crer que a ciência logra êxito por longos períodos no decorrer da vida, mas no fim das contas, quando se esgotam seus recursos curativos ou até muito antes disso, as questões espirituais e as singularidades do sujeito se tornam as suas verdades e sua única "salvação".

Portanto, os profissionais de psico-oncologia devem proporcionar ao paciente – para além do lugar-comum que se tornaram os hospitais e para além das crenças religiosas – um espaço de expressão. Ao que parece a religião, apesar de trazer restrições, tem sido, na atualidade, umas das poucas maneiras de o sujeito evitar o silêncio perturbador diante da sua dor e de seu sofrimento.

Cabe, portanto, tomar a questão da autonomia do paciente do viés do desejo. A palavra "desejo" tem significação central na teoria psicanalítica, e sua expressão quase sempre vem acompanhada da vertente da singularidade. É preciso entender que essa manifestação, ainda que tardia, representa o retorno do sujeito a um lugar mais singular e particular, daí a possibilidade de se manifestar de forma genuína e íntima, desbastados dos aparatos científicos tradicionais que tão somente se prestam à doença e dificilmente aos doentes.

Por fim, religião, espiritualidade, psicanálise e ciência, ainda que em certo sentido se oponham, não devem nos impedir de enxergar o ser humano em sua verdadeira essência.

Referências

1. Brasil. Ministério da Saúde. Instituto Nacional de Câncer. *Declaração mundial contra o câncer*. Rio de Janeiro: Inca, 2013.

2. Fornazari, S. A.; Ferreira, R. El R. "Religiosidade/espiritualidade em pacientes oncológicos: qualidade de vida e saúde". *Psicologia: Teoria e Pesquisa*, v. 26, n. 2, 2010, p. 265-72.

3. Freud, S. [1930]. *O mal-estar na civilização*. São Paulo: Penguin Classics/Companhia das Letras, 2011.

4. Sociedade de Psicanálise no Rio de Janeiro. Formação freudiana. "O valor da vida. Uma entrevista rara de Freud". 20 abr. 2010. Disponível em: <http://www.freudiana.com.br/destaques-home/entrevista-com-freud.html>. Acesso em: 9 maio 2019.

5. Freud, S. "O futuro de uma ilusão, O mal-estar na civilização e outros trabalhos (1927-1931)". In: *Obras completas*. Rio de Janeiro: Imago, 1996.

6. Lacan J. *O seminário – Livro 11. Os quatro conceitos fundamentais da psicanálise*. Rio de Janeiro: Jorge Zahar, 1985.

7. Gontijo, J. "Considerações sobre psicanálise e religião". *Diálogos – Boletim do Ágora Instituto Lacaniano: Psicanálise e Religião*, n. 3, 2010, p. 17-18.

8. Gresenberg, R. "Um manto sagrado sobre a angústia". *Diálogos – Boletim do Ágora Instituto Lacaniano: Psicanálise e Religião*, n. 3, 2010, p. 27-28.

9. Lacan, J. *O seminário – Livro 17. O avesso da psicanálise (1969/1970)*. Rio de Janeiro: Jorge Zahar, 1992.

10. Elias, N. *A solidão dos moribundos*. Rio de Janeiro: Jorge Zahar, 2001.

11. Souza, F. E.; Lenzi, E. B. "O presente de uma ilusão: a religião a partir do pensamento de Freud e Lacan". *Diálogos – Boletim do Ágora Instituto Lacaniano: Psicanálise e Religião*, n. 3, 2010, p. 19-22.

12. Freitas, C. C. J.; Marques, C. S. "Espiritualidade, religião e o fazer psi: reflexões das experiências vivenciadas no hospital de clínicas de Uberlândia". *Revista da SBPH*, v. 14, n. 2, 2011, p. 67-84.

13. Negreiros, T. C. G. M. "Espiritualidade: desejo de eternidade ou sinal de maturidade? *Revista Mal-Estar e Subjetividade*, v. 3, n. 2, 2003, p. 275-91.

14. Jung, C. G. *A natureza da psique*. Petrópolis: Vozes, 2000.

15. Eco, U.; Martini, C. M. *Em que creem os que não creem?* Rio de Janeiro: Record, 1999.

16. Ariès, P. *História da morte no Ocidente: a morte interdita*. Lisboa: Teorema, 1989.

PARTE VI

OS MÚLTIPLOS OLHARES DA PSICO-ONCOLOGIA

23. QUEM CUIDA DE MIM?

NELY APARECIDA GUERNELLI NUCCI

Estava no meio de meu turno da tarde. Eu tinha coordenado um grupo de familiares pela manhã e avaliado quatro pacientes. Após o almoço, havia participado de uma atividade na sala de quimioterapia. O cheirinho de café me fez ir até a copa. Abri a porta devagar, como de costume. De costas para mim, coando nosso cafezinho, estava uma das mais antigas técnicas de enfermagem do ambulatório de oncologia. Quando cheguei para implantar o serviço de psicologia ela já estava lá. Lembro que me recebeu com alegria: "Precisamos muito de uma psicóloga! Nós e os pacientes. Não é fácil conviver com tanto sofrimento!" Apesar da afirmação, ela nunca demonstrara essa dificuldade. Sempre sorridente, sem reclamar de nada...

Nessa tarde, para minha surpresa, ouvi-a resmungando: "Eu não existo, poxa! Vivo pra todo mundo, minha família, pra família dos pacientes, pros pacientes... Cuido de todos... E eu? Sou... Ninguém! O que é que eu sou? Quem cuida de mim?"

Fechei a porta mais cuidadosamente ainda, sentindo que não devia invadir aquele momento tão dela, tão íntimo, confessional, momento sagrado daquela mulher prestativa, doce e alegre, revelando cansaço, angústia, sofrimento. Generosa, solidária, caridosa, sempre gentil, de religiosidade sólida, profissional excelente. Até o cafezinho nos preparava na hora em que mais precisávamos! Quanto cuidado nos oferecia! Para mim, ela não combinava com suas lamúrias, talvez sem consciência exatamente da abundância de amor que dava aos outros, vivendo amorosamente para tantos.

Voltei para minha sala com as palavras dela pulsando dentro de mim. Palavras que mais pareciam um choro libertador. Aos poucos, fui penetrando em seu desabafo dolorido, lembrando-me de uma esposa que também fizera a mesma pergunta no grupo de familiares, ocorrido pela manhã: "Cuido do meu marido doente, da casa, faço curativo, comida, lavo roupa, passo, os filhos chegam com os netos [...] tem sempre bolo pra eles. E eu? Não tenho tempo nem pra pintar o cabelo, olha só! Quem cuida de mim?"

Os participantes sentados em roda ouviram e balançaram a cabeça, concordando. Sorriram desalentados... "A gente mesmo tem de se cuidar, não é?", responde outra familiar, sem muita convicção.

A condição de adoecimento no dinâmico processo da vida cotidiana traz uma situação de crise, com alguém necessitando de cuidado, fazendo surgir o importante papel dos cuidadores. E, como se pode perceber, no dia a dia, a pergunta sobre "quem cuida do cuidador" é recorrente entre eles, mas a resposta nunca vem – sejam eles cuidadores formais ou informais.

Os cuidadores formais são representados pelas equipes de profissionais da saúde e, atualmente, também por técnicos capacitados para cuidar de enfermos, idosos, doentes mentais, acompanhantes durante internações ou em residências.

Os informais são, na maioria das vezes, familiares (particularmente do sexo feminino), não remunerados, orientados pelos serviços de saúde. Às vezes são representados por vizinhos, "irmãos de igreja", amigos, companheiros de trabalho que se disponibilizam a cuidar de aspectos como higiene pessoal, alimentação, administração de medicamentos, ida a consultas, bancos ou farmácias, independentemente da gravidade da doença. [1]

O conceito de cuidador informal encerra "uma complexidade dimensional variada, estando envolvidos aspectos éticos, sociais, psicológicos, demográficos, associando complementarmente aspectos clínicos, técnicos e comunitários" (p. 59) [2]. Assim, o cuidador informal é um membro da família que presta cuidados gratuitamente ao doente.

As funções e o desempenho dos prestadores de cuidado informal em domicílio são impostos muitas vezes pela dinâmica familiar: de repente, quase sem saber e sem um processo consciente de decisão, os mais próximos ou mais solidários assumem a responsabilidade do cuidado, enquanto outros, também potenciais cuidadores, se afastam. [3]

Ao assumir a tarefa de zelar por um ente querido, o cuidador pode deixar de lado a atenção consigo mesmo, uma vez que se vê imerso numa rotina de atividades que pode superar seus limites físicos e emocionais e que nem sempre chama a atenção nem é reconhecida pelo próprio cuidador, por quem está ao seu redor e, por vezes, até por quem é cuidado.

Cuidar é uma ação humana que mobiliza, traduzindo-se no respeito às dores, aos sofrimentos, aos valores, aos princípios e à dignidade da pessoa adoecida – um ser singular, construtor da própria história. Ao cuidador cabe proporcionar ao doente melhor qualidade de vida e, ao mesmo tempo, buscá-la também para si.

Assim, a prestação de cuidados se configura como uma atividade complexa, trazendo responsabilidades e comprometimento, pois o cuidado está apoiado numa relação inter-humana. O cuidador usa da própria humanidade para assistir a humanidade do outro – um ser único, composto de corpo, mente, vontade, emoção. [4]

Heidegger [5] considera o cuidado parte de nossa dimensão ontológica e, dentro de uma visão existencial, ressalta que ele surge antes de qualquer aspecto e situação envolvendo o ser humano. Segundo o autor, o cuidado acompanha toda atitude e toda situação humana; é um modo de ser essencial, base da existência da nossa espécie.

Para Boff [6], "cuidar é mais que um ato; é uma atitude. Portanto, abrange mais que um momento de atenção, de zelo e de desvelo. Representa uma atitude de ocupação, preocupação, de responsabilização, de envolvimento afetivo com o outro". Essa preciosa definição traduz o reconhecimento da autenticidade e da imanência contidas no cuidar.

Acredito que a diferença primordial entre cuidadores formais e informais está no fato de que os primeiros o são por escolha, o que os induz a buscar conhecimentos técnicos e capacitação prática. Enfim, uma condição conquistada!

A decisão de se tornar "profissional da saúde" revela o "cuidador" exponencial, que se reconhece com as capacidades exigidas e necessárias para a ação de cuidar. Porém, isso não implica ser reconhecido como um herói superpoderoso, acima das leis humanas, o que pode se tornar extremamente sedutor e perigoso. A escolha demanda do profissional conhecimento de suas potencialidades e de seus limites, para que sejam notados e respeitados. Para tanto, esse profissional deve se posicionar não acima ou abaixo de quem é cuidado, mas ao lado dele; afinal, como seres humanos que somos, o cuidador pode vir a necessitar de cuidados. A simplicidade dessa compreensão ajudará a aproximação e a humanização que deverão estar contidas em cada ação de cuidar.

Somos seres livres para escolher nosso espaço de trabalho e, se a decisão foi estar profissionalmente ao lado dos que sofrem e dos que morrem, que estejamos preparados internamente para assumir esse sentido existencial, renovando a cada dia o compromisso ético e humanamente assegurado em cada encontro e em cada despedida. [7]

Por outro lado, os cuidadores informais muitas vezes não têm essa possibilidade de escolha – nem a preparação indispensável para ajudar o doente. Ao contrário, muitas vezes respondem a exigências determinadas pela cultura ou pela religião: tradicionalmente, eram as filhas solteiras que moravam com os pais e não trabalhavam que assumiam essas obrigações; o casamento traz o compromisso sacramental de cuidar "na alegria e na tristeza, na saúde e na doença"; os filhos têm a obrigação de cuidar dos pais; os pais, a responsabilidade de cuidar dos filhos...

Por vezes, ocorre a imposição de cuidar, mesmo sem que haja amor, gratidão, vontade ou disponibilidade. Ou, então, o cuidador é escolhido entre os familiares, por diferentes motivos: por ser mulher ou por ter mais tempo livre, por estar sem emprego, não ter marido ou esposa, por não ter filhos... Ou até mesmo porque não há outra pessoa para assumir essa tarefa.

Lembro-me de uma visita realizada com a equipe do Serviço de Assistência Domiciliar em que a cuidadora era uma mãe de 91 anos, debilitada, hipertensa, cardiopata, cuidando do filho de 65 anos com diagnóstico de câncer de mandíbula e em cuidados paliativos. Quem cuidava de quem? A equipe de saúde cuidava dos dois, realizando as ações multidisciplinares necessárias e orientando uma vizinha que se dispôs, caridosamente, a prestar ajuda nas atividades diárias.

Essa mãe se recordava do tempo longínquo em que cuidava de seu "menino", dos machucados de infância, joelho ralado no futebol, lábio cortado no tombo do carrinho de rolimã, braço quebrado... Enfim, revivia um passado que a ajudava a suportar a dor de estar perdendo seu único filho, o qual, sem poder falar, me escrevia contando que não se casara para continuar com a mãe, que sempre precisou de seus cuidados e de sua proteção. Tanto afeto! Como é difícil cuidar de quem se ama nessas circunstâncias.

É o caso de uma adolescente de 14 anos que cuida sozinha do pai enquanto a mãe e os irmãos trabalham: "Sinto nojo, vou pro banheiro e vomito... Viro a cara pra não ver o sangue quando faço o curativo [...] não posso ver sangue, me arrepia! Mas faço por amor. Ele sempre foi um pai bom, até quando bebia".

Às vezes, os caminhos da vida colocam pessoas em situação de cuidador sem escolha e até a contragosto: "Cuido desse traste que me judiou tanto! Bebia, me batia, mulherengo. Separei, mas agora os filhos não têm tempo nem paciência. Toca pra mim. Fazer o quê?"

Ou:

Estou cuidando do meu pai não porque eu quero. Não sinto nada por ele. Sabe, quando eu tinha 7 anos meu pai me estuprou e continuou até meus 14

anos. Minha mãe, sem saber de nada, saía pra trabalhar logo cedinho e só voltava à noite. Meus irmãos também. Ficava só eu com o desgraçado, aposentado por causa de um acidente quando trabalhava de pedreiro. Nunca tive coragem de contar pra ninguém, morria de vergonha! Quando fiz 14 anos, fui pra casa da minha tia em São Paulo pra trabalhar e nunca mais voltei. Só vinha no Dia das Mães trazer presente pra ela até ela morrer, de repente. Coração! Meus irmãos caíram no mundo, cada um foi pra um lugar, cada um mais longe que o outro. Até sinto que as enfermeiras daqui me olham meio de esguelha. Acham que não sou atenciosa com ele. Como? Cuido porque ele não tem mais ninguém. Não se deixa nem um cachorro morrer à míngua, não é?

Quantas vidas, quantas histórias... A nós cabe ouvi-las e acolhê-las, sem críticas nem julgamentos.

Certas atividades que fazem parte de nosso cotidiano profissional são desconhecidas, indesejadas e até insuportáveis para outras pessoas que não fizeram nossa escolha.

É claro que nós, como profissionais, nos mobilizamos emocionalmente a cada dia, com cada uma dessas histórias que ouvimos, com cada lágrima que enxugamos, com cada abraço que repartimos – apesar de um vínculo afetivo bem distante dos sentimentos de familiares ou amigos, pela convivência mais curta e recente, sem lembranças felizes ou amargas, sem carregar recordações de momentos prazerosos ou penosos e aflitivos.

Sem defender a ideia de que o profissional deva se envolver afetivamente com o paciente e/ou familiares a ponto de dificultar seu trabalho, é importante considerar que isolar as emoções, ao contrário de uma solução, pode representar a repressão ou negação de nossa humanidade, o que interferirá negativamente nas relações que necessariamente se estabelecem.

É no momento de doença, de ameaça à vida, que o ser humano, mais do que nunca, necessita de atenção, acolhimento, proteção. E quem cuida dele também! Pois não existe acolhimento ou vinculação sem um contato autêntico e verdadeiro, e essas atitudes repercutem e podem gerar sofrimento no humano cuidador.

Assim, dizemos que cuidado e humanização são inseparáveis. O cuidado representa um elemento essencial, fenômeno básico que possibilita a existência humana: se não recebermos cuidado do nascimento até a morte, definhamos, perdemos o sentido, desestruturamo-nos, morremos. "O cuidado acompanha o ser humano em todo tempo que caminhar pela vida." [7] Já a humanização resume a prática do humano. Se atualmente falamos em "humanizar o cuidado", evidenciamos, de alguma maneira, que estamos praticando a "desumanização no cuidado", com a necessidade de se compor o verbo "humanizar" mais a interjeição "ação": humaniza a ação! Aja como humano!

A relação eu-tu proposta por Buber [8], aqui entendida como o ser-cuidado e o ser-cuidador, deve permear uma atitude compassiva na qual, embora dirigidos pela intelectualidade e pelo tecnicismo de nosso conhecimento, como também pela ética pessoal e profissional, somamos a emoção e a vontade de transformar a situação real com a qual nos defrontamos sem lugar para indiferença, julgamentos e negligências.

Para tanto, essa relação deve conter a autenticidade, ser um verdadeiro encontro em que haja reciprocidade, compreensão, vinculação afetiva.

Se o cuidado é a constituição ontológico-existencial mais original do ser humano, ele oferece a base mais segura para o entendimento da "compaixão" em seu sentido fundamental. *Com-paixão* – como sugere a filologia da palavra – é a capacidade de *com-partilhar* a própria paixão (aqui entendida como grande pesar, grande desgosto) com a paixão do outro. Segundo Boff e Müller [9], "trata-se de sair de si mesmo, de seu próprio círculo e entrar no universo do outro, para sofrer com ele, para cuidar dele, para alegrar-se com ele e caminhar junto a ele, e para construir uma vida em sinergia e solidariedade" (p. 15). O *Michaelis moderno dicionário da língua portuguesa* [10] define compaixão da seguinte forma: "Dor que nos causa o mal alheio; participação da dor alheia com o intuito de dividi-la com o sofredor". Em oposição, a falta de compaixão é definida como "falta de piedade" e "indiferença". (Dicionário de Antônimos Online – https://www.antonimos.com.br).

Nossa rotina (e nossa formação) como profissionais de saúde pode nos levar à imparcialidade e à neutralidade, que nos distanciam do paciente e de seus familiares, principalmente quando o estado clínico do doente se agrava. Entre os sentimentos que afloram estão medo, culpa, negação, fracasso, vergonha, autocensura, processos transferenciais ou projetivos. Nesses casos, crises psíquicas de esgotamento e estresse agudo por vezes acontecem.

Pagamos com nossas perdas físicas e emocionais os ganhos de nossa humanidade, de nossa oferta de cuidado. Para tudo na vida existe um preço, como alerta Figley [11]: "Existe um custo no cuidar. Os profissionais que ouvem relatos de medo, dor e sofrimento de seus pacientes devem sentir medo, dor e sofrimento similares, simplesmente porque se importam" (p. 1).

Todos os cuidadores, formais ou informais, profissionais ou familiares, vivenciam perdas que deverão ser entendidas e, se possível, minimizadas pela busca de ajuda, apoio, suporte físico e emocional. Enfim, procurando uma resposta à seguinte pergunta: "Quem cuida de mim?"

A familiar do grupo, hesitante, responde: "A gente mesmo tem de se cuidar, não é?" Eu emendaria: "Sem medo nem pudor de procurar ajuda quando necessário!"

É evidente e compreensível que toda ajuda se inicia por um apelo, um pedido... Mesmo que não verbalizado, mas ao menos sinalizado. Somente quem sente a dor conhece a extensão e intensidade dela.

O cuidador não pode se sentir imune, não pode abandonar sua vida, deixar de se cuidar para cuidar apenas da dor dos outros. Ele deve procurar entender a própria dor, permitir-se percebê-la e cuidar dela. Diz Becker: "O homem quer ser um deus com o equipamento de apenas um animal, e por isso vive de fantasias" (p. 85). [12]

Muitas vezes os cuidadores, tanto formais quanto informais, percebem-se com a soberba de que são tão necessários, tão úteis e insubstituíveis que não podem deixar de cuidar do outro. Só eles sabem do que precisa o doente por eles cuidado, somente eles sabem como cuidar. Ao mesmo tempo sentem-se tão onipotentes, poderosos e inatingíveis que não precisam de cuidados, considerando-se fortes o bastante para superar suas fraquezas e aguentar seus sofrimentos exclusivos.

A consciência de sua fragilidade surge vagamente, em ligeiros e inesperados momentos, como ao coar um café ou desabafar num grupo de iguais. Rapidamente, café pronto, despedida do grupo, logo é retomada a rotina de cuidar do outro e se impõe a fantasia de força e coragem.

Todos nós conhecemos o excessivo desgaste físico e emocional de quem cuida de pessoas doentes, especialmente se acometidas por enfermidades graves ou crônicas. Conscientemente ou não, sentimentos ambivalentes surgem, trazendo tensão e estresse – uma verdadeira intoxicação psíquica e afetiva.

O cansaço, a rotina, o contato com a dor e a finitude invadem o cuidador por alguns momentos, fazendo que cheguem a desejar o fim dessa vida de exigências e cobranças ou o fim de quem provoca esses sentimentos, o que pode gerar culpa, desgosto, medo e insegurança.

O cuidador profissional

Podemos afirmar que não haverá uma adequada assistência nas várias disciplinas da área da saúde sem o interesse pelo indivíduo adoecido, sem o contato humano, sem uma vinculação estruturada na empatia e na vontade de se relacionar, de conhecer e compreender a história, a biografia construída por quem, naquele momento, necessita de cuidado.

Essa aproximação, que vai além da técnica e se converte em diferencial, no "algo mais" indispensável, pode fazer que esqueçamos nossos limites e deixemos de perceber que em vários momentos teremos de rever as nossas condições de desamparo.

O trabalho desenvolvido por profissionais de saúde requer, além de suficiente formação e preparo técnico em cada disciplina, a maturidade e o preparo emocional que permitam enfrentar decisões difíceis, quase sempre com implicações éticas e morais.

Na área oncológica, especificamente, o contato diário com o sofrimento inerente à fatalidade do diagnóstico, à dor e à morte faz que essas experiências, para nós, não sejam mais conceitos abstratos, mas sim realidades comuns, que podem nos servir de aprendizado – desde que estejamos prontos e pessoalmente aptos e disponíveis para esse entendimento: "É como estar sentado na poltrona da primeira fila no teatro da vida, uma oportunidade inigualável para adquirir um profundo conhecimento e maior compreensão da natureza humana". [13]

É importante destacar que o câncer, apesar dos inúmeros avanços científicos, tecnológicos e farmacológicos, permanece um estigma, uma doença que mobiliza emocionalmente, infligindo reflexões sobre sofrimento e morte. Ninguém está preparado para receber esse diagnóstico, o qual traz para os profissionais cuidadores uma carga emotiva extremamente angustiante, que é acolhida e compartilhada.

A morbidade psicológica dos profissionais da saúde nessa área, assim como em outras de igual gravidade, tem preocupado e provocado o interesse da comunidade científica internacional, dando origem a estudos e pesquisas sobre o tema.

É nesse cenário de múltiplas visões em relação ao sofrimento e à morte que se encontram os profissionais. A todo tempo desafiados, vivenciam conflitos, lutando pela vida e contra a morte, tomando para si a responsabilidade de salvar, curar, confortar ou aliviar – uma vez que a morte, em nossa cultura, é entendida como fracasso, derrota, vergonha. [14]

O cuidar multidisciplinar e efetivo em oncologia exige não apenas o conhecimento científico e técnico de cada profissão em relação à patologia, mas a habilidade de lidar com os próprios sentimentos e dos que são por eles cuidados, com ou sem possibilidade de cura.

Como vimos, a aproximação é necessária para se olhar as necessidades não ditas, perceber o imperceptível, compreender o que se oculta atrás das palavras. O conhecimento insuficiente ou a falta da autorreflexão sobre esses assuntos poderá levar a um distanciamento do paciente como forma de proteção e a uma falha na prestação do cuidado singular e integral tão almejado. [15]

Nos cursos de graduação pouco ou nada se ensina ou se reflete sobre temas como "a morte e o morrer", "dor emocional" e "luto". Assim, forma-se profissionais científica e tecnicamente muito preparados, porém sem estrutura psíquica adequada para vivenciar as emoções e sofrimentos que a realidade lhes trará.

Tantas exigências, tantas cobranças subjetivas e institucionais, tantas necessidades e tão pouca atenção e cuidado não permitem que os profissionais dessa área, intensamente empenhados em cuidar de seus pacientes, tenham disponibilidade interna para cuidar de si mesmos ou de seus companheiros de trabalho.

Como se pode constatar, a equipe de saúde fica sujeita a diversas causas de estresse. Este é quase sempre associado a algo negativo que traz prejuízo à qualidade de vida e ao desempenho global do indivíduo, sendo o termo "estressor" referência a uma situação ou experiência que gera tensão, ansiedade, medo ou ameaça.

Marilda Lipp [16] define o estresse como "uma reação psicológica, com componentes emocionais físicos, mentais e químicos, a determinados estímulos que irritam, amedrontam, excitam e/ou confundem a pessoa". A mesma autora [17] enfatiza que o estresse e seus efeitos abrangem não apenas o corpo e a mente dos indivíduos, mas sua qualidade de vida.

Inúmeros estudos vêm abordando o sofrimento psíquico e o estresse dos profissionais que trabalham na área da saúde em diversos e diferentes espaços assistenciais em saúde primária, secundária ou terciária, como hospital geral, serviços de emergência, programa de saúde da família, serviços de oncologia, hemodiálise, unidades de terapia intensiva, perinatal etc. [18]

Nogueira-Martins [19] aponta diversos fatores que podem desencadear as reações de estresse em médicos. Atrevo-me aqui a acrescentar outros fatores na lista proposta por ele, estendendo-a a todos os membros de uma equipe profissional na área da saúde – e, em nosso caso, na oncologia:

- medo de cometer erros;
- contato próximo com a dor e o sofrimento;
- lidar com a intimidade corporal e emocional;
- atender pacientes críticos e terminais;
- lidar com pacientes queixosos, hostis e não aderentes ao tratamento, reivindicadores, depressivos ou apáticos;
- lidar com as incertezas e as limitações do sistema assistencial (falta de verbas, de medicamentos etc.);
- lidar com as demandas e as expectativas dos pacientes e dos familiares;
- ser capturado por estímulos emocionais intensos (piedade, amor, culpa, ansiedade, raiva, ressentimentos, identificação).

- cansaço (plantões, excesso de trabalho e as dificuldades para conciliar trabalho e vida pessoal);
- fadiga (irritabilidade, desgaste físico e mental, dificuldade de relaxar e dormir);
- convívio com a hierarquia;
- relacionamento interpessoal;
- dificuldades na comunicação;
- progressiva diminuição da remuneração;
- aumento da carga de trabalho.

A própria carga de trabalho excessiva pode constituir um fator desencadeante de estresse no trabalho ou estresse traumático secundário, bem como de *burnout* – que vai além do estresse e está especificamente associado ao ambiente laboral, ocorrendo pela cronificação de um processo de estresse. O termo *burnout*, em saúde, indica que a pessoa chegou ao seu limite e, por falta de energia, não tem mais condições de desempenho físico ou mental.

Esse tipo de estresse consome o profissional de tal maneira que ele passa a apresentar um comportamento de irritação e agressividade, perdendo a relação com seu trabalho. Acarreta uma visão de inutilidade, de forma que tudo que ele faz não tem mais sentido; já não importam seus esforços e seu comprometimento profissional. Essa situação se estende à sua vida pessoal, repercutindo nela física e afetivamente. [20]

Assim, o *burnout* pode ser considerado uma síndrome, caracterizada por um conjunto de sintomas como fadiga física e mental, falta de entusiasmo pelo trabalho e pela vida, sentimento de impotência, inutilidade, baixa autoestima. Por vezes, o sofrimento é tão grande que leva ao suicídio.

Estudos têm demonstrado que o *burnout* incide principalmente sobre os profissionais de ajuda, que prestam assistência ou são responsáveis pelo desenvolvimento ou pelo cuidado de outros [21]. Assim, "o trabalho, além de possibilitar crescimento, transformação, reconhecimento e independência pessoal, também causa problemas de insatisfação, desinteresse, apatia e irritação". [22]

Perdas e ganhos decorrentes de nossas escolhas!

Além do estresse e da síndrome de *burnout*, um novo conceito vem sendo reconhecido e estudado no campo da qualidade de vida profissional (QVP) [23, 24]: fadiga por compaixão. Esse tipo de transtorno psíquico não psicótico parece acometer especificamente profissionais cuidadores [11, 23]. Com sintomas bastante parecidos com os do *burnout* e com os do estresse laboral, essa síndrome se diferencia pela sua etiologia: a constante compaixão por outrem. Ao longo do tempo, provoca no profissional um declínio da capacidade de experimentar alegria. Em casos extremos, a pessoa deixa de sentir preocupação com os outros.

Algumas profissões são mais suscetíveis e vulneráveis à fadiga por compaixão pelo contato inevitável com quem sofre, como é o caso dos profissionais que prestam auxílio a emergências e urgências, como bombeiros, policiais, médicos e enfermeiros; e aqueles que prestam assistência em geral e em situações de crise ou trauma, como psicólogos, assistentes sociais, professores, veterinários e advogados. [23-25]

Tais profissionais são mais afetados não apenas porque lidam diretamente com pessoas ou animais em sofrimento, mas também porque a empatia e a compaixão são elementos essenciais para a realização eficaz de suas atividades. A compaixão é uma ação altruísta que move o indivíduo a aliviar o desconforto alheio. Por sua vez, a ação altruísta envolve uma preocupação empática, que é a capacidade de se colocar na situação do outro. [26-28]

Nessas circunstâncias, as ações que expressam compaixão e empatia trazem perdas ou custos psicológicos, que, em alguns casos, podem levar o indivíduo ao esgotamento, devido à gradual redução na sua capacidade de suportar a dor e a aflição alheias.

A questão central da fadiga por compaixão e do estresse por compaixão é que trabalhar com pessoas em sofrimento implica a necessidade de uma vinculação empática, a qual, ao mesmo tempo que é necessária para a realização desse cuidado, também coloca o cuidador em risco de sofrimento, algo que é comumente discutido pela literatura sob o nome de "o custo do cuidar". Baseados na empatia, os profissionais de saúde enfrentam fortes emoções, muito parecidas com as que o outro está sentindo [11, 24]. Assim, as habilidades que produzem prazer pelo altruísmo e nos possibilitam ajudar são as mesmas que podem nos desgastar, deixar-nos esgotados de tanto nos compadecer. Essas habilidades, embora nomeadas em caráter genérico, são vivenciadas e disponibilizadas de acordo com as características peculiares de cada cuidador.

Seria muito confortante e alentador, apesar de todas as dificuldades inerentes ao trabalho do cuidador profissional, se os responsáveis, gestores institucionais dos serviços de saúde, tivessem um olhar mais focado para a saúde de seus trabalhadores, fornecendo espaços de suporte psicológico, grupos de reflexão, ambientes mais adequados e, sobretudo, o reconhecimento da importância desse trabalho, favorecendo e incentivando o aprimoramento profissional e pessoal.

Porém, como em geral não encontramos essas condições, resta-nos a natural e necessária busca da autopreservação, do autocuidado e da autovalorização.

- Quem sou eu?
- Sei nomear meus sentimentos? Consigo compreendê-los? Consigo expressá-los? Ou os reprimo?
- Tenho dificuldade de dizer "não"?
- Assumo excessivas responsabilidades?
- Qual é o nível de minha autoestima?
- Quando preciso, procuro ajuda?

Perguntas obrigatórias na autoavaliação necessária para a manutenção do entusiasmo da escolha, a qual deve ser renovada a cada dia.

Se, de acordo com Heidegger [5], o sofrimento é inerente e pertence à essência humana... Se somos livres para fazer escolhas, tendo o entendimento de que não podemos ter tudo nem viver tudo ao mesmo tempo... Se nossas escolhas trazem sentimentos de ganho, mas também de perda... Se nossa escolha foi ser um cuidador na área da saúde...

Quem cuidará de nosso sofrimento? Quem cuidará de nossas dores? De nossos lutos?

Quem cuidará de mim?

Como psico-oncologista, parto do pressuposto de que os conhecimentos provenientes da psicologia da saúde devem ser aplicados: na assistência ao paciente oncológico, à sua família e aos profissionais envolvidos na prevenção, nos tratamentos, na reabilitação e nos cuidados paliativos; na pesquisa ligada aos aspectos psicológicos e sociais da doença; e na organização de serviços oncológicos, enfatizando a formação e o aprimoramento dos profissionais de saúde envolvidos. [29]

Com essa proposta, e prendendo-me ao tema da assistência, a abertura da psicologia aos colegas de equipe sempre deve estar presente, por meio de aconselhamentos, encaminhamentos quando necessário, rodas de conversa e outras ações que visem ao cuidado recíproco, pois representam momentos de troca afetiva. Em tais momentos, a generosidade é o alicerce, partilha-se a multiplicidade de conhecimentos e o companheirismo se consolida no respeito, na ética, na dignidade.

Quem cuida de mim? Das dores da minha alma, que muitas vezes explodem em meu corpo? Um corpo que grita pelo resgate de minha alma, confrontando quem sou com o que eu posso suportar? As perguntas permanecem, devendo ser repetidas inúmeras vezes, quantas forem preciso, até que, internamente, encontremos as respostas.

Ninguém gosta de sentir dor, ninguém quer adoecer, temos medo de não dar conta de nossos projetos, de nossas metas. Porém, nosso corpo é o fiel guardião de nossa alma. Ele nos chama, grita, alertando para que olhemos e ouçamos seus sinais. Cuidado! Fique atento! Esteja alerta! E por que não sermos cuidadosos conosco, já que o somos com tantos? Acreditemos em nossas dores. Elas podem e devem ser cuidadas, com amor e generosidade.

Referências

1. Brasil. Ministério da Saúde. Portaria n. 1395/GM, de 10 de dezembro de 1999. Política Nacional de Saúde do Idoso. Brasília: MS, 1999. Disponível em: Disponível em: <http://www6.ufrgs.br/3idade/?page_id=117>. Acesso em: 10 maio 2019.

2. Sousa, L.; Figueiredo, D.; Cerqueira, M. *Envelhecer em família – Os cuidados familiares na velhice*. Porto: Âmbar; 2006.

3. Figueiredo, D.; Sousa, L. "Percepção do estado de saúde e sobrecarga em cuidadores familiares de idosos dependentes com e sem demência". *Revista Portuguesa de Saúde Pública*, v. 26, n. 1, 2008, p. 15-24.

4. Corbani, N. M. S.; Brêtas, A. C. P.; Matheus, M. C. C. "Humanização do cuidado de enfermagem: o que é isso?" *Revista Brasileira de Enfermagem*, v. 62, n. 3, 2009, p. 349-54. Disponível em: <http://www.scielo.br/scielo.php?script=sci_arttext&pid=S0034-71672009000300003&lng=en>. Acesso em: 10 maio 2019.

5. Heidegger, M. *Ser e tempo*. 9. ed. Petrópolis: Vozes, 2000.

6. Boff, L. *Saber cuidar*. 7. ed. Petrópolis: Vozes: 1999.

7. Nucci, N. A. G. "Educar para a morte: cuidar da vida". In: Fukumitsu, K. O. (org.). *Vida, morte e luto: atualidades brasileiras*. São Paulo: Summus, 2018.

8. Buber, M. *Eu e tu*. 9. ed. São Paulo: Centauro: 2004.

9. Boff, L.; Müller, W. *Princípio de compaixão e cuidado*. Petrópolis: Vozes, 2000.

10. *Michaelis moderno dicionário da língua portuguesa*. [on-line]. "Solidariedade". Disponível em: <http://michaelis.uol.com.br/moderno-portugues/busca/portugues-brasileiro/solidariedade/>. Acesso em: 10 maio 2019.

11. Figley, C. R. *Compassion fatigue: coping with secondary traumatic stress disorder in those who treat the traumatized*. Nova York: Brunner/Mazel, 1995.

12. Becker, E. *A negação da morte*. São Paulo: Record, 2007.

13. Remen, R. *O paciente como ser humano*. São Paulo: Summus, 1993.

14. Magalhães, Z. R.; Santos, G. F.; Caldeira, W. P. "Morte nas instituições de saúde: uma abordagem ética". *Enfermagem Revista*, v. 2, n. 4, 1995, p. 15-19.

15. Silva, J. L. L. "A importância do estudo da morte para os profissionais de saúde". *Recenf – Revista Técnico-Científica de Enfermagem*, v. 3, n. 12, 2005, p. 363-74.

16. Lipp, M. N. "Stress e suas implicações". *Estudos de Psicologia*, v. 1, n. 3-4, 1984, p. 5-19.

17. _____. "Stress – Conceitos básicos". In: Lipp, M. N. (orgs.). *Pesquisas sobre stress no Brasil: saúde, ocupações e grupos de risco*. Campinas: Papirus, 1996.

18. Nogueira-Martins, L. A. "Saúde mental dos profissionais da saúde". In: Botega, N. J. (org.). *Prática psiquiátrica no hospital geral: interconsulta e emergência*. [ePub]. 4. ed. Porto Alegre: Artmed, 2017.

19. _____. Nogueira-Martins, L. A. "Saúde mental dos profissionais da saúde". In: Botega, N. J. (org.). *Prática psiquiátrica no hospital geral: interconsulta e emergência*. Porto Alegre: Artmed, 2002, p. 130-44.

20. Carlotto, M. S.; Gobbi, M. D. "Síndrome de burnout: um problema do indivíduo ou do contexto de trabalho?" *Aletheia*, v. 10, 1999, p. 103-14.

21. Benevides-Pereira, A. M. T. "Burnout: o processo de adoecer pelo trabalho". In: Benevides-Pereira, A. M. T. (org.). *Burnout: quando o trabalho ameaça o bem-estar do trabalhador*. São Paulo: Casa do Psicólogo, 2002, p. 21-91.

22. França, A. C. L.; Rodrigues, A. L. *Estresse e trabalho: guia básico com abordagem psicossomática*. São Paulo: Atlas, 1997, p. 15.

23. Stamm, B. H. *Measuring compassion satisfaction as well as fatigue: developmental history of the Compassion Satisfaction and Fatigue Test*. Nova York: Brunner-Routledge, 2002.

24. Figley, C. R. "Compassion fatigue: psychotherapists' chronic lack of self-care". *Journal of Clinical Psychology*, v. 58, n. 11, 2002a, p. 1433-41.

25. Figley, C. R. (org.). *Treating compassion fatigue*. Nova York: Brunner-Routledge, 2002b.

26. Lago, K. C. *Fadiga por compaixão: quando ajudar dói*. Dissertação (mestrado em Psicologia Social), Universidade de Brasília, Brasília, DF, 2008.

27. Lago, K, C. *Fadiga por compaixão: o sofrimento dos profissionais em saúde*. Petrópolis: Vozes, 2010.

28. Potter, P. *et al*. "Compassion fatigue and burnout: prevalence among oncology nurses". *Clinical Journal of Oncology Nursing*, v. 14, n. 5, 2010, p. 56-62.

29. Stephan, M. M. A. C. "A psico-oncologia no Brasil: notas sobre o passado e o presente; aspirações e estratégias para o futuro". In: Carvalho, V. A. *et al.* (orgs.). *Temas em psico-oncologia*. São Paulo: Summus, 2008.

24. CÂNCER DE MAMA: A RELAÇÃO DA MULHER COM SUA SEXUALIDADE APÓS A MASTECTOMIA

Paula Azambuja Gomes, Regina Liberato

Por ser a principal neoplasia que afeta as mulheres brasileiras, o câncer de mama é um importante problema de saúde pública em nosso país. Ele causa mudanças físicas, sociais e psicoemocionais importantes, sendo uma doença prejudicial para a qualidade de vida e que põe em risco a capacidade da pessoa afetada de permanecer viva. [1, 2]

A literatura da área comprova que, mesmo quando bons resultados são obtidos com o tratamento, a experiência do câncer, muitas vezes, tem um impacto considerável na vida das pacientes. Algumas delas começam a temer a ameaça de uma recorrência da doença e têm dificuldade de lidar com as sequelas deixadas pelo tratamento. Isso pode influenciar a imagem corporal e a função sexual da mulher, prejudicando, assim, sua qualidade de vida. [3, 4]

Câncer de mama: fisiologia, tratamento e sexualidade

No Brasil, o câncer de mama é o mais frequente e o responsável pelo maior número de mortes decorrentes de neoplasias na população feminina. Segundo estimativas do Instituto Nacional de Câncer (Inca), surgem cerca de 60 mil novos casos por ano, com um risco estimado de 56,33 casos a cada 100 mil mulheres. Ainda de acordo com o Inca, nas últimas décadas o câncer ganhou uma dimensão maior, convertendo-se em um evidente problema de saúde pública mundial. A Organização Mundial da Saúde (OMS) estima que, no ano de 2030, podem-se esperar 27 milhões de

casos incidentes de câncer, com 17 milhões de mortes. A maioria dos casos incidirá em países de baixa e média rendas. [5]

Mas o que é o câncer de mama? Este se caracteriza pela proliferação anormal, desordenada e rápida das células do tecido mamário. Constata-se hoje que cerca de 15% dos casos ocorrem em pacientes com idade inferior a 40 anos, para as quais é menor a procura pela mamografia, o que torna mais custoso o rastreamento mamográfico. [6, 7]

Quando funciona normalmente, o corpo humano substitui células antigas por células novas e saudáveis. Entretanto, as mutações genéticas podem fazer que as células se reproduzam excessivamente, formando assim o tumor. Este pode ser benigno ou maligno. No primeiro caso, não é considerado cancerígeno [8], enquanto os malignos o são. Podem crescer, invadir e danificar órgãos e tecidos próximos, eventualmente se espalhando para outras partes do corpo. Por vezes, essas mesmas células atacam outros tecidos e crescem para formar novos tumores, o que configura a metástase. [7]

Por conseguinte, o câncer de mama consiste em um tumor maligno que se desenvolve a partir de células da mama. Sua evolução depende da íntima relação tumor-hospedeiro, ou seja, do equilíbrio dinâmico entre a resistência do hospedeiro e das forças de propagação da neoplasia. [7, 9]

Os melhores resultados no tratamento do tumor maligno da mama são obtidos por meio de diversas modalidades terapêuticas, como cirurgia, quimioterapia, hormonioterapia e radioterapia. A cirurgia é o principal recurso terapêutico para exercer a função de controle locorregional da doença e, assim, evitar sua disseminação. [10]

Segundo o Inca [5], os tipos mais frequentes de cirurgia são: mastectomia radical tipo Halsted com retirada dos músculos peitorais e esvaziamento radical da axila; mastectomia tipo Patey com preservação do peitoral menor e esvaziamento axilar; e mastectomia tipo Madden com conservação de ambos os peitorais e esvaziamento axilar. O tratamento mais frequente, realizado em cerca de 57% das intervenções, é a mastectomia radical modificada, aquela que remove toda a mama e os linfonodos axilares. [11]

Porém, a mastectomia traz em si um caráter agressivo e traumatizante para a vida e a saúde da mulher, já que prejudica sua dimensão biopsicossocioespiritual: ao desencadear alterações em sua imagem corporal, identidade e autoestima, pode repercutir na expressão de sua sexualidade. Comumente, essas mulheres não estão preparadas para se submeter a uma cirurgia de retirada da mama. [10, 12, 13]

O câncer de mama pode abalar a identidade feminina, sentimento que fundamenta a existência da mulher. A aceitação de si própria, o olhar-se no espelho e aceitar que seu corpo está diferente, sem uma parte que culturalmente representa a feminilidade, são grandes dificuldades a ser enfrentadas pelas mulheres após uma mastectomia. [11, 12, 14]

Em geral, essa cirurgia atinge a imagem corporal da maioria das mulheres de maneira abrupta, gerando mais preocupação com a mutilação do que com a própria doença; para outras, porém, a incorporação da alteração corporal se dá de forma contínua e progressiva. A imagem corporal e a autoestima são constituídas devido às experiências acumuladas ao longo da vida; assim, é preciso certo tempo para que a nova imagem corporal seja assimilada. [14]

Após a realização da mastectomia, a mulher costuma ficar frágil emocionalmente, e é exatamente nesse momento que ela depara com dificuldades que precisarão ser superadas para que possa viver dentro de certa normalidade. [12-14]

As mamas são percebidas como símbolo da metamorfose feminina. A sociedade confere grande importância às mamas e, no decorrer dos anos, isso esti-

mula a vaidade da mulher, visto que ter seios bonitos e cabelos longos é determinante para a construção da feminilidade e da sexualidade. [14]

O enfrentamento de uma enfermidade nessa parte do corpo impõe à mulher a vivência de vários estágios, os quais poderão afetar sua sexualidade. Esta constitui um fenômeno abrangente, que envolve o sexo, o desejo, o prazer, a aceitação do corpo, a autoimagem, a sensação de segurança e de bem-estar consigo mesma. A mulher sente dificuldade de expressar sua intimidade e de adaptar-se à nova identidade. [10, 14]

A mulher mastectomizada e sua sexualidade

Numa análise da literatura sobre o tema, percebe-se que o foco principal dos estudos recai sobre a sexualidade e sobre a vida sexual das mulheres. Grande número de publicações versa sobre imagem corporal, qualidade de vida, ansiedade, depressão, problemas emocionais e influência do contexto social das mulheres após o tratamento para câncer de mama.

Em estudo realizado em um serviço de saúde especializado em oncologia, foram realizados encontros com mulheres diagnosticadas com câncer de mama que estavam no primeiro ano de tratamento. Os efeitos mais discutidos nos grupos, em relação ao funcionamento sexual e à intimidade, foram: queda do cabelo, ganho ou perda de peso, fadiga crônica, náuseas, perda parcial ou total da mama e o sentimento de não ser mais uma mulher completa. [15]

Barreiras adicionais foram relatadas, como estigma social, ausência ou inconsistência do apoio familiar e necessidade de afastamento do trabalho. O funcionamento sexual e os aspectos da intimidade foram considerados importantes para a preservação da qualidade de vida, ainda que a maioria dos efeitos do câncer tenha sido valorada negativamente. Muitas participantes identificaram melhorias na vida íntima após a experiência da doença.

A fim de investigar associações entre reoperações após mastectomias contralaterais de redução de risco e problemas emocionais, imagem corporal, sexualidade e qualidade de vida relacionada com a saúde em mulheres com câncer de mama e alto risco hereditário, Unukovych *et al*. [16] realizaram um estudo com 80 participantes. Na avaliação de dois anos, 44 pacientes (55%) tinham sido submetidas a uma ou mais reoperações, enquanto 36 delas (45%) não tinham passado por novos procedimentos. Não foram encontradas diferenças estatisticamente significativas entre os grupos no que se refere a qualidade de vida, sexualidade, ansiedade ou depressão. Uma proporção maior de pacientes do "grupo de reoperação" relatou estar insatisfeita com o corpo (81% contra 48%). Os resultados também sugerem associações entre reoperação após mastectomias contralaterais de redução de risco com reconstrução mamária e problemas de imagem corporal.

Em estudo que visava determinar a influência do contexto social na percepção da imagem corporal de mulheres que passaram por cirurgia de câncer de mama, Aguilar Cordero *et al*. [17] demonstram que, à medida que as mulheres trabalham e aumentam o seu nível de educação, a aceitação da imagem corporal melhora. As mulheres que vivem em contextos sociais desenvolvidos têm uma melhor percepção de sua imagem corporal. O estudo foi realizado com mulheres espanholas e mexicanas.

Estudo realizado para investigar a vida sexual de mulheres com câncer de mama no primeiro ano após o procedimento cirúrgico apontou que não existe um único padrão para descrever a experiência da sexualidade em mulheres que enfrentam os reveses do câncer de mama e a força de seus tratamentos. Percebeu-se uma grande variedade de experiências de sexualidade que surgiram ou foram potencializadas após a doença. A forma como cada participante lidava com a doença e o tratamento, bem como com os significados atribuídos a eles, fez que elas experimentassem singularmente a sexualidade em relação a si mesmas, a seus valores e posições assumidos diante da própria existência ou na esfera da relação estabelecida com seu parceiro sexual. [18]

Para a mulher, a imagem corporal é muito importante; culturalmente, a mama não costuma ser associada à ideia de dor e mutilação, mas a prazer, amamentação, sensualidade e feminilidade [12]. Apesar disso, muitas mulheres reagem buscando recons-

truir a própria vida. Essa reconstrução é realizada com base na revisão de seus valores. Ao adquirir uma nova capacidade de se adaptar às situações adversas, elas aprendem a lidar com essa sua nova condição de mulher, administrando sua vida diante de todos os incitamentos impostos pelo câncer. [12]

Fato é que alguns autores, em suas pesquisas, não identificaram efeitos adversos na sexualidade [19]. A vivência da sexualidade da mulher tratada pelo câncer de mama não sofre necessariamente uma piora, mesmo depois que ela se submete a tratamentos que incidem negativamente em sua função sexual [20]. Santos *et al*. [15] reforçam tal ideia e complementam-na afirmando que, mesmo que a maioria dos efeitos do câncer tenha sido valorizada negativamente, muitas participantes identificaram melhorias na vida íntima após a experiência da doença.

Vieira *et al*. [21] realizaram um estudo com 23 mulheres diagnosticadas com câncer de mama que frequentaram um serviço de reabilitação. Constataram que 45,3% delas interromperam as relações sexuais durante o tratamento e 25,9% não o fizeram. Houve relatos de diminuição da frequência sexual, embora metade das entrevistadas tenha retomado a vida sexual nos primeiros seis meses após o tratamento – pouco mais de metade das entrevistadas apresentou insatisfação sexual. Esse achado foi também considerado no estudo de Prates, Zanini e Veloso [22] e Lee *et al*. [23]: os dados coletados mostraram que a sexualidade das mulheres deixa de exercer papel primordial durante o tratamento, sobretudo depois de serem submetidas à cirurgia.

Um ponto muito relevante diz respeito às reações e ao apoio dos cônjuges. Kwong e Chu [24] realizaram uma pesquisa na qual entrevistaram 12 mulheres que enfrentaram câncer de mama. Os resultados mostraram que reações positivas dos cônjuges foram cruciais para a satisfação sexual pós-cirurgia e para o ajustamento em longo prazo. Maridos e/ou parceiros fixos que se dispuseram a compreender a situação de suas mulheres mastectomizadas e se colocaram ao lado delas – apoiando, cuidando e permitindo que sua sexualidade fosse expressa – não relataram problemas de desajuste sexual. [25]

Considerações finais

Conforme vimos ao longo do capítulo, a sexualidade não se manifesta como necessidade ou prioridade para a mulher logo após a mastectomia. Sendo assim, é possível inferir que a sexualidade feminina retorna à sua manifestação natural após o tempo singular de cada paciente.

As mulheres que passaram por essa grande alteração de vida acabaram por revelar que suas prioridades, no primeiro momento, se resumiam a repouso, curativo, boa alimentação e consultas médicas; a sexualidade tornou-se secundária, mas voltou a receber atenção com a retomada do bem-estar e mediante a relação de cumplicidade com companheiro e/ou parceiro sexual e a reconstrução pessoal da vida.

Por fim, os resultados evidenciados apontam que não há um consenso nos estudos até então realizados com relação ao efeito de se distinguir a existência ou não de dificuldades sexuais da mulher após a realização de mastectomia total ou parcial. Como é de conhecimento geral, a sexualidade engloba aspectos íntimos, sociais e culturais, o que torna o presente trabalho ainda mais complexo, já que focalizar o resultado não nos permite identificar as reais vivências da mulher diante do câncer de mama.

Referências

1. Makluf, A. S. D.; Dias, R. C.; Barra, A. A. "Avaliação da qualidade de vida em mulheres com câncer de mama". *Revista Brasileira de Cancerologia*, v. 52, n. 1, 2006, p. 49-58.

2. Scorsolini-Comin, F.; Santos, M. A.; Souza, L. V. "Vivências e discursos de mulheres mastectomizadas: negociações e desafios do câncer de mama". *Estudos de Psicologia (Natal)*, v. 14, n. 1, 2009, p. 41-50. Disponível em:<http://www.scielo.br/pdf/epsic/v14n1/a06v14n1>. Acesso em: 13 maio 2019.

3. Peres, R. S.; Santos, M. A. "Personalidade e câncer de mama: produção científica em psico-oncologia". *Psicologia: Teoria e Pesquisa*, v. 25, n. 4, 2009, p. 611-20. Disponível em: <http://www.scielo.br/pdf/ptp/v25n4/a17v25n4.pdf>. Acesso em: 13 maio 2019.

4. Silva, G.; Santos, M. A. "'Será que não vai acabar nunca?': perscrutando o universo do pós-tratamento do câncer de mama". *Texto & Contexto Enfermagem*, v. 17, n. 3, 2008, p. 561-68. Disponível em: <http://www.scielo.br/pdf/tce/v17n3/a18v17n3.pdf>. Acesso em: 13 maio 2019.

5. Inca. Instituto Nacional de Câncer. *Estimativa 2016: incidência do câncer no Brasil*. 2015. Disponível em: <https://www.inca.gov.br/campanhas/dia-nacional-de--combate-ao-cancer/2015/estimativa-2016-incidencia--de-cancer-no-brasil>. Acesso em: 13 maio 2019.

6. Gebrim, L. H. *et al*. "Importância do atendimento integrado em mastologia para redução da mortalidade por câncer de mama". *Revista Brasileira de Mastologia*, v. 20, n. 4, 2011, p. 199-204.

7. Sociedade Brasileira de Mastologia. "Câncer de mama". s/d. Disponível em: <http:// https://www.sbmastologia.com.br/cancer-de-mama/>. Acesso em: 13 maio 2019.

8. Freitas, F. *et al. Rotinas em ginecologia*. 6. ed. Porto Alegre: Artmed, 2011.

9. Instituto Nacional del Cáncer. "Qué es el cáncer". s/d. Disponível em: <https://www.cancer.gov/espanol/cancer/naturaleza/que-es>. Acesso em: 13 maio 2019.

10. Talhaferro, B.; Lemos, S.; Oliveira, E. "Mastectomia e suas consequências na vida da mulher". *Arquivos de Ciências da Saúde*, v. 14, n. 1, 2007, p. 18-24.

11. Silva, L. C. "Câncer de mama e sofrimento psicológico: aspectos relacionados ao feminino". *Psicologia em Estudo*, v. 13, n. 2, 2008, p. 231-37.

12. Araújo, T. S. O. "Câncer de mama: estado psicológico e sexualidade de mulheres mastectomizadas". Pré-projeto de conclusão do curso de Enfermagem, Universidade do Estado do Mato Grosso, 2013. Disponível em: <http://portal.unemat.br/media/oldfiles/enfermagem/docs/2014/projetos_tcc2013_2/prejeto_tcc_telma.pdf>. Acesso em: 13 maio 2019.

13. Gomes, N. S.; Silva, S. R. "Qualidade de vida de mulheres submetidas à cirurgia oncológica de mama". *Revista de Enfermagem da Uerj*, v. 24, n. 3, 2016, p. 7634. Disponível em: <http://www.e-publicacoes.uerj.br/index.php/enfermagemuerj/article/view/7634/19401>. Acesso em: 13 maio 2019.

14. Pereira, S. G. *et al*. "Vivências de cuidados da mulher mastectomizada: uma pesquisa bibliográfica". *Revista Brasileira de Enfermagem*, v. 59, n. 6, 2006, p. 791-95.

Disponível em: <http://www.scielo.br/scielo.php?script= sci_arttext&pid=S0034=71672006000600013-&lng-en>. Acesso em: 13 maio 2019.

15. Santos, M. A. *et al.* "A (in)sustentável leveza dos vínculos afetivos: investigando a sexualidade em mulheres que enfrentam o tratamento do câncer de mama". *Vínculo*, v. 10, n. 1, 2013, p. 1-8. Disponível em: <http:// pepsic.bvsalud.org/scielo.php?script=sci_arttext&pid=S1806-24902013000100002&lng=pt&tlng=pt>. Acesso em: 13 maio 2019.

16. Unukovych, D. *et al.* "Associations between reoperations and psychological factors after contralateral risk-reducing mastectomy: a two-year follow-up study". *International Journal of Breast Cancer*, v. 2016, 2016.

17. Aguilar Cordero, M. J. *et al.* "Influencia del contexto social en la percepción de la imagen corporal de las mujeres intervenidas de cáncer de mama". *Nutrición Hospitalaria*, v. 28, n. 5, 2013, p. 1453-57. Disponível em: <http://scielo.isciii.es/scielo.php?script=sci_arttext&pid=S0212-16112013000500012&lng=es>. Acesso em: 13 maio 2019.

18. Cesnik, V. M. *et al.* "The sexual life of women with breast cancer: meanings attributed to the diagnosis and its impact on sexuality". *Estudos de Psicologia (Campinas)*, v. 30, n. 2, 2013, p. 187-97. Disponível em: <http:// www.scielo.br/scielo.php?script=sci_arttext&pid=S0103-166X2013000200005&lng=en&nrm=iso>. Acesso em 13 de maio 2019.

19. Unukovych, D. *et al.* "Contralateral prophylactic mastectomy in breast cancer patients with a family history: a prospective 2-years follow-up study of health related quality of life, sexuality and body image". *European Journal of Cancer*, v. 48, n. 17, 2012, p. 3150-56.

20. Vieira, E. M. *et al.* "Vivência da sexualidade após o câncer de mama: estudo qualitativo com mulheres em reabilitação". *Revista Latino-Americana de Enfermagem*, v. 22, n. 3, 2014, p. 408-14. Disponível em: <http:// www.scielo.br/scielo.php?script=sci_arttext&pid=S0104-11692014000300408&lang=pt>. Acesso em: 13 maio 2019.

21. Vieira, E. M. *et al.* "História reprodutiva e sexual de mulheres tratadas de câncer de mama". *Revista Brasileira de Ginecologia e Obstetrícia*, v. 35, n. 2, 2013, p. 78-83. Disponível em: <http://www.scielo.br/scielo.php?script=sci_arttext&pid=S0100=72032013000200007-&lng-en>. Acesso em: 13 maio 2019.

22. Prates, A. C. L.; Zanini, D. S.; Veloso, M. F. "Investimento corporal e o funcionamento sexual em mulheres no pós-cirúrgico de câncer de mama". *Revista da SBPH*, v. 15, n. 1, 2012, p. 264-78. Disponível em: <http:// pepsic.bvsalud.org/scielo.php?script=sci_arttext&pid=S1516-08582012000100015&lng=pt>. Acesso em: 13 maio 2019.

23. Lee, M. C. *et al.* "Therapy choices and quality of life in young breast cancer survivors: a short-term follow-up". *The American Journal of Surgery*, v. 206, n. 5, 2013, p. 625-31.

24. Kwong, A.; Chu, A. T. "What made her give up her breasts: a qualitative study on decisional considerations for contralateral prophylactic mastectomy among breast cancer survivors undergoing BRCA1/2 genetic testing". *Asian Pacific Journal of Cancer Prevention*, v. 13, n. 5, 2012, p. 2241-47.

25. Souto, M. D.; Souza, I. E. O. "Sexualidade da mulher após a mastectomia". *Escola Anna Nery Revista de Enfermagem*, v. 8, n. 3, 2004, p. 402-10. Disponível em: <http://eean.edu.br/detalhe_artigo.asp?id=981>. Acesso em: 13 maio 2019.

25. RELAÇÃO A DOIS E SEXUALIDADE: RELATOS DA EXPERIÊNCIA DE MULHERES COM CÂNCER

SARAH FICHERA, MARÍLIA A. DE FREITAS AGUIAR

O casamento, como instituição que validava a função social da procriação e da extensão de duas famílias, existiu durante muitos séculos. O estudo sobre casais perpassa a sexualidade humana, que sempre foi vista pela sociedade com certas restrições. Sem dúvida nenhuma, isso muito se deve ao fato de que a sexualidade sempre esteve vinculada ao ato sexual ou à procriação.

Sabemos que o tratamento de câncer pode interferir na fertilidade dos pacientes e que nem todas as pessoas acometidas pela doença passam pelo processo de preservação ovariana ou do tecido testicular. [1]

Com os métodos de detecção precoce do câncer e o desenvolvimento da ciência, cada vez mais aumenta a sobrevida dos pacientes. Por conta disso, a preservação da fertilidade do sujeito também começa a ser discutida.

Com base nessa realidade, começamos a questionar como seria, para as mulheres que fazem tratamento oncológico, a relação com a fertilidade e a sexualidade – e, em consequência, sua vivência na vida a dois.

Acreditamos que ter a oportunidade de pensar nisso é um direito que muitas vezes é negado ao paciente antes do início da quimioterapia ou da radioterapia [2]. Poder conversar sobre o tratamento e sobre a preservação da fertilidade é pensar em vida e qualidade de vida, já que esperamos que a ciência avance e as terapias sejam curativas e menos invasivas e mutiladoras.

A oncofertilidade busca preservar a fertilidade da mulher, mas sem deixar de lado o tratamento on-cológico com fins curativos. Porém, esse ponto de vista é questionado por algumas associações internacionais de medicina reprodutiva, que questionam como se daria a gestação, após o tratamento.

Sexualidade

Em abril de 1947, foi criado oficialmente o Instituto de Pesquisa Sexuais na Universidade de Indiana, que em novembro de 1981 recebeu o nome de Instituto Alfred C. Kinsey. Embora Kinsey e seus colegas tenham descrito o comportamento sexual das pessoas sem nenhum julgamento de valor moral ou ético, sua obra foi bastante criticada em termos metodológicos e morais.

A publicação de *Comportamento sexual do homem* suscitou muitas críticas, embora a sexualidade masculina seja mais bem-aceita. Imaginemos as críticas que Kinsey recebeu quando publicou *Comportamento sexual da mulher*.

De acordo com Masters e Johnson [3], o ataque ao pesquisador foi tão violento que o apoio financeiro foi retirado do Instituto e a alfândega dos Estados Unidos passou a apreender material dirigido a ele. Contudo, o Instituto Nacional de Saúde Mental interveio a favor do fornecimento de fundos para pesquisas de sexo e o Instituto de Pesquisas Sexuais foi mantido por muitos anos.

Os estudos de Kinsey trouxeram novos conceitos à área sexual, que consequentemente geraram novas atitudes na população. Para Masters e Johnson [3], a sociedade reagiu de maneira ambivalente à instalação da revolução sexual. Enquanto alguns participavam do movimento, outros pareciam encará-lo como algo passageiro que tenderia a desaparecer. Muitos assistiram a essa transformação social assustados, temendo que a sociedade americana desmoronasse diante de seus olhos. No entanto, os estudos da sexualidade foram aprofundados e os "anos 1960 assistiram ao advento de bares com garçonetes de 'topless' e à 'nudez' nos espetáculos da Broadway". [3]

Algumas dessas mudanças foram: o "morar junto", que começou a assumir importância como estágio precedente ao casamento; a decisão da Associação Psiquiátrica Americana de retirar a homossexualidade do rol das doenças mentais (1974); a conscientização, por parte das feministas e dos cientistas e estudiosos, de que o estupro é um crime de violência e não de paixão; e o aparecimento de novas técnicas reprodutivas, culminando no nascimento do primeiro "bebê de proveta" do mundo (1978).

No final dos anos 1980 surgiu, entre adolescentes, a prática sexual do "ficar" – que se caracteriza como comportamento regido pela falta do compromisso com a manutenção de relacionamentos iniciados em baladas, festas, shopping centers etc. Essa prática tem regras próprias e, embora aceita pelos adolescentes, é controlada por pais e educadores.

Mas, apesar de toda a evolução da sexualidade humana, algumas barreiras continuam em pé. Afinal, é raro falarmos sobre sexo dentro de casa ou na escola. No entanto, não podemos esquecer que, apesar de não comentarmos esse assunto nesses ambientes, todos nós levantamos hipóteses sobre a sexualidade e tiramos dúvidas com os amigos. [4]

Relação a dois

Carl Rogers [5] especulava que no século 21 os casais teriam mais liberdade sexual, sem a obrigação de ter filhos, e que escolheriam estar juntos – ao contrário de antigamente, quando a parceria era escolhida pela família.

O processo do casamento pode ou não dar certo, e isso independe da orientação sexual desse casal. O que será relevante é o desejo de estar juntos e de compartilhar seus planos; nesse sentido, a afetividade, o toque, o carinho e a sexualidade são fundamentais. [6]

A escolha do parceiro costuma ser permeada por influências diversas, tais como o ambiente sociocultural em que se está inserido, as experiências familiares e parenterais que se viveu [7], a cobrança social da valorização do casamento, o medo da solidão, o interesse familiar, o *status* econômico e social, a busca de uma nova vida que transforma o casamento em "tábua de salvação" [8] e as expectativas que se tem sobre o "outro ideal" [7] – aquela pessoa idealizada que suprirá todos os anseios e desejos.

Para as mulheres, o casamento tem um significado cultural diferente do que tem para os homens. Apesar de algumas mudanças na sociedade, casar e ter filhos continuam sendo uma cobrança social forte para as mulheres, enquanto para os homens isso é mais maleável. Masters e Johnson [3] explicam que, a partir da adolescência, a mulher começa a sofrer uma pressão social quanto aos papéis sexuais e à expectativa tradicional do casamento e da maternidade.

Em nossa cultura, casar é dividir o mesmo espaço, conviver [9]. Assim, casar é uma escolha, ter filhos é opção (e não obrigação) e os casais podem ser formados por pessoas do mesmo gênero ou não. O que é relevante na união a dois é a percepção de que o casamento constitui um sistema formado por duas pessoas, com duas histórias, com características familiares e culturais peculiares. [10]

A individualidade valorizada na atualidade contrasta com os valores de dependência conjugal defendidos durante décadas, ou seja, a autonomia é estimulada dentro da relação: cada um deve apoiar e estimular o crescimento do parceiro, mas sem deixar de lado seus projetos e desejos. [10, 11]

Segundo Féres-Carneiro [12-14], é necessário compreender que a simbiose da conjugalidade e a individuação devem ser alternadas para que haja um equilíbrio dinâmico na relação. Só assim não haverá sufocamento nem desligamento.

A formação e o rompimento de relacionamentos humanos, em termos afetivo-amorosos, são vivenciados conforme o contexto social onde se constituem. Trata-se de uma relação, conceitualmente definida como um tipo de inter-relacionamento social com implicações afetivas e sexuais. [15-18]

Estar numa relação a dois não significa viver em função do outro. É necessário que cada componente do casal tenha sua individualidade e respeite a do outro [10]. Assim, as decisões tomadas em conjunto, com responsabilidade entre si e para com a relação, demonstram o cuidado com a vida a dois. [9]

A relação a dois deve ser formada por dois indivíduos que se proponham a se descobrir percebendo o que cada um deseja; e aprendam a se relacionar, comunicando o que desejam e encontrando formas para resolver os conflitos de tal forma que ambos se satisfaçam.

Zeglio e Rodrigues Jr. [9] afirmam que casamento "nada mais é do que estar com alguém que gostamos muito e que podemos, se quisermos, constituirmos uma família como a dos nossos desejos".

A pesquisa

Com o objetivo de investigar a vivência da sexualidade em mulheres que adoeceram de câncer, realizamos um estudo comparativo entre as que têm filhos e as que não os têm, visando analisar o impacto disso na relação a dois, já que a fertilidade está temporariamente ou definitivamente suspensa. Para isso, foram realizadas entrevistas com mulheres que fazem acompanhamento oncológico na cidade de Fortaleza (CE).

Foram entrevistadas 11 mulheres que passaram ou estavam passando por algum tratamento oncológico e mantinham um relacionamento a dois por no mínimo 12 meses. Destas, quatro não tinham filhos e sete, sim; nove eram casadas e duas estavam namorando havia mais de dois anos a mesma pessoa.

As entrevistas foram gravadas e transcritas conforme sua língua de origem. A entrevista aberta não padroniza o sujeito, pois permite que ele fale com maior flexibilidade sobre o tema, baseando-se em significados próprios. May [19] afirma que tais entrevistas "geram compreensões ricas das biografias, experiências, opiniões, valores, aspirações, atitudes e sentimentos das pessoas".

Com o intuito de aprofundar o estudo qualitativamente e perceber a experiência vivida dessas mulheres, utilizamos como instrumento de investigação o método fenomenológico crítico [20-24], cujo objetivo é compreender os significados da experiência vivida no mundo vivido (*lebenswelt*) de cada sujeito colaborador.

Os passos desta análise consistiram em: 1) revisão da transcrição literal das entrevistas na língua nativa; 2) divisão da entrevista transcrita em movimentos, segundo o tom desta [20, 3]; 3) análise descritiva de todos os significados emergentes do movimento; 4) "sair do parêntese" – no caso, comparar o significado da experiência vivida das mulheres que adoeceram de câncer que têm filhos com a das que não os têm e se isso reflete na sexualidade e na relação a dois.

Para ampliarmos nossa visão, utilizamos a psicopatologia crítica como lente, posto que esta não reduz o sujeito ao simples fator biológico, mas o percebe como um todo entrelaçado, perpassado e constituído pela cultura, pela história, pela política, pelo social, pela economia e pelas ideologias – ou seja, o vê como ser mundano, constituído de e constituindo o mundo em que está inserido. [21-25]

O projeto seguiu todos os preceitos éticos relativos à pesquisa com seres humanos e foi aprovado por um comitê. A Tabela 1 resume as características das participantes.

Para complementar, utilizamos a técnica do diário de campo, que nos permite anotar as descrições do local e aspectos não verbais da entrevista, ou seja, observar características explicitas e tácitas. [26]

Resultados

Apresentaremos aqui um recorte dessa pesquisa, enfocando as questões de relação a dois e sexualidade. A análise dos dados foi organizada em categorias de acordo com o método fenomenológico crítico. [20-24]

Característica do relacionamento

Buber define dois tipos de relação que podemos estabelecer: eu-tu e eu-isso. A primeira se refere ao ser em sua totalidade; a segunda, a um ser egótico, um objeto que se pode manipular. Nem sempre o tu se refere a pessoas e o isso, a objetos. [27]

Assim, a dinâmica relacional anterior ao adoecimento reflete na forma como o casal lida com esse processo. Como vimos, cada casal é formado por dois

Tabela 1 – Característica das participantes da pesquisa

Nome	Idade	Estado civil	Número de filhos	Tipo de câncer	Tempo de diagnóstico	Tratamentos realizados (em negrito, tratamento ainda corrente)
1	33 anos	casada	0 (fez reserva de embriões)	mama	10 meses	mastectomia quimioterapia **hormonioterapia**
2	38 anos	casada	2	mama	3 anos e 1 mês	mastectomia quimioterapia **hormonioterapia**
3	34 anos	casada	0 (não pode fazer reserva)	ovário	1 ano e 10 meses (está na terceira recidiva)	cirurgias **quimioterapia**
4	42 anos	casada	2	intestino	1 ano e 7 meses	cirurgias **quimioterapia**
5	26 anos	namorando há 3 anos e 4 meses	0 (não pode fazer reserva)	mama	1 ano e 9 meses	mastectomia quimioterapia radioterapia **hormonioterapia**
6	34 anos	casada	1	reto	3 anos e 5 meses (teve 2 recidivas e há 2 meses terminou a última quimioterapia)	cirurgias quimioterapia radioterapia
7	26 anos	namorando há 2 anos e 6 meses	0 (fez reserva de óvulos)	sarcoma de útero	1 ano	cirurgias
8	43 anos	casada	2	mama	2 anos e 2 meses	mastectomia bilateral quimioterapia radioterapia hormonioterapia
9	35 anos	casada	2 (havia feito tratamento para engravidar e três meses antes do diagnóstico adotou dois meninos gêmeos – não fez reserva ovariana depois do diagnóstico)	mama	5 anos e 2 meses	mastectomia bilateral quimioterapia radioterapia **hormonioterapia**
10	39 anos	casada	1	mama	7 meses	mastectomia **quimioterapia**
11	22 anos	casada	2	pulmão	2 meses	**quimioterapia**

sujeitos com histórias de vida e experiências particulares. A responsabilidade com a relação é individual com a finalidade do bem-estar mútuo. O casamento é um processo e não uma instituição [5]. Devemos nos envolver e cuidar um do outro para que possamos crescer como pessoas e pares. Na pesquisa, notamos que a relação oscila entre eu-tu e eu–isso.

Ele não ficou indiferente comigo... Então a gente continua um casal! (2)

Aí eu fico pensando: ó, meu Deus, será que meu casamento vai chegar a acabar um dia por causa disso? (4)

A contribuição dele também [foi importante]; por ter sido muito compreensivo, me ajudou bastante. (7)

Percebemos que as decisões tomadas em conjunto, com responsabilidade entre si e para com a relação, demonstram o cuidado de um para com o outro [9]. Saber como proceder na busca desse equilíbrio para manter a relação pode aumentar a idealização do outro e a exigência pessoal, gerando sofrimento em um dos cônjuges ou em ambos.

Partindo da visão de Merleau-Ponty de que o mundo é aquilo que vivo e não o que penso [28], a percepção de mim e das relações que estabeleço passa pela minha experiência vivida. O autor complementa seu raciocínio argumentando que o indivíduo funciona como espelho para o outro. [29]

Vivência da sexualidade

A sexualidade não se limita ao encontro sexual; é bem mais ampla e engloba a troca de carícias, beijos, olhar, percepção visual, desejo, sonho e prazer. [30]

Kaplan [31] define desejo como a primeira parte da resposta sexual. Cuidar desse aspecto é importante para a vivência pessoal da sexualidade e para a relação do casal. O desejo sexual engloba o desejo de viver, de se sentir bem consigo e com as escolhas vividas naquele momento.

Em nossa pesquisa, constatamos que, para as mulheres, ser desejada e desejar ter encontros sexuais são atitudes presentes, assim como mudanças no desejo ou até a perda da libido.

Poder vivenciar a sexualidade de forma saudável e prazerosa é um dos aspectos essenciais do desenvolvimento humano. A troca de afetos e as relações interpessoais constroem nossa identidade [32]. Portanto, o momento que envolve o encontro sexual – esse compartilhar de prazer e intimidade – deveria ser respeitado e usufruído da melhor forma pelos parceiros.

> Eu sentia desejo... Às vezes sentia receio de ele não sentir por mim porque eu estava sem a mama, o cabelo... Mas ele sentia desejo por mim! Aí, esse negócio de ele sentir desejo por mim já me atraía mais, né? Não tive problema. (2)

> Durante o tratamento, eu não tinha vontade... Pela situação, né? Tem horas que eu quero, mas a maioria do tempo... não. (6)

> Você está com essa doença, aí depois você imagina uma pessoa que está do seu lado, [...] lhe ajudando,

lhe dando apoio e ao mesmo tempo gostando de você... Essa sensação foi muito boa, pra mim. (11)

É importante ressaltar que algumas situações interferem na vivência da sexualidade, incluindo as mudanças corporais e as reações adversas da quimioterapia ou do anti-hormônio.

> Eu não parei pra pensar nisso como algo que estava interferindo na minha sexualidade, até porque tem tanta coisa pra interferir na sexualidade durante o tratamento, principalmente a autoestima... [...] ficar sem cabelo, sem sobrancelha, sem cílio, acima do peso... Então você não tem vontade. Realmente eu não tinha. (1)

> Talvez se eu tivesse usado a peruca durante a relação sexual eu tivesse ficado mais à vontade... Mas não tentei, né? (1)

A imagem corporal, a capacidade reprodutiva e o funcionamento sexual são três aspectos da sexualidade humana que podem estar comprometidos no paciente oncológico [32]. Dessa forma, levar em consideração as reações adversas da medicação acaba sendo relevante, já que ela interfere, de acordo com os relatos, diretamente na vivência saudável da sexualidade.

O sujeito existe no mundo pelo corpo e seu corpo existe pelo mundo; não há cisão entre eles, mas um entrelaçamento em que não se percebe quando começa um e termina o outro [25]. Assim, percebemos o sujeito como ser mundano, entrelaçado e constituído pelo mundo e por seus significados, ou seja, múltiplos contornos.

Nem sempre as mudanças são ruins. O diferente pode ser uma oportunidade de aprender e experimentar algo novo. Ressignificar as perdas é uma forma de dar novo significado ao que foi perdido. É aceitar [33] e digerir, elaborar uma nova forma de se relacionar consigo e com o mundo, forma essa que traga sentido e bem-estar.

O casal tem de aprender a criar maneiras de se divertir. Afinal, as mudanças trazidas pela doença precisam ser ultrapassadas.

> Sabe, eu toda desse jeito e a pessoa ainda vem e me procura. E quer... fazer isso e eu não quero. Só que

depois eu comecei a entender que não é assim, sabe? Se eu for deixar de ter relação por causa disso, meu casamento vai acabar. Então eu tenho de pensar mais é nas duas possibilidades: na doença e no meu casamento. (11)

[...] eu achava aquilo interessante, sabe? Aí eu dizia: você é um homem de sorte. Tem várias mulheres, de cabelo curto e tudo, numa só! Aí ele começava a rir! A cada fase a gente ia se descobrindo. (2)

Qual relacionamento vai viver só daquele estar junto, estar em casa, né? Porque precisa ter, o desejo sexual faz parte do casamento, faz parte de um relacionamento também... Senão esfria tudo. (4)

Os medos podem atrapalhar a vivência saudável da sexualidade. A possibilidade de engravidar é um deles, além da perda da relação a dois: "Isso atrapalha tudo. Acho que vem tudo à tona, então eu não me entrego. Eu não consigo me entregar! Preocupada se eu não vou engravidar e não vou atrapalhar meus tratamentos aqui. Não consigo viver esse momento preocupada!" (4)

A comunicação é um ponto importante para que o casal tenha uma relação saudável. Conseguir expressar o que se sente, necessidades e medos é fundamental para estabelecer esse diálogo – que muitas vezes é evitado pelo receio de ofender ou magoar o outro, impedindo que se crie a possibilidade de crescimento e de melhora na relação a dois.

Também foi possível perceber que a troca de afeto continua como a argamassa que une o casal.

Me beija muito, me abraça muito... Me trata como uma namorada. E eu a ele também! Tenho, tenho ciúme do meu veinho (risos). (2)

Sempre depois do almoço nós deitamos juntos... E ele tem esse desejo de estar... de eu estar ao lado dele. (4)

Estar junto e poder compartilhar o amor e se sentir amado se encaixa nas expectativas que criamos de um casamento ou relacionamento romântico e duradouro. [3]

Algumas reflexões sobre os achados

Nesta pesquisa, buscamos compreender os significados da experiência vivida por mulheres que fazem ou fizeram tratamento oncológico com relação à fertilidade, sexualidade e relação a dois, a partir de uma visão mundana, tal como definido por Merleau-Ponty [25] – isto é, partindo da ideia de que a vida humana encontra-se envolvida no mundo sensível, na história, na cultura.

O adoecimento por câncer se apresenta como uma vivência estigmatizada, ambígua, reveladora de sentidos diversos, em um contexto perpassado por valores sociais e culturais que regem o Brasil.

Consideramos, aqui, as categorias descritas pelas mulheres na relação consigo, com seu corpo, com seu tempo vivido e com os aspectos relacionais, sociais e culturais que as constituem, englobando, com isso, toda sua complexidade e peculiaridade de um ser mundano e singular.

Quando falamos de tempo vivido "não se fala do tempo das coisas, do mundo, do tempo dos relógios, mas de um tempo propriamente humano que Strauss distingue em tempo transitivo ou transcendente ao vivido e tempo imanente ao vivido ou tempo do eu." [27]

Castells [34] define a identidade como fonte de significados próprios do sujeito e originados por eles, os quais se constroem por meio do processo de individualização. Esse processo está atrelado aos aspectos sociais e culturais em que o indivíduo está inserido. Dessa forma, a identidade pessoal refere-se ao reconhecimento e à apresentação de uma pessoa diante dos outros e de si mesma. [35]

Os relatos aqui reproduzidos exemplificam como a alteração da imagem e a oscilação na identidade interferem no processo de enfrentamento do adoecimento por câncer. Quanto maiores os recursos psicológicos para lidar com esse sofrimento, melhor para o indivíduo.

Ser uma mulher que passa por essa experiência representa, aqui, uma batalha contínua quanto à aceitação de si, que se reflete na vivência de sua sexualidade e em escolhas, incluindo ter filhos ou permanecer na relação a dois.

Como vimos, a escolha do par é influenciada por questões socioculturais, econômicas, afetivas e psicológicas. Dessa forma, o casal traz para a relação uma série de vivências prévias, as quais devem ser respeitadas para que a intimidade prospere.

Portanto, a vivência da sexualidade é perpassada pelo modo como cada mulher lida consigo mesma, por como se sente na relação a dois e diante da doença, que traz adversidades e mudanças. Para algumas das mulheres entrevistadas, a relação com a fertilidade faz repensar o momento vivido, assim como os objetivos e planos já sonhados e não realizados.

Considerações finais

Ouvir o paciente, esclarecer suas dúvidas e levar em consideração seus medos, desejos e crenças é fundamental quando falamos de cuidados com pacientes diagnosticados com câncer. "É importante ressaltar que estaremos o tempo todo trabalhando com uma pessoa saudável que está com um câncer. Ela não é o câncer e nem o câncer é a pessoa" [36]. Em nosso estudo, constatamos que algumas mulheres conversaram com os médicos, enquanto outras não tiveram essa oportunidade. Perceber essas pacientes como um todo faz parte de uma visão global do ser humano.

No entanto, nossos resultados apontam não para um fator único que permeie a experiência vivida dessas mulheres com relação à sua sexualidade e à relação conjugal, mas para os múltiplos contornos que constituem tais mulheres como seres mundanos. [21-25]

Vimos, neste trabalho, que cada mulher é singular e vivencia unicamente sua experiência, independentemente do tipo de câncer, da idade, da dinâmica da relação a dois, da vivência satisfatória de sexualidade, de ter filhos, não os ter ou poder gerá-los no futuro. Assim, fica o convite para que novas pesquisas se aprofundem no tema da sexualidade/fertilidade de mulheres com câncer.

Referências

1. Hospital Sírio-Libanês. "Preservação da fertilidade em pacientes oncológicos". s/d. Disponível em: <http://www.hospitalsiriolibanes.org.br/hospital/especialidades/centro-reproducao-humana/Paginas/preservacao-fertilidade-pacientes-oncologicos.aspx>. Acesso em: 13 maio 2019.

2. Huntington Medicina Reprodutiva. "O que é oncofertilidade". s/d. Disponível em: <http://www.huntington.com.br/area-do-paciente/espaco-oncologia-e-fertilidade/o-que-e-oncofertilidade/>. Acesso em: 13 maio 2019.

3. Masters, W.; Johnson, V. *O relacionamento amoroso: segredos do amor e da intimidade sexual*. Rio de Janeiro: Nova Fronteira, 1988.

4. Fichera S. *A atuação do pedagogo diante da descoberta sexual da criança*. Monografia de conclusão do curso de Pedagogia, Universidade Estadual do Ceará, Fortaleza, CE, 2004.

5. Rogers, C. *Novas formas do amor: o casamento e suas alternativas*. Rio de Janeiro: José Olímpio, 1972/1987.

6. Fichera, S. *A experiência vivida de um casal homossexual feminino em Fortaleza*. Monografia do curso de especialização do Instituto Paulista de Sexualidade. São Paulo: Inpasex, 2010.

7. Bürki-Fillenz, A. *Não sou mais a mulher com quem você se casou*. São Paulo: Paulus, 1997.

8. Maldonado, M. T. *Casamento: término e reconstrução*. Petrópolis: Vozes, 1991.

9. Zeglio, C.; Rodrigues Jr., O. M. *Amor e sexualidade: como sexo e casamento se encontram*. São Paulo: Iglu; 2007.

10. Anton, I. L. C. *A escolha do cônjuge: um entendimento sistêmico e psicodinâmico*. Porto Alegre: Artes Médicas, 2000.

11. Féres-Carneiro, T. "A escolha amorosa e interação conjugal na heterossexualidade e na homossexualidade". *Psicologia: Reflexão e Crítica*, v. 10, n. 2, 1997, p. 351-68.

12. _____. "Casamento contemporâneo: o difícil convívio da individualidade com a conjugalidade". *Psicologia: Reflexão e Crítica*, v. 11, n. 2, 1998, p. 379-94.

13. _____. "Conjugalidade: um estudo sobre as diferentes dimensões da relação heterossexual e homossexual". In: Féres-Carneiro, T. (org.). *Casamento e família: do social à clínica*. Rio de Janeiro: Nau, 1999, p. 97-119.

14. _____. "Separação: o doloroso processo de dissolução da conjugalidade". *Estudos de Psicologia (Natal)*, v. 8, n. 3, 2003, p. 367-74.

15. Moser, G. *Les relations interpessonelles*. Paris: PUF, 1994.

16. Miljkovitch, R. *Lattachement au cours de la vie*. Paris: PUF, 2001.

17. _____. "Amour et ruptures: les traces laissés par l'enfance". *Perspectives Psy*, v. 42, n. 2, 2003, p. 10-26.

18. Moreira, V.; Guedes, D. "Largada pelo marido! O estigma vivido por mulheres em Tianguá-CE". *Psicologia em Estudo*, v. 12, n. 1, 2007, p. 71-79.

19. May, T. *Pesquisa social: questões, métodos e processos*. Porto Alegre: Artmed, 2004.

20. Moreira, V. "Psicoterapia centrada na pessoa e fenomenologia". *Psicologia: Teoria e Pesquisa*, v. 9, n. 1, 1993, p. 157-72.

21. _____. "Una comprensión de la psicopatología desde la fenomenología de Merleau-Ponty". *Revista Chilena de Psicología*, v. 19, n. 1, 1998, p. 106-12.

22. _____. *Más allá de la persona: hacia una psicoterapia fenomenológica mundana*. Santiago: Editorial Universidad de Santiago de Chile, 2001.

23. _____. "Psicopatologia crítica: parte II". In: Moreira, V.; Sloan, T. *Personalidade, ideologia e psicopatologia crítica*. São Paulo: Escuta, 2002, p. 109-248.

24. _____. "O método fenomenológico de Merleau-Ponty como ferramenta crítica na pesquisa em psicopatologia". *Psicologia : Reflexão e Crítica*, v. 17, n. 3, 2004, p. 447--56.

25. Merleau-Ponty, M. *Phénomenologie de la perceptión*. Paris: Gallimard, 1945.

26. Leite, E.; Moreira, V. *Corpo, tempo e espaço vividos na melancolia a partir da obra de Arthur Tatossian*. VIII Encontro de Pós-graduação e Pesquisa, Universidade de Fortaleza, Fortaleza, CE, 2008.

27. Zuben, N. "Diálogo e existência no pensamento de Buber". In: Forghieri, Y. (org.) *Fenomenologia e psicologia*. São Paulo: Cortez, 1984.

28. Merleau-Ponty, M. *Fenomenologia da percepção*. São Paulo: Martins Fontes, 1999.

29. _____. "O olho e o espírito". In: *Os pensadores*. São Paulo: Abril Cultural, 1980.

30. Bernardi, M. *A deseducação sexual*. 2. ed. São Paulo: Summus, 1985.

31. Kaplan, H. S. *Transtorno do desejo sexual: regulação disfuncional da motivação sexual*. Porto Alegre: Artmed, 1999.

32. Macieira, R. C.; Maluf, M. F. "Sexualidade e câncer". In: Carvalho, V. A. *et al.* (orgs.). *Temas em psico-oncologia*. São Paulo: Summus, 2008, p. 303-15.

33. Stephan, M. "Psiconeuroimunologia – O possível efeito do estresse sobre o câncer". s/d. Instituto Oncoguia.

34. Castells, M. *A sociedade em rede*. Rio de Janeiro: Paz e Terra, 1999.

35. Berger, P. L.; Luckmann, T. *A construção social da realidade: tratado de sociologia do conhecimento*. 27. ed. Petrópolis: Vozes, 2007.

36. Aguiar, M. "Campos de atuação em psico-oncologia". s/d. Aula ministrada no curso de Psico-Oncologia da Sociedade Brasileira de Psico-Oncologia.

26. O IMPACTO PSICOSSOCIAL DA LARINGECTOMIA TOTAL: REVISÃO DE LITERATURA

Gabrielle Dias Duarte, Marília A. de Freitas Aguiar

Introdução

O câncer é uma doença potencialmente desestruturante, que interfere de forma substancial em diversos aspectos da vida do indivíduo, exigindo dele a construção de estratégias de enfrentamento. O diagnóstico traz ameaças aos planos para o futuro, podendo gerar medo, ansiedade e desesperança, a depender dos diversos recursos (emocionais, familiares, sociais, financeiros etc.) de cada paciente. Trata-se do início de uma crise na qual não apenas a vida é ameaçada, mas também o próprio sentido da existência. Dessa forma, o paciente e seus familiares vivenciam no tratamento perdas e efeitos adversos, o que costuma acarretar prejuízos significativos em qualidade de vida.

Em casos de câncer de cabeça e pescoço, no entanto, as repercussões psicossociais da doença são acentuadas, já que o tratamento, muitas vezes extremamente invasivo, pode trazer sequelas e mudanças funcionais e estéticas em uma região corporal difícil de ser disfarçada e que traz consigo grande função no papel social, na expressão emocional e na comunicação com as demais pessoas [1]. As perdas funcionais (dificuldade de deglutição e modificação ou perda da voz, por exemplo) e estéticas (mutilações em face e pescoço) que o paciente pode sofrer afetam sua imagem corporal, impelindo-lhe dilemas subjetivos:

O paciente acometido por um tumor de cabeça e pescoço, muitas vezes, perde a capacidade de falar e, com ela, perde o sentimento de pertinência à comunidade humana; pode sofrer mutilações devastadoras e consequentemente alterações da autoimagem. O tratamento prejudica de forma intensa a relação que o paciente tem com a imagem do seu próprio corpo, com a confiança e a estima que sente por si mesmo, ele deixa de gostar, de confiar no seu corpo, renuncia a mostrá-lo, a utilizá-lo com liberdade e a reconhecê-lo como seu [...]: um corpo doente, um ser incapacitado, um indivíduo comprometido, um futuro incerto. (p. 7) [2]

Entre os tipos de câncer de cabeça e pescoço, o de laringe é um dos mais comuns e pode acometer as pregas vocais verdadeiras, localizadas na glote, a região supraglótica (acima das pregas vocais) ou subglótica (abaixo destas). Dependendo do tamanho, da localização e das características do tumor, além da presença de metástases cervicais ou a distância, o paciente é tratado cirurgicamente, seguido ou não de radioterapia, ou realiza o tratamento de preservação do órgão, associando-se radioterapia e quimioterapia.

A cirurgia de retirada da laringe é chamada de laringectomia e pode ser realizada parcial ou totalmente. A laringectomia parcial é adequada no caso de tumores menores, que possam ser removidos. Procura-se preservar parte da laringe saudável e garantir a manutenção da fala natural (laríngea). Já a laringectomia total implica modificações diversas para o paciente, como a perda irreversível da voz natural e a presença definitiva de traqueostoma (orifício no pescoço), por onde se dará a respiração. Como a via respiratória é afetada, alterando a forma de condução do ar, há implicações também para olfato e paladar.

A reabilitação multiprofissional mostra-se essencial para melhorar a qualidade de vida do paciente. O suporte psicológico é fundamental para auxiliá-lo a encontrar estratégias de enfrentamento para a doença e, em especial, para as repercussões psicossociais decorrentes do tratamento. O acompanhamento fonoaudiológico é primordial para a reabilitação vocal do paciente, quando se utilizam prótese vocal, aparelho de laringe eletrônica (eletrolaringe) ou voz esofágica. Porém, dificilmente o paciente resgatará em si a percepção anterior de "normalidade". As sequelas do tratamento vão bem além das modificações fisiológicas, representando uma destruição do esquema de integridade e de integração biopsicossocial do indivíduo. [3]

O estudo dos impactos psicossociais do tratamento oncológico tem se mostrado uma área de interesse da psico-oncologia e está em ascensão entre profissionais de saúde que lidam com o câncer, preocupados com a humanização do cuidar e com a oferta de melhor qualidade de vida aos pacientes.

Consequências psicossociais da laringectomia total

Entre as neoplasias malignas que mais interferem na qualidade de vida do paciente, os tumores de laringe se destacam pelas implicações funcionais e psicossociais. A laringectomia total é uma intervenção cirúrgica que não apenas provoca alterações fisiológicas (traqueostoma permanente, mudança na via respiratória, perda da voz laríngea, diminuição do olfato e paladar, entre outros) como traz repercussões psicossociais intensas, como alterações na comunicação, na imagem corporal, na autoestima, nas atividades laborais e na interação social.

Assim, o paciente laringectomizado é muitas vezes alvo de estigma, fruto da aparência e da comunicação "diferente". A cicatriz e a presença do traqueostoma o rotulam como alguém diferente e doente, que necessitou de um procedimento cirúrgico. Isso gera profundo sentimento de inferioridade

em uma sociedade que determina a valorização da beleza nas interações sociais e a valorização da voz como principal meio de comunicação, o que faz que a grande maioria desses pacientes se afaste socialmente. [3]

Em estudo realizado por Dooks *et al.* [4], todos os nove participantes relataram que os ajustes psicossociais após a laringectomia foram muito mais difíceis que os físicos. Barbosa e Francisco [5] também identificaram em pesquisa que, no sentir dos pacientes, as consequências psicossociais do tratamento muitas vezes superavam as físicas.

> Os pacientes entrevistados traziam um profundo sofrimento, que se apresentava não somente como dor física, mas, principalmente, pelas sequelas psicossociais resultantes de um procedimento que os afastam da ambiência construída ao longo da vida: do lar, de familiares, de amigos, do trabalho, contribuindo para o seu isolamento e a vivência de um sofrimento velado e interditado. O medo da morte não pareceu estar relacionado apenas a uma questão física, mas denuncia uma sensação de verdadeiro terror frente à ruptura das relações com os outros humanos. (p. 78-79) [5]

A "perda do que era" foi um ponto levantado pelos pacientes laringectomizados entrevistados por Dooks *et al.* [4]. Eles relataram que a vida mudara de forma permanente e que coisas simples e rotineiras, como falar ao telefone, haviam se tornado desafios. Descreveram que tiveram de se adaptar a uma nova realidade, na qual seus sonhos ou planos futuros não cabiam ou precisaram ser modificados para se encaixar em suas novas limitações.

A comunicação após a cirurgia

Em nossa sociedade, a voz é vista como um componente essencial para a boa integração ao convívio social, tendo em vista que há uma valorização cultural da fala como meio natural para a comunicação. A voz é a expressão da fala, carregando consigo a emoção, a personalidade e a individualidade de cada ser. Dessa maneira, a pessoa laringectomizada, ao perceber-se incapaz de utilizar a voz natural, sofre um abalo emocional; em consequência, suas atividades sociais são afetadas. [3, 6]

Os desafios impostos ao paciente laringectomizado relacionados com a comunicação são muitos. Dooks *et al.* [4] identificaram em estudo que a incapacidade de falar foi relatada como uma grande dificuldade pelos pacientes; muitos contaram que não conseguiram expressar a necessidade de ajuda no pós-operatório e que se aborreciam ao não ser compreendidos e precisar escrever para conseguir se comunicar.

A forma como a pessoa laringectomizada sente o fato de, estando afônica, não conseguir se comunicar segundo o padrão imposto pela sociedade como "natural" pode influenciar sua motivação para o aprendizado de uma "nova voz". Assim, segundo Flávio e Zago [6], seria necessário que os profissionais procurassem compreender o significado da reabilitação vocal para cada paciente.

As mesmas autoras questionaram um paciente laringectomizado sobre o significado da reabilitação vocal, obtendo como resposta que as pequenas emissões conseguidas nos treinamentos da reabilitação eram sentidas como grandes vitórias – como se ele tivesse ganhado na loteria. [6]

O referido paciente dizia sentir-se inconformado de não poder expressar-se pela fala, o que lhe dava motivação para os treinamentos fonoaudiológicos. Porém, sua expectativa não levava em conta a dificuldade de conseguir realizar a voz esofágica, mesmo sendo orientado pela equipe de que seria um processo longo. As dificuldades lhe geravam ansiedade e nervosismo, os quais em excesso tornam a emissão da voz difícil ou até mesmo impossível. [6]

Além disso, embora a voz alaríngea permita a expressão verbal do paciente, certas dificuldades costumam permanecer, como o fato de falar ao telefone ou de manter uma conversa em um ambiente com muitas pessoas. Flávio e Zago [6] reiteram que o paciente precisa também lidar com o estranhamento das pessoas ao "falar diferente", o que pode gerar surpresa e espanto nos outros.

Brook [7], médico infectologista submetido à laringectomia total, escreveu que um dos grandes desafios que enfrentou foi se adaptar à nova realidade vocal, sendo-lhe decepcionante a percepção de sua nova voz, um "sussurro enferrujado" pouco semelhante à sua voz anterior. O autor relata que precisou aprender a lidar com a dificuldade de ser compreendido (ao telefone ou mesmo pessoalmente), com sua incapacidade de rir ou de variar a voz para expressar emoções e com a discriminação sofrida por sua condição vocal (como o fato de ter deixado de ser convidado a dar palestras, algo antes rotineiro em sua vida profissional).

Outro ponto importante identificado por Keszte *et al.* [8] foi o de que os pacientes que não tinham conseguido produzir uma "nova voz" um ano após a laringectomia sofriam mais transtornos psiquiátricos (como transtorno de ansiedade generalizada e transtorno de estresse pós-traumático) que os reabilitados vocalmente. Cerca de 80% deles eram dependentes de álcool, o que indicaria a necessidade de desenvolver e avaliar métodos de apoio psicossocial.

Varghese *et al.* [9] identificaram que os pacientes laringectomizados que haviam adquirido uma "nova voz" após reabilitação apresentaram escores de qualidade de vida significativamente maiores que os não reabilitados. Além disso, Polat *et al.* [10] também verificaram que pacientes submetidos à laringectomia total, cuja qualidade de vida e autoestima foram seriamente reduzidas após a cirurgia, apresentando sintomas graves de depressão, melhoraram após a implantação cirúrgica de prótese vocal.

Zago e Sawada [3] reiteram que não podemos subestimar a perda da voz laríngea como um fator traumático, tendo em vista que o paciente, embora aprenda a conviver com sua nova realidade, nunca se recuperará por completo dos efeitos de perder sua voz natural. Como essa perda está ligada a dificuldades em todos os aspectos da vida do indivíduo, a reabilitação da fala deve estar vinculada a um trabalho não apenas fonoaudiológico, mas interdisciplinar, que abarque a reabilitação psicológica, social, funcional, estética e profissional. [6]

A imagem corporal alterada

Segundo Zago e Sawada [3], a imagem corporal alterada pode desencadear no paciente submetido à laringectomia o significado de "ser diferente", o que gera baixa autoestima e um isolamento social autoimposto. Para as autoras, a região de cabeça e pescoço é crucial para a autoimagem, já que, simbolicamente, representa nosso aspecto social. Como está sempre à mostra, o impacto psicológico de alterações nessa área tende a ser maior que modificações em outras regiões do corpo, mais privadas.

Flávio e Zago [11] relatam que a imagem corporal alterada é fonte de estigma, por parte tanto do próprio paciente quanto de outras pessoas. Entre os que mantiveram uma vida social mais próxima à de antes da cirurgia, percebeu-se uma atribuição menor de valor às opiniões alheias e, em consequência, menos sofrimento decorrente das alterações físicas.

Adaptar-se à imagem corporal foi um processo de grande e permanente ajuste para os participantes avaliados por Dooks et al. [4]. Eles relataram que primeiro precisaram de tempo para aceitar as mudanças na própria imagem para depois sentir-se fortes o bastante para lidar com as reações alheias.

A forma como pacientes laringectomizados lidam com sua imagem corporal alterada depende de fatores como a importância dada à nova imagem para o futuro desse paciente, as estratégias de enfrentamento utilizadas e a existência de apoio psicossocial. Segundo Hannickel et al. [12], podem surgir tanto atitudes de negação e/ou amenização da importância dessa mudança quanto estratégias de enfrentamento positivas e eficazes.

Pedrolo e Zago [13] evidenciam a importância do apoio da família para que o paciente lide com a imagem corporal alterada. Embora seja um de seus principais recursos externos para o enfrentamento, a família também necessita desenvolver estratégias de enfrentamento para conviver com essas modificações. Porém, por vezes os familiares têm dificuldade de lidar com a nova imagem do paciente e vivenciam angústia e falta de capacidade para ajudar, o que torna fundamental não só o apoio por parte dos profissionais de saúde, mas também a identificação por parte da equipe de atitudes familiares que favoreçam ou atrapalhem o processo de adaptação do paciente à nova imagem. [13]

O isolamento social

O isolamento social foi evidenciado no estudo de Dooks et al. [4]. Sair de casa tornou-se um desafio para os pacientes. Comer fora, por exemplo, ficou difícil não só por terem de lidar com as reações das pessoas à sua imagem alterada, mas também porque o ambiente barulhento dificulta a compreensão da voz alaríngea. Muitos disseram preferir não sair por sentir não ter energia para lidar com as possíveis reações das pessoas, e houve nítida restrição das atividades sociais entre os pacientes do estudo: quase 78% deles afirmaram que limitaram o convívio a familiares e amigos próximos.

Em outro estudo sobre retraimento social, Danker et al. [14] identificaram que 87% dos pacientes laringectomizados perceberam uma estigmatização por causa da voz alterada, 50% sentiram-se envergonhados pela imagem corporal alterada e 40% afastaram-se socialmente. Ademais, quase um terço dos pacientes tinha escores aumentados de ansiedade. O retraimento social também foi associado à inteligibilidade da fala: 54% declararam falar consideravelmente menos do que antes da cirurgia, 51% referiram falar apenas coisas importantes, 42% falavam o mínimo possível e 40% se recusavam a ir a lugares onde precisassem falar.

O afastamento do trabalho é outro ponto delicado para pacientes, pois, embora possam obter auxílios governamentais ou aposentadoria, o trabalho representa para o indivíduo algo que vai além do provimento de necessidades financeiras – trata-se de uma maneira de sentir-se útil e integrado à sociedade [5]. Todos os nove participantes do estudo de Dooks et al. [4] não estavam trabalhando e tinham se aposentado mais cedo. Vários deles haviam tentado voltar ao trabalho, mas sofriam com o estigma de outras pessoas.

Alterações na sexualidade

A redução da libido e do prazer sexual é um problema comum após a laringectomia total. Estudo de Singer et al. [15] mostra que mais da metade dos pacientes relataram problemas sexuais. Nessa pesquisa, questões sexuais foram o segundo problema mais relatado, antes mesmo de problemas com a fala. Mais da metade dos pacientes (53%) relataram que a vida sexual era pior ou muito pior do que antes do diagnóstico do câncer, e pacientes laringectomizados totais relataram mais problemas do que os submetidos à laringectomia parcial. Quase um terço dos entrevistados (31%) referiu efeitos negativos da cirurgia para a relação sexual, como diminuição da força física, escarro e sons respiratórios. As mudanças na aparência física foram consideradas menos problemáticas que a redução da força física, devido à modificação respiratória pela traqueostomia.

Öztürk e Mollaoglu [16] relataram que a mudança na atividade sexual é um problema muitas vezes experimentado após a laringectomia, embora não seja expresso claramente. Em seu estudo, 47,4% dos pacientes que foram submetidos à laringectomia total e 33,3% dos submetidos à laringectomia parcial expressaram que a vida sexual foi afetada negativamente após a cirurgia. Eles declararam se sentir menos atraentes após as mudanças na aparência; 48% dos laringectomizados totais expressaram desconforto ao olhar para o próprio rosto no espelho.

Offerman *et al.* [17] também encontraram evidências de problemas sexuais entre os pacientes laringectomizados avaliados em seu estudo, já que um terço deles alegou menor interesse sexual após o tratamento e aproximadamente 40% disseram obter menos prazer sexual após a laringectomia. Um quarto dos pacientes relatou se sentir menos atraente após a laringectomia, devido ao desfiguramento. As pacientes laringectomizadas demonstraram maiores taxas de problemas sexuais e deterioração da relação sexual do que os pacientes do sexo masculino.

Öztürk e Mollaoglu [16] sugeriram que aspectos relativos à sexualidade devem ser tratados com mais atenção por parte da equipe de saúde, tendo em vista a ansiedade que causam no paciente. Se necessário, ele deve ser encaminhado para acompanhamento médico e psicológico especializados.

Efeitos sobre qualidade de vida e bem-estar

Diversos estudos se propuseram a investigar os efeitos da laringectomia total na qualidade de vida e no bem-estar dos pacientes. Rossi *et al.* [18] identificaram que os indivíduos tratados por câncer de laringe exclusivamente com quimiorradioterapia tiveram índices de qualidade de vida maiores que os que receberam a laringectomia total. Constataram também que os reabilitados vocalmente com prótese traqueoesofágica apresentaram índices de qualidade de vida semelhantes ao dos pacientes tratados por quimiorradioterapia, enquanto aqueles sem reabilitação vocal apresentaram piores escores. Dessa forma, os autores concluíram que não só o método de tratamento, mas também o processo de reabilitação vocal deve ser levado em conta para o aumento da qualidade de vida. Apontaram, ainda, que a reabilitação vocal, quando bem-sucedida, traz efeitos positivos para a reintegração psicossocial e a habilidade funcional tanto quanto o tratamento de preservação de órgãos (quimiorradioterapia exclusiva).

Öztürk e Mollaoglu [16] identificaram que pacientes laringectomizados totais sofreram com problemas psicossociais (como dificuldades de expressão, irritabilidade, crença de que não iriam recuperar a saúde e isolamento social) em maior intensidade. Eles relataram diversos problemas em suas relações sociais, sentindo-se perturbados ao pensar que as pessoas ao seu redor tinham pena deles; assim, evitavam situações em que precisassem estar em ambientes sociais.

Em outro estudo de comparação entre os efeitos da laringectomia total e parcial, Yilmaz *et al.* [19] identificaram maiores índices de depressão em pacientes laringectomizados totais do que naqueles submetidos à laringectomia parcial. Houve também uma correlação positiva entre escores de depressão e de autoestima, indicando que a presença de depressão entre pacientes se relacionaria com níveis mais baixos de autoestima. Os laringectomizados totais também se mostraram mais intolerantes a críticas.

Pesquisa realizada por Fahsl *et al.* [20] trouxe um ponto de importante reflexão para os profissionais de saúde. Embora tenham concluído que os pacientes laringectomizados podem manter uma qualidade de vida aceitável mesmo convivendo com limitações decorrentes da cirurgia, os autores identificaram que os profissionais de saúde consideravam deficiências em diversas escalas de sintomas mais aceitáveis do que os pacientes avaliavam, havendo diferentes expectativas de qualidade de vida, sobretudo no que se referia a sintomas psicossociais (como funcionamento social, por exemplo).

Em revisão de literatura, Cox *et al.* [21] abordaram o impacto diferencial da laringectomia total sobre as mulheres, referindo que a sociedade impõe noções preconcebidas sobre o que se constitui como "feminilidade" e, desta maneira, as mulheres tenderiam a ser mais afetadas pelas mudanças na imagem corporal associadas à laringectomia total. Além disso, há a perda da feminilidade da voz, já que o discurso alaríngeo dessas pacientes é percebido como menos natural que o de homens e sua qualidade vocal (grave, áspera ou tensa) é inconsistente com a voz laríngea feminina. A relativa baixa incidência desse tipo de câncer e, consequentemente, desse tipo de cirurgia entre mulheres poderia, assim, acentuar o estranhamento das pessoas à laringectomia no sexo feminino. Isso contribuiria para o estigma social e interferiria em sua autoestima e qualidade de vida, implicando ainda mais desafios para sua reintegração social.

Repercussões na família

A laringectomia total também acarreta repercussões nos familiares, trazendo-lhes sofrimentos diversos e a necessidade de buscar estratégias de enfrentamento. Barbosa e Francisco [5] relataram um duplo sofrimento da família, tanto pelo impacto do diagnóstico (com o medo da morte) como pela necessidade de adaptações diante das alterações advindas da cirurgia, que exigem mudanças significativas de papéis preestabelecidos e da organização da rotina familiar. Tudo isso demanda muitas vezes um esforço maior do que a capacidade emocional, física, social e financeira pode suprir.

Em estudo sobre as consequências psicossociais da laringectomia total para parceiros de pacientes submetidos a essa cirurgia, Offerman *et al.* [17] encontraram níveis clínicos de ansiedade em 29% dos parceiros e de depressão em 20%, além de 35% terem sentido efeitos na vida social e 31% na vida sexual. A tendência de outras pessoas negligenciarem o parceiro laringectomizado também afetou negativamente mais da metade dos cônjuges e 31% relataram ter medo de o parceiro morrer. O sentimento de sobrecarga também foi relatado.

Por outro lado, houve também o relato de "crescimento pós-traumático" por parte dos parceiros de pacientes laringectomizados. Quase metade dos cônjuges disse que passou a dar mais valor à vida e a sentimentos de maior força interior após a cirurgia dos seus companheiros. Mesmo com consequências negativas para a relação conjugal (sobretudo relacionadas à relação sexual e à dificuldade de comunicação e dependência do parceiro), um terço dos cônjuges relatou uma melhora no relacionamento em geral, como o fato de ficarem mais tempo juntos e darem mais atenção um ao outro. [17]

No mesmo estudo foram encontrados maiores níveis clínicos de ansiedade em parceiros (29%) comparados aos companheiros laringectomizados (21%). Para esse fato, os autores levantaram como hipótese o fato de os cônjuges não poderem assumir um papel direto na luta contra a doença e serem confrontados com a perspectiva de morte de seu companheiro de vida, o que gera ansiedade e desamparo. Também foram relatados os medos de o parceiro laringectomizado não ser capaz de salvar a si mesmo em emergências e de não ser capaz de se comunicar em ambientes sociais com grande número de pessoas. Além disso, as parceiras dos laringectomizados experimentaram mais quadros de depressão e mais medo de novos tratamentos do que parceiros de laringectomizadas. [17]

Em entrevistas realizadas com parentes de pacientes submetidos à laringectomia total, Oliveira e Zago [22] identificaram o sofrimento desses familiares e dificuldades relacionadas com a preocupação, o aumento da responsabilidade e do cuidado com o ente querido e a falta de informação para oferecer apoio adequado. Demonstraram, assim, que as orientações e o apoio da equipe de saúde são de suma importância não só para o paciente, mas também para a família – em especial, para o cuidador principal.

Meyer *et al.* [23] também estudaram o sofrimento psicológico, a necessidade de apoio e o uso de acompanhamento profissional psico-oncológico entre cônjuges de pacientes submetidos à laringectomia total. Os parceiros foram entrevistados um ano depois da laringectomia total do paciente, dois anos depois e três anos depois. No primeiro ano após a cirurgia, 57% dos cônjuges apresentavam um alto nível de estresse psicológico, 33% relatavam tensão e inquietação, 29% tinham pensamentos preocupantes de forma intermitente e 14% sentiam medo em relação à vida que teriam de enfrentar com a enfermidade de seus parceiros. Essas taxas se mantiveram estáveis ao longo dos anos.

Offerman et al. [17] reiteram que é preciso criar estratégias de rastreamento da necessidade de apoio não só para pacientes, mas também para seus parceiros, e que assuntos como sexualidade e intimidade devem ser parte dessa triagem. Consideraram que seria de suma importância os profissionais de saúde oferecerem suporte emocional aos familiares de laringectomizados, tendo em vista que esse sofrimento pode ser maior em parceiros que nos próprios pacientes e que os familiares tendem a negligenciar seus problemas psicossociais – aumentando o risco de eles não serem a melhor fonte de apoio ao paciente e de desenvolverem problemas médicos ou psicológicos em longo prazo.

Lidando e convivendo com a nova realidade

Como visto, a laringectomia total traz inúmeras repercussões para a vida do paciente e de seus familiares, exigindo que eles desenvolvam estratégias de enfrentamento diversas. A adaptação às modificações tanto físicas quanto psicossociais após a cirurgia é complexa e envolve diferentes sentimentos, expectativas e valores, em um processo cíclico de busca de alternativas para conviver com a situação. [6]

Os desafios aos quais o paciente se vê lançado começam antes mesmo da cirurgia, no momento do diagnóstico. Brook [7], infectologista que foi submetido à laringectomia total, descreveu como foi desafiador vivenciar as experiências não como médico, mas como paciente oncológico. Contou que, pela primeira vez, teve de aceitar que não era invencível ou imortal, pois, mesmo sabendo disso antes, confiava em seu corpo para manter-se saudável; o diagnóstico de câncer lhe trouxe uma confrontação com o potencial início de seu fim.

Após o diagnóstico, paciente e familiares precisam lidar com a perspectiva de realização de uma cirurgia mutiladora e cheia de consequências. No estudo de Dooks et al. [4], os pacientes laringectomizados descreveram que a cirurgia não foi vista como escolha, mas sim como opção entre a vida e a morte. Isso corrobora as palavras de Zago et al. [24]:

> Ao paciente e à família restam apenas duas opções: aceitar o tratamento proposto e ter uma esperança de vida ou sucumbir à doença. De qualquer modo, para o paciente e família, essa decisão é um processo dialético entre a expectativa de cura e a perspectiva de morte. (p. 112)

O medo da recidiva do câncer foi relatado por Dooks et al. [4] e por Brook [7], o qual referiu ansiedade e apreensão em épocas de exames de acompanhamento e a constante sensação de incerteza quanto ao futuro.

Uma das formas que o paciente laringectomizado encontra para lidar ativamente com sua situação é buscando motivação para conviver com as mudanças em seu dia a dia – por meio, por exemplo, do auxílio a outros pacientes recém-operados, como relatam Flávio e Zago [11]: "Com a mudança de valores que a condição de doença crônica acarreta, o indivíduo procura ajudar outros pacientes, recém-operados, a conviverem com suas condições" (p. 66).

Já no estudo de Pedrolo e Zago [13] os familiares utilizaram estratégias focadas tanto no problema quanto nas emoções. No primeiro caso, desenvolveram ações para lidar de forma prática com o tratamento e suas consequências (cuidado com o traqueostoma, com a alimentação e comunicação do paciente, por exemplo, além da busca de informações e orientações com a equipe). No segundo caso, destacaram-se a restruturação cognitiva (busca de pontos positivos no adoecimento e consequências do tratamento, como a crença de que essas experiências são oportunidades para um crescimento interior) e a negação da doença ou minimização de sua magnitude, o que manteria as ameaças a uma distância psicologicamente segura. Segundo os autores, as estratégias de enfrentamento focadas nas emoções, mais frequentes e duradouras nos relatos dos familiares entrevistados, devem ser vistas com cautela: embora promovam um alívio da angústia e do sofrimento, podem também favorecer o aparecimento de atitudes excessivamente superprotetoras.

Flávio e Zago [11] apontam ainda que a família, como principal rede de apoio do paciente, é fundamental para o sucesso na reabilitação vocal e psicossocial, e que é preciso haver um equilíbrio entre a oferta de apoio e a superproteção, que muitas vezes dificulta o sucesso da retomada de autonomia pelo paciente. Para encontrar esse equilíbrio, são de suma importância o apoio e o esclarecimento por parte dos profissionais de saúde, pois conhecendo as limitações reais e as estratégias de reabilitação os familiares podem se tranquilizar e auxiliar o paciente na solução de problemas e na retomada do convívio social.

Além do apoio familiar, é essencial o suporte de profissionais de saúde para auxiliar o paciente a recuperar sua autoestima, a lidar com suas limitações e a conhecer suas potencialidades. O profissional precisa esclarecer tanto o paciente quanto a família de que o processo de reabilitação é permeado por dificuldades, exigindo persistência, motivação e busca de alternativas por parte de todos os envolvidos. [11]

A importância da atuação da equipe de saúde na amenização das repercussões psicossociais

Como vimos, boa parte do sofrimento do paciente e de sua família pode ser amenizada com as informações prestadas pela equipe. Segundo Oliveira e Zago [22], esta é capaz de amenizar sensações de desânimo, preocupação e solidão (falta de apoio), que têm bases culturais. A percepção do adoecimento e dos tratamentos é individual, tanto para o paciente quanto para seus familiares, dependendo dos conhecimentos e valores culturais e da qualidade do suporte e das informações prestadas pela equipe.

Desde a etapa pré-operatória, a assistência da equipe deve ser dada por meio do relacionamento empático, da transmissão de informações e orientações sobre o procedimento cirúrgico e a reabilitação e do esclarecimento de dúvidas. O objetivo é auxiliar o paciente na compreensão da doença e das modifi-

cações que poderão surgir com a cirurgia, amenizando fantasias, medos e a ansiedade diante do desconhecido. Deve-se proporcionar ou facilitar o contato com pacientes que tenham alcançado uma boa qualidade de reabilitação vocal e nos aspectos gerais, o que pode tranquilizar o paciente e sua família. [3]

O pós-operatório imediato foi caracterizado por Zago e Sawada [3] como o momento do "grito silencioso" – período no qual o paciente se sente mais vulnerável, incapaz de exercer a comunicação verbal. Assim, a assistência da equipe, colocada empaticamente ao seu lado, é imprescindível.

Em seu relato de experiência pessoal, Brook [7] abordou o sentimento de vulnerabilidade, tanto física quanto emocional, no pós-cirúrgico e sua necessidade de uma abordagem compassiva e atenciosa por parte da equipe de saúde – o que, segundo ele, nem sempre ocorreu. O autor relata uma enorme frustração: esperava ansiosamente os médicos chegarem para dirimir suas dúvidas, porém os percebia sempre com pressa e impacientes. A falta de atenção dos médicos supervisores servia de modelo para os residentes. Desse modo, é preciso que médicos e equipe percebam a impotência e a dependência sentida pelos pacientes recém-laringectomizados, cuja incapacidade de falar, uma realidade nova e impactante, exige maior paciência e dedicação.

Outro ponto levantado por Brook [7] foi o fato de que, mesmo sendo médico e tendo sido orientado sobre as sequelas decorrentes da cirurgia, vivenciá-las foi muito mais difícil que imaginá-las: ele não se sentia preparado para a realidade que encontrou. Segundo o autor, as informações não foram corretamente assimiladas porque foram dadas em um momento de profunda ansiedade, quando o seu único objetivo era que seu câncer fosse removido, parecendo-lhe todo o resto insignificante.

Uma questão importante levantada por Bussian *et al.* [25] é a necessidade de uma correta intervenção de profissionais de saúde também com pacientes que se submetem à cirurgia de retirada parcial de laringe. Os autores identificaram uma tendência à negligência desses pacientes no que se refere à reabilitação, em especial da fala. Isso fez que esses entrevistados avaliassem sua inteligibilidade da fala como inferior à avaliada pelo grupo de laringectomizados totais, o que sugere um paradoxo. Tal paradoxo pode surgir pela discrepância entre a expectativa de manter a voz após a cirurgia de laringectomia parcial e a realidade da modificação da qualidade da voz pós-cirúrgica. Dessa forma, é papel dos profissionais de saúde prestar informações realistas sobre possíveis mudanças na qualidade vocal e auxiliar os pacientes a enfrentar e se adaptar à nova realidade.

Barbosa e Francisco [5] evidenciam que cada paciente e familiar tem uma forma única de lidar com a doença e o tratamento; assim, deve-se questionar a padronização de técnicas e conceitos sobre o câncer e as formas de enfrentamento da doença e das sequelas advindas com o tratamento.

É importante salientar que características socioculturais e educacionais não são fatores impeditivos para que paciente e família sejam orientados e estimulados a ter participação ativa no tratamento. Assim, a equipe deve elaborar panfletos que supram a necessidade de informação de pacientes e familiares, evitando assim práticas inadequadas e não recomendadas para o alívio de sintomas, por exemplo. [22]

Zago e Sawada [3] propõem ainda alguns pressupostos para orientar a atuação da equipe:

- considerar que, independentemente do nível socioeconômico e educacional, qualquer pessoa tem condições de participar ativamente de seu tratamento e desenvolver estratégias de autocuidado;
- os profissionais devem fornecer apoio e orientação para auxiliar o indivíduo na construção de estratégias de autocuidado;
- a reabilitação é um processo de ensino-aprendizagem construído mutuamente por pacientes e profissionais.

Outro aspecto importante sugerido por Singer *et al.* [15] é que deveria haver uma preparação mais intensa de estudantes de medicina para abordarem problemas sexuais e psicológicos, já que, por insegurança de lidar com essas questões, tais aspectos acabam sendo evitados. A sexualidade é um assunto importante em qualquer idade e o tema deve ser trabalhado como algo comum nas consultas médicas, tendo em vista que interfere na satisfação e na qualidade de vida dos pacientes.

Além disso, a equipe deve estar atenta para o diagnóstico e o tratamento de quadros de depressão, ansiedade e demais transtornos psiquiátricos, não só durante o tratamento como no decorrer do acompanhamento [19]. Na mesma linha, Bussian *et al.* [25] evidenciam a importância do desenvolvimento de estratégias de rastreio do estado de saúde mental, para a correta identificação dos pacientes que necessitariam de acompanhamento adicional dos profissionais.

Considerações finais

Como é possível vislumbrar ao longo do capítulo, a literatura tem demonstrado que a vida da pessoa submetida à laringectomia total passa por inúmeras alterações, não somente fisiológicas, mas também psicossociais, como alterações na comunicação, na imagem corporal, na autoestima, nas atividades laborais, no relacionamento sexual, na interação social e, consequentemente, na qualidade de vida e no bem-estar.

Os desafios impostos ao paciente são muitos, relacionados com seu modo de viver e de conviver com as demais pessoas. A vida é afetada de modo permanente, exigindo deles a reorganização de significados e sentimentos sobre si e sobre o mundo ao seu redor. A adaptação às mudanças é um processo cíclico e permanente, no qual o paciente (e sua família) precisa lidar constantemente com a perda da vida anterior à cirurgia.

As consequências psicossociais do tratamento, dessa forma, não podem ser subestimadas por pacientes, familiares e pelos profissionais de saúde, devendo ser diagnosticadas e tratadas devidamente. Da mesma maneira, a família não passa ilesa pelo processo vivenciado pelo paciente e também se mostra necessitada e merecedora de cuidados por parte da equipe de saúde.

É preciso identificar e considerar as necessidades de cada paciente e familiar individualmente e em todas as fases do tratamento, incluindo o pós-cura. Só assim será possível nortear as ações da equipe de saúde a fim de criar estratégias de enfrentamento mais eficazes.

Referências

1. Santos, D. A. "A atuação do psicólogo junto a pacientes cirúrgicos com câncer de cabeça e pescoço". In: Bruscato, W. L.; Benedetti, C.; Lopes, S. R. A. *A prática da psicologia hospitalar na Santa Casa de São Paulo: novas páginas em uma antiga história*. São Paulo: Casa do Psicólogo, 2004, p. 167-76.

2. Teixeira, L. C. "Implicações subjetivas e sociais do câncer de boca: considerações psicanalíticas". *Arquivos Brasileiros de Psicologia*, v. 61, n. 2, 2009, p. 1-12.

3. Zago, M. M. F.; Sawada, N. O. "Assistência multiprofissional na reabilitação da comunicação da pessoa laringectomizada". *Revista da Escola de Enfermagem da USP*, v. 32, n. 1, 1998, p. 67-72. Disponível em: <http://www.scielo.br/scielo.php?script=sci_arttext&pid=S0080-62341998000100010&lng=en&nrm=iso&tlng=pt>. Acesso em: 14 maio 2019.

4. Dooks, P. *et al.* "Experiences of patients with laryngectomies as they reintegrate into their community". *Supportive Care in Cancer*, v. 20, n. 3, 2012, p. 489-98. Disponível em: <http://link.springer.com/article/10.100 7%2Fs00520-011-1101-4>. Acesso em: 14 maio 2019.

5. Barbosa, l. N. F.; Francisco, A. L. "Paciente laringectomizado total: perspectivas para ação clínica do psicólogo". *Paideia*, v. 21, n. 48, 2011, p. 73-81. Disponível em: <http://www.redalyc.org/html/3054/305423781009>. Acesso em: 14 maio 2019.

6. Flávio, P. G. C.; Zago, M. M. F. "'Como se tivesse ganho na loteria': o significado da reabilitação vocal na visão de um paciente laringectomizado". *Revista Latino-Americana de Enfermagem*, v. 5, n. 3, 1997, p. 19-25. Disponível em: <http://www.scielo.br/pdf/rlae/v5n3/v5n3a04>. Acesso em: 14 maio 2019.

7. Brook, I. "A physician's experience as a cancer of the neck patient". *Surgical Oncology*, v. 19, n. 4, 2010, p. 188-92.

8. Keszte, J. *et al.* "Mental disorders and psychosocial support during the first year after total laryngectomy: a prospective cohort study". *Clinical Otolaryngology*, v. 38, n. 6, 2013, p. 494–501.

9. Varghese, B. T. *et al.* "Comparison of quality of life between voice rehabilitated and nonrehabilitated laryngectomies in a developing world community". *Acta Oto-Laryngologica*, v. 131, n. 3, 2011, p. 310-15.

10. Polat, B. *et al.* "The effects of indwelling voice prosthesis on the quality of life, depressive symptoms, and self-esteem in patients with total laryngectomy". *European Archives of Oto-Rhino-Laryngology*, v. 272, n. 11, 2015, p. 3431-37.

11. Flávio, P. G. C.; Zago, M. M. F. "Reabilitação vocal do laringectomizado: características culturais do processo". *Revista Latino-Americana de Enfermagem*, v. 7, n. 2, 1999, p. 63-70. Disponível em: <http://www.scielo.br/scielo.php?script=sci_arttext&pid=S0104-11691999000200009&lng=en&nrm=iso&tlng=pt>. Acesso em: 14 maio 2019.

12. Hannickel, S. *et al.* "O comportamento dos laringectomizados frente à imagem corporal". *Revista Brasileira de Cancerologia*, v. 48, n. 3, 2002, p. 34-42. Disponível em: <http://www1.inca.gov.br/rbc/n_48/v03/pdf/artigo1.pdf>. Acesso em: 14 maio 2019.

13. Pedrolo, F. T.; Zago, M. M. F. "O enfrentamento dos familiares à imagem corporal alterada do laringectomizado". *Revista Brasileira de Cancerologia*, v. 48, n. 1, 2002, p. 49-56. Disponível em: <http://www1.inca.gov.br/rbc/n_48/v01/pdf/artigo4.pdf>. Acesso em: 14 maio 2019.

14. Danker, H. *et al.* "Social withdrawal after laryngectomy". *European Archives of Oto-Rhino-Laryngology*, v. 267, n. 4, 2010, p. 593-600.

15. Singer, S. *et al.* "Sexual problems after total or partial laryngectomy". *Laryngoscope*, v. 118, n. 12, p. 2218-24.

16. Öztürk, A.; Mollaoglu, M. "Determination of problems in patients with post-laryngectomy". *Scandinavian Journal of Psychology*, v. 54, 2013, p. 107-11.

17. Offerman, M. P. *et al.* "Psychosocial consequences for partners of patients after total laryngectomy and for the relationship between patients and partners". *Oral Oncology*, v. 51, n. 4, 2015, p. 389-98.

18. Rossi, V. C. *et al.* "Câncer de laringe: qualidade de vida e voz pós-tratamento". *Brazilian Journal of Otorhin-Laryngology*, v. 80, n. 5, 2014, p. 403-08. Disponível em: <http://www.scielo.br/scielo.php?script=sci_arttext&pid=S1808-86942014000500403&lng=en&nrm=iso>. Acesso em: 14 maio 2019.

19. Yilmaz, M. *et al.* "Depression, self-esteem and sexual function in laryngeal cancer patients". *Clinical Otolaryngology*, v. 40, n. 4, 2015, p. 349-54.

20. Fahsl, S. *et al*. "Clinical relevance of quality-of-life data in laryngectomized patients". *Laryngoscope*, v. 122, 2012, p. 1532-38.

21. Cox, S. R. *et al*. "The multidimensional impact of total laryngectomy on women". *Journal of Communication Disorders*, v. 56, 2015, p. 59-75.

22. Oliveira, S. F.; Zago, M. M. F. "A experiência do laringectomizado e do familiar em lidar com as consequências da radioterapia". *Revista Brasileira de Cancerologia*, v. 49, n. 1, 2013, p. 17-25. Disponível em: <http://www1.inca.gov.br/rbc/n_49/v01/pdf/artigo2.pdf>. Acesso em: 14 maio 2019.

23. Meyer, A. *et al*. "Psychological distress and need for psycho-oncological support in spouses of total laryngectomised cancer patients-results for the first 3 years after surgery". *Supportive Care in Cancer*, v. 23, n. 5, 2015, p. 1331-39.

24. Zago, M. M. F. *et al*. "O adoecimento pelo câncer de laringe". *Revista da Escola de Enfermagem da USP*, v. 35, n. 2, 2001, p. 108-14. Disponível em: <http://www.scielo.br/scielo.php?script=sci_arttext&pid=S0080-62342001000200003>. Acesso em: 14 maio 2019.

25. Bussian, C. *et al*. "Mental health after laryngectomy and partial laryngectomy: a comparative study". *European Archives of Oto-Rhino-Laryngology*, v. 267, n. 2, 2010, p. 261-66.

27. ARTETERAPIA EM CASA DE APOIO A PACIENTE ONCOLÓGICO

Thayane Baroni Souza, Sabrina Costa Figueira

Introdução

Quando falamos em câncer, estamo-nos referindo a um conjunto de mais de cem doenças provocadas pelo crescimento desordenado das células, as quais invadem tecidos e órgãos e podem se espalhar para outras localidades do corpo [1]. Por mais que o tratamento de neoplasias seja doloroso, é preciso valorizar a busca da qualidade de vida do paciente, a atenção à sua ansiedade e aos demais fatores psicológicos que a doença pode despertar, de modo que recursos psicossociais sejam mobilizados a fim de lidar com o estresse advindo da enfermidade. [2]

A comunicação do diagnóstico de câncer pode impactar de várias formas a estrutura biopsicossocial e espiritual do paciente, sendo necessário pensar em novas propostas terapêuticas. Os mecanismos de defesa são acionados e devem ser trabalhados de modo que favoreçam o enfrentamento dos conflitos que poderão surgir, amenizando o sofrimento. [3]

No intuito de atender a essa proposta, surge a arteterapia aplicada à oncologia, que tem como objetivo facilitar a expressão e a busca de sentido aos pensamentos e emoções que podem ocorrer em decorrência da própria doença e da ameaça da morte. Por meio dos recursos arteterapêuticos e das técnicas de expressão artística, o processo criativo do paciente oncológico pode emergir com mais facilidade, conferindo significado às vivências passadas e presentes. [3]

Ainda nessa perspectiva, como o tratamento para o câncer se caracteriza por ser longo e exigir cuidados intensos, existem as Casas de Apoio, para garantir hospedagem às pessoas com poucos recursos socioeconômicos e que morem em cidades distantes do local de tratamento. Nelas, é possível criar um *setting* terapêutico, com a inserção de grupos de acolhimento. [4]

Câncer: novas perspectivas

O antigo modelo de saúde se voltava mais para a doença do que para o doente, promovendo a dicotomia entre corpo e mente. Hoje, esse modelo vem sendo substituído por uma assistência que se preocupa também com a promoção de saúde, com a qualidade de vida e a dignidade do paciente e sua família, não priorizando somente o alívio do sofrimento, o prolongamento da vida e a aplicação dos tratamentos disponíveis. [5]

O câncer implica aspectos tanto globais quanto singulares. Globais por dizerem respeito a efeitos colaterais, intervenções de acordo com o tipo de tumor e outras medidas terapêuticas; singulares por se referir à experiência de cada pessoa. O paciente e seus familiares passam constantemente por processos de adaptação e readaptação com as mudanças corporais e sociais que são impostas pelo câncer [6]. Além disso, impacta a vida da pessoa como um todo, acarretando reações psicológicas variadas e mudanças em seus hábitos diários.

O ser humano não pode escolher os próprios desafios, mas pode decidir de que forma reagirá a cada conflito, transformando a adversidade em ensinamento. Assim, cada pessoa reage de uma forma diante dos fatos da vida, conforme aquilo que construiu ao longo de sua trajetória: na reação negativa, não percebe soluções diante dos obstáculos e enxerga seus recursos de superação como limitados; na positiva, assume responsabilidade diante do problema e consegue pensar em formas de enfrentamento. [5]

O câncer pode significar mais do que perdas e morte: pode se tornar um caminho de novas possibilidades e aprendizagens, e cada indivíduo poderá ter seu reencontro com algo particular, que influencie sua visão de mundo. Mesmo que alguns momentos sejam vistos como torturantes, as pessoas têm a chance de rever sua postura e aumentar a afetividade, o respeito e a atenção para consigo e com o outro, moldando suas relações afetivas. [5, 7]

Com isso, é perceptível que as tendências atuais no atendimento à pessoa com câncer caminham para uma ruptura de paradigmas defasados e em direção aos movimentos de humanização e atuação interprofissional que valorizam os aspectos subjetivos do adoecer. [3]

Arteterapia e seus aspectos históricos

A arteterapia constitui um recurso que estimula e reafirma as forças criativas do indivíduo, sua autoestima e seu autoconhecimento, além de trabalhar no sentido de desconstruir os bloqueios emocionais, levando à expressão da individualidade. [8]

As primeiras pesquisas relacionadas com o uso da arte em práticas terapêuticas ocorreram no final do século passado e eram direcionadas à psiquiatria. Freud e Jung utilizavam-na como tratamento. Freud escrevia sobre os artistas e suas obras à luz da psicanálise e explorou em seus estudos a manifestação do inconsciente por meio da leitura das criações artísticas. Já Jung considerava que os produtos artísticos refletiam o conteúdo simbólico do inconsciente individual ou coletivo.

A partir dos anos 1940, a arteterapia foi sistematizada pela precursora Margareth Naumburg, nos Estados Unidos, a qual foi influenciada pela abordagem freudiana. Ela trabalhou com a produção da arte espontânea durante a psicoterapia, considerando que as imagens que eram projetadas nas produções gráficas e plásticas permitiam a expressão do inconsciente. [9, 10]

No Brasil, as pesquisas em arte e terapia se iniciaram também no campo da psiquiatria. O pioneiro nesse campo foi o médico psicanalista Osório César, em São Paulo, que se destacou por trabalhar com doentes mentais internados em instituições asilares. Em 1923, ele criou a Escola Livre de Artes Plásticas dentro do Hospital Juqueri, realizando análise psicopatológica das expressões dos pacientes. Posteriormente, em 1946, no Rio de Janeiro, a psiquiatra Nise da Silveira criou a seção de terapia ocupacional no Centro Psiquiátrico D. Pedro II. Mais tarde, em 1952, ela organizou o Museu de Imagens do Inconsciente, o único acervo de expressão dos institucionalizados da época. [9]

Casa de apoio

O tratamento oncológico é considerado de alta complexidade, necessitando de recursos tecnológicos e científicos para ser realizado. Com isso, apenas hospitais ou clínicas com infraestrutura adequada podem oferecer esse serviço, restringindo-se às cidades de maior porte. Assim, pacientes de cidades menores precisam se locomover frequentemente para esses centros, o que ocasiona desgaste físico, emocional e financeiro. [11]

Nesse contexto surgem as casas de apoio, as quais oferecem hospedagem a pacientes de outras cidades que não têm condições de se manter financeiramente durante o tratamento médico. Em alguns casos, essa estadia pode ultrapassar o período de um ano, tempo em que os pacientes estão longe de sua família e da cidade de origem, dedicando-se exclusivamente ao tratamento. [4]

As casas de apoio são responsáveis por acolher as pessoas que estão vivenciando uma situação de maior vulnerabilidade emocional e física. Os pacientes podem encontrar em outros colegas ali presentes vivências semelhantes – o que por vezes constitui um diferencial em seu tratamento e na sua qualidade de vida, além de diminuir seu isolamento. [12]

Inicialmente, ficar em uma casa de apoio pode trazer à tona sentimentos de temor e desesperança diante dos momentos difíceis antevistos e desconhecidos, pois há uma quebra da rotina vivida antes dessa realidade. O temor de não conseguir se adaptar ao novo lar provisório e o receio de sair da proteção do lar se evidenciam. Porém, quando conseguem se familiarizar com o ambiente e quando existem profissionais experientes e capacitados, as pessoas sentem maior tranquilidade, segurança, força, conforto e paz para restaurar sua esperança no enfrentamento do câncer. [11]

Por sua vez, os familiares do paciente oncológico expressam grande satisfação em ser acolhidos nas casas de apoio, mencionando que o cuidado recebido os auxilia no enfrentamento do processo de adoecimento e tratamento do seu familiar. Além disso, sentem que esse ambiente é uma luz a iluminar sua estadia, ressaltando que sentem esse lugar como sua segunda casa. [13]

Ademais, as casas de apoio surgem com o objetivo de integrar os diferentes níveis de atenção e possibilitar o acesso ao tratamento de alta complexidade com qualidade e humanização. [13]

Quando se tem um cuidado humanizado, as relações tendem a ser percebidas como mais prazerosas, com mais confiança e respeito mútuo, sendo possível o restabelecimento do desejo de viver e de cuidar mais de si mesmo [14]. Assim, a casa de apoio oferece um processo terapêutico complementar ao tratamento clínico, ajudando o paciente no processo de se tornar saudável. Nelas, ele atinge níveis mais profundos de consciência e desenvolve uma nova identidade para o enfrentamento da doença. [15]

Arteterapia: recurso expressivo na psico-oncologia

A arte tem função terapêutica; por meio da expressão artística, o indivíduo acessa suas emoções e estrutura seu mundo interior, podendo alcançar maior qualidade de vida e bem-estar. Além disso, o indivíduo pode vivenciar uma experiência de transformação, não somente em relação aos materiais, mas principalmente em si mesmo, em seu cotidiano e nas relações interpessoais. [9, 16]

Faz-se necessário salientar que a produção de um objeto artístico vai além da criatividade: ou-

tras características presentes no indivíduo poderão influenciar o resultado da obra. Pensando nisso, o trabalho expressivo também envolve a capacidade cognitiva, do planejamento à execução de uma atividade, além da própria habilidade manual. [3]

Hoje, a arteterapia não está mais restrita apenas aos consultórios; ela também é um instrumento para intervenções nas áreas da psicologia social, escolar, organizacional, da saúde e hospitalar. Assim, converteu-se num poderoso canal de expressão da subjetividade humana, que permite acessar conteúdos emocionais e retrabalhá-los por meio da própria atividade artística. Nesse sentido, vai além da abordagem tradicional, que é baseada na linguagem verbal. [17]

Ademais, o processo arteterapêutico deve ser planejado de forma criteriosa, de acordo com as características da população, de suas demandas, da instituição e do ambiente onde será realizada a intervenção. A fim de obter um bom resultado das atividades, os objetivos da prática terapêutica devem ser bem estabelecidos. [3]

Por meio da arteterapia é possível: reduzir a ociosidade e criar laços de integração e interação com outros membros do grupo; tornar o ambiente mais harmonioso e melhorar a convivência; e impulsionar uma melhor adaptação do paciente diante de uma realidade que até então era somente desfavorável. [14]

Durante a criação de ações terapêuticas voltadas para o câncer, num ambiente de respeito e acolhimento, o sujeito pode trabalhar o fortalecimento de vínculos e a socialização – o que contribui para que sua resiliência seja promovida, fortalecida e transformada –, além de se inspirar com novas ideias que lhe permitam encontrar soluções criativas diante da realidade da doença. [5]

A trajetória de cada paciente é única e há conteúdos delicados, com vivências muito íntimas, conflituosas e dolorosas. Dessa forma, a arteterapia surge com a intenção de possibilitar ao sujeito revisar esses aspectos, reconstruindo, integrando e elaborando aquilo que está desintegrado e recuperando a saúde e o equilíbrio. [3]

Na experiência com grupos, o resgate de aspectos saudáveis, como lembranças do passado e das fases da vida de forma mais harmônica, deu um significado mais positivo ao adoecimento. Nesse sentido, emergiram elementos como autoconhecimento, resgate da autoestima e maior sensação de bem-estar. [11]

Nas casas de apoio, a arteterapia propicia novas descobertas, esperança e qualidade de vida, substituindo o medo, as angústias e as incertezas presentes na vida do paciente oncológico por esperança. O que antes era visto como castigo ou ataque pode ser um novo caminho de transformação, do qual o sujeito é criador ativo. [5] Assim, "o ambiente terapêutico torna-se um espaço de proteção para o indivíduo, local para comunicar, estruturar, transformar e transcender". [5]

O trabalho arteterapêutico em oncologia está direcionado à compreensão da dimensão psíquica do sujeito diante da experiência do adoecer, pois os pacientes costumam projetar imagens significativas em seus trabalhos artísticos, demonstrando conteúdos simbólicos à sua situação na relação com o corpo, além de trazer à tona conteúdos que remetem à dimensão coletiva. [18]

A prática arteterapêutica proporciona ao profissional maior flexibilidade, pois ele pode utilizar recursos artísticos em abordagens terapêuticas com ênfase no apoio psicológico, em trabalho cognitivo ou processos psicodinâmicos – não esquecendo que a população de pacientes oncológicos não é homogênea e tem demandas bastante distintas. [3]

Ademais, os profissionais de psicologia devem trabalhar sempre no sentido do bem-estar psicoemocional do paciente, tentando favorecer seu crescimento pessoal e atenuar os fatores que lhe geram sofrimento, por meio do manejo da ansiedade em todos os momentos pelos quais o paciente passa. [6]

Reforça-se que, no campo da psico-oncologia, a arteterapia se destaca, pois a experiência criativa do paciente oncológico promove a transformação psíquica. Diversas correntes teóricas reconheceram o valor desse recurso no diagnóstico e na intervenção terapêutica. [3]

No entanto, abordagens terapêuticas como a arteterapia ainda são pouco estudadas quando utilizadas com a população de pacientes oncológicos. Assim, faz-se necessário investir em pesquisas que permitam tanto expandir o conhecimento dos profissionais sobre a experiência subjetiva do paciente quanto aprimorar terapêuticas mais adequadas ao ambiente hospitalar e à realidade dos pacientes. [3]

Corroborando com essa informação, observa-se que as tendências atuais para acompanhamento ao paciente com câncer têm caminhado para a ruptura de antigos paradigmas, com movimentos de humanização e atuação interdisciplinar que valorizam os aspectos subjetivos relacionados ao adoecer. [18]

Dessa forma, por meio de uma compreensão ampliada e um trabalho integrado, os profissionais de saúde podem colaborar para que os pacientes e seus familiares ressignifiquem a experiência que causa dor e sofrimento, a fim de ter mais controle sobre sua vida e encontrar um sentido para essa nova vivência. [19]

Considerações finais

Usando como ferramenta a revisão bibliográfica, foi possível verificar os benefícios que a modalidade terapêutica arteterapia pode trazer ao paciente oncológico. A experiência criativa enseja a transformação psíquica do sujeito que adoece por câncer, ajudando-o a elaborar conflitos, experiências de dor, perda e luto advindas da doença e do próprio tratamento [10]. Ademais, o processo artístico facilita a comunicação verbal e auxilia os pacientes a compreender melhor o significado dos seus momentos de vida.

Na prática profissional, a interação entre psicologia, psico-oncologia e arteterapia se mostra efetiva para melhor acolher o paciente e seu familiar/acompanhante que necessitam permanecer na casa de apoio, uma vez que esse ambiente se torna adequado para intervenções como essas. Assim, é possível humanizar ainda mais o atendimento quando essas três abordagens se complementam.

Referências

1. Instituto Nacional de Câncer José Alencar Gomes. *Estimativa 2016: incidência de câncer no Brasil*. Rio de Janeiro: Inca, 2015. Disponível em: <http://www.oncoguia.org.br/pub//10_advocacy/Estimativas_INCA.pdf>. Acesso em: 15 maio 2019.

2. Figueiredo, M. A. D. "As células e o câncer: do desenvolvimento normal à malignidade". In: Carbonari, K.; Seabra, C. R. (orgs.). *Psico-oncologia: assistência humanizada e qualidade de vida*. São Paulo: Comenius, 2013, p. 30-39.

3. Vasconcellos, E. A.; Giglio, J. S. *Arte na psicoterapia: imagens simbólicas em psico-oncologia*. São Paulo: Vetor, 2006.

4. Mantovani, A.; Mantovani, C. C. P. "Psico-oncologia e grupos: trabalhando vínculos em uma casa de apoio a pacientes com câncer". *Revista da SPAGESP*, v. 9, n. 1, 2008, p. 11-17. Disponível em: <http://pepsic.bvsalud.org/scielo.php?script=sci_arttext&pid=S1677-29702008000100003&lng=pt>. Acesso em: 15 maio 2019.

5. Elmescany, E. N. C. "A arte na promoção da resiliência: um caminho de intervenção terapêutica ocupacional na atenção oncológica". *Revista do Nufen*, v. 2, n. 2, 2010, p. 21-41. Disponível em: <http://pepsic.bvsalud.org/pdf/rnufen/v2n2/a03.pdf>. Acesso em: 15 maio 2019.

6. Figueiredo, M. A. D.; Loreiro, S. A. G.; Tavares, G. R. "Intervenções grupais com pacientes oncológicos: uma alternativa para o crescimento humano". In: Carbonari, K.; Seabra, C. R. (orgs.). *Psico-oncologia: assistência humanizada e qualidade de vida*. São Paulo: Comenius, 2013, p. 183-97.

7. Porto, G. P. G. "Reflexos da humanização na prática da psico-oncologia". In: Carbonari, K.; Seabra, C. R. (orgs.). *Psico-oncologia: assistência humanizada e qualidade de vida*. São Paulo: Comenius, 2013, p. 65-77.

8. Barros, M. F.; Ferreira, L. C. "A arte como estratégia de intervenção psicoterapêutica". *Psicologia e Saúde em Debate. I Simpósio Científico de Práticas em Psicologia*, v. 2, supl. 1, 2016, p. 1-4. Disponível em: <https://psicodebate.files.wordpress.com/2016/11/v2s1a1.pdf>. Acesso em: 15 maio 2019.

9. Simões, E. N. M. E. "Contribuições da arteterapia no cuidado com mulheres em tratamento do câncer de mama". *Revista da Abordagem Gestáltica*, v. 16, n. 2, 2010. Disponível em: <http://pepsic.bvsalud.org/scielo.php?script=sci_arttext&pid=S1809-68672010000200016>. Acesso em: 15 maio 2019.

10. Vasconcellos, E. A. "Introdução da arte na psicoterapia: enfoque clínico e hospitalar". *Estudos em Psicologia*, v. 24, n. 3, 2007, p. 375-83. Disponível em: <http://www.scielo.br/scielo.php?script=sci_arttext&pid=S-0103-166X2007000300009>. Acesso em: 15 maio 2019.

11. Ferreira, P. C. *et al*. "Sentimentos existenciais expressos por usuários da casa de apoio para pessoas com câncer". *Escola Anna Nery Revista de Enfermagem*, v. 19, n. 1, 2015, p. 66-72. Disponível em: <http://www.scielo.br/pdf/ean/v19n1/1414-8145-ean-19-01-0066.pdf>. Acesso em: 15 maio 2019.

12. Alves, R. F. *et al*. "Qualidade de vida em pacientes oncológicos na assistência em casas de apoio". *Aletheia*, n. 38-39, 2012, p. 39-54. Disponível em: <http://pepsic.bvsalud.org/scielo.php?script=sci_arttext&pid=S1413-03942012000200004&lng=pt>. Acesso em: 3 jun. 2019.

13. Wakiuchi, J. *et al*. "Sentimentos compartilhados por acompanhantes de pacientes oncológicos hospedados em casas de apoio: um estudo fenomenológico". *Escola Anna Nery Revista de Enfermagem*, v. 21, n. 1, 2017, e20170011. Disponível em: <http://www.scielo.br/scielo.php?script=sci_arttext&pid=S1414-81452017000100211&lng=en>. Acesso em: 15 maio 2019.

14. D'Alencar, E. R. *et al*. "Arteterapia no enfrentamento do câncer". *Rev. Rene*, v. 14, n. 6, 2013, p. 1241-48. Disponível em: <http://www.periodicos.ufc.br/rene/article/view/3752/2972>. Acesso em: 3 jun. 2019.

15. Nunes, A. M. P. *Vivenciando o ser e o estar sendo cuidado no centro de apoio ao paciente com câncer*. Tese (doutorado em Filosofia da Enfermagem), Universidade Federal de Santa Catarina, Florianópolis, SC, 2002. Disponível em: <https://repositorio.ufsc.br/bitstream/handle/123456789/84058/183246.pdf?sequence=1&isAllowed=y>. Acesso em: 15 maio 2019.

16. Espindola, K. S. S. *A percepção da mulher mastectomizada sobre a Arteterapia no cuidado à saúde integral*. Dissertação (mestrado em Saúde e Gestão do Trabalho), Universidade do Vale do Itajaí, Itajaí, SC, 2013. Disponível em: <https://siaiap39.univali.br/repositorio/handle/repositorio/1074>. Acesso em: 15 maio 2019.

17. Reis, A. C. "Arteterapia: a arte como instrumento no trabalho do psicólogo". *Psicologia: Ciência e Profissão*, v. 34, n. 1, 2014, p. 142-57. Disponível em: <http://www.scielo.br/pdf/pcp/v34n1/v34n1a11.pdf>. Acesso em: 3 jun. 2019.

18. Othero, M. B. "Terapia ocupacional em oncologia". In: Carvalho, V. A. *et al.* (orgs). *Temas em psico-oncologia*. São Paulo: Summus, 2008, p. 456-64.

19. Vasconcellos, E. A. *Imagens simbólicas no adoecer: estudo descritivo sobre o processo arteterapêutico de pacientes oncológicos*. Tese (doutorado em Ciências Médicas), Universidade Estadual de Campinas, Campinas, SP, 2004. Disponível em: <http://repositorio.unicamp.br/handle/REPOSIP/312477?mode=full>. Acesso em: 15 maio 2019.

PARTE VII

PSICO-ONCOLOGIA:
INTERPROFISSIONAL POR PRINCÍPIO

28. QUESTÕES PSÍQUICAS DOS PROFISSIONAIS DA ONCO-HEMATOLOGIA: DIFICULDADES E MANEJO

NATÁLIA BARROS MAIA, MARÍLIA A. DE FREITAS AGUIAR

Embora o câncer seja uma doença crescente no Brasil [1], nas últimas décadas houve muitos avanços na área da oncologia no que tange ao diagnóstico e tratamento, assim como nos índices de cura. Apesar disso, os significados dados ao câncer são os mesmos de quando a cura era mais rara. Não é necessário ser Sócrates ou Hipócrates para verificar que a sociedade ocidental sofre de uma séria doença, a negação da morte – que se não for tratada com uma educação plural e interdisciplinar não poderá ser curada. [2]

Essa constante negação da finitude nos impede de examinar com mais profundidade a razão de ser e viver, assim como de repensar valores e condutas. A consequência dessa visão é que a morte será sempre inimiga, devendo portanto ser combatida a qualquer custo. Observa-se, muitas vezes, uma incapacidade de estar cara a cara com a morte, pois para alguns isso significa estar perante o próprio fracasso.

O termo "cuidado" deriva do antigo inglês *carion* e das palavras góticas *kara* ou *carion*. Como substantivo, significa aflição, pesar ou tristeza. O verbo significa *ter preocupação por*, no sentido de ligação e carinho, afeto e simpatia. [3]

Diante disso, podemos levantar duas hipóteses: a) o profissional de saúde desenvolve conflitos internos que não pode compartilhar com os demais, o que acarreta transtornos como o *burnout*; b) ele consegue, de alguma forma, manejar bem seu sofrimento, não se submetendo a este.

Assim, este capítulo busca identificar o possível sofrimento psicológico em equipes oncológicas partindo de entrevistas com uma equipe multiprofissional de onco-hematologia de um hospital particular em Fortaleza (CE). Todos os procedimentos éticos de pesquisa foram seguidos. Nosso objetivo com a pesquisa foi avaliar como os profissionais em contato contínuo com o sofrimento organizam-se perante a dor dos pacientes e familiares e a impossibilidade de saná-la.

Diante de respostas a esses questionamentos e comprovando que há sofrimento embutido na prática profissional, as instituições poderão desenvolver melhores estratégias de manejo dessa dor e melhorar o desempenho das equipes de saúde.

O cuidar e seus desdobramentos

Cuidado vem do latim *cura* ou *coera*, palavra que alude à amizade e ao amor. Também remete a *cogitare* ou *cogitatus*, que significa cogitar, pensar, colocar atenção, mostrar interesse, revelar uma atitude de desvelo e preocupação. Assim, ela tem dois significados: 1) uma atitude de desvelo, solicitude e atenção para com o outro; 2) preocupação e inquietação por sentir-se responsável pelo outro. Os seres humanos formam uma teia de relações vitais das quais são corresponsáveis e codependentes, podendo potencializar ou ameaçar a vida. [4]

De forma geral, cuidado é qualquer ação que contribua para que pessoas e grupos possam viver bem. Cuidar, nesse sentido, torna-se um ato de vida, pois a vida que não é cuidada morre. Isso se aplica também às relações (amor conjugal, relações familiares, relação profissional de saúde-paciente e relação da equipe multiprofissional) – que, se não cuidadas, fenecem.

Embora tenham a mesma etimologia, as palavras "cuidar" e "curar" se contrapõem na atualidade, sendo o cuidado tratado como "prêmio de consolação" para quando a medicina perde a batalha para a morte. Esquece-se que a finitude é algo inerente à vida humana.

> Cuidar é uma palavra de origem gótica com o sentido de importar-se, enquanto curar nos leva a pensar na eliminação da doença e obtenção da saúde. A mentalidade médica atual distanciou esses dois verbos, desprezando sua origem idêntica, e tornou o curar mais nobre, mais valioso, mais valorizado pela classe médica e pela sociedade leiga em geral. (p. 558) [5]

Os profissionais de saúde que assumem o cuidado como modo de ser no mundo o fazem de dois modos: pelo trabalho e pelo cuidado. [4]

Como trabalho, a ação é intervencionista, em uma interação tecnicista que configura a dominação das coisas e das pessoas para colocá-las a serviço de interesse de terceiros. É um poder agressivo [6]. Com o mesmo viés vem a noção de tratar, ou seja, executam-se procedimentos técnicos e especializados tendo em vista a doença e a finalidade principal de reparar órgãos doentes na busca da cura [7]. O paciente é visto como um conjunto de órgãos comprometidos em suas funções. Esse modelo preocupa-se tão somente em agir com eficácia, empregando todos os meios com a finalidade única de vencer a luta contra a doença. Não há envolvimento emocional. Esquece-se da integralidade do doente como pessoa e abstém-se de atenção aos campos psicológico e espiritual. Conversar e ouvir o paciente e sua família não importam, pois não se pode "perder tempo". É nesse sentido que se encaixa a fala a seguir:

> Vejo o trabalho de enfermagem como a melhor forma de cuidar. Claro que os outros também são importantes, mas eu que cuido dele mais de perto. [...] sem o meu cuidado o paciente não melhora. Por isso, preciso me dedicar e cuidar bem dele, senão ele morre! (Técnico de enfermagem)

Do ponto de vista do tratamento apartado do cuidado, não há espaço para o olhar sobre aqueles que já não mais podem ser alcançados pela técnica curativa. Assim, o paciente terminal é um indivíduo que não merece investimentos e a quem cabe apenas esperar a morte.

Já na via do cuidado busca-se não o domínio da doença, mas a convivência respeitosa. Trata-se de uma acolhida do outro, promovendo-lhe sossego e paz. A relação não é sujeito-objeto e sim sujeito-sujeito: valorizam-se as pessoas [7]. Essa abordagem procura prestar assistência global e continuada ao doente e à sua família. O trabalho objetiva dar atenção àquilo de que a pessoa necessita e não somente ao que a doença requer. Embora tratar a doença ou aliviar sintomas continue sendo importante, visa-se escutar, entender e acolher, estabelecendo uma relação de compreensão e confiança.

Porém, as dimensões do trabalho e do cuidado não se excluem, mas se complementam. Negar o cuidado leva à desumanização e ao embrutecimento das relações, mas se exagerado resulta na preocupação excessiva com tudo e todos, tornando-se imobilizante. Os profissionais são desafiados a atuar além dos tratamentos curativos e preservar uma atitude de cuidado. "Busco fazer o meu trabalho da melhor forma; sempre converso um pouco com o paciente, explicando o procedimento que vou fazer, até para ele ficar um pouco mais tranquilo. É difícil, porque alguns pacientes ficam muito tempo com a gente, aí dá um pouco de pena" (enfermeiro).

Outra dimensão do cuidado constantemente abordada, em especial pela equipe de enfermagem, é o preparo do corpo após a morte, trabalho que em geral cabe a esses profissionais. Este consiste na remoção de materiais e equipamentos, higiene, tamponamento, vestimenta e identificação. Tal cuidado deve ser prestado com técnica, mas, principalmente, com respeito e consideração, porque a assistência ao paciente independe do seu estado vital. [8]

Mesmo compreendendo que esse cuidado é parte do trabalho, a equipe, muitas vezes, sente-se incomodada e o vê como punição: "Quando vi as primeiras mortes e tive de preparar o corpo foi muito ruim. Sei que faz parte, mas ficava um pouco sufocada quando colocava o algodão tamponando o paciente. É uma sensação ruim" (técnico de enfermagem); "Parece um castigo por não ter conseguido vencer a morte. Não gosto de preparar o corpo de quem cuidei muito" (enfermeiro).

Há uma grande diferença entre o preparo do corpo e os demais cuidados de enfermagem. O processo envolve emoção. É preciso entregar o corpo à família com aparência de conforto, indicando a higiene e o tamponamento de orifícios como cuidados de enfermagem imprescindíveis [8]. Alguns profissionais sentem-se tranquilos nessa função e a relatam como "dever cumprido": "Para mim, é importante ajeitar o corpo. A família já tá tão sofrida. Entregar o corpo bem tratado me conforta um pouco. Sinto que fiz tudo o que podia" (técnico de enfermagem); "Tento entender um pouco a família. Assim, tento fazer o meu melhor, inclusive nesse momento" (médico).

Não existe prática clínica sem contato humano. Para estabelecer um vínculo, precisamos de um contato mais humano e do interesse do profissional. A vinculação alimenta tanto o paciente e a família quanto o profissional.

Essa relação com o paciente e sua família é outra dimensão do cuidar apontada pelos entrevistados em nosso estudo. Assim como com o paciente, também se estabelece relação de apego com os familiares. A equipe envolve-se com a família e, por vezes, cuida dela: "Não tem como não se envolver com as famílias. Passamos muito tempo juntos, às vezes em hospital-dia e depois na internação. Acabamos ouvindo o seu sofrimento e sentindo um pouco também. Não sei muito o que fazer, aí só escuto e eles gostam" (enfermeiro).

Vale ressaltar a necessidade de preservar um espaço para lidar internamente com o preço extremado que pagamos ao nos aproximarmos do sofrimento do outro. O profissional sente a força da projeção intensa do paciente e defende-se ao se distanciar do acontecimento e transformar o sujeito em objeto – que passa a não ter mais identidade, e sim um nome genérico pertencente a uma categoria ou um número

qualquer. Porém, esse distanciamento tem alto custo e propiciará um movimento interno desgastante para o profissional [8]: "Não entro muito em contato com as famílias. Faço o meu trabalho e pronto. Sei que às vezes eles choram, mas não gosto de ficar perto. Não sei o que fazer. Acho que esse não é o meu trabalho. Aí, peço para chamar a psicologia" (técnico de enfermagem).

O modo como esses profissionais vão lidar com essas questões dependerá não apenas de sua formação acadêmica, mas de sua história pessoal de perdas e do próprio processo de elaboração de seus lutos. Além da história de vida, a cultura em que este estará inserido também influenciará o processo.

Os profissionais se veem em contato com a dor, a angústia, o medo e a solidão, sentimentos intensos e denunciadores da fragilidade humana. Quando se observa um ser em situação de dor e sofrimento, esses mesmos sentimentos são provocados no cuidador.

O mito de Quíron ilustra a ideia do cuidador ferido. O centauro Quíron, mestre dos médicos, foi ferido mortalmente pelas flechas de Hércules, e por ser ferida incurável sofria grandes dores. Tornou-se o grande mestre dos médicos, porque, tocado pela sua dor, era capaz de se sensibilizar com a dor dos outros. (p. 424) [3]

Assim, o mito de Quíron ajuda-nos a compreender o que vivenciam muitos profissionais da área de saúde que, em contato com suas dores e perdas, tornam-se sensíveis ao sofrimento daqueles que estão aos seus cuidados e acabam por se ferir em sua prática profissional. Isso é observado no seguinte discurso: "É difícil vê-los sofrendo e não sentir nada. A gente até tenta não se envolver, mas é difícil. Com alguns até choro" (enfermeiro).

Durante a rotina de cuidado hospitalar, por vezes os pacientes e seus familiares desenvolvem sentimentos ambivalentes em relação à equipe de saúde. Experimentam sentimentos positivos, como gratidão e agradecimento; ou, ao contrário, raiva pelo sofrimento ocasionado e culpa pelo agravamento da doença. Assim, esses profissionais podem sentir que seu trabalho não está sendo reconhecido. Ao mesmo tempo, não têm tempo para reelaborar seus sentimentos e, por vezes, se sentem culpados quando a evolução do quadro do paciente se mostra ruim, introjetando as emoções dos familiares. [3]

É comum o desgaste naqueles que cuidam de pessoas doentes. Sabe-se que qualquer circunstância continuamente estressante pode gerar sentimentos contraditórios que necessitam de adaptação.

> Embora hoje em dia seja claro que o câncer pode muitas vezes ser curado ou se transformar em doença crônica, seu diagnóstico sempre encerra medos relacionados à desfiguração, mutilação, deterioração, sofrimento, dor e morte. Essas fantasias ocorrem de modo universal. Assim sendo, tanto paciente como familiares e profissionais podem sofrer angústias diante dessa doença. (p. 564) [9]

Essa sobrecarga acaba gerando sintomas que podem resultar na síndrome de *burnout*, reação à tensão emocional crônica de pessoas que tratam diretamente de outros seres humanos.

É comum que os profissionais de saúde menosprezem (ou não reconheçam) o próprio sofrimento. Camuflam a dor com cargas horárias exaustivas, sem tempo para refletir sobre o seu fazer. A equipe cuida dos pacientes e familiares e deixa o cuidado consigo em segundo plano. "Não fico pensando muito sobre o meu trabalho, faço e pronto. A gente corre tanto de um hospital para outro que não tem tempo para nada. [...]" (técnico de enfermagem).

Essa tensão é maior quando a morte é silenciada nas instituições hospitalares, que a tratam como um fracasso dos profissionais. Aqui surgem os mecanismos de defesa, que podem ser inconscientes, e sintomas psicossomáticos que culminam em colapsos – ou seja, a repressão das emoções promove um esgotamento psíquico [3]. Para dificultar ainda mais uma possível ajuda a esses profissionais, muitos não aceitam ou não reconhecem essas experiências como luto que necessita ser vivido para que possa ser elaborado.

A morte como amedrontadora e interdita

Durante a análise das entrevistas observou-se que há dificuldade de lidar com a morte. Em pleno século 21, esta é vista como inimiga, algo vergonhoso a ser combatido a todo custo, pois fere a onipotência do homem moderno. Os combatentes da morte são os profissionais de saúde aos quais se atribui o papel de donos da vida e da morte. [9]

Fato é que a forma de lidar com a morte mudou bastante a partir dos mais variados avanços científicos e tecnológicos. O hospital passou a ser escolhido como o melhor lugar para morrer. Ainda hoje algumas famílias não suportam a possibilidade de ver seu ente querido falecer em casa, como era comum há certo tempo.

A morte é interdita e ocultada por estratégias defensivas. Assim, oferece-se a ideia ilusória de que o profissional pode combatê-la. Caso contrário, escancara-se a sua fragilidade. A imagem da morte vem acompanhada da ideia de fracasso do corpo, do sistema de atenção médica, da sociedade e das relações com Deus.

Ao optar pela carreira na área de saúde, os profissionais, de forma consciente ou não, escolhem também lidar com a morte e o morrer. O modo de lidar com isso depende de fatores pessoais, culturais, sociais e educacionais. A dificuldade de enfrentar a morte tem prejudicado a saúde psíquica desses trabalhadores, que se sentem impotentes, frustrados e revoltados. Em outras palavras, fracassados: "Quando perco algum paciente me sinto um pouco fracassada" (enfermeira); "[sinto-me fracassado diante do] óbito de pacientes, a sensação de impotência, até quando o processo de finitude inicia" (médico).

Na relação do cuidador profissional com o paciente e sua família, constroem-se vínculos e apego. É importante ressaltar que os vínculos atuais são reedições de padrões de apego anteriores, o que leva a pensar que os rompimentos atuais são também reedições de rompimentos anteriores ou têm o potencial de causar reações semelhantes às que eles causaram. [10]

Ao estabelecer com o paciente relações afetivas significativas, o profissional torna-se dolorosamente consciente de suas próprias perdas (reais, potenciais ou temidas). Ele pode sentir, ainda, ansiedade existencial quanto à própria morte. É possível visualizar que tais vinculações fazem referência a outras experiências afetivas, como nas seguintes afirmações: "Ver a morte dele foi muito difícil. Meu irmão também morreu com isso! Me pego pensando se isso pode acontecer também comigo. Tenho medo de como pode ser" (técnico de enfermagem); "[a situação mais difícil é] vivenciar a morte de pacientes jovens ou crianças" (farmacêutico).

O luto deve ser compreendido como uma reação ao rompimento de um vínculo, à quebra de uma relação afetiva significativa. Existem pacientes com quem se estabelece uma relação diferenciada, e a morte destes provoca luto, com todas as reações próprias desse fenômeno – como se fosse uma pessoa com a qual se mantivesse uma relação de outra ordem que não a profissional. Assim, pode-se afirmar que esse luto é legítimo. [10]

O adoecimento gera, portanto, dois tipos de luto: o simbólico e o antecipatório. Este começa com a notícia de uma doença grave e vai até o momento da concretização da morte. Esse tipo de luto também é experimentado pelos profissionais de saúde. Ele tem caráter preventivo, pois permite a elaboração da dor e estimula a comunicação. Há o conflito entre fugir da morte que não se pode vencer com sentimento de derrota e aprender acompanhando o processo de morte de seus pacientes. [3]

Não há dois processos de luto idênticos, uma vez que não existem duas relações significativas iguais. Assim, o processo é específico e subjetivo. O luto é considerado uma crise porque ocorre um desequilíbrio entre a quantidade de ajustamento necessária de uma única vez e os recursos imediatamente disponíveis para lidar com a situação. [11]

A crise ocorre devido à necessidade de continuar desempenhando diversos papéis apesar da sobrecarga do luto coletivo e individual. A reorganização somente ocorrerá após o enfrentamento dessa crise – que, sozinha, dificulta qualquer mudança.

O trabalho com pessoas doentes que não mais respondem satisfatoriamente a tratamentos curativos significa também entrar em contato com o luto destes ao longo da sua doença, ocasionado pelas mudanças que a doença impõe, assim como com as restrições e limitações enfrentadas.

> É uma tarefa de grande porte. Embora, em algum canto da mente e do coração, se saiba que a morte faz parte da vida, que as duas estão indissoluvelmente ligadas, que é da natureza humana saber-se mortal, não é uma tarefa que as pessoas abracem naturalmente, com gosto. (p. 398) [11]

O luto do profissional de saúde também pode ser analisado segundo o conceito de *criança enlutada dentro de nós*, visto que quando lidamos com situações de perda e morte entramos em contato com nossas experiências infantis nesse campo. É, portanto, um luto que precisa ser reconhecido, aceito e vivido na sua integridade, como qualquer outro [10]: "[...] nos envolvemos tanto com nossos pacientes que a morte deles ou a piora clínica me faz triste" (enfermeiro); "[vivencio o processo da doença] às vezes com muito pesar, às vezes com tranquilidade" (médico).

Para realizar o trabalho do luto é preciso reconhecer e permitir a expressão dos sentimentos presentes na mentalidade da morte interdita dos dias de hoje, em que não se autoriza a expressão de emoções e dor. Em uma sociedade em que se considera a morte tabu, deve-se procurar conversar a respeito, lidar com preconceitos e possibilitar uma comunicação efetiva. Os cuidados paliativos caminham nessa direção, proporcionando uma educação para a morte a todos os envolvidos, inclusive profissionais de saúde. Há o convívio diário com as perdas do adoecimento e a proximidade da morte, bem como a elaboração do luto antecipatório.

Enfrentando o desconhecido e o atemorizador

Não há consenso entre os autores no que se refere ao conceito de enfrentamento. Neste capítulo, vamos considerar enfrentamento ou *coping* um conjunto de estratégias para lidar com uma ameaça iminente. Ou seja, são estratégias ou esforços cognitivos e comportamentais que o indivíduo emprega para administrar as exigências impostas por um agente estressor. Diante de uma doença ameaçadora como o câncer, que gera estresse considerável a todos que são acometidos ou cuidam destes, faz-se necessária a mobilização de recursos psicossociais, em um esforço adaptativo para lidar com a situação.

Há pelo menos duas formas de conceber o enfrentamento. Uma refere-se ao traço de personalidade (algo inato) e outra, ao situacional. Para nós, aqui, o enfrentamento aparece como uma resposta contextual ao estresse, que muda ao longo do tempo e de acordo com as exigências da situação. Essa estratégia baseia-se na teoria cognitiva: "Prioriza-se a abordagem do enfrentamento como um processo multidimensional de mobilização do sujeito em termos emocionais, comportamentais e cognitivos visando à adaptação a uma situação de perigo ou de desafio" (p. 210). [12]

O aspecto contextual é importante, pois assim torna-se inadequado o julgamento de valor a respeito do uso de qualquer estratégia. Não há estratégia *per se* melhor ou pior; o que importa é avaliar a sua funcionalidade no contexto vivido pela pessoa.

Pode-se ainda, tecnicamente, subdividir o enfrentamento em dois âmbitos: centrado no problema (visa atuar sobre o fator de estresse) ou centrado na emoção (adapta respostas emocionais ao evento estressante, já que não é possível controlá-lo). É importante salientar que eles se influenciam mutuamente e as pessoas utilizam as duas formas [13]. O enfrentamento é, em geral, considerado efetivo quando serve para amenizar os sentimentos desconfortáveis associados a ameaças ou perdas.

Os profissionais de saúde tendem a considerar que o compartilhamento das situações vividas é uma maneira de torná-las menos nocivas à saúde mental: "Procuro compartilhar minhas angústias com a equipe, amigos e familiares. Direciono os fatores negativos de maneira que se transformem em aprendizados e crescimento pessoal/profissional" (assistente social); "Procuro alegrar meu ambiente e conversar com os outros para compartilhar experiências" (farmacêutico).

Esse tipo de estratégia vem sendo concebida como um fator de grande relevância para a qualidade de vida em situações de adversidade. Por outro lado, o enfrentamento disfuncional pode comprometer o equilíbrio integral em uma situação percebida como extremamente ameaçadora. Este se torna insuficiente para garantir o bem-estar emocional e a qualidade de vida das pessoas. [12]

As respostas ao estresse ligadas ao cuidador são agrupadas em dois grupos: um de enfrentamento propriamente dito e outro de evitação [12]. As respostas de enfrentamento incluem:

- Raciocínio lógico: tentativas cognitivas de compreender a situação e se prevenir mentalmente contra um fato estressor e suas consequências.
- Reavaliação positiva: tentativas cognitivas de analisar e reavaliar um problema de maneira positiva, aceitando a realidade da situação.
- Apoio/orientação: tentativas comportamentais de procurar informações para fins de aconselhamento.
- Tomada de decisões: tentativas comportamentais de tomar decisões e lidar diretamente com o problema.

Já as respostas de evitação compreendem:
- Racionalização evasiva: tentativas cognitivas destinadas a evitar que se pense sobre o problema de maneira realista.
- Aceitação resignada: tentativas cognitivas dirigidas à aceitação do problema.
- Alternativas compensatórias: tentativas comportamentais para empreender atividades substitutivas e criar novas fontes de satisfação.
- Extravasamento emocional: tentativas comportamentais para reduzir a tensão emocional existente.

Na pesquisa que originou este trabalho, percebeu-se que os profissionais de saúde entrevistados desenvolveram mecanismos tanto de evitação quanto de enfrentamento: "Realizo atividades que passa" (técnico de enfermagem, extravasamento); "Na maioria das vezes [ajo] com tranquilidade. Acredito no ciclo de finitude; nascemos, crescemos e morremos" (psicólogo, reavaliação positiva).

Um dos achados da pesquisa diz respeito à espiritualidade (participar de atos religiosos, ler livros religiosos e orar/rezar) como mecanismo de enfrentamento predominante, além de estratégias físicas (caminhar, nadar, usar técnicas de relaxamento), psicointelectuais (meditação, confecção de trabalhos artesanais) e sociais (fazer atividades de recreação em grupos, conversar com amigos): "A fé em Deus ajuda a pessoa a crer que existe vida eterna e na lei da semeadura e benção/maldição" (médico); "Tento aceitar com calma as situações difíceis, dando tempo ao tempo; procuro crer que tudo tem um motivo para acontecer" (técnico de enfermagem); "[realizo] o compartilhamento com pessoas da equipe ou com outras pessoas próximas através da oração, para fortalecimento íntimo" (fisioterapeuta).

A palavra "espiritualidade" vem da raiz latina *spiritus*, que significa sopro, o princípio que anima, o sopro da vida. É um fenômeno humano, um potencial inato e natural do ser humano. Manifesta-se de várias formas, sendo caracterizada por uma ânsia comum pelo sagrado, pelo desejo universal de tocar e celebrar o mistério da vida. [13]

A espiritualidade/religiosidade pode trazer benefícios, visto que desperta recursos psíquicos como autoaceitação, conforto emocional e sensação de pertinência. Além disso, fortalece o sistema imunológico por meio de pensamentos e sentimentos despertados pela vivência espiritual e do relaxamento obtido por meio da prece ou da meditação. Essas crenças promovem generosidade, perdão, entendimento e compaixão, estando, assim, relacionadas à saúde física e mental. [13]

Porém, a religiosidade também tem potencial deletério, à medida que pode ampliar o sentimento de culpa e fracasso. Isso ocorre quando as crenças encorajam uma devoção inquestionável, a obediência cega a líderes religiosos ou promovem a religião como única prática de cura. Nesse contexto, Deus é visto como uma entidade punitiva.

Certos tipos de sintomas depressivos, como perda de interesse, sentimentos de insignificância ou indignidade, retraimento da interação social, perda de esperança e energia, perda de peso, insônia e decréscimo da concentração, podem surgir como consequência de enfrentamento espiritual inadequado. (p. 419) [13]

Para muitos profissionais de saúde, a vivência religiosa desempenha papel estruturante para o sentido e o significado de suas práticas clínicas, além de orientar suas condutas éticas. A religiosidade e a espiritualidade auxiliam na formulação de orientações cognitivas e avaliações de situações vitais. Portanto, apresentam potencial para exercer uma função mental de busca de sentidos para viver, ajudando a prevenir transtornos mentais. [13]

Considerações finais

Independentemente da idade, do tempo de atuação profissional na área de saúde e até mesmo da formação básica, percebe-se que existe sofrimento, em especial com o tema morte. Há sentimentos ambivalentes em relação ao paciente e ao cliente de segunda ordem (família) e às atividades desempenhadas.

Entre os sentimentos relatados pelos entrevistados estão frustração, prazer, tristeza, satisfação e angústia. Também são citados amor, compaixão, prazer, alegria e satisfação. Isso retrata quanto o trabalho nessa área pode ser conflitante e, ao mesmo tempo, recompensador. A equipe multiprofissional costuma ser bastante heterogênea quanto aos sentimentos, mas os sentimentos positivos apontam para uma melhor adaptação.

A morte ainda é vista como tabu, sendo silenciada dentro da maioria das instituições de saúde. A equipe pouco fala sobre o assunto e, quando o faz, o trata como fracasso. Entretanto, alguns compreendem a morte como ciclo natural da vida, o que mais uma vez aponta para a ambivalência em relação ao tema.

As equipes de saúde, em especial as de oncologia, necessitam de um espaço para o compartilhamento de suas angústias e inseguranças, a fim de evitar esgotamento emocional e o desenvolvimento de habilidades em prol da humanização.

Referências

1. Instituto Nacional de Câncer José Alencar Gomes da Silva. *Estimativa 2018: incidência de câncer no Brasil.* Rio de Janeiro: Inca, 2018. Disponível em: <https://www.inca.gov.br/sites/ufu.sti.inca.local/files//media/document//estimativa-incidencia-de-cancer-no-brasil-2018.pdf>. Acesso em: 3 jun. 2019.

2. Santos, F. S. *Cuidados paliativos: discutindo a vida, a morte e o morrer.* São Paulo: Atheneu, 2009.

3. Kovács, M. J. "Sofrimento da equipe de saúde no contexto hospitalar: cuidando do cuidador profissional". *Mundo Saúde*, v. 34, n. 4, 2010, p. 420-29.

4. Zoboli, E. "O cuidado: no encontro interpessoal, o cultivo da vida". In: Bertachini, L.; Pessini, L. (orgs.). *Encanto e responsabilidade no cuidado da vida: lidando com desafios éticos em situações críticas e de final de vida.* São Paulo: Paulinas/Centro Universitário São Camilo, 2011.

5. Liberato, R. P.; Carvalho, V. A. "Estresse e síndrome de burnout em equipes que cuidam de pacientes com câncer: cuidando do cuidador profissional". In: Carvalho, V. A. *et al.* (orgs.). *Temas em psico-oncologia.* São Paulo: Summus, 2008.

6. Boff, L. *Saber cuidar – Ética do humano: compaixão pela terra.* São Paulo: Vozes, 1999.

7. Pacheco, S. *Cuidar a pessoa em fase terminal: perspectiva ética.* Lourdes: Lusociência, 2002.

8. Mota, M. S. *et al.* "Reações e sentimentos de profissionais da enfermagem frente à morte dos pacientes sob seus cuidados". *Revista Gaúcha de Enfermagem* [on-line], v. 32, n. 1, 2011, p. 129-35. Disponível em: <http://www.scielo.br/scielo.php?script=sci_arttext&pid=S1983-14472011000100017&lng=en>. Acesso em: 15 maio 2019.

9. Kovács, M. J. "Cuidando do cuidador". In: Bertachini, L.; Pessini, L. (orgs.). *Encanto e responsabilidade no cuidado da vida: lidando com desafios éticos em situações críticas e de final de vida.* São Paulo: Paulinas/Centro Universitário São Camilo, 2011.

10. Franco, M. H. P. "Cuidados paliativos e o luto no contexto hospitalar". In: Bertachini, L.; Pessini, L. (orgs.). *Humanização e cuidados paliativos.* São Paulo: Loyola, 2004.

11. Franco, M. H. P. "Trabalho com pessoas enlutadas". In: Carvalho, V. A. *et al.* (orgs.). *Temas em psico-oncologia.* São Paulo: Summus, 2008.

12. Peçanha, D. L. N. "Câncer: recursos de enfrentamento na trajetória da doença". In: Carvalho, V. A. *et al.* (orgs.). *Temas em psico-oncologia.* São Paulo: Summus, 2008.

13. Liberato, R. P.; Macieira, R. C. "Espiritualidade no enfrentamento do câncer". In: Carvalho, V. A. *et al.* (orgs.). *Temas em psico-oncologia.* São Paulo: Summus, 2008.

29. O ESTRESSE DOS PROFISSIONAIS DA ENFERMAGEM ONCOLÓGICA

VALDEMILSON CRISTIANO GONÇALVES, MARÍLIA A. DE FREITAS AGUIAR

Introdução

Atualmente, o estresse constitui um crescente problema que afeta a saúde e a qualidade de vida dos indivíduos. Trata-se de uma reação, com componentes físicos e emocionais, que o organismo tem perante qualquer situação que represente um desafio maior. [1]

Sabe-se que o estresse é um problema decorrente dos tempos modernos, pois vivemos na correria do cotidiano, não cuidamos da alimentação, trabalhamos em excesso e não temos tempo para praticar atividades físicas nem para conviver com amigos e familiares – todas atitudes estratégicas para controlar o estresse.

O mesmo problema afeta também os profissionais da enfermagem em oncologia, uma vez que eles convivem com estressores ocupacionais como a dor do paciente e a angústia de familiares e colegas. Essa categoria trabalha em um ambiente em que a morte e o morrer estão sempre presentes. Junta-se a isso uma carga de trabalho pesada e, em muitos casos, a escassez de recursos materiais e humanos.

Segundo Lipp [2, 3], o estresse é um processo complexo do organismo e envolve aspectos bioquímicos, físicos e psicológicos desencadeados com base na interpretação que o indivíduo dá aos estímulos externos e internos, os chamados estressores. Estes causam desequilíbrio na homeostase interna e exigem uma resposta de adaptação do organismo para preservar sua integridade e a própria vida. Assim, "o stress tem sido visto como uma preocupação pelas sérias consequências que pode acarretar para a qualidade de vida do ser humano" (p. 4). [4]

De acordo com Couto [5], o estresse interfere na qualidade de vida do trabalhador, modificando a maneira como ele interage nas diversas áreas da sua vida.

Estresse: origem, conceitos, fases, sintomatologia e principais consequências

Hoje, o estresse no ambiente de trabalho é uma epidemia global que afeta todos os profissionais e pode contribuir para o surgimento de vários problemas de saúde no trabalhador [3]. Mas, embora o ser humano esteja cada dia mais estressado, a grande maioria das pessoas não tem conhecimento específico de como lidar com as fontes de tensão.

Segundo Lipp [2], a palavra "estresse" vem do latim e originalmente tinha o sentido de aflição e adversidade. No século 17, o termo em inglês *stress* passou a ser usado para denominar opressão, desconforto e revés.

Em 1936, o endocrinologista Hans Selye definiu o estresse com base em conceitos biológicos, denominando-o síndrome geral da adaptação [3]. Depois dessa definição, surgiram outras áreas de pesquisa sobre o estresse: psicológico, social, biopsicossocial, ambiental, profissional. [6]

Vejamos a seguir uma breve definição de estresse: "Reação do organismo, com componentes físicos e ou psicológicos, causada pelas alterações psicofisiológicas que ocorrem quando a pessoa se confronta com uma situação que, de um modo ou de outro, a irrite, amedronte, excite ou confunda, ou mesmo que a faça imensamente feliz" (p. 20) [2]. Assim, tudo aquilo que rompa o equilíbrio interno do indivíduo, ou seja, provoque a quebra da homeostase, pode ser chamado de fator estressor.

É importante ressaltar que Lipp, uma das maiores pesquisadoras do assunto no país, aponta que o estresse, por si só, não causa doenças, mas propicia o desencadeamento de enfermidades para as quais a pessoa já apresentava predisposição. [2]

Baseando-se em estudos anteriores, Lipp [1] propõe o modelo quadrifásico do estresse. Bastante preciso, ele é composto pelas fases de alerta, resistência, quase exaustão e exaustão.

A fase de alerta é o estágio positivo do estresse. Nele, a pessoa sente necessidade de produzir mais energia para suprir o esforço exigido pela situação. Assim, o estresse rompe com o equilíbrio interno do indivíduo, o que ocorre por causa da ação exagerada do sistema nervoso simpático e da desaceleração do sistema parassimpático em ocasiões de tensão [2]. Essa reação de enfrentamento da situação desafiadora é caracterizada pela produção e pela ação da adrenalina, que torna a pessoa mais atenta, corajosa e motivada. [1-3]

Para Lipp [2], na fase de alerta geralmente não há grandes problemas com o sono, a fome e o cansaço, mas por vezes começam a surgir dificuldades, como musculatura tensa e retesada. Se o fator estressor durar pouco, a adrenalina é eliminada e ocorre a restauração da homeostase. Nesse caso, não há prejuízo para o bem-estar do indivíduo.

Na segunda fase, a de resistência, há um aumento da capacidade de resistência do organismo e a busca de reequilíbrio, pois é grande a utilização de energia – o que provoca maior desgaste do organismo. Se o corpo consegue fazer uma adaptação completa e resistir aos fatores estressores, e se a reserva de energia for suficiente, o processo de estresse se interrompe sem provocar danos. Porém, caso isso não ocorra, o organismo se enfraquece, tornando-se vulnerável a doenças. [2, 3]

Na fase de quase exaustão, corpo e mente começam a sucumbir. Os sintomas mais observados são falta de sono, desinteresse pelo sexo e apatia. É como se a pessoa perdesse a alegria de viver. Observa-se também queda na produtividade e na criatividade [2]. É comum nesse estágio a pessoa sentir que oscila entre momentos de bem-estar e tranquilidade e outros de desconforto, cansaço e ansiedade. O hormônio cortisol é produzido em maior quantidade e passa a destruir as defesas imunológicas; algumas doenças aparecem, indicando que a resistência já não é tão eficaz. [1, 3]

Na última fase, a de exaustão, há uma quebra total dessa resistência. Alguns sintomas são parecidos com os do segundo estágio, mas numa proporção bem maior. O sono fica bastante comprometido – ora mostra-se excessivo, ora pouco –, sendo comum a pessoa já acordar cansada. O corpo dá sinais de muito cansaço, o que compromete a produtividade no trabalho. Nessa fase é comum ocorrer um crescimento nas estruturas linfáticas. Os pacientes relatam a perda total da libido, exaustão psicológica, depressão e cansaço físico. Por vezes, a depressão impede que o indivíduo consiga se concentrar ou trabalhar. Suas decisões muitas vezes são impensadas [2, 3]. "Doenças graves podem ocorrer, como úlceras, infarto, pressão alta, câncer, psoríase, vitiligo" (p. 48) [1]. Nesse momento, há um grave desequilíbrio interior.

De acordo com Lipp [2], a sintomatologia do estresse caracteriza-se por variadas manifestações físicas e emocionais, que compreendem: problemas digestivos, do aparelho cardiovascular, respiratórios, do aparelho urinário, dores musculares, problemas alérgicos e endócrinos, baixa atividade imunológica; redução da libido e do impulso sexual, isolamento social, insônia, depressão, ansiedade, irritabilidade, síndrome do pânico, tristeza, apatia, raiva e irritabilidade excessiva. Sintomas físicos – como taquicardia, mãos e pés suados, calafrios, tensões musculares diversas e nó na garganta – podem completar o quadro. [7]

A enfermagem e o estresse no ambiente hospitalar

O ambiente de trabalho na organização hospitalar, de maneira geral, é insalubre e propício para o desenvolvimento de doenças. Enfermeiros, auxiliares e técnicos estão sujeitos a situações geradoras de tensão, além de conviverem com o sofrimento, a dor, a angústia, o medo e a morte do outro. [8]

Os profissionais de enfermagem são os responsáveis pela individualização e pela humanização no cuidado ao paciente e na atenção a seus familiares. Entre as ações que desempenham numa instituição oncológica, podemos destacar a administração de medicamentos, o manuseio de cateteres venosos e a monitorização de efeitos adversos.

Na administração de medicamentos por via oral, trabalham em conjunto com a equipe de farmácia para assegurar a perfeita compreensão de como devem ser tomados e monitoram a adesão ao tratamento.

A equipe de enfermagem exerce ainda um relevante papel na informação dos pacientes e de seus familiares, assegurando que tenham plena compreensão de todas as orientações e fazendo chegar aos médicos os dados mais relevantes referentes ao tratamento em curso.

Conforme Domingos [9], os profissionais que trabalham com pessoas em sofrimento, como é o caso dos enfermeiros oncológicos, vivenciam frequentemente situações de estresse, visto que os problemas nem sempre são solucionados imediata nem facilmente.

De acordo com estudo realizado por Stacciarini e Tróccoli [10], o enfermeiro que atua em ambiente hospitalar está exposto a diversas situações causadoras de estresse, como recursos inadequados, atendimento ao paciente, relações interpessoais, carga emocional, escalas de tarefas, cobranças, sobrecarga de trabalho, falta de reconhecimento profissional e de poder de decisão.

A relação com a equipe multiprofissional pode ser conflituosa, pois infelizmente alguns profissionais são muito arrogantes. O enfermeiro, normalmente, percebe-se no centro das reclamações e dos pedidos; de um lado os pacientes que solicitam informações sobre sua saúde o tempo todo, querendo retorno acerca do seu progresso, em contrapartida, a equipe médica nem sempre lhes dá este retorno; são cobrados quanto à rapidez dos exames, da alimentação, rouparia, bem como que sejam cordiais, extremamente educados, sorriam sempre, não reclamem de nada. (p. 8) [11]

De acordo com Rodrigues e Chaves [12], o trabalho da enfermagem em oncologia necessita de atividades de controle que demandam um exercício mental, uma vez que implicam lidar com doença grave. Muitas vezes, cuidam de pacientes em final de vida, que precisam de cuidados intensivos e de uma proximidade maior com a família. Esses fatores podem conduzir o profissional da enfermagem ao estresse ocupacional. Sadir, Bignotto e Lipp [4] apontam que este ocorre quando o indivíduo avalia as demandas do trabalho como excessivas para os recursos de enfrentamento de que dispõe.

Freitas [13] aponta que, em comparação com outros profissionais da equipe multiprofissional, o enfermeiro que atua em hospitais oncológicos é o que permanece por mais tempo ao lado dos pacientes e de seus familiares. Esse maior contato favorece um estreitamento das relações paciente/profissional, fazendo que esses trabalhadores compartilhem de todo o processo de adoecer.

Ainda de acordo com Freitas [13], os profissionais da enfermagem são os que estão mais presentes no ápice do sofrimento das pessoas com câncer. A todo momento, os pacientes e seus familiares lhes pedem que amenizem suas dores e angústias. Constantemente, esses trabalhadores buscam alternativas que possam oferecer a esse público suporte não apenas clínico, mas emocional, afetivo e social.

Segundo estudo realizado por Rodrigues e Chaves [12] com enfermeiros de cinco hospitais de câncer de grande porte do município de São Paulo que trabalham em oncologia, foram identificados como situações estressoras: o óbito dos pacientes, sobretudo quando se trata de criança ou adolescente, pois isso é visto como interrupção do ciclo natural da vida; situações de emergência, como parada cardiorrespiratória; reações anafiláticas decorrentes do uso de quimioterápicos; piora do quadro clínico dos pacientes; problemas de relacionamento com a equipe de enfermagem; discordância quanto à conduta do enfermeiro em relação aos pacientes e à escala de serviço; situações relacionadas com o processo de trabalho; remuneração; excesso de trabalho.

Leite e Vila [14] afirmam que uns dos principais desencadeadores de estresse nos enfermeiros que trabalham em hospitais oncológicos é a dificuldade de trabalhar em equipe multiprofissional. Por vezes, faltam união e diálogo. Alguns profissionais só trabalham para cumprir o horário, enquanto outros não estão interessados em resolver os problemas dos pacientes em equipe. Trabalhar e manter uma postura homogênea gera estresse excessivo na equipe e até desconfiança em relação ao trabalho do outro, o que prejudica a qualidade da assistência prestada ao paciente.

Prevenção e estratégias de enfrentamento do estresse

De acordo com Lipp e Malagris [7], são quatro os pilares que podem combater o estresse:

- Alimentação (reposição de nutrientes) – quando enfrentamos uma situação adversa, há maior desgaste do sistema nervoso e maior mobilização muscular e cardiovascular, que consomem vitaminas do complexo B, vitamina C e magnésio. Quando não nos alimentamos corretamente, o organismo fica debilitado, sem resistência e vulnerável ao ataque de doenças.
- Relaxamento (minimização da tensão mental e física) – essa estratégia é importante porque ajuda o organismo a eliminar o excesso de adrenalina e a restabelecer sua homeostase interna. Nesses casos, podemos recorrer a exercícios de respiração profunda, ioga, meditação, massagem, música, filmes e bate-papo.
- Exercícios físicos (eliminação da prontidão que o estresse acarreta) – as atividades físicas estimulam a produção de betaendorfina, que produz uma sensação de tranquilidade e bem-estar. Entre as atividades estão ginástica, natação, caminhada, dança, pular corda e esportes variados.
- Restruturação (mudar a forma estressante de pensar, sentir e agir) – a qual detalharemos a seguir.

De acordo com Lipp e Malagris [7], a proposta do treino de controle de estresse (TCE) baseia-se nos princípios comportamentais e na mudança de estilo de vida do profissional. Tem como objetivo fazer a pessoa mudar o seu jeito de pensar e ver o mundo. É preciso aprender a lidar com a ansiedade, procurando ser assertivo, reconhecendo as fontes de estresse e tentando descartar as que forem passíveis de mudança. É importante ter mais calma e paciência para resolver as questões laborais e familiares sem que o nível de estresse aumente, reconhecer os próprios limites e respeitá-los, estabelecendo prioridades com o propósito de melhorar a qualidade de vida.

Ainda segundo os autores [7], os principais instrumentos utilizados para avaliar o nível de estresse de um indivíduo são: observação clínica, análise funcional adequada para identificar as fontes estressoras, inventário de sintomas de estresse para adultos, inventário de qualidade de vida, levantamento de crenças irracionais, escala de assertividade, inventário de vulnerabilidades, levantamento de estratégias, adequadas ou não, utilizadas pelo sujeito, e escala de reajustamento social para detectar fontes externas. A experiência do TCE mostra que, em geral, 15 sessões são suficientes quando o profissional não se encontra na fase de exaustão. Porém, é necessário realizar também acompanhamento médico por pelo menos seis meses. [8]

Conforme Rodrigues e Chaves [12], as estratégias de *coping* também podem ser utilizadas para controlar o estresse. Os autores definem *coping* como um esforço cognitivo e comportamental realizado para dominar, tolerar ou reduzir as demandas externas e internas. As estratégias incluem confronto, afastamento, autocontrole, suporte social, aceitação da responsabilidade, fuga-esquiva, resolução do problema e reavaliação positiva, habilidades sociais e recursos materiais.

Nas estratégias de *coping* podemos ainda incluir práticas de relaxamento, exercícios físicos regulares, alimentação adequada, reavaliação de objetivos, lazer e participação em atividades grupais. Não podemos desconsiderar que o *coping* organizacional está relacionado com a produção de ambientes relaxantes, interações pessoais saudáveis e condições de trabalho adequadas. [15]

Essas estratégias são bastante individuais. Em estudo com enfermeiros que atuam em oncologia, Rodrigues e Chaves [12] constataram que, nessa população, o *coping* tem o foco na emoção, essencialmente na reavaliação positiva. A estratégia é utilizada por esses profissionais para amenizar a carga emocional da situação. Assim, eles se concentram nos aspectos positivos no intuito de amenizar os estressores. O fato é que a escolha do tipo de *coping* é individual; nem sempre o que funciona para determinado indivíduo funciona para outro. Por isso, respeitar as características individuais é fundamental.

Autores como Hercos *et al.* [15] discorrem sobre algumas estratégias de enfrentamento para evitar o estresse excessivo dos enfermeiros que trabalham em hospitais oncológicos. Reforçam que é necessário rever as condições de trabalho, propondo melhorias como diminuição da burocracia, mudança na dinâmica de atendimento e revisão de remuneração. Também são preconizadas atitudes como incentivo e inserção de atividades físicas e de lazer no cotidiano dos profissionais, o incremento de uma política de educação permanente, o oferecimento de suporte psicológico sistematizado e o investimento na relação interpessoal na instituição. Silva [16] também compartilha dessas estratégias e acrescenta que é importante que haja treinamento e desenvolvimento tanto pessoal quanto da equipe.

Uma das formas de prevenir o estresse em enfermeiros que atuam em hospitais oncológicos é evitar a angústia diante da condição de cuidador de um paciente com câncer. Com a percepção de que não são capazes de oferecer apoio emocional e psicológico a esses indivíduos, os enfermeiros utilizam-se de mecanismos de defesa como o distanciamento, a negação, a despersonalização, a redução de decisões e responsabilidades. O processo de formação dos enfermeiros deve voltar-se para um maior autoconhecimento, de modo que sejam capazes de lidar com seus medos e evitem comportamentos irracionais que comprometam seu desempenho profissional. [17]

Outra boa estratégia de prevenção contra o estresse no trabalho hospitalar é a boa comunicação entre a equipe, recurso essencial para que exista equilíbrio no ambiente laboral dos profissionais da equipe de enfermagem. Ao favorecer o relacionamento interpessoal, essa estratégia contribui para fortalecer os laços entre os membros do grupo e a evitar os conflitos na unidade – o que reduz o estresse excessivo. [18]

Considerações finais

O ambiente hospitalar, em especial o oncológico, por si só já é gerador de estresse. Sendo os enfermeiros os profissionais que estão em contato mais próximo com o paciente e com seus familiares, e sendo o câncer um adoecimento ainda bastante estigmatizado como causador de sofrimento, é fundamental estudar estratégias para lidar com situações potencialmente estressantes. Reforçamos, por fim, que a prevenção é um dos caminhos para diminuir o estresse e permitir que os enfermeiros oncológicos tenham uma qualidade de vida compatível com a importância da sua atuação.

Referências

1. Lipp, M. E. N. *Manual do inventário de sintomas de stress para adultos de Lipp (ISSL)*. São Paulo: Casa do Psicólogo, 2000.

2. Lipp, M. E. N. (org.). *Pesquisas sobre stress no Brasil: saúde, ocupações e grupos de risco*. Campinas: Papirus, 2001.

3. _____. *O stress no Brasil: pesquisas avançadas*. Campinas: Papirus, 2004.

4. Sadir, M. A.; Bignotto, M. M.; Lipp, M. E. N. "Stress e qualidade de vida: influência de algumas variáveis pessoais". *Paideia (Ribeirão Preto)*, v. 20, n. 45, 2010, p. 73-81.

5. Couto, H. A. *Stress e qualidade de vida do executivo*. Rio de Janeiro: COP, 1987.

6. Filgueiras, J. C.; Hippert, M. I. "Stress: possibilidades e limites". In: Jacques, M. G.; Codo, W. (orgs.). *Saúde mental e trabalho*. Petrópolis: Vozes, 2002, p. 112-29.

7. Lipp, M. N.; Malagris, L. N. "Manejo do stress". In: Rangé, B. (org.). *Psicoterapia comportamental e cognitiva: pesquisa, prática, aplicações e problemas*. Campinas: Psy, 1995, p. 279-92.

8. Elias, M. A.; Navarro, V. L. "A relação entre o trabalho, a saúde e as condições de vida: negatividade e positi-

vidade no trabalho das profissionais de enfermagem de um hospital escola". *Revista Latino-Americana de Enfermagem*, v. 14, n. 4, 2006, p. 517-25. Disponível em: <http://www.scielo.br/scielo.php?script=sci_arttext&pid=S0104-11692006000400008&lng=en>. Acesso em: 16 maio 2019.

9. Domingos, N. A. M. "Estresse em funcionários de um Hospital Escola". *HB Científica*, v. 3, n. 1, 1996, p. 15-18.

10. Stacciarini, J. M. R.; Tróccoli, B. T. "O estresse na atividade ocupacional do enfermeiro". *Revista Latino-Americana de Enfermagem*, v. 9, n. 2, 2001, p. 17-25. Disponível em: <http://www.scielo.br/scielo.php?script=sci_arttext&pid=S0104-11692001000200003&lng=en>. Acesso em: 16 maio 2019.

11. Souza, C. *Estresse ocupacional do enfermeiro: fatores estressantes do trabalho em hospital*. Monografia de conclusão do curso de Enfermagem, Universidade Federal do Rio Grande do Sul, Porto Alegre, RS, 2008. Disponível em: <http://www.lume.ufrgs.br/bitstream/handle/10183/49690/000669031.pdf?sequence=1>. Acesso em: 16 maio 2019.

12. Rodrigues, A. B.; Chaves, E. C. "Fatores estressantes e estratégias de coping dos enfermeiros atuantes em oncologia". *Revista Latino-Americana de Enfermagem*, v. 16, n. 1, 2008, p. 24-28. Disponível em: <http://www.scielo.br/scielo.php?pid=S0104-11692008000100004&script=sci_arttext&tlng=pt>. Acesso em: 16 maio 2019.

13. Freitas, A. R. *A influência da ginástica laboral sobre a síndrome de burnout, ansiedade, depressão e stress ocupacional de profissionais de enfermagem de cuidados paliativos oncológicos*. Dissertação (mestrado em Ciências da Saúde), Fundação Pio XII/Hospital de Câncer de Barretos, Barretos, SP, 2013. Disponível em: <https://www.hcancerbarretos.com.br/upload/doc/d464657d0bd27a1f-0c4dd150eefa1f8e.pdf>. Acesso em: 16 maio 2019.

14. Leite, M. A.; Vila, V. S. C. "Dificuldades vivenciadas pela equipe multiprofissional na unidade de terapia intensiva". *Revista Latino-Americana de Enfermagem*, v. 13, n. 2, 2005, p. 145-50. Disponível em: <http://www.scielo.br/scielo.php?script=sci_arttext&pid=S0104-11692005000200003&lng=en>. Acesso em: 16 maio 2019.

15. Hercos, T. M. *et al*. "O trabalho dos profissionais de enfermagem em unidades de terapia intensiva na assistência ao paciente oncológico". *Revista Brasileira de Cancerologia*, v. 60, n. 1, 2014, p. 51-58.

16. Silva, F. P. P. "Burnout: um desafio à saúde do trabalhador". *PSI – Revista de Psicologia Social e Institucional*, v. 2, n. 1, 2002. Disponível em: <http://www.uel.br/ccb/psicologia/revista/textov2n15.htm>. Acesso em: 16 maio 2019.

17. Teixeira, F. B.; Gorini, M. I. P. C. "Compreendendo as emoções dos enfermeiros frente aos pacientes com câncer". *Revista Gaúcha de Enfermagem*, v. 29, n. 3, 2008, p. 367-73. Disponível: em: <http://www.seer.ufrgs.br/RevistagauchadeEnfermagem/article/viewFile/6756/4059>. Acesso em: 16 maio 2019.

18. Lucas, J. S.; Passos, J. P. "O estresse no trabalho da equipe de enfermagem em unidade de terapia intensiva". *Revista de Pesquisa: Cuidado é Fundamental Online*, v. 1, n. 2, 2009, p. 345-52. Disponível em: <http://www.redalyc.org/html/5057/505750816018/>. Acesso em: 16 maio 2019.

30. A RELAÇÃO DO ASSISTENTE SOCIAL COM A EQUIPE DE ATENDIMENTO AO PACIENTE ONCOLÓGICO: UMA ANÁLISE SOBRE INTERDISCIPLINARIDADE

RAQUELINE ASSUNÇÃO, MARÍLIA A. DE FREITAS AGUIAR

Segundo o documento HumanizaSUS [1], um dos parâmetros para introduzir ações na atenção hospitalar é a implementação de uma equipe multiprofissional de referência para internados, como médicos, enfermeiros, psicólogos, assistentes sociais, terapeutas ocupacionais, farmacêuticos, nutricionistas e outros profissionais.

Diante da relação entre uma equipe multiprofissional, questiona-se: é possível unir saberes e experiências diversos para proporcionar um melhor atendimento ao paciente oncológico?

Entende-se que a vivência da interprofissionalidade é fundamental para a harmonização de grupos diferenciados e com saberes diversos. Mas como isso se dá no contexto da saúde, em especial com pacientes oncológicos? No contexto atarefado e dinâmico de um hospital, pode a interprofissionalidade acontecer? Como é a relação cotidiana desses profissionais com os pacientes oncológicos?

A fim de obter possíveis respostas aos questionamentos apresentados, vamos contextualizar o surgimento do serviço social no Brasil.

Breve história do serviço social no Brasil

No Brasil, o serviço social surgiu na década de 1920, período histórico em que ainda era forte a dependência da ação da Igreja Católica. De acordo com Raichellis [2], o surgimento do serviço social caminha lado a lado com a mobilização da Igreja na busca do resgate de seus interesses e vantagens corporativos por meio de uma autoridade normativa. Tal reordenamento da Igreja foi efetivado com a composição do chamado "bloco católico", que lança pessoas à época vinculadas à Igreja na militância tanto intelectual quanto política, adotando como premissas: um princípio social totalitário; um projeto de desenvolvimento harmônico para a sociedade; o capitalismo transfigurado e recristianizado como adversário do socialismo; a luta pelo controle das classes subordinadas.

Assim, a identidade inicial do serviço social foi caracterizada pelo conteúdo doutrinário e confessional da Igreja. Sua expansão se deu com a criação das primeiras escolas, que visavam à profissionalização da assistência e seu tutelamento pelo aparato religioso.

As bases da inserção do serviço social brasileiro se deram num contexto histórico em que a hegemonia dos grandes latifundiários passou a ser questionada pela burguesia industrial em ascensão. Com o crescimento dos movimentos migratórios das zonas rurais para as urbanas, o país iniciou o seu processo de modernização, o que agravou as tensões sociais.

Com a expansão da previdência social, que envolvia ações de assistência à saúde, aumentou a inserção dos assistentes sociais nesse campo, principalmente após 1945. A expansão do mercado de trabalho devido às exigências e necessidades do país, aliada às modificações no quadro internacional, fez que a intervenção profissional se expandisse.

O serviço social na área da saúde

Por meio da abordagem individual e da observação, o assistente social procura auxiliar o paciente e resolver seus problemas, seja por meio de recursos existentes na comunidade, seja por meio da mudança de atitudes.

Considerada muito adequada para a obtenção de informações, a entrevista estabelece com excelência a relação com o usuário, abrindo espaço para o diálogo e permitindo assim a intervenção mais ativa do profissional do serviço social. Por meio dela é possível conhecer o histórico do paciente e compreender seus valores.

De acordo com Farias [3], o trabalho do assistente social requer instrumentos que norteiem seu fazer profissional. A autora esclarece que é fundamental registrar a prática profissional, fazendo uso de relatórios e de um parecer social que permitam uma boa avaliação dos casos. É preciso registrar tudo que aconteceu com o paciente, o que deixou de acontecer, o que pode vir a acontecer e como está sendo realizado o trabalho do profissional na instituição. Tais apontamentos contribuem para aprimorar a intervenção do assistente social e o acompanhamento do caso.

Documentos devidamente registrados podem auxiliar a intervenção de outros profissionais, o que permite um olhar mais compreensivo em relação ao paciente e à sua situação de vida.

A atuação do profissional

A avaliação do profissional é de extrema importância, pois por meio dela se mensura a prática em nível de quantidade e qualidade, o que cria subsídios para a formulação de projetos e, ainda, fornece material para a teorização da prática. O registro das condutas adotadas permite a continuação da prática caso o profissional seja substituído.

São estes os objetivos do assistente social diante dos pacientes oncológicos:

- conhecer e compreender o contexto social do usuário;
- prestar serviço socioassistencial, disponível em cada instituição, de acordo com as ne-

cessidades e de acordo com cada usuário;
- a fim de ajudar o portador de câncer a enfrentar melhor seu processo saúde-doença, viabilizar a articulação de serviços e recursos comunitários;
- motivar o usuário e seus familiares a aceitar o tratamento e participar dele;
- incentivar a cooperação e a integração entre profissionais que prestam atendimento direto ao usuário, garantindo-lhe um atendimento globalizado.

Dentro dessa perspectiva de atuação específica do serviço social, um aporte teórico utilizado neste trabalho foi o HumanizaSUS [1]. Esse documento é a base para gestores e trabalhadores do Sistema Único de Saúde (SUS) e privilegia a humanização no atendimento de seus usuários.

O HumanizaSUS se propõe a oferecer um sistema de saúde humanizado, com a participação de gestores, trabalhadores e usuários, em instâncias como projetos e programas comprometidos com a humanização e o fortalecimento do processo de pactuação democrática e coletiva.

Em um país como o Brasil, em que imperam grandes desigualdades socioeconômicas, os desafios na área da saúde residem sobretudo na ampliação do acesso de serviço de qualidade e nos processos de gerir e cuidar. Tais problemas aumentam a desvalorização dos servidores da saúde, a pouca participação na gestão dos serviços e o fraco vínculo com os usuários.

> Um dos aspectos que mais têm chamado a atenção, quando da avaliação dos serviços, é o despreparo dos profissionais e demais trabalhadores para lidar com a dimensão subjetiva que toda prática de saúde supõe. Ligado a esse aspecto, um outro que se destaca é a presença de modelos de gestão centralizados e verticais, desapropriando o trabalhador de seu próprio processo de trabalho. (p. 8) [1]

A Política Nacional de Humanização da Atenção e Gestão no Sistema de Único de Saúde entende por humanização a valorização dos diferentes sujeitos implicados no processo de produção de saúde: usuários, trabalhadores e gestores. Os valores que norteiam essa política são a autonomia e o protagonismo dos sujeitos, a corresponsabilidade entre eles, o estabelecimento de vínculos solidários, a construção de redes de cooperação e a participação coletiva no processo de gestão. (p. 8) [1]

Porém, ainda há muito que fazer para que o SUS institua uma política pública de saúde que vise à universalidade, à integralidade e à equidade. Entre os desafios a ser enfrentados estão:

- qualificar o sistema de cogestão do SUS;
- fortalecer os processos de regionalização cooperativa e solidária, na perspectiva da ampliação do acesso com equidade;
- diminuir a interferência da lógica privada na organização da rede de saúde, ampliando a corresponsabilização nos processos de cuidado de todos os serviços que compõem a rede do SUS;
- superar o entendimento de saúde como ausência de doença (cultura sanitária biomédica), ampliando e fortalecendo a concepção de saúde como produção social, econômica e cultural;
- superar a fragmentação do processo de trabalho e das relações entre diferentes profissionais;
- melhorar a interação nas equipes e qualificá-las para lidar com a singularidade dos sujeitos e coletivos nas práticas de atenção à saúde.

A fim de ampliar a oferta e qualidade dos serviços do SUS, as portarias n. 3.535, de 1998 [4], e n. 2439, de 2005 [5], do Ministério da Saúde, caracterizaram e instituíram a Rede de Atenção Oncológica, denominada Apoio Multidisciplinar.

Nesse contexto, o hospital é visto como um território de organização complexa, que ocupa lugar decisivo na prestação de serviços de saúde, cruzado por múltiplos interesses e que tem grande reconhecimento social. Local esse em que existem várias equipes interprofissionais.

Com o objetivo de ampliar a qualidade dos serviços do SUS, a portaria n. 874, de 2013 [6], do Ministério da Saúde reforça a necessidade da interlocução entre os atores para a construção de um cuidado integral desde a prevenção e a detecção precoce –, passando pelas fases de diagnóstico, tratamento, controle do câncer e cuidados paliativos. Tais ações só se fazem possíveis num contexto interdisciplinar.

Segundo Fourez [7], a interdisciplinaridade na questão coletiva implica reuniões e interações de sujeitos que representam várias áreas do saber, o que nem sempre se concretiza na prática. Muitas vezes, os profissionais de saúde continuam presos às suas especializações, demonstrando dificuldades de interação.

Destacam-se, ainda, os problemas decorrentes da existência de hierarquias e da valorização de certas ciências em detrimento de outras. As ciências sociais, no dizer de Nunes [8], entram "nessa interação" somente como externalidade, ou seja, como acréscimo ao biológico, pois a primazia continua sendo do modelo biomédico.

Em contraponto, para Gattás [9], a interdisciplinaridade trata das interações e sinergias entre as diferentes especialidades, levando em consideração a totalidade do ser humano e as circunstâncias que o rodeiam.

Interdisciplinaridade

Para compreender melhor a abordagem interdisciplinar no atendimento a pacientes oncológicos, é importante refletir sobre o termo "interdisciplinaridade". O que vem a ser isso?

Segundo Meirelles [10], significa

[...] interação entre duas ou mais disciplinas, podendo ir da simples comunicação de ideias até a integração mútua dos conceitos, da epistemologia, da terminologia, da metodologia, dos procedimentos, dos dados e da organização da pesquisa. É imprescindível a complementaridade dos métodos, dos conceitos, das estruturas e dos axiomas sobre os quais se fundam as diversas práticas científicas. O objeto utópico é a unidade do saber, meta ideal de todo o saber que pretenda corresponder às exigências do progresso humano. (p. 17)

Na prática, a interdisciplinaridade configura-se como uma equipe profissional constituída por diversas áreas do conhecimento e que atua com um único fim. É o intercâmbio entre várias disciplinas que, ao final de cada situação, agregam resultados obtidos, respeitando as bases disciplinares e trabalhando com corresponsabilidade. Assim, a equipe trabalha conectada em prol do usuário a ser atendido, acrescentando conhecimento e respeitando os limites de cada área técnica.

A concepção de interdisciplinaridade vem perpassando a dinâmica do fazer profissional do serviço social, que sempre atuou em grupo com profissionais de outros campos do saber, em busca de uma integração de conhecimentos. Segundo Paulo Freire [11],

> a interdisciplinaridade é o processo metodológico de construção do conhecimento pelo sujeito com base em sua relação com o contexto, com a realidade, com sua cultura. Busca-se a expressão interdisciplinaridade pela caracterização de dois movimentos dialéticos: a problematização da situação, pela qual se desvela a realidade, e a sistematização dos conhecimentos de forma integrada.

Para Miceli [12], "a troca entre os saberes de disciplinas diferentes vai se tornando cada vez mais frequente e necessária para os bons resultados do trabalho, objetivo comum da equipe interdisciplinar que procura resolver de forma integrada os problemas surgidos".

Nas palavras de Japiassu [13],

> podemos dizer que nos reconhecemos diante de um empreendimento interdisciplinar todas as vezes em que ele conseguir incorporar os resultados de várias especialidades, que tomar de empréstimo a outras disciplinas certos instrumentos e técnicas metodológicos, fazendo uso dos esquemas conceituais e das análises que se encontram nos diversos ramos do saber, a fim de fazê-los integrarem e convergirem, depois de terem sido comparados e julgados. Donde podermos dizer que o papel específico da atividade interdisciplinar consiste, primordialmente, em lançar uma ponte para ligar as fronteiras que haviam sido

estabelecidas anteriormente entre as disciplinas com o objetivo preciso de assegurar a cada uma seu caráter propriamente positivo segundo modos particulares e com resultados específicos.

Porém, nem sempre o conceito de transdisciplinaridade é consenso entre os pesquisadores. Para Fazenda [14],

> além de se tratar de uma utopia, apresenta uma incoerência básica, pois a própria ideia de uma transcendência pressupõe uma instância científica que imponha sua autoridade às demais, e esse caráter impositivo da transdisciplinaridade negaria a possibilidade de diálogo, condição *sine qua non* para o exercício efetivo da interdisciplinaridade.

O serviço social é uma das poucas profissões que têm, em sua concepção de atuação, um projeto ético-político predominantemente coletivo, estabelecido pela categoria entre as décadas de 1970 e 1980. Esse projeto promulga o pacto da categoria com a garantia dos direitos universais baseados na justiça e na democracia.

A atuação interdisciplinar recentemente vem tomando forma na profissão do assistente social, o qual almeja desfragmentar as especialidades, promover a interação das disciplinas e atuar de forma integrada. Segundo Sá [15], que estuda a interdisciplinaridade como proposta de organização do ensino e da pesquisa em serviço social, a Faculdade de Serviço Social da Pontifícia Universidade Católica de Campinas (PUC-Campinas) foi uma das pioneiras no debate do tema, organizando, em 1985, o curso de especialização "Trabalhos Comunitários e Interdisciplinares" para profissionais do serviço social e de áreas afins.

Interdisciplinaridade no campo hospitalar

Mas é efetiva a interdisciplinaridade no cotidiano hospitalar, quando os profissionais são oriundos de vários campos do saber? Como fica o poder de função, espaço e *status* entre os profissionais?

De acordo com Foucault [16], o poder se concretiza por meio de um sistema disciplinar disperso, que funciona anonimamente, por um controle incessante que se faz valer de práticas discursivas que serão aplicadas sobre os sujeitos.

Percebe-se que o hospital é uma instituição também disciplinar, construída como espaço corretivo que, de maneira indireta, mantém uma vigilância social constante. Nessa perspectiva de Foucault [16], a punição e a vigilância são mecanismos de poder para docilizar e adestrar as pessoas para que se adaptem às normas estabelecidas nas instituições.

Para Melo e Almeida [17], no trabalho interdisciplinar somos brindados com as intercorrências subjetivas de qualquer relação humana: as ciladas de sedução de ocupar o lugar do outro, de crer que tudo que reluz é ouro (risco de ecletismo e da descaracterização), de perda de tempo ou ausência de direção e da permissão de que o outro nos imobilize (desvalorização do produto do próprio trabalho).

As mesmas autoras [17] entendem que a base de um projeto interdisciplinar depende de algumas peculiaridades responsáveis pela confluência entre os profissionais, a saber: a especialização (certa dose de disciplinaridade); a convergência em torno do objeto; a convergência ético-política; as intercorrências do processo-histórico e o satisfatório gerenciamento das características subjetivas dos envolvidos.

Especificamente no serviço social, as pesquisas sobre o tema são bem raras. Tomando por base a análise realizada, depreende-se que a efetividade na relação profissional entre a equipe hospitalar e o serviço social, dentro da filosofia interdisciplinar, possibilita um atendimento de qualidade. Há, no entanto, de se afinar o discurso entre todos os envolvidos para que não aconteçam lacunas e lutas pelo poder que impeçam a efetividade da boa prestação do serviço aos pacientes.

No entanto, o levantamento bibliográfico e a consulta ao documento do SUS deixaram clara a grave lacuna de pesquisa e investigações sobre a relação de pacientes oncológicos com o serviço social de uma ótica interdisciplinar.

Algumas reflexões

Nos últimos tempos, no campo do serviço social, a questão da interdisciplinaridade foi pontuada nos diversos campos de atuação profissional, e as principais junturas ficam por conta de artigos publicados nas diversas revistas da área, além de trabalhos de conclusão de curso, dissertações de mestrado e teses de doutorado. Isso mostra que a discussão sobre o tema e sobre seus conceitos permanece atual e pertinente.

Porém, observamos que não existem muitas obras sobre o serviço social em oncologia; constatamos, ainda, que o conceito de interdisciplinaridade varia muito de autor para autor. Trata-se de um campo bastante interpretativo, sem uma linha de pensamento preciso e concreto. Baseia-se em diferentes conjecturas e traz diferentes variáveis.

Na interlocução entre os teóricos, observa-se que boa parte dos autores pesquisados concorda que a interdisciplinaridade é uma forma de interação entre duas ou mais disciplinas, enquanto outros a concebem como uma utopia.

Ao refletir sobre o tema estudado, questiona-se se é possível unir saberes e experiências para o melhor atendimento ao paciente oncológico realizado por profissionais e assistentes sociais por meio de ações interdisciplinares. A atuação do profissional do serviço social prioriza a humanização no atendimento ao paciente oncológico. Para tanto, visa ao trabalho em equipe que permite o compartilhamento de informações.

Embora, segundo o levantamento bibliográfico, tenhamos constatado que a interdisciplinaridade de fato acontece nos hospitais, não foram encontradas pesquisas que analisem se isso se dá com os pacientes oncológicos, o que evidencia uma séria lacuna num tema tão importante. Na ação intensa e dinâmica de um hospital, na produção vivencial de uma ala oncológica, é possível respeitar a interdisciplinaridade? Isso nos leva a sugerir futuros estudos com metodologia empírica para que os questionamentos sejam respondidos. A pesquisa no campo e o campo para a pesquisa desvendarão essa questão.

Segundo Thiesen [18],

Só há interdisciplinaridade se formos capazes de partilhar o nosso domínio do saber, se tivermos a coragem necessária para abandonar o conforto da nossa linguagem técnica e para nos aventurarmos num domínio que é de todos e de que ninguém é proprietário exclusivo. Não se trata de defender que com a interdisciplinaridade se alcançaria uma forma de anular o poder que todo saber implica (o que equivaleria a cair na utopia beata do sábio sem poder), mas de acreditar na possibilidade de partilhar o poder que se tem, ou melhor, de desejar partilhá-lo.

O atendimento humanizado e as ações interdisciplinares são retratados cotidianamente como algo intrínseco à atuação do assistente social, provocando por si só uma partilha de informações. Mas, para que isso aconteça, o profissional precisa estabelecer uma prática diferenciada, que parta do desejo de partilha e do processo de acolhimento ao sujeito atendido.

Com a escuta, com a abertura no processo de interação comunicativa, têm início a sensibilização pelo estado de saúde e pelas demandas da pessoa adoecida e a busca de soluções para as questões levantadas.

O sujeito atendido deve ser tratado sem nenhum tipo de preconceito. O profissional do serviço social deve tentar compreender suas necessidades e percebê-lo como um todo, valorizando sua condição humana plena e não o encarando apenas como mais um atendimento, um mero dado quantitativo. Nos serviços de saúde, vários atendimentos ocorrem de forma automatizada; porém, é preciso lembrar que antes do diagnóstico da doença existe um ser humano com uma vida social e emocional, profundamente impactado pelo diagnóstico de câncer.

Lidar com as situações vivenciadas com os atendidos e com profissionais de outros campos é um desafio cotidiano do assistente social que trabalha em equipe multiprofissional, sobretudo na oncologia. Por vezes, a esperança na possibilidade de cura e de uma qualidade de vida melhor para o paciente se choca com sentimentos e situações limítrofes, diante de possibilidades esgotadas de tratamento; nessas situações, surgem medo, angústia, frustração e tristeza. Isso pode levar a um distanciamento na relação entre profissional e sujeito atendido. Esse procedimento defensivo visa evitar um vínculo afetivo que provoque sofrimento e dificuldade de lidar com a perda.

Nesse contexto, faz-se necessário que o assistente social seja inserido no atendimento humanizado nas instituições que prestam serviços aos pacientes oncológicos e pela equipe multiprofissional. Afinal, esse trabalhador necessita de suporte para acolher eventuais sentimentos de perda sem que sua ação seja passível de julgamento e considerada ineficiente pelos outros profissionais, o que seria de lamentar.

Que as ações dos assistentes sociais e os vínculos estabelecidos com os pacientes sejam compreendidos por outros profissionais, uma vez que encontram respaldo em um projeto ético-político, com atuação predominantemente coletiva e cada vez mais engajado nas mudanças de postura que preconizam um atendimento de fato humanizado.

Considerações finais

Esperamos que os atendimentos do serviço social aos pacientes oncológicos, quer aconteçam em hospitais ou organizações da sociedade civil, possam ser cada vez mais empáticos, embasados no respeito à dor, na compreensão das mudanças drásticas no cotidiano, na valorização das demandas apresentadas e na compreensão de que vínculos afetivos saudáveis são componentes essenciais para uma ação profissional competente.

E que os questionamentos aqui apresentados referentes à ação interdisciplinar com pacientes oncológicos se configurem em múltiplos caminhos de pesquisa a ser trilhados por potenciais agentes transformadores da realidade.

Referências

1. Brasil. Ministério da Saúde. Secretaria de Atenção à Saúde. Núcleo Técnico da Política Nacional de Humanização. *HumanizaSUS: documento base para gestores e trabalhadores do SUS.* 4. ed. 4. reimp. Brasília: Ed. do Ministério da Saúde, 2010. Disponível em: <http://bvsms.saude.gov.br/bvs/publicacoes/humanizasus_documento_gestores_trabalhadores_sus.pdf>. Acesso em: 16 maio 2019.

2. Raichellis, R. "Assistência social e esfera pública: os conselhos no exercício do controle social". *Serviço Social e Sociedade*, v. 19, n. 56, 1998, p. 77-96.

3. Farias, T. S. D. *O cotidiano do(a) assistente social frente às demandas apresentadas pela paciente portadora do câncer de mama em tratamento no Hospital Doutor Luiz Antônio.* Dissertação (mestrado em Serviço Social), Universidade Federal do Rio Grande do Norte, Natal, RN, 2007. Disponível em: <https://repositorio.ufrn.br/jspui/bitstream/123456789/17865/1/TamaraSDF.pdf>. Acesso em: 16 maio 2019.

4. Brasil. Ministério da Saúde. Portaria n. 3.535, de 2 de setembro de 1998. Estabelece critérios para cadastramento de centros de atendimento em oncologia. Brasília: MS, 1998. Disponível em: <http://bvsms.saude.gov.br/bvs/saudelegis/gm/1998/prt3535_02_09_1998_revog.html>. Acesso em: 16 maio 2019.

5. Brasil. Ministério da Saúde. Portaria MS/GM n. 2439, de 8 de dezembro de 2005. Institui a Política Nacional de Atenção Oncológica: Promoção, Prevenção, Diagnóstico, Tratamento, Reabilitação e Cuidados Paliativos, a ser implantada em todas as unidades federadas, respeitadas as competências das três esferas de gestão. Brasília: MS, 2005 (revogada pela PRT n. 874/GM/MS, de 16 de maio de 2013).

6. Brasil. Ministério da Saúde. Portaria MS/GM n. 874, de 16 de maio de 2013. Institui a Política Nacional para a Prevenção e Controle do Câncer na Rede de Atenção à Saúde das Pessoas com Doenças Crônicas no âmbito do Sistema Único de Saúde (SUS). Brasília: MS, 2013. Disponível em: <http://bvsms.saude.gov.br/bvs/saudelegis/gm/2013/prt0874_16_05_2013.html>. Acesso em: 19 de maio de 2019.

7. Fourez, G. "Interdisciplinarité et îlots de rationalité". *Canadian Journal of Science, Mathematics and Technology Education*, v. 1, n. 3, 2001, p. 341-48.

8. Nunes, E. D. "A questão da interdisciplinaridade no estudo da saúde coletiva e o papel das ciências sociais". In: Canesqui, A. M. (orgs.). *Dilemas e desafios das ciências sociais na saúde coletiva*. São Paulo: Hucitec; Rio de Janeiro: Abrasco, 1995, p. 95-113.

9. Gattás, M. L. B. *Interdisciplinaridade em cursos de graduação na área da saúde da Universidade de Uberaba-Uniube.* Tese (doutorado em Enfermagem), Universidade de São Paulo, Ribeirão Preto, SP, 2005. Disponível em: <http://www.teses.usp.br/teses/disponiveis/22/22131/tde-20062005-083314/en.php>. Acesso em: 16 maio 2019.

10. Meirelles, B. H. S. *Interdisciplinaridade: uma perspectiva de trabalho nos serviços de atendimento ao portador do HIV/aids.* Dissertação (mestrado em Assistência à Enfermagem), Universidade Federal de Santa Catarina, Florianópolis, SC, 1998. Disponível em: <http://www.bu.ufsc.br/teses/PNFR0183-D.pdf>. Acesso em: 17 maio 2019.

11. Freire, P. *Pedagogia do oprimido.* Rio de Janeiro: Paz e Terra, 1987.

12. Miceli, A. V. P. "Contribuição da psicologia assistencial do Instituto Nacional de Câncer nas experiências de multi, inter e transdisciplinaridade". In: Veit, M. T. (org.). *Transdisciplinaridade em oncologia: caminhos para um atendimento integrado.* São Paulo: Abrale, 2009.

13. Japiassu, H. *A questão da interdisciplinaridade: paixão de aprender.* Porto Alegre: Secretaria Municipal da Educação, 1994.

14. Fazenda, I. C. A. *Integração e interdisciplinaridade no ensino brasileiro.* São Paulo: Loyola, 1993.

15. Sá, J. M. "Especialização versus interdisciplinaridade: uma proposta alternativa". In: Sá, J. M. (org.). *Serviço social e interdisciplinaridade: dos fundamentos filosóficos à prática interdisciplinar no ensino, pesquisa e extensão.* São Paulo: Cortez, 2010, p. 23-58.

16. Foucault, M. *Microfísica do poder.* 18. ed. Rio de Janeiro: Graal, 2003.

17. Melo, I. S. C.; Almeida, G. E. S. "Interdisciplinaridade: possibilidades e desafios para o trabalho profissional". *Capacitação em serviço social e política social: o trabalho do assistente social e as políticas sociais.* v. 4. Brasília: UNB/Cead, 2000.

18. Thiesen, J. S. "A interdisciplinaridade como um movimento de articulação no processo ensino-aprendizagem". *PerCursos*, v. 8, n. 1, 2007, p. 87-102. Disponível em: <http://nead.uesc.br/arquivos/Fisica/estagio_supervisionado_4/material_apoio/unidade_1-a_interdisciplinaridade_como_articulacao_processo_ensino-aprendizagem.pdf>. Acesso em: 16 maio 2019.

31. INTERAÇÃO ENTRE NUTRIÇÃO E PSICOLOGIA NA MUDANÇA DE HÁBITOS EM PACIENTES ONCOLÓGICOS

Rafaela Mota Peixoto, Marília A. de Freitas Aguiar

Introdução

O câncer, doença crônica que leva ao crescimento desordenado de células [1], constitui a segunda maior causa de óbitos no Brasil, precedido apenas pelas doenças cardiovasculares [2]. O Instituto Nacional de Câncer José Alencar Gomes da Silva (Inca) estimou para o biênio 2018-2019 aproximadamente 600 mil novos casos de câncer no país. Excetuando-se o câncer de pele não melanoma, ocorrerão cerca de 420 mil novos casos. [3]

O desenvolvimento do câncer resulta de uma interação entre fatores internos e externos, estando os hábitos de vida inadequados, com grande exposição aos fatores de riscos, relacionados com 80% dos casos de tumores. Os fatores externos – ou ambientais – associados ao surgimento do câncer são maus hábitos alimentares, tabagismo, obesidade, sedentarismo e exposição a tipos específicos de vírus, bactérias e parasitas, além do contato frequente com substâncias carcinogênicas, como produtos de carvão e amianto. Os principais tipos de câncer sofrem influência da dieta inadequada. [2]

O comitê de peritos da World Cancer Research Fund confirma que o aumento da prática de atividade física, a manutenção de peso corpóreo adequado, o não uso de tabaco e a adoção de dieta saudável é capaz de reduzir em 60% a 70% a incidência de câncer no mundo. Assim, a prevenção ganha grande dimensão na ciência. Há fortes evidências de que a alimentação tem um importante papel nos estágios de iniciação, promoção e propagação do câncer. A má alimentação é atribuída a cerca de 35% das mortes por câncer associadas a fatores ambientais, seguida pelo tabaco, que representa 30% dos óbitos. [1]

Visto que as principais causas do crescimento de células cancerígenas são os fatores ambientais, ou seja, aqueles fatores evitáveis, a transdisciplinaridade entre a equipe de saúde – sobretudo a interação entre a nutrição e psicologia visando às mudanças de hábitos alimentares – é fundamental [1]. A transdisciplinaridade necessita de profissionais reciprocamente situados tanto em sua área de atuação como nas dos colegas, e envolve uma coordenação de todas as disciplinas e interdisciplinas. [4]

Diante do aumento alarmante da incidência de câncer no Brasil e da relação dos maus hábitos alimentares com esse crescente número, alguns nutricionistas buscam uma abordagem mais efetiva para auxiliar os pacientes oncológicos a trocar os hábitos alimentares inadequados por hábitos saudáveis. Nessa busca, nota-se a escassez de estudos sobre o tema e percebe-se a importância de toda a equipe de saúde trabalhar junto, em especial nutricionistas e psicólogos com auxílio do psico-oncologista.

Nutrição, psicologia e psico-oncologia

Ao falar em transdisciplinaridade na mudança de hábitos do paciente oncológico, faz-se necessário evidenciar a nutrição, a psicologia e a psico-oncologia como especificidade do olhar humanizado e integral ao paciente oncológico.

A designação e o exercício da profissão de nutricionista, classificada como profissional de saúde, são privativos aos portadores de diploma expedido por escolas de graduação em Nutrição, oficialmente reconhecidas, e registrados no órgão competente do Ministério da Educação, bem como regularmente inscritos no Conselho Regional de Nutricionistas (CRN). Algumas das competências privativas do profissional da nutrição são a assistência e a educação nutricional a coletividades ou indivíduos, sadios ou enfermos, em instituições públicas e privadas e em consultório de nutrição e dietética [5], visando à prevenção de doenças e à promoção, manutenção e recuperação da saúde.

A Lei n. 8.234, de 1991, regulamenta a profissão e torna a assistência e a educação alimentar e nutricional ações privativas do nutricionista. Porém, a promoção da alimentação saudável tem caráter mais amplo, perpassando não só ações de outros profissionais como iniciativas que transcendem os serviços de saúde. A educação da população para práticas alimentares saudáveis é uma das medidas que contemplam diferentes setores do governo e da sociedade civil. As equipes de saúde desempenham um importante papel nessa área, devendo o nutricionista ser a referência para os demais profissionais nessa temática. [6]

Assim como o nutricionista, o profissional de psicologia também necessita de diploma de graduação, conforme a Lei n. 4.119, de 1962, que regulamenta a profissão. A mesma lei institui ações privativas do psicólogo: diagnóstico psicológico, orientação e seleção profissional, orientação psicopedagógica e solução de problemas de ajustamento. Além disso, relaciona como competência desse profissional a colaboração em assuntos psicológicos ligados a outras ciências. [7]

Falando na atuação do psicólogo na oncologia, não podemos deixar de mencionar a psico-oncologia, que representa uma interface dessas duas ciências. A psico-oncologia compõe um campo interdisciplinar da saúde que estuda a influência de fatores psicológicos no desenvolvimento, no tratamento e na reabilitação de pacientes com câncer. Entre os principais objetivos da psico-oncologia está a identificação de variáveis psicossociais e contextos ambientais nos quais a intervenção psicológica possa ser útil – tanto no processo de enfrentamento da doença quanto em situações potencialmente estressantes a que pacientes e familiares são submetidos. [8]

A intervenção em psico-oncologia é baseada em modelos educacionais e não apenas em modelos médicos ou clínicos que enfatizam estruturas patológicas e atendimentos terapêuticos individuais. Assim, dá ênfase ao indivíduo de forma integral e não exclusivamente à doença. O psico-oncologista prioriza a promoção de mudanças de comportamento relacionadas com a saúde do indivíduo, devendo o tratamento constituir uma condição de aprendizagem para o paciente. A psico-oncologia vem se fazendo indispensável para promover as condições de qualidade de vida do paciente com câncer, uma vez que facilita o processo de enfrentamento de fatores estressantes ligados ao processo de tratamento da doença – entre eles, longos períodos de tratamento, efeitos agressivos da medicação, submissão a procedimentos médicos invasivos e potencialmente dolorosos, alterações de comportamento do paciente (incluindo desmotivação e depressão) e riscos de recidiva da doença. Afinal, mesmo com o aumento de resultados cada vez mais favoráveis aos tratamentos de câncer, o diagnóstico ainda é permeado por inúmeros medos, tendo caráter catastrófico. [8]

Prevenção e mudança de hábitos de vida

As doenças não transmissíveis (DNTs) são as principais causas de enfermidade e óbito prematuro passíveis de prevenção. Além disso, representam ônus socioeconômico, com acentuado aumento nos gastos com tratamento, prejudicando o bem-estar de indivíduos e famílias, e ameaçando o desenvolvimento socioeconômico. Os cálculos econômicos preveem uma perda acumulada mundial, nos próximos 20 anos, de US$ 46 trilhões com doenças cardiovasculares, doenças respiratórias crônicas, câncer, diabetes e transtornos mentais. As políticas e ações dos países necessitam implementar e expandir intervenções eficazes de base científica e de baixo custo para as DNTs e para desenvolver e aplicar novos conhecimentos. [9]

Confirmando o impacto negativo das DNTs, a Organização Pan-Americana da Saúde (Opas) elaborou um plano de ações para prevenção e controle de doenças crônicas não transmissíveis para os anos de 2012 a 2025. Este apresenta como principais estratégias políticas multissetoriais, parcerias entre diversas áreas do conhecimento e identificação dos fatores de risco das DNTs, bem como dos fatores de proteção e resposta de sistemas de saúde. As ações propostas centram-se nas quatro DNTs que mais contribuem para a morbidade – doenças cardiovasculares, câncer, diabetes e doenças respiratórias crônicas –, bem como em seus quatro fatores de risco mais comuns – consumo de tabaco, dieta insalubre, sedentarismo e uso prejudicial de álcool. [9]

Por meio da Portaria n. 874, de 16 de maio de 2013, o Ministério da Saúde instituiu a política Nacional para Prevenção e Controle do Câncer na Rede de Atenção à Saúde das Pessoas com Doenças Crônicas no âmbito do Sistema Único de Saúde (SUS). A criação dessa política objetiva a redução da mortalidade e da incapacidade relacionadas com o câncer e a diminuição da incidência de alguns tipos de câncer, bem como contribuir para a melhoria da qualidade de vida dos pacientes por meio de ações de promoção, prevenção, detecção precoce, tratamento oportuno e cuidados paliativos. A portaria enfatiza o desenvolvimento de ações intersetoriais que promovam a saúde e a qualidade de vida, além de descrever os princípios e diretrizes para a promoção da saúde. Também reforça a necessidade da eliminação, da redução e do controle de fatores de risco físicos, químicos e biológicos e a intervenção em seus determinantes socioeconômicos. Cita, ainda, a importância do cuidado integral ao paciente oncológico, garantindo atendimento multiprofissional a todos os usuários com câncer, com oferta de cuidado compatível com cada nível de atenção e evolução da doença. [10]

A portaria também define como responsabilidade do SUS garantir a formação e a qualificação dos profissionais e dos trabalhadores de saúde de acordo com as diretrizes da Política Nacional de Educação Permanente em Saúde (Pneps), a qual "tem como finalidade transformar as práticas do trabalho, com base em reflexões críticas, propondo o encontro entre o mundo da formação e o mundo do trabalho, através da interseção entre o aprender e o ensinar na realidade dos serviços". [11]

No caso das pessoas com câncer, a Pneps define como responsabilidades dos componentes da atenção básica realizar ações de promoção da saúde com foco nos fatores de proteção relativos à doença, como alimentação saudável e atividade física, e na prevenção de fatores de risco, tais como agentes cancerígenos físicos e químicos presentes no ambiente. [10]

A prevenção em oncologia é vista em três estágios. A prevenção primária visa à redução da exposição aos fatores de risco, por meio da promoção de mudanças nos hábitos de vida, na melhora da qualidade alimentar e no combate ao sedentarismo, ao tabagismo e ao alcoolismo. A prevenção secundária fundamenta-se na detecção precoce e no rastreamento, estimulando a realização de exames periódicos a fim de detectar o câncer em estágios iniciais ou lesões pré-câncer. A terceira forma de prevenção objetiva evitar deformidades, recidivas e morte por câncer, ou seja, melhorar o prognóstico da doença e aumentar a qualidade de vida. Hoje, sabe-se que a prevenção primária, somada à secundária – ou seja, a diminuição da exposição da população a fatores de risco e o diagnóstico precoce –, pode reduzir em dois terços o número de casos de câncer. [2]

Segundo Tucunduva *et al.* [2], não há grandes estudos populacionais de prevenção do câncer no Brasil, bem como estudos na literatura nacional que abordem o conhecimento dos médicos não oncologistas acerca das medidas de prevenção do câncer – embora sejam esses profissionais os responsáveis pela maioria dos diagnósticos de câncer e que, portanto, desempenhem papel fundamental na prevenção e detecção precoce da doença.

Nutrição e psicologia na mudança de hábitos dos pacientes

Quaioti e Almeida [12] afirmam que o comportamento alimentar é influenciado desde a gestação, evidenciando que a alimentação da mãe durante a gravidez e a lactação influencia as escolhas alimentares posteriores do bebê. Assim, quando o indivíduo precisa mudar os hábitos alimentares, eles já estão arraigados há bastante tempo. Daí a necessidade de propagar informações nutricionais também ao público mais jovem.

A nutrição desempenha o imprescindível papel de levar ao paciente o conhecimento sobre as mudanças necessárias para alcançar seus objetivos, seja a reeducação alimentar, a perda de peso ou o controle de determinada patologia. Já a psicologia complementa esse trabalho auxiliando o paciente a efetivamente colocar seu projeto em prática, identificando o que o está atrapalhando nesse processo. [13]

Estudo de França *et al.* [14] que visou avaliar o impacto imediato dos aspectos nutricionais e psicológicos de um grupo psicoeducativo com o foco na mudança do comportamento alimentar verificou os benefícios da intervenção grupal e multiprofissional no emagrecimento e no estado físico e psíquico do paciente. As autoras constataram que tristeza, baixa autoestima, depressão, ansiedade, motivação e alegria podem interferir na mudança de comportamento alimentar. Estratégias de distração, como a prática de atividades físicas, auxiliam na redução de doenças físicas e de sintomas psicológicos. Além disso, comprovou-se que ações multiprofissionais em grupos psicoeducativos podem contribuir para mudanças no estilo de vida e estimular o paciente a aderir ao tratamento proposto, obtendo-se respostas terapêuticas mais eficazes. Nesse modelo, o paciente se torna protagonista do seu processo de cuidado.

A manutenção de hábitos alimentares saudáveis sofre interferência de aspectos emocionais. Sentimentos negativos levam a uma adesão menor à dieta e ao desestímulo para continuar cuidando de si mesmo. Já sentimentos positivos como motivação e alegria contribuem sobremaneira para estimular a mudança do comportamento alimentar e a prática de hábitos saudáveis. Assim, motivação é fator primordial para a adesão às mudanças no estilo de vida. O conhecimento só serve de instrumento para a mudança se houver no indivíduo o desejo de mudar, o que reforça a importância dos profissionais de nutrição e de psicologia no auxílio ao paciente. [14]

Ser educador em nutrição não se resume a transmitir informações corretas de forma didática; implica apreender a maneira como o indivíduo vivencia o problema alimentar, não apenas em relação ao consumo de alimentos e à forma como se come, mas a todas as questões subjetivas e interpessoais presentes. Educar para a alimentação saudável exige levar em conta as representações sociais dos alimentos e o significado simbólico deles para os sujeitos do processo educativo, a ressignificação dos alimentos e a construção de novos sentidos para o ato de comer – sem deixar de lado a saúde, o prazer, o social e a preocupação com a sustentabilidade [6]. Conhecendo toda a complexidade do comportamento alimentar, fica cada vez mais clara a importância da psicologia no processo de mudança alimentar.

A motivação diante do processo de mudança comportamental é definida em cinco estágios: pré-contemplação, contemplação, preparação, ação e manutenção. Na fase da pré-contemplação, o indivíduo ainda tem consciência da importância da mudança, havendo necessidade de o profissional da saúde ajudá-lo a questionar suas opiniões sobre seu atual comportamento e os riscos que estão por trás dessas atitudes. Durante a contemplação, o indivíduo entende que existe um problema e começa a surgir a vontade de mudar, mas faltam meios para ir à ação e as dúvidas se instalam. Nessa fase, o profissional deve dar informações e *feedbacks* positivos a fim de estimular o paciente a ter um estilo de vida mais saudável. Na preparação, a ambivalência diminui e a vontade de mudar aumenta, sendo fundamental que a equipe avalie o comprometimento existente para a mudança e procure antecipar as armadilhas existentes no processo. Na fase de ação, o indivíduo estará engajado para a mudança de hábito; é importante que a equipe mostre exemplos de pessoas que conseguiram obter sucesso e ofereça ferramentas para que o paciente faça boas escolhas. A manutenção é considerada seis meses após a adoção do novo comportamento. Nessa fase, é primordial que os profissionais da saúde encorajem o indivíduo e o ajudem a consolidar e efetivar os novos hábitos, mostrando seus acertos e ajudando-o a identificar e lidar com possíveis deslizes e recaídas. [15]

Embora a Portaria n. 874 de 2013 e vários autores reforcem a importância da relação entre nutricionistas e psicólogos na redução do risco de doenças crônicas não transmissíveis e no processo de emagrecimento, não encontramos nenhum estudo específico sobre a interação da nutrição e da psicologia na mudança comportamental do paciente oncológico.

Abordagens efetivas na mudança de hábitos alimentares

A escolha do que comer e a forma como se come são influenciadas por crenças, tabus, pensamentos, hábitos, sentimentos, comportamentos, relacionamento com os alimentos, cultura, família e religião. Além disso, o comer tem sido associado à culpa, o que pode não ser positivo. A culpa costuma levar à frustração e à sensação de perda de controle. Ao afetar a qualidade de vida e a autoestima, pode levar ao aumento do peso corporal [16]. Sabendo-se disso, é importante que a abordagem escolhida para promover a mudança de hábitos considere todos os fatores que os influenciam e as dificuldades que permeiam tal mudança.

Vários autores destacam que, entre os tratamentos não farmacológicos para problemas de saúde, estão as intervenções em grupo interprofissional. Estas são vistas como ações benéficas para a mudança de hábitos e a construção de competências relacionadas com a saúde e a qualidade de vida da população. Trata-se de ações de baixo custo que atingem um maior número de pessoas. [14]

Duas abordagens se mostraram eficazes na mudança de hábitos: a terapia comportamental cognitiva (TCC) e o *mindfulness*, que podem ou não estar associados.

A TCC é uma psicoterapia breve, estruturada, orientada para o presente, direcionada a resolver problemas atuais e modificar pensamentos e comportamentos disfuncionais. Trata-se de uma abordagem eficaz para intervenções grupais com foco na mudança de comportamento alimentar. Porém, França *et al.* não citam a mudança comportamental especificamente em pacientes oncológicos. [14]

Já *mindfulness* refere-se a um estado caracterizado pela capacidade de estar atento, de forma intencional, ao momento presente, a tudo que surge no meio interno e externo, sem julgamentos nem desejo de mudar aquela experiência. Pesquisas mostram que essa técnica está associada a uma redução na angústia e nos sintomas, além de ajudar os pacientes no tratamento de doenças crônicas como câncer e depressão. [17]

O *mindfulness* pode auxiliar no gerenciamento de emoções intensas, visando acalmá-las [17], e dentro desse movimento se destaca o *mindful eating*. Conhecido no Brasil como "atenção plena ao comer", ele visa dar mais atenção aos sabores, consistências e processos de comer, sem rotular os alimentos. O praticante reconhece no próprio corpo os sentimentos e pensamentos que lhe dizem se estão ou não com fome e satisfeitos, tanto física como emocionalmente, o que pode auxiliar na mudança do comportamento alimentar. O praticante torna-se um observador curioso da própria experiência, sendo capaz de evitar exageros e compulsões. [16]

TCC, *mindfulness* e *mindful eating* são abordagens efetivas na mudança de hábito. Não impositivas, consideram os aspectos que permeiam o hábito alimentar e objetivam a mudança de uma forma suave, baseada no momento presente. Porém, vale ressaltar que essas abordagens necessitam de profissionais capacitados e engajados para auxiliar o indivíduo a mudar.

Considerações finais

O câncer é uma doença cada vez mais comentada e estudada – além de apresentar um aumento considerável em sua incidência a cada ano –, mas ainda são poucos os estudos que relacionam a ação interdisciplinar de nutricionistas e psico-oncologistas na aplicação de ações preventivas e de promoção de mudanças de hábitos inadequados visando à prevenção primária e terciária. Mesmo com a confirmação de vários autores da importância de troca de hábitos inadequados por bons hábitos de vida, não há estudos específicos relacionados com o câncer e os pacientes oncológicos.

Segundo diversos estudos, a abordagem nutricional com auxílio da psico-oncologia é mais efetiva [13, 14]. Assim, psicólogos e nutricionistas podem e devem trabalhar em conjunto na educação em saúde. Nota-se também a importância do psico-oncologista que atua de maneira interprofissional, abordando a influência de fatores psicológicos sobre o desenvolvimento, o tratamento e a reabilitação de pacientes com câncer. Acreditamos que com a consolidação da psico-oncologia a transdisciplinaridade aconteça de fato, ou seja, a equipe de saúde trabalhe com a troca de saberes de forma concomitante em prol de olhar o indivíduo de forma integral.

Encontramos, na literatura pesquisada, estudos sobre a interação das profissões em mudanças de hábitos visando ao emagrecimento e ao combate às doenças crônicas, mas não especificamente na oncologia. Como o câncer é uma das doenças crônicas mais mortíferas e temidas no Brasil [2], merecia estudos detalhados que direcionassem os profissionais que atuam com esse público.

Nunca se falou tanto em nutrição e alimentação, nunca se buscou tanto aconselhamento dietético, mas a obesidade e os maus hábitos alimentares continuam crescendo. Hoje, o acesso à informação é simples, mas nem por isso tem havido mudança de hábitos. Ao contrário, como vimos, pode gerar culpa e dificultar o processo de mudança. Apesar do aumento da procura e da popularidade do aconselhamento nutricional, ainda existe baixa adesão à introdução de novos hábitos alimentares de maneira definitiva, visto que a mudança de hábitos envolve vários aspectos subjetivos.

As orientações para reduzir risco de DNTs são basicamente estimular a prática de atividades físicas regulares; manter-se com peso corpóreo dentro da normalidade; ter alimentação saudável – baseada em carnes brancas, verduras, legumes, frutas e fibras, com redução de açúcares, carnes vermelhas, carnes embutidas, gorduras e sódio; reduzir o consumo de bebidas alcoólicas e cessar o tabagismo. Sendo uma doença não transmissível, o câncer merece essa mesma recomendação? Será que os profissionais de saúde devem mencionar todas essas regras a todos os pacientes oncológicos? Como discutimos, o diagnóstico de câncer costuma gerar uma série de mudanças, medos, alterações emocionais, limitações... Não serão essas regras mais um aspecto negativo para esse indivíduo? Se a resposta

for positiva para a necessidade de realmente colocar a alimentação à frente de aspectos sociais, emocionais e culturais, devemos manter essa postura em todos os estágios da doença? Para indivíduos de todas as faixas etárias? Para pacientes em todas as formas de tratamento? E os pacientes em cuidados paliativos? Seguir todas as regras impostas é garantia de bons resultados? O que essas restrições podem trazer ao indivíduo em longo prazo? Como os pacientes e seus familiares enxergam essas orientações nutricionais?

Fato é que um tema tão complexo requer estudos em longo prazo, pois a mudança de hábitos de vida – sobretudo os alimentares – deve ser forte aliada na prevenção do câncer e no melhor prognóstico, e não constituir mais preocupação, privação e restrição a pacientes que em geral já estão sobrecarregados de informações, regras e prescrições. A alimentação é fonte de prazer e tem características sociais, culturais e emocionais, além de dizer muito sobre o próprio paciente. Dessa forma, deve-se avaliar individualmente o custo-benefício da mudança de hábitos alimentares.

O leitor já ficou irritado quando estava com fome? Ou triste quando deixou de comer algo que queria? Já ficou ansioso e descontou na comida? Imagine o paciente com câncer, que além de ter sentimentos pode passar por dores, efeitos colaterais, alterações no paladar, mudanças na rotina, angústias, limitações e medos. Nesse sentido, a terapia cognitivo-comportamental e o *mindfulness* levam em conta a bagagem que o paciente oncológico carrega, constituindo fortes aliados na mudança de hábitos.

Fato é que o psico-oncologista pode desempenhar papel excepcional nesse processo. Ressalte-se, porém, a ausência de pesquisas sobre a TCC e o *mindfulness* na mudança de hábitos de pacientes com câncer.

Embora haja poucos estudos sobre o tema, é importante reforçar que nós, profissionais de saúde, devemos enxergar o paciente como um ser único. Em certos momentos, podemos nos apegar ao desejo de fazer o bem sem respeitar a individualidade do portador de câncer e de seus familiares.

Não há dúvida de que o tema merece mais atenção e estudos, bem como maior capacitação dos profissionais da saúde que lidam com esse público cheio de peculiaridades, mas esperamos ter deixado um olhar diferenciado ao leitor, além de ressaltar e divulgar a importância do profissional especializado em psico-oncologia.

Finalizamos compartilhando com nossos colegas uma assertiva frase de Carl Jung: "Conheça todas as teorias, domine todas as técnicas, mas ao tocar uma alma humana seja apenas outra alma humana".

Referências

1. Garofolo, A. *et al*. "Dieta e câncer: um enfoque epidemiológico". *Revista de Nutrição*, v. 17, n. 4, 2004, p. 491-505. Disponível em: <http://www.scielo.br/scielo.php?script=sci_arttext&pid=S1415-52732004000400009&lng=en&nrm=iso>. Acesso em: 18 maio 2019.

2. Tucunduva, L. T. C. M. *et al*. "Estudo da atitude e do conhecimento dos médicos não oncologistas em relação às medidas de prevenção e rastreamento do câncer". *Revista da Associação Médica Brasileira*, v. 50, n. 3, 2004, p. 257-62. Disponível em: <http://www.scielo.br/scielo.php?script=sci_arttext&pid=S0104-42302004000300030&lng=en&nrm=iso>. Acesso em: 19 maio 2019.

3. Instituto Nacional de Câncer José Alencar. *Estimativa 2018 – Incidência do câncer no Brasil*. Rio de Janeiro: Inca, 2017. Disponível em <http://www1.inca.gov.br/estimativa/2018/>. Acesso em: 19 maio 2019.

4. Iribarry, I. N. "Aproximações sobre a transdisciplinaridade: algumas linhas históricas, fundamentos e princípios aplicados ao trabalho de equipe". *Psicologia: Reflex*ão e *Crítica*, v. 16, n. 3, 2003, p. 483-90. Disponível em: <http://www.scielo.br/scielo.php?script=sci_arttext&pid=S0102-79722003000300007&lng=en&nrm=iso>. Acesso em: 19 maio 2019.

5. Brasil. Presidência da República. Lei n. 8.234, de 17 de setembro de 1991. Regulamenta a profissão de nutricionista e dá outras providências. Brasília, DF, 1991. Disponível em: <http://www.planalto.gov.br/ccivil_03/leis/1989_1994/L8234.htm>. Acesso em: 19 maio 2019.

6. Boog, M. C. F. "Atuação do nutricionista em saúde pública na promoção da alimentação saudável". *Revista Ciência & Saúde*, v. 1, n. 1, 2008, p. 33-42. Disponível em: <http://revistaseletronicas.pucrs.br/ojs/index.php/faenfi/article/viewFile/3860/2932>. Acesso em: 19 maio 2019.

7. Brasil. Presidência da República. Lei n. 4.119, de 27 de agosto de 1962. Dispõe sobre os cursos de formação em psicologia e regulamenta a profissão de psicólogo. Brasília, DF, 1962. Disponível em: <http://www.planalto.gov.br/ccivil_03/leis/1950-1969/L4119.htm>. Acesso em: 19 maio 2109.

8. Costa Júnior, A. L. "O desenvolvimento da psico-oncologia: implicações para a pesquisa e intervenção profissional em saúde". *Psicologia: Ciência e Profissão*, v. 22, n. 3, 2001. Disponível em: <http://www.scielo.br/scielo.php?pid=S1414-98932001000200005&script=sci_arttext&tlng=pt>. Acesso em: 19 maio 2019.

9. Organização Pan-Americana da Saúde. *Plano de ação para prevenção e controle de doenças não transmissíveis*. Washington: Opas, 2013.

10. Brasil. Ministério da Saúde. Portaria n. 874, de 16 de maio de 2013. Brasília, DF, 13 maio 2013. Disponível em: <http://bvsms.saude.gov.br/bvs/saudelegis/gm/2013/prt0874_16_05_2013.html>. Acesso em: 19 maio 2019.

11. Ministério da Saúde. Política Nacional de Educação Permanente (Pneps). s/d. Disponível em: <http://portalms.saude.gov.br/trabalho-educacao-e-qualificacao/gestao-da-educacao/qualificacao-profissional/40695-politica-nacional-de-educacao-permanente-pneps>. Acesso em: 19 maio 2019.

12. Quaioti, T. C. B.; Almeida, S. S. "Determinantes psicobiológicos do comportamento alimentar: uma ênfase em fatores ambientais que contribuem para a obesidade". *Psicologia USP*, v. 17, n. 4, 2006, p. 193-211. Disponível em: <http://www.scielo.br/scielo.php?script=sci_arttext&pid=S0103-65642006000400011&lng=en&nrm=iso>. Acesso em: 19 maio 2019.

13. Gazzola, G. S *et al*. "Mudança comportamental". Congresso de Pesquisa e Extensão da Faculdade da Serra Gaúcha, Caxias do Sul, RS, 2014. Disponível em: <http://ojs.fsg.br/index.php/pesquisaextensao/article/viewFile/293-304/928>. Acesso em: 19 maio 2019.

14. França, C. L. *et al*. "Contribuições da psicologia e da nutrição para a mudança do comportamento alimentar". *Estudos em Psicologia* (Natal), v. 17, n. 2, 2012, p. 337-45. Disponível em: <http://www.scielo.br/scielo.php?script=sci_arttext&pi-

d=S1413-294X2012000200019&lng=en&nrm=iso>. Acesso em: 19 maio 2019.

15. Veiga, D. K. E. *et al.* "Avaliação dos estágios motivacionais de indivíduos que procuram atendimento nutricional". *Revista de Psicologia*, v. 13, n. 18, 2010, p. 117-25. Disponível em: <pgsskroton.com.br/seer/index.php/renc/article/download/2537/2424>. Acesso em: 19 maio 2019.

16. Silva, B. F.; Martins, E. S. "Mindful eating na nutrição comportamental". *Revista Científica Univiçosa*, v. 9, n. 1, 2017. Disponível em: <https://academico.univicosa.com.br/revista/index.php/RevistaSimpac/article/view/921>. Acesso em: 19 maio 2019.

17. Lopes, R. F. F.; Castro, F. S.; Neufeld, C. B. "A terapia cognitiva e o mindfulness: entrevista com Donna Sudak". *Revista Brasileira de Terapias Cognitivas*, v. 8, n. 1, 2012, p. 67-72. Disponível em: <http://pepsic.bvsalud.org/scielo.php?script=sci_arttext&pid=S1808-56872012000100010&lng=pt&nrm=iso>. Acesso em: 19 maio 2019.

OS AUTORES

Ângela Maria Diehl
Psicóloga formada pela Universidade do Vale do Rio dos Sinos (Unisinos). Especialista em Psico-Oncologia pela Faculdade de Ciências Médicas de Minas Gerais/Fundação Educacional Lucas Machado (Feluma); especialista em Psicologia Hospitalar e Psicologia Clínica pelo Conselho Federal de Psicologia (CFP); possui capacitação profissional em Psicologia em Especialidades Médicas – Oncologia Adulto/Núcleo de Cuidados Paliativos pelo Hospital de Clínicas de Porto Alegre (HCPA); especialista em Psicoterapia de Orientação Psicanalítica pelo Instituto de Psicologia de Novo Hamburgo (Ipsi).

Camila da Costa Parentoni
Enfermeira formada pela Faculdade Estadual de Medicina de São José do Rio Preto (Famerp), especialista em Geriatria pela Faculdade de Ciências Médicas da Universidade Estadual de Campinas (Unicamp) e mestre em Saúde da Criança e do Adolescente pela mesma instituição. Atuou com onco-hematologia pediátrica no Centro de Investigações Hematológicas Dr. Domingos A. Boldrini (2010-2014). Master Practitioner em Programação Neurolinguística (PNL) e Hipnose Moderna pela Sociedade Brasileira de Programação Neurolinguística (SBPNL). Atualmente trabalha como enfermeira da Psicogeriatria no Instituto Bairral de Psiquiatria e como docente do curso de Graduação em enfermagem do Centro Universitário de Itapira (Uniesi). Cursa pós-graduação *lato sensu* em Psicologia Transpessoal pela Associação Luso-Brasileira de Transpessoal (Alubrat).

Carolina René Hoelzle
Biomédica e especialista em Psico-Oncologia pela Faculdade de Ciências Médicas de Minas Gerais/Fundação Educacional Lucas Machado (Feluma). Mestre em Bases Moleculares do Câncer pelo Instituto de Ensino e Pesquisa da Santa Casa de Belo Horizonte (IEP-SCBH). Doutoranda do IEP-SCBH e membro do Comitê Científico da Aura – Casa de Apoio à Criança e ao Adolescente com câncer de 2015 a 2019.

Carolina Seabra
Psicóloga pelo Centro de Ensino Superior de Juiz de Fora; mestre em Psicologia pela Universidade do Vale dos Sinos (Unisinos); especialista em Psico-Oncologia pela Faculdade de Ciências Médicas de Minas Gerais/Fundação Educacional Lucas Machado (Feluma); especialista em Psicologia Hospitalar pelo Conselho Federal de Psicologia (CFP); especialista em Psicologia Médica pela Universidade Federal de Juiz de Fora (UFJF); especializanda em Terapia Cognitivo-Comportamental pela Faculdade Unyleya; tutora nos cursos de especialização a distância em Psico-Oncologia e Cuidados Paliativos da Feluma.

Dáglia de Sena Costa
Psicóloga formada pela Pontifícia Universidade Católica de Minas Gerais (PUC-MG); especialista em Psicologia Hospitalar pelo Conselho Federal de Psicologia (CFP); especialista em Psico-Oncologia pela Faculdade de Ciências Médicas de Minas Gerais/Fundação Educacional Lucas Machado (Feluma). Atua como psicóloga hospitalar na Santa Casa de Miseri-

Débora Cristina dos Santos Lisboa

Psicóloga pela Universidade Estadual de Maringá (UEM); psicóloga clínica e hospitalar no Hospital Regional Público de Araguaína (TO); especialista em Metodologia do Ensino Superior com Ênfase em Psicopedagogia pela Faculdade de Ciências do Tocantins (Cestep); especialista em Psico-Oncologia pela Faculdade de Ciências Médicas de Minas Gerais/Fundação Educacional Lucas Machado (Feluma). Atualmente cursa Neuropsicologia no Instituto Brasileiro de Análise do Comportamento (Ibac).

Deolinda Fernandes Matos da Silva

Psicóloga com equivalência do curso de Psicologia pela Faculdade de Psicologia e de Ciências da Educação da Universidade de Coimbra/Portugal; especialista em Psicologia Clínica pelo Conselho Federal de Psicologia (CFP); especialista em Psico-Oncologia e em Cuidados Paliativos pela Faculdade de Ciências Médicas de Minas Gerais/Fundação Educacional Lucas Machado (Feluma). Membro da Sociedade Brasileira de Psico-Oncologia (SBPO).

Elisa Maria Perina

Psicóloga do Centro Integrado em Pesquisas Onco-Hematológicas da Infância (Cipoi) da Universidade Estadual de Campinas (Unicamp) e lotada no Centro Infantil Boldrini. Certificação em Psico-Oncologia pela Sociedade Brasileira de Psico-Oncologia (SBPO). Especialista em Arteterapia pela Escola de Extensão da Unicamp. Mestre em Psicologia Clínica pela Universidade de São Paulo (USP). Doutora em Saúde da Criança e do Adolescente pela Unicamp. Ex-coordenadora dos setores de Psicologia e Saúde Mental do Centro Infantil Boldrini. Coordenadora do Programa de Cuidados Paliativos da mesma instituição. Membro-fundador e coordenadora do Phoenix – Centro de Estudos e Aconselhamento em Psicologia da Saúde e Tanatologia e da Rede de Apoio a Perdas (Ir)Reparáveis (API). Coordenadora do Comitê de Psico-Oncologia Pediátrica da SBPO e da Sociedade Latino-Americana de Oncologia Pediá-

trica (Slaop). Presidente da SBPO no período 2006-2008 e membro do conselho consultivo desde 2008. Membro da International Psycho-Oncology Society (Ipos) e representante da SBPO na Confederação Internacional de Psico-Oncologia no período 2006-2008. Agraciada com o Prêmio Jimmie Holland pelo reconhecimento de sua dedicação à psico-oncologia.

Fernanda de Souza Fernandes

Psicóloga formada pela Universidade do Extremo Sul Catarinense (Unesc); formação em Psicoterapia Corporal Reichiana pelo Holon Espaço Dinâmico (MG); especialista em Psico-Oncologia pela Faculdade de Ciências Médicas de Minas Gerais/Fundação Educacional Lucas Machado (Feluma); especialista em Psicologia Hospitalar pelo Conselho Federal de Psicologia (CFP); mestre em Saúde Coletiva pela Unesc; especializanda em Cuidados Paliativos pela Unyleya; membro da Sociedade Brasileira de Psicologia Hospitalar (SBPH) e da Sociedade Brasileira de Psico-Oncologia (SBPO). Atua como psicóloga hospitalar e psico-oncologista. Professora nos cursos de graduação em Psicologia, Medicina, Farmácia e Nutrição e pós-graduação em Saúde da Unesc.

Frida A. Rumen

Psicóloga formada pela Universidade Federal do Rio de Janeiro (UFRJ); distinção de conhecimentos em Psico-Oncologia pela Sociedade Brasileira de Psico-Oncologia (SBPO); coordenadora do setor de Atendimento Psicossocial da Casa Ronald McDonald (2002-2008); membro da diretoria da SBPO (2008-2010); presidente da Comissão de Certificação da mesma instituição (2008-2010); tutora da disciplina "Intervenções em Psico-Oncologia", do curso de pós-graduação em Psico-Oncologia a distância pela Faculdade de Ciências Médicas de Minas Gerais/Fundação Educacional Lucas Machado (Feluma).

Gabrielle Dias Duarte

Psicóloga formada pela Universidade Estadual Paulista "Júlio de Mesquita Filho" (Unesp/Assis). Especialista em Psico-Oncologia pela Faculdade de Ciências Médicas de Minas Gerais/Fundação Educacional Lucas Machado (Feluma); especialista em Psicologia da Infância pelo Departamento de Pediatria da Universidade Federal de São Paulo (Unifesp). Psicóloga do Centro de Oncologia Bucal (COB) da Faculdade de Odontologia de Araçatuba (Unesp) e membro do Núcleo de Pesquisa em Psicossomática desse mesmo centro.

Gláucia Rezende Tavares
Psicóloga clínica e mestre em Ciências da Saúde pela Faculdade de Medicina da Universidade Federal de Minas Gerais (UFMG); presidente da Rede de Apoio a Perdas (Ir)Reparáveis (API); cocoordenadora do curso de especialização em Cuidados Paliativos pela Faculdade de Ciências Médicas de Minas Gerais/ Fundação Educacional Lucas Machado (Feluma); organizadora dos livros *Do luto à luta* e *E a vida continua...* Professora do curso de especialização em Psico-Oncologia da Feluma.

Jacks Soratto
Enfermeiro formado pela Universidade do Extremo Sul Catarinense (Unesc); especialista em Desenvolvimento Gerencial de Unidades de Saúde do SUS pela Escola de Saúde Pública de Santa Catarina (ESPSC); mestre em Enfermagem pela Universidade Federal do Rio Grande do Sul (UFRGS); doutor em Enfermagem pela Universidade Federal de Santa Catarina (UFSC); fez doutorado-sanduíche na Scientific Software Development GmbH, em Berlim, Alemanha. É professor nos programas de graduação e pós-graduação dos cursos de Saúde na Unesc.

Jussara Dal Ongaro
Psicóloga graduada pela Universidade Franciscana (UFN). Especialista em Psico-Oncologia pela Faculdade de Ciências Médicas de Minas Gerais/Fundação Educacional Lucas Machado (Feluma). Psicóloga da Clínica Oncocentro, em Santa Maria (RS).

Kamila Knakiewicz
Psicóloga graduada pela Universidade do Oeste de Santa Catarina (Unoesc), com especialização em Psicologia Hospitalar e da Saúde pela Faculdade Pequeno Príncipe. Especialista em Psico-Oncologia pela Faculdade de Ciências Médicas de Minas Gerais/ Fundação Educacional Lucas Machado (Feluma).

Karynne Prado
Enfermeira graduada pela Pontifícia Universidade Católica de Minas Gerais (PUC-MG); especialista em Psico-Oncologia pela Faculdade de Ciências Médicas de Minas Gerais/Fundação Educacional Lucas Machado (Feluma); mestranda em Biotecnologia e Gestão da Inovação pelo Centro Universitário de Sete Lagoas (Unifemm). Atuação na docência, em cursos presenciais e na tutoria da especialização em Cuidados Paliativos da Faculdade de Ciências Médicas de Minas Gerais/Fundação Educacional Lucas Machado (Feluma). Enfermeira na Fundação Antonio e Helena Zerrenner. Fundadora e coordenadora do Grupo Viver com Alma (abordagem da espiritualidade do paciente oncológico) em Belo Horizonte e Sete Lagoas (MG).

Keli Virginia Ebert
Graduada em Psicologia pela Universidade de Cuiabá (Unic); Especialista em Psico-Oncologia pela Faculdade de Ciências Médicas de Minas Gerais/ Fundação Educacional Lucas Machado (Feluma). Especialista em Psicanálise e em Psicologia Clínica pela Unic. Realizou curso de aperfeiçoamento em Psicanálise Hospitalar no Hospital Mater Dei (MG). Membro do Corpo Freudiano Escola de Psicanálise seção Cuiabá.

Leliany Taize de Assis Ladeia
Psicóloga e especialista em Psico-Oncologia pela Faculdade de Ciências Médicas de Minas Gerais/Fundação Educacional Lucas Machado (Feluma); mestre em Gestão de Serviços de Saúde pela Universidade Trás-os-Montes e Alto Douro (Utad-Portugal); psicóloga clínica e docente do Centro Universitário de Tecnologia e Ciências (UNIFTC).

Márcia de Carvalho Stephan
Psicóloga pela Pontifícia Universidade Católica do Rio de Janeiro (PUC-RJ); mestre em Psicologia pela Fundação Getúlio Vargas (RJ); doutora em Psicologia pela Vrije Universiteit Amsterdam; psico-oncologista certificada pela Sociedade Brasileira de Psico-Oncologia (SBPO); membro da Sociedade Brasileira de Mastologia (SBM) e da Sociedade Brasileira de Oncologia Clínica (Sboc); presidente da estadual RJ da SBPO

(2002-2018); docente do curso de especialização em Psico-Oncologia da Faculdade de Ciências Médicas de Minas Gerais/Fundação Educacional Lucas Machado (Feluma). Docente do curso de pós-graduação em Psico-Oncologia da PUC/RJ até 2018; coordenadora editorial e autora do livro *Diretrizes para atuação interdisciplinar em câncer de mama* (Revinter, 2013). Recebeu o Prêmio Jimmie Holland de reconhecimento pela divulgação da Psico-Oncologia no XII Congresso de Psico-Oncologia e IV Simpósio de Cuidados Paliativos em Oncologia 2013.

Maria da Glória C. Mameluque

Tem graduação em Enfermagem, Direito e Psicologia; especialista em Terapia Familiar pelo Holon Espaço Dinâmico (MG) em Psico-Oncologia pela Faculdade de Ciências Médicas de Minas Gerais/ Fundação Educacional Lucas Machado (Feluma); psicóloga voluntária no Centro de Orientação Familiar; fundadora e coordenadora da Associação de Parentes e Amigos de Pessoas com Alzheimer (Apaz), para familiares de portadores de Alzheimer e outras demências; coordenadora da Rede de Apoio a Perdas (Ir)Reparáveis (API); membro de várias Academias de Letras, tendo 20 livros publicados e artigos em antologias e coletâneas.

Maria Helena Pereira Franco

Psicóloga, mestre e doutora em Psicologia Clínica pelo Programa de Psicologia Clínica da Pontifícia Universidade Católica de São Paulo (PUC-SP). Pós-doutorado em Cuidados Paliativos pela Universidade de Londres. Professora titular do Programa de Estudos Pós-Graduados em Psicologia Clínica da PUC-SP. Fundadora e coordenadora do Laboratório de Estudos e Intervenções sobre o Luto (LELu) da PUC-SP. Membro-fundador da Sociedade Brasileira de Psico-Oncologia (SBPO), com certificado de distinção de conhecimento na área e agraciada com o Prêmio Jimmie Holland pelo reconhecimento de sua dedicação à Psico-Oncologia. Membro do Comitê de Psicologia da Academia Nacional de Cuidados Paliativos (ANCP), com vários livros e artigos na área da saúde, psico-oncologia, perdas, lutos e cuidados paliativos, entre outras.

Maria Jacinta Benites Gomes

Psicóloga com especialização em Psicologia Analítica, Psicossomática e Psico-Oncologia pelo Instituto Sedes Sapientiae. Foi diretora da Sociedade Brasileira de Psico-Oncologia (SBPO), nas gestões 2004, 2006 e 2010; vice-presidente da Regional São Paulo da Sociedade Brasileira de Psico-Oncologia (gestão 2008). Obteve o certificado de distinção de conhecimento na área de Psico-Oncologia conferido pela SBPO. Trabalha em consultório há 28 anos.

Marília A. de Freitas Aguiar

Psicóloga e mestre em Psicologia Clínica pela Pontifícia Universidade Católica de São Paulo (PUC-SP); doutora em Ciência da Saúde da Criança e do Adolescente pela Faculdade de Medicina da Universidade Federal de Minas Gerais (UFMG); coordenadora e docente da pós-graduação em Psico-Oncologia e cocoordenadora e docente da pós-graduação em Cuidados Paliativos da Faculdade de Ciências Médicas de Minas Gerais/Fundação Educacional Lucas Machado (Feluma), modalidade EaD. Certificação de distinção de conhecimento em Psico-Oncologia pela Sociedade Brasileira de Psico-Oncologia (SBPO); certificação de distinção de conhecimento em Psicologia da Saúde pela Associação Latino-Americana de Psicologia da Saúde (Alapsa); vice-presidente da SBPO (2008-2010) e presidente da Estadual Minas Gerais nas gestões 2006-2008 e 2010-2013; membro da Academia Nacional de Cuidados Paliativos (ANCP) e da Sociedade Brasileira de Psicologia Hospitalar (SBPH). Presidente do Conselho Científico da Casa Aura de 2015 a 2019 e membro do Comitê de Ética em Pesquisa do Hospital Felício Rocho (Belo Horizonte). Recebeu o Prêmio Jimmie Holland da SBPO como reconhecimento por sua dedicação à Psico-Oncologia.

Natália Barros Maia

Psicóloga pela Universidade Federal do Ceará (UFC) e especialista em Psico-Oncologia pela Faculdade de Ciências Médicas de Minas Gerais/Fundação Educacional Lucas Machado (Feluma); psicóloga responsável pela psico-oncologia do Hospital Regional Unimed-Fortaleza; docente colaboradora do Instituto Ciclo em Perdas e Luto (Fortaleza).

Nely Aparecida Guernelli Nucci

Psicóloga e psico-oncologista com certificação de conhecimento pela Sociedade Brasileira de Psico-Oncologia (SBPO); especialista em Psicologia Clínica e mestre em Psicologia pela Pontifícia Universidade Católica de Campinas (PUC-Campinas); doutora em Psicologia pela Universidade de São Paulo (USP); psicóloga concursada e aposentada na Secretaria de Saúde da Prefeitura Municipal de Campinas (SP), onde exerceu cargos assistenciais e de gestão. Implantou o serviço de Psicologia no Ambulatório de Oncologia do Hospital Municipal Dr. Mário Gatti. Realizou matriciamento e assistência psicológica em cuidados paliativos nos núcleos municipais do Serviço de Atendimento Domiciliar; docente e supervisora de estágios na área de Psicologia da Saúde na Faculdade de Psicologia da PUC-Campinas, onde também participou da Residência Multidisciplinar em Saúde como docente e tutora. É autora de livros e artigos nas áreas de saúde, psico-oncologia e cuidados paliativos.

Paula Azambuja Gomes

Psicóloga; especialista em Psico-Oncologia pela Faculdade de Ciências Médicas de Minas Gerais/Fundação Educacional Lucas Machado (Feluma); pós-graduada em Medicina Tradicional Chinesa pela Faculdade Católica de Anápolis; tem capacitação profissional em Psicologia em Especialidades Médicas – Oncologia Adulto/Núcleo de Cuidados Paliativos pelo Hospital de Clínicas de Porto Alegre (HCPA); foi residente multiprofissional de Psicologia do Programa de Residência Integrada em Saúde Multiprofissional com Ênfase em Adulto Crítico na mesma instituição; especialista em Psicologia Hospitalar pelo Conselho Federal de Psicologia (CFP); atua profissionalmente nas áreas hospitalar e clínica.

Paula Elias Ortolan

Psicóloga pela Universidade Metodista de Piracicaba (Unimep); mestre em Ciências Médicas – Saúde da Criança e do Adolescente pela Faculdade de Ciências Médicas da Universidade Estadual de Campinas (FCM/Unicamp); tem aprimoramento profissional e especialização em Psico-Oncologia pela mesma instituição; cursou extensão em Comportamento Suicida, Intervenções Psicoterapêuticas e Crise pela Escola de Extensão da Unicamp. Membro do Phoenix – Centro de Estudos e Aconselhamento em Psicologia da Saúde e Tanatologia e da Rede de Apoio a Perdas (Ir)Reparáveis (API).

Rafael Sebben

Psicólogo formado pela Universidade do Vale do Itajaí (Univali); especialista em Psico-Oncologia pela Faculdade de Ciências Médicas de Minas Gerais/Fundação Educacional Lucas Machado (Feluma); psicólogo clínico no Centro Médico São Camilo, em Itajaí, na Clínica de Neoplasias Litoral, na área de psico-oncologia, e integrante da equipe técnica do Programa Vida do Núcleo Assistencial Humberto de Campos, em Balneário Camboriú. *Master coach* pelo ICC Brasil Coaching. Atua no Conselho Municipal de Políticas Públicas sobre Drogas (Comad) em Balneário Camboriú. Integrante da Academia Real de Inteligência Espiritual.

Rafaela Mota Peixoto

Nutricionista e especialista em Psico-Oncologia pela Faculdade de Ciências Médicas de Minas Gerais/Fundação Educacional Lucas Machado (Feluma); facilitadora de *mindful eating* pelo Centro de Nutrição & Consciência e instrutora em formação internacional em *mindful eating* no método Eat for Life (Mindfulness Based Eating Solution (MBES). Cofundadora do "Canviver", grupo de convivência a pacientes com câncer e seus familiares. Atualmente, é nutricionista do Oncocentro Belo Horizonte.

Raissa M. Simões Youssef

Graduada em Psicologia pela Universidade Anhanguera (Uniderp); mestre em Psicologia da Saúde pela Universidade Católica Dom Bosco (UCDB); especialista em Gestalt-terapia pelo Instituto Müller-Granzotto (Florianópolis, SC); pós-graduada em Hipnose Clínica e Hospitalar pelo Instituto Brasileiro De Hipnose Aplicada (IBH); especialista em Psico-Oncologia pela Faculdade de Ciências Médicas de Minas Gerais/Fundação Educacional Lucas Machado (Feluma); responsável pelo setor de psicologia do Hospital de Câncer de Campo Grande Alfredo Abrão.

Raqueline Assunção

Graduada em Serviço Social pela Pontifícia Universidade Católica de Minas Gerais (PUC-MG); pós-graduada em Psico-Oncologia pela Faculdade de Ciências Médicas de Minas Gerais/Fundação Educacional Lucas Machado (Feluma); atua como assistente social na Casa de Apoio Aura em Belo Horizonte.

Regina Liberato

Psicóloga, psico-oncologista, especialista em cuidados paliativos e mestranda do Núcleo de Psicologia Clínica da Pontifícia Universidade Católica de São Paulo (PUC-SP); membro do conselho consultivo da Sociedade Brasileira de Psico-Oncologia (SBPO); diretora do Núcleo de Programas Multiprofissionais do Instituto Oncoguia; professora dos cursos de pós--graduação em Psico-Oncologia e em Cuidados Paliativos da Faculdade de Ciências Médicas de Minas Gerais/Fundação Educacional Lucas Machado (Feluma); autora de vários capítulos de livros sobre temas relativos às áreas citadas.

Ricardo Caponero

Médico, oncologista clínico, mestre em Oncologia Molecular, coordenador do Centro Avançado de Terapia de Suporte e Medicina Integrativa (Catsmi) do Hospital Alemão Oswaldo Cruz (HAOC).

Rita Miranda Coessens Guimarães

Psicóloga clínica, graduada em Psicologia da Saúde pelo Centro Universitário do Leste Mineiro (Unileste-MG). Especialista em Psico-Oncologia pela Faculdade de Ciências Médicas de Minas Gerais/Fundação Educacional Lucas Machado (Feluma). Psicóloga da Unidade de Oncologia e integrante da Equipe Interdisciplinar de Cuidados Paliativos do Hospital Márcio Cunha em Ipatinga (MG). Atua como psicóloga clínica em consultório particular na Vitallize Clínica Integrada, em Coronel Fabriciano (MG), com assistência e apoio psicológico para pessoas com câncer e seus familiares, cuidados paliativos e elaboração de luto. Criou o Grupo de Elaboração de Luto (GEL), pertencente à Instituição Se Toque – Casa de Apoio ao Paciente em Tratamento Oncológico, em Ipatinga (MG).

Roberta Alexandra Ulrich

Psicóloga com especialização em Psico-Oncologia pela Faculdade de Ciências Médicas de Minas Gerais/Fundação Educacional Lucas Machado (Feluma); especialista em Psicologia da Saúde e Hospitalar pela Fundação Universidade Regional de Blumenau (Furb/Hospital Santa Catarina de Blumenau). Psicóloga da Univita – Clínica de Estudos e Atendimento Integrado, onde atua com prática clínica em terapia cognitivo-comportamental com crianças, adolescentes e adultos, intervenções no contexto de morte e luto, oncologia e cuidados paliativos. Atua como psicóloga na área hospitalar e oncológica e como coordenadora do Comitê de Cuidados Paliativos do Hospital Santa Catarina de Blumenau.

Sabrina Costa Figueira

Psicóloga, psicoterapeuta clínica e especialista em Psico-Oncologia pela Faculdade de Ciências Médicas de Minas Gerais/Fundação Educacional Lucas Machado (Feluma). Tem formação clínica em Biossíntese, Terapia Familiar Sistêmica e Constelações Familiares. Atua com pacientes oncológicos no Hospital Jorge Valente, em Salvador (BA), e em consultório.

Sarah Fichera

Psicóloga pela Universidade de Fortaleza (Unifor) e pedagoga pela Universidade do Estadual do Ceará (Uece). Especialista em Psico-Oncologia pela Faculdade de Ciências Médicas de Minas Gerais/Fundação Educacional Lucas Machado (Feluma) e em Terapia Sexual e de Casal pelo Instituto Paulista de Sexualidade (Impasex). Membro da Sociedade Brasileira de Psico-Oncologia (SBPO), com distinção de conhecimento em Psico-Oncologia pela contribuição à área. Psicóloga do Instituto Fichera e em clínica de oncologia em Fortaleza (CE).

Sérgio Silvério da Conceição

Psicólogo formado pela Pontifícia Universidade Católica de Minas Gerais (PUC-MG) e especialista em Psico-Oncologia pela Faculdade de Ciências Médicas de Minas Gerais/Fundação Educacional Lucas Machado (Feluma). Atua na área de psicologia organizacional, com foco na sustentabilidade das relações no ambiente corporativo e no estudo e pesquisa sobre as mudanças impulsionadas pelas novas formas de laços sociais no contexto contemporâneo e as correlações com o adoecimento psíquico.

Simone de B. Mantuani

Psicóloga, especialista em Psico-Oncologia pela Faculdade de Ciências Médicas de Minas Gerais/Fundação Educacional Lucas Machado (Feluma) e em Psicologia da Saúde e Hospitalar pela Faculdade Pequeno Príncipe (Curitiba, PR). Psicóloga na Corb Clínica de Radioterapia, professora do departamento de Psicologia da Faculdade Metropolitana de Blumenau (Uniasselvi/Fameblu) e do departamento de Psicologia da Faculdade Metropolitana de Guaramirim (Uniasselvi/Fameg). Coordenadora e posteriormente vice-coordenadora do Serviço de Cuidados Paliativos Adulto e Controle da Dor do Hospital Santo Antonio (HSA-Blumenau).

Thayane Baroni Souza

Psicóloga pela Universidade José do Rosário Vellano (Unifenas). Especialista em Psico-Oncologia pela Faculdade de Ciências Médicas de Minas Gerais/Fundação Educacional Lucas Machado (Feluma). Pós-graduanda em Terapia Cognitivo-Comportamental pelo Núcleo de Estudos Interdisciplinares da Saúde Mental (Neisme). Psicóloga na Associação do Voluntariado de Varginha Vida Viva.

Valdemilson Cristiano Gonçalves

Psicólogo formado pela Pontifícia Universidade Católica de Minas Gerais (PUC-MG), especialista em Psico-Oncologia pela Faculdade de Ciências Médicas de Minas Gerais/Fundação Educacional Lucas Machado (Feluma). Filósofo pelo Instituto Paulista São José, atuou como professor no estado de Minas Gerais e como psicólogo clínico no Programa Saúde da Família na cidade de Pimenta. Atualmente, é psico-oncologista na Amparo – Associação de Amparo aos Portadores de Câncer de Piumhi e Região, dando suporte na área de psicologia em vários setores da sociedade, como órgãos públicos e Santas Casas de Misericórdia.

www.gruposummus.com.br

IMPRESSO NA GRÁFICA sumago
sumago gráfica editorial ltda
rua itauna, 789   vila maria
02111-031   são paulo   sp
tel e fax 11 **2955 5636**
sumago@sumago.com.br